2ᵉ édition

LE
FRANÇAIS
APPRIVOISÉ

SYLVIE CLAMAGERAN
ISABELLE CLERC
MONIQUE GRENIÈR
RENÉE-LISE ROY

MODULO – GRIFFON

Nous reconnaissons l'aide financière du gouvernement du Canada par l'entremise du Programme d'Aide au Développement de l'Industrie de l'Édition (PADIÉ) pour nos activités d'édition.

Catalogage avant publication de la Bibliothèque nationale du Canada

Vedette principale au titre :

Le français apprivoisé

2e éd.

Comprend des réf. bibliogr. et un index.
ISBN 2-89443-220-8

1. Français (Langue) - Grammaire. 2. Français (Langue) - Autoenseignement.
3. Français (Langue) - Syntaxe. 4. Français (Langue) - Français écrit. 5. Français (Langue) - Grammaire - Problèmes et exercices. I. Clamageran, Sylvie.

PC2112.L693 2004   448.2   C2004-941237-X

Équipe de production

Éditeur : Sylvain Garneau
Chargées de projet : Dominique Lefort, Dolène Schmidt
Révision linguistique : Dolène Schmidt
Correction d'épreuves : Monique Tanguay, Marie Théorêt
Typographie et montage : Alphatek
Maquette : Marguerite Gouin
Couverture : Jacinthe Tétrault, *Suite bleue, Phase évolutive 1*, monotype, 2003

Le français apprivoisé, 2e édition
© Modulo-Griffon, 2004
233, avenue Dunbar
Mont-Royal (Québec)
Canada H3P 2H4
Téléphone : 514 738-9818 / 1 888 738-9818
Télécopieur : 514 738-5838 / 1 888 273-5247
Site Internet : www.groupemodulo.com

Dépôt légal – Bibliothèque nationale du Québec, 2004
Bibliothèque nationale du Canada, 2004
ISBN 978-2-89443-220-4

Imprimé au Canada
8 9   12 11 10

REMERCIEMENTS

Nos remerciements vont tout particulièrement à René Lesage, professeur retraité du Département de langues, linguistique et traduction de l'Université Laval, qui a partagé avec nous sa riche expérience en révision linguistique et qui a bien voulu être le premier lecteur du manuscrit. Son regard critique a permis de préciser et de clarifier de nombreuses questions. Nos remerciements vont également à Claude Verreault, professeur titulaire rattaché au même département, qui a accepté de commenter la partie consacrée au vocabulaire.

Nous voulons par ailleurs exprimer notre gratitude aux chargés de cours en français langue maternelle rattachés à l'École de langues, qui nous ont fait part de leurs commentaires. Notre reconnaissance va plus particulièrement à Céline Hudon, Caroline Marcoux et Richard Vachon, qui ont accepté d'utiliser l'édition provisoire du manuel en classe pour évaluer ce qui posait problème aux étudiants. Leurs remarques ont été déterminantes pour l'édition finale du manuscrit. Merci enfin à tous les étudiants dont les échos nous ont donné le goût de poursuivre l'aventure du *Français apprivoisé*.

Les auteures

AVANT-PROPOS

Selon votre âge ou l'année où vous avez commencé à fréquenter une école secondaire, votre apprentissage de la grammaire française a pu se faire selon deux méthodes assez différentes, soit la grammaire « traditionnelle », soit la « nouvelle » grammaire.

Au Québec, l'enseignement du fonctionnement de la langue qui s'appuie sur la nouvelle grammaire a été implanté dans la plupart des établissements d'enseignement secondaire à partir de 1995. Dès l'automne 2003, les collèges et universités ont dû revoir en profondeur leur enseignement du français et modifier leur matériel pédagogique pour permettre aux étudiants nouvellement admis de poursuivre leur apprentissage de la langue.

Quelles sont les différences principales entre ces deux grammaires ? Disons d'abord que la nouvelle grammaire n'est pas aussi nouvelle qu'on le laisse entendre. Elle est issue des recherches réalisées ces dernières décennies dans le domaine de la linguistique descriptive. Cela fait donc plus de 25 ans qu'elle existe et qu'elle évolue. Contrairement à la grammaire traditionnelle, qui s'appuie avant tout sur des critères sémantiques, la nouvelle grammaire est fondée sur des critères syntaxiques. C'est à partir, par exemple, de « manipulations » comme la substitution, l'effacement ou le déplacement de mots et de groupes de mots qu'elle permet de dégager les propriétés des différentes classes de mots, de reconnaître les fonctions syntaxiques et d'analyser la structure des phrases. Une fois qu'on se sera approprié sa terminologie, on verra que le caractère systématique de la nouvelle grammaire facilite la compréhension et l'analyse de la phrase et de ses constituants.

En présentant la nouvelle grammaire, nous avons tenté de ne jamais oublier ceux et celles qui l'abordent pour la première fois et nous avons fait référence aux notions traditionnellement utilisées lorsque cela permettait d'en faciliter la compréhension. Grâce aux exercices multiples marqués par une gradation dans la difficulté et auxquels renvoient des corrigés la plupart du temps commentés, les étudiants pourront aussi revoir les notions fondamentales du français selon leur rythme et leurs difficultés propres.

Enfin, ce manuel a été conçu pour être complété par le nouveau *Multidictionnaire des difficultés de la langue française* de Marie-Éva de Villers, réédité en août 2003 par Québec Amérique. Nous avons ainsi voulu éviter de reproduire le recensement de particularités orthographiques et morphologiques qui sont déjà clairement illustrées dans cet ouvrage de référence, préférant faire porter nos efforts sur la présentation et l'explication de règles.

TABLE DES MATIÈRES

Explication des symboles

*   Indique une formulation fautive ou une construction asyntaxique.

→   Signifie « se corrige par » ou « se transforme en ».

Ø   Indique un effacement.

LA SYNTAXE

Chapitre 1

LA PHRASE

1.1 LA PHRASE (P)

Dans la grammaire traditionnelle, on définit la phrase comme un ensemble de mots qui forme, du point de vue du sens, un énoncé complet commençant par une lettre majuscule et se terminant par un point. Or, le critère de la « complétude » n'est pas toujours pertinent. En effet, une phrase, même si elle est bien construite, n'est pas nécessairement complète quant aux informations qu'elle livre. À l'inverse, un simple mot, par exemple *Non!*, peut être un énoncé complet au point de vue du sens. Il ne peut cependant servir de modèle pour illustrer la phrase française.

Dans la nouvelle grammaire, la définition de la phrase, notée P, se fonde sur la reconnaissance de constituants obligatoires et facultatifs. Ces constituants sont composés de groupes de mots qui ont pour centre un noyau, qui peut être complété ou non par d'autres groupes de mots.

Les constituants de la phrase

La formulation d'une phrase implique nécessairement

– que l'on parle de quelque chose ou de quelqu'un, c'est le **sujet** de la phrase ;
– que l'on dise quelque chose à propos de ce sujet, c'est le **prédicat** de la phrase.

Sujet	Prédicat
Mon groupe préféré	*se produira à Québec.*

Dans l'énoncé ci-dessus, on parle de *mon groupe préféré*, le sujet de la phrase, et on en dit quelque chose, à savoir qu'il *se produira à Québec*, ce qui constitue le prédicat de la phrase.

Une phrase est donc formée de deux constituants **obligatoires** : le **sujet** et le **prédicat**. On ne peut les supprimer ni les déplacer.

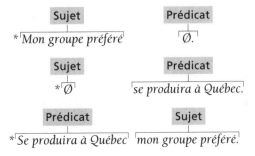

La phrase peut également s'enrichir d'un constituant **facultatif** qui précise les circonstances de ce qui est énoncé dans la phrase, c'est le **complément de phrase**. Celui-ci peut être supprimé ou déplacé sans que cela nuise à la bonne formation de la phrase.

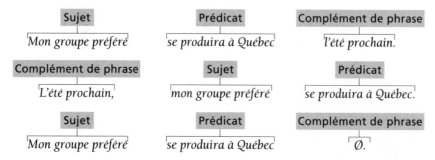

Sujet	Prédicat	Complément de phrase
Mon groupe préféré	*se produira à Québec*	*l'été prochain.*

Complément de phrase	Sujet	Prédicat
L'été prochain,	*mon groupe préféré*	*se produira à Québec.*

Sujet	Prédicat	Complément de phrase
Mon groupe préféré	*se produira à Québec*	*Ø.*

Pour reconnaître le sujet, le prédicat et le complément de phrase, on doit faire appel à des critères sémantiques. Or, la nouvelle grammaire repose d'abord sur des critères syntaxiques.

En fait, la phrase se construit un peu à l'image des poupées russes. Ainsi, à l'intérieur des groupes de mots qui ont la fonction sujet, prédicat et complément de phrase, d'autres relations s'établissent encore. Ces fonctions seront vues plus loin sous la rubrique de chacun des groupes de mots.

La représentation d'une phrase

La représentation d'une phrase (P) sera basée non seulement sur la fonction de ses constituants, mais également sur la nature des groupes de mots qui peuvent remplir ces fonctions.

Ainsi, la fonction sujet étant généralement rendue par un groupe du nom, le premier constituant obligatoire, le sujet, sera représenté le plus souvent par **GN**, c'est-à-dire **groupe nominal**. Un pronom qui tient lieu d'un GN, un groupe infinitif (GInf) ou une subordonnée (Sub.) peuvent aussi remplir la fonction de sujet.

Donc, **Sujet = GN**, ou **pronom**, ou plus rarement **GInf** ou **Sub**.

La fonction prédicat étant toujours rendue par un groupe du verbe (avec ou sans compléments), le prédicat sera représenté par **GV**, c'est-à-dire **groupe verbal**.

Donc, **Prédicat = GV**.

Le complément de phrase peut être rendu par différents groupes de mots, soit un groupe nominal (GN), un groupe prépositionnel (GPrép), un groupe adverbial (GAdv) ou une subordonnée (Sub.).

Donc, **Complément de phrase = GN**, ou **GPrép**, ou **GAdv** ou **Sub**.

Voici une représentation schématique d'une phrase P :

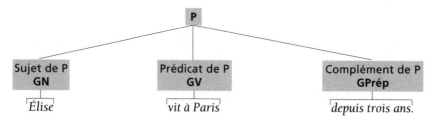

Élise vit à Paris depuis trois ans.

	P	
Sujet de P **GN**	Prédicat de P **GV**	Complément de P **GPrép**
Élise	*vit à Paris*	*depuis trois ans.*

Toutes les phrases françaises peuvent être ramenées à ce modèle de la phrase P, sauf quelques constructions particulières dont nous parlerons plus loin.

EXERCICE 1.1

Donnez la fonction des constituants des phrases suivantes et séparez-les par une barre oblique.

EXEMPLE

Compl. de P Sujet Prédicat

Demain, / Anita / achètera des fleurs.

1 Nous avons passé toutes nos vacances au Bic.

2 L'été prochain, nous nous rendrons jusqu'en Gaspésie.

3 Deux kayakistes expérimentés bravaient le fleuve démonté.

4 La nuit prochaine, le ciel sera dégagé.

5 Nous en profiterons pour observer les perséides.

6 Nelly, Nancy et Nicolas ont descendu la rivière des Français en canot.

7 Éric et moi préparerons le feu.

8 Pendant ce temps, Dany et Louis monteront la tente.

9 L'eau est glaciale.

10 Nous avons bien profité de nos vacances cette année.

La phrase de base

Nous avons défini la phrase en fonction des rapports s'établissant entre ses constituants. Différents traits linguistiques affectent aussi la phrase dans sa globalité et ont une incidence sur sa construction, déterminant le type et les formes de la phrase. (Voir le tableau « Phrase, types et formes de la » dans le *Multi*.)

Les grammaires modernes s'entendent pour dire que la **phrase de base** française est une phrase qui n'est affectée d'aucun trait particulier. Elle est de type déclaratif, en ce sens que son rôle essentiel est de communiquer, sans plus, un fait, une information, une opinion, une idée. En outre, elle est affirmative, neutre, construite autour d'un verbe non impersonnel à la forme active. Elle ne comporte aucune caractéristique susceptible de lui donner un relief particulier :

> *Le chien de la voisine a attaqué ton chat.*
>
> (phrase déclarative, positive, neutre, active et personnelle)

1.2   LES TYPES DE PHRASES

La structure d'une phrase varie selon l'intention de communication ; c'est ce qui permet de distinguer différents **types** de phrases. Les types de phrases sont exclusifs les uns des autres. Toutes les phrases n'appartiennent donc qu'à l'un ou l'autre de ces types. Il y a quatre types, dont le type déclaratif, qui est celui de la phrase de base. Les autres types sont déterminés à partir de ce qui les distingue du type déclaratif.

Le type déclaratif

La phrase déclarative, on l'a vu, sert à énoncer une idée, à communiquer une information. Elle se termine par un point.

> *Les astéroïdes sont des résidus de la formation du système solaire.*
>
> *Le comité de sélection a retenu sa candidature.*

Le type impératif (ou injonctif)

La phrase impérative sert à formuler une exigence, un ordre, une consigne ou une incitation. Dans une phrase de ce type, le verbe est au mode impératif ; le type impératif est donc marqué par l'effacement du sujet (dont la présence serait obligatoire dans la phrase de base). La phrase impérative se termine par un point ou par un point d'exclamation.

> ***Venez*** *me voir demain matin.*
>
> ***Sortez*** *d'ici !*

> On utilise aussi parfois le mode infinitif pour formuler une consigne, une directive. C'est ce qu'on peut observer, par exemple, dans nombre de recettes.
>
> > ***Laisser*** *mijoter à découvert.* ***Saler*** *au goût.*
> >
> > ***Incorporer*** *les ingrédients secs au mélange.*

Le type interrogatif

La phrase interrogative sert à poser une question. Elle se caractérise par l'inversion du sujet, la présence de mots interrogatifs, ou les deux. Elle se termine par un point d'interrogation.

> *As-**tu** donné à manger au chat ?*
>
> ***Est-ce que*** *vous serez présents ?*
>
> ***Pourquoi*** *refuserions-**nous** de collaborer ?*

L'interrogation totale

L'interrogation est **totale** si elle porte sur toute la phrase ; la réponse à la question peut alors se résumer à *oui* ou *non*.

> *As-tu vu tous les épisodes de cette série télévisée ?* ***Oui****. (ou* ***Non****.)*

Les procédés de l'interrogation totale sont :

a) Le recours à la locution interrogative *Est-ce que*

> **Est-ce que** *tu viens ?*
>
> **Est-ce que** *le temps va s'améliorer ?*

b) L'inversion du sujet

On dit que l'inversion du sujet est **simple** quand le sujet est déplacé après le verbe, ce qui n'est toutefois possible que si le sujet est un pronom personnel.

> *Pensez-***vous** *que ce film en vaut la peine ?*
>
> *Peut-***on** *espérer qu'un vaccin viendra un jour enrayer cette terrible maladie ?*

Lorsque le sujet est un GN ou un pronom autre que personnel, on a recours à l'inversion **complexe** : le sujet, qui est alors un nom ou un pronom, demeure à sa place devant le verbe et est repris par un pronom placé après ce dernier.

> **Les chercheurs** *arriveront-***ils** *un jour à trouver un vaccin ?*
>
> **Quelqu'un** *a-t-***il** *déjà suivi le même itinéraire ?*

Il est courant, dans la langue orale, de ne marquer l'interrogation totale qu'au moyen de l'intonation, sans modifier l'ordre des mots dans la phrase. L'interrogation totale n'entraîne alors aucune modification de structure de la phrase déclarative. À l'écrit, seul le point d'interrogation à la fin de la phrase indique que la phrase sert à poser une question.

> *Tu viens ?*
>
> *Le souper est prêt ?*

Ce dernier procédé est non recommandable à l'écrit, du moins dans le registre soutenu.

L'interrogation partielle

Quand l'interrogation porte sur une partie seulement de la phrase, c'est-à-dire sur un élément, un constituant de la phrase, on la dit **partielle**. On ne peut pas répondre à une interrogation partielle simplement par *oui* ou *non*.

> *Quand reviendra-t-il ?* **Dans dix minutes**.
>
> *Qui donc a téléphoné ?* **Un de mes amis**.

Les procédés de l'interrogation partielle sont :

a) L'emploi d'un adverbe ou d'un pronom interrogatif

Lorsque l'interrogation partielle porte sur le sujet, elle peut être formulée à l'aide d'un mot interrogatif, qui peut être un adverbe ou un pronom (voir les tableaux « Adverbe » et « Interrogatif, pronom » dans le *Multi*) :

> **Combien** *d'étudiants sont venus ?*
>
> **Qui** *peut répondre à cette question ?*

b) L'inversion du sujet

Lorsque l'interrogation partielle ne porte pas sur le sujet, elle est marquée par l'emploi d'un adverbe ou d'un pronom interrogatif et également par l'inversion du sujet, simple ou complexe :

> **Pourquoi** *refuses-***tu** *son offre ?*
>
> **Que** *feront* **les enfants** *pendant ce temps ?*

Quand la régie commencera-t-elle la campagne de vaccination ?

Comment le gouvernement réagira-t-il aux pressions des syndicats ?

Cependant, dans certaines structures, notamment en présence de certains mots interrogatifs, l'inversion simple n'est pas toujours acceptable lorsque le sujet est un GN.

Ainsi, on ne peut pas écrire

* Pourquoi partent ses amis ?

Quand l'inversion simple n'est pas acceptable, il faut faire une inversion complexe :

Pourquoi ses amis partent-ils ?

De même, lorsque le sujet est un GN et que le verbe a un **complément direct**, on doit recourir à l'inversion complexe :

* Comment acceptera le gouvernement les demandes des syndicats ?

→ Comment le gouvernement acceptera-t-il les demandes des syndicats ?

> Dans la langue parlée familière, il n'y a pas nécessairement inversion du verbe et du sujet, et le mot interrogatif apparaît alors à la fin de la phrase.
>
> *Tu pars quand ?*
>
> *Vous partez avec qui ?*
>
> *Vous allez où ?*

c) L'emploi de la locution interrogative *est-ce que*, ou de ses dérivés, combinée à un mot interrogatif

Où est-ce que tu vas ?

Qu'est-ce qui fait courir les foules ?

Le type exclamatif (ou interjectif)

La phrase exclamative sert à exprimer l'intensité d'une réaction, d'un sentiment. C'est la présence d'un mot exclamatif ainsi que d'un point d'exclamation à la fin de la phrase qui caractérise le type exclamatif, aussi appelé interjectif.

Que c'est beau ici !

Comme elle chante bien !

1.3 LES FORMES DE PHRASES

Il existe huit **formes** de phrases qui peuvent être groupées par paires. Dans chacune de ces paires, une forme est marquée et l'autre est non marquée. La phrase de base possède les quatre formes non marquées : affirmative, neutre, active et personnelle.

Certains considèrent la phrase *restrictive*, qu'on oppose à la phrase *non restrictive*, comme une forme de phrase. En effet, on pourrait concevoir la phrase restrictive comme le résultat de la transformation d'une phrase de base, à laquelle on a ajouté *ne... que* ou *seulement*.

> *Mélissa a 16 ans.* (phrase déclarative, forme non restrictive)
>
> *Mélissa **n'a que** 16 ans.* (phrase déclarative, forme restrictive)
>
> *Mélissa a **seulement** 16 ans.* (phrase déclarative, forme restrictive)

La phrase affirmative et la phrase négative

La forme **affirmative** s'oppose à la forme **négative**. On reconnaît la forme négative à la présence d'une locution adverbiale de négation (*ne... pas, ne... jamais, ne... rien*, etc.).

> *Mes amis m'ont invité à leur chalet.* (phrase déclarative, forme affirmative)
>
> *Mes amis **ne** m'ont **pas** invité à leur chalet.* (phrase déclarative, forme négative)

La phrase neutre et la phrase emphatique

La forme **neutre** s'oppose à la forme **emphatique**, qui comprend des marques de *mise en relief*. La mise en relief est très fréquente, particulièrement dans la langue parlée. On peut mettre en relief un élément de la phrase (généralement le sujet ou un complément) en utilisant l'un ou l'autre des procédés suivants : reprise au moyen d'un pronom, déplacement d'un mot ou d'un groupe de mots en tête de phrase, encadrement à l'aide de *c'est... qui* ou *c'est... que*.

> *Nous avons eu accès aux documents.* (forme neutre)
>
> ***Les documents**, nous **y** avons eu accès.* (forme emphatique)
>
> Procédé utilisé : déplacement du CI en tête de phrase et reprise au moyen d'un pronom.

> *J'ai utilisé ce document.* (forme neutre)
>
> ***C'est** ce document **que** j'ai utilisé.* (forme emphatique)
>
> Procédé utilisé : déplacement et encadrement du CD à l'aide de *c'est... que*.

> *Une panne d'essence a mis fin à la poursuite.* (forme neutre)
>
> ***C'est** une panne d'essence **qui** a mis fin à la poursuite.* (forme emphatique)
>
> Procédé utilisé : encadrement du sujet à l'aide de *c'est... qui*.

La phrase active et la phrase passive

La forme **active** s'oppose à la forme **passive**. On reconnaît la forme passive à la présence d'un verbe à la forme passive. On se rappellera que, dans la phrase passive, le verbe employé est le verbe *être* conjugué au temps de la phrase active correspondante, suivi du participe passé du verbe de la phrase active. Le complément, s'il est exprimé, est précédé de la préposition *par* ou, plus rarement, de la préposition *de*.

> *On a pris toutes les mesures nécessaires.* (type déclaratif, forme active)
>
> *Toutes les mesures nécessaires **ont été prises**.* (type déclaratif, forme passive)

> *La direction approuve vos propositions.* (type déclaratif, forme active)
>
> *Vos propositions **sont approuvées par** la direction.* (type déclaratif, forme passive)

On se rappellera également que seuls les verbes transitifs directs, c'est-à-dire ceux qui se construisent avec un complément direct, peuvent subir une transformation de la forme active à la forme passive. On évitera de faire un emploi erroné de la forme passive comme c'est le cas dans les phrases suivantes :

> *Avez-vous été répondu ?*

> *Sa question a été répondue.*

La phrase personnelle et la phrase impersonnelle

La forme **personnelle** s'oppose à la forme **impersonnelle**. On reconnaîtra la forme impersonnelle à la présence du pronom impersonnel sujet *il*. On appelle ce pronom « impersonnel » parce qu'il ne représente rien ni personne ; il n'a pas de référent.

> *Une pluie fine tombe depuis ce matin.* (type déclaratif, forme personnelle)

> *Il tombe une pluie fine depuis ce matin.* (type déclaratif, forme impersonnelle)

Certaines phrases impersonnelles ne sont pas issues d'une phrase personnelle :

> *Il a neigé toute la journée.*

Il n'y a pas de phrase personnelle correspondant à la phrase ci-dessus, car le verbe *neiger* est un verbe impersonnel : il est toujours employé avec le pronom *il* impersonnel.

> Une phrase peut subir une ou plusieurs transformations de formes :
>
> > *Une plainte n'a-t-elle pas été déposée par le comité ?*
> >
> > (type interrogatif, formes **négative**, neutre, personnelle et **passive**)

1.4 LES CONSTRUCTIONS PARTICULIÈRES

Il existe certaines constructions de phrases particulières non conformes au modèle de base, et qui n'ont pu être obtenues par transformation de type ou de forme.

a) Les constructions commençant par les locutions *voici*, *voilà*, *c'est* et *il y a* sont ce qu'on appelle des **phrases à présentatif** :

> *Voici enfin le rapport tant attendu.*

> *C'est le temps de penser à son jardin.*

> *Il y a de nombreuses erreurs dans ce texte.*

b) Les énoncés qui ne comportent pas de verbe conjugué, donc pas de GV, mais qui contiennent un groupe infinitif (GInf) ou un groupe nominal (GN), et dont le sens est clair et complet :

> *Défense de fumer.*

> *Marcher pieds nus sur la plage, dans le sable chaud… quel bonheur !*

EXERCICE 1.2

Donnez le type et les formes des phrases suivantes.

1 La date de l'examen sera bientôt fixée.

Type : _____

Formes : _____

2 Pèse bien tous tes mots.

Type : _____

Formes : _____

3 C'est à lui qu'il revient de trouver une solution.

Type : _____

Formes : _____

4 C'est dans la chanson que les Québécois donnent le meilleur d'eux-mêmes.

Type : _____

Formes : _____

5 Vos affaires, vous en occupez-vous ?

Type : _____

Formes : _____

6 Ne parlez à personne de cette triste affaire.

Type : _____

Formes : _____

7 Lui, n'est-il pas inquiet de son sort ?

Type : _____

Formes : _____

8 Ce n'est pas par hasard qu'il est arrivé en retard.

Type : _____

Formes : _____

9 Qu'il n'est donc pas facile de trouver une gardienne à la dernière minute !

Type : _____

Formes : _____

10 Cette montre a été fabriquée par des artisans suisses.

Type : _____

Formes : _____

EXERCICE 1.3

Transformez les phrases suivantes, qui sont toutes de type déclaratif et de formes neutre, active, personnelle et affirmative, selon les indications entre les parenthèses.

1 Une société régie par le gouvernement se chargera des travaux. (forme emphatique)

2 Une simple annonce dans un journal suffira. (type interrogatif, forme impersonnelle)

3 Vous vous attendez à un bon résultat. (type impératif, forme négative)

4 On a constaté une augmentation alarmante du nombre d'enfants obèses. (forme passive)

5 Une injection massive de capitaux les aiderait dans leurs efforts de relance. (type interrogatif, forme négative)

6 La méthode découle d'un croisement de techniques. (type interrogatif, forme emphatique)

7 Ce dispositif transforme la lumière en énergie électrique. (type interrogatif, formes négative et passive)

8 Les professeurs ont accordé un délai aux retardataires. (type interrogatif, forme passive)

9 Une équipe d'agronomes a mis sur pied une association professionnelle l'an dernier. (formes passive et emphatique)

10 On sort difficilement de la ville aux heures de pointe. (type exclamatif, forme impersonnelle)

1.5 LES GROUPES DE MOTS

Un **groupe de mots** est un ensemble de mots structuré autour d'un **noyau**. Le noyau peut être le seul mot du groupe ou être complété par d'autres éléments, appelés **expansions**.

Le **noyau** d'un groupe de mots ne peut pas être supprimé. C'est le mot qui donne au groupe son nom.

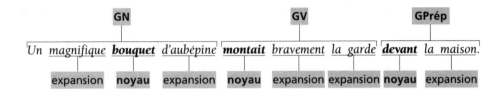

Dans la phrase ci-dessus, le groupe *Un magnifique bouquet d'aubépine* a comme noyau le **nom** *bouquet* et constitue ainsi un **groupe nominal** (GN). Le groupe *montait bravement la garde* a comme noyau le **verbe** *montait*, ce qui en fait un **groupe verbal** (GV). Le groupe *devant la maison* a comme noyau la **préposition** *devant*, c'est donc un **groupe prépositionnel** (GPrép).

Par ailleurs, on remarque que dans le GN *Un magnifique bouquet d'aubépine*, le déterminant *Un* n'est pas une expansion. En effet, dans un groupe du nom, le déterminant n'est jamais une expansion du noyau. Le déterminant introduit le noyau, il ne le complète pas.

Un groupe de mots n'est pas un énoncé complet, c'est-à-dire une suite de mots autonome, tant du point de vue du sens que du point de vue de la syntaxe ; il fait nécessairement partie d'un ensemble plus grand, qui peut être un autre groupe de mots qui s'insère à son tour dans une phrase. Par exemple, dans la phrase

Un magnifique bouquet d'aubépine montait bravement la garde devant la maison.

– le GPrép *d'aubépine* fait partie de l'ensemble plus grand qu'est le GN *Un magnifique bouquet d'aubépine* ;

– le GN *Un magnifique bouquet d'aubépine* est contenu dans l'ensemble complet qu'est la phrase.

Les différents groupes de mots sont :

– le groupe nominal (GN), qui a pour noyau un nom ;

– le groupe verbal (GV), qui a pour noyau un verbe conjugué ;

– le groupe adjectival (GAdj), qui a pour noyau un adjectif ;

– le groupe prépositionnel (GPrép), qui a pour noyau une préposition ;

– le groupe adverbial (GAdv), qui a pour noyau un adverbe ;

– le groupe infinitif (GInf), qui a pour noyau un verbe à l'infinitif ;

– le groupe participe (GPart), qui a pour noyau un participe présent.

Dégageons, dans la phrase suivante, les principaux groupes de mots :

Un magnifique bouquet d'aubépine montait bravement la garde devant la maison.

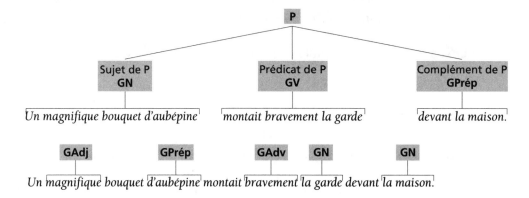

Groupe de mots	Noyau	Expansion
Un magnifique bouquet d'aubépine (GN)	bouquet	magnifique d'aubépine
magnifique (GAdj)	magnifique	(sans expansion)
d'aubépine (GPrép)	d' (de)	aubépine
aubépine (GN)	aubépine	(sans expansion)
montait bravement la garde (GV)	montait	la garde bravement
bravement (GAdv)	bravement	(sans expansion)
la garde (GN)	garde	(sans expansion)
devant la maison (GPrép)	devant	la maison
la maison (GN)	maison	(sans expansion)

EXERCICE 1.4

Même si nous n'avons pas encore étudié les groupes de mots, tentez de reconnaître de façon intuitive les noyaux et leurs expansions, s'il y a lieu, dans les groupes de mots de la phrase suivante :

La réforme de l'éducation soulève encore des débats passionnés.

Groupe de mots	Noyau	Expansion
La réforme de l'éducation (GN)		
de l'éducation (GPrép)		
l'éducation (GN)		
soulève encore des débats passionnés (GV)		
encore (GAdv)		
des débats passionnés (GN)		
passionnés (GAdj)		

Le groupe nominal (GN)

Le noyau du GN

Le noyau du GN peut être

a) un **nom commun**, généralement accompagné d'un déterminant (*le*, *un*, *son*, *cet*, etc.) :

On reviendra │la **semaine** prochaine│.

│Son **hésitation**│ m'étonne.

│**Chatons**│ à donner.

b) un **nom propre**, généralement sans déterminant :

Je l'ai appelé │**Félix**│.

Voir │**Naples**│ et mourir.

Mon groupe préféré arrive bientôt à │**Québec**│ !

> Dans la nouvelle grammaire, la notion de groupe de mots n'implique pas qu'il y ait plus d'un mot dans un groupe. Par exemple, le nom *Québec* forme à lui seul un GN.

Le **nom** est un mot qui sert à désigner des réalités (un être animé, un lieu, une chose, un concept) et à les distinguer les unes des autres. Sur le plan du sens, il existe plusieurs catégories de noms (abstraits, concrets, animés, inanimés, etc.). Sur le plan grammatical, le nom est un donneur de genre et de nombre. C'est lui qui impose l'accord en genre et en nombre dans le groupe du nom.

Pour connaître les caractéristiques sémantiques du nom, voir le tableau « Nom » dans le *Multi*. Pour connaître ses caractéristiques morphologiques (la variation de son orthographe selon qu'il est singulier ou pluriel), voir le tableau « Pluriel des noms » dans le *Multi* et le chapitre 5. Pour connaître ses caractéristiques syntaxiques, voir « Les accords dans le GN » au chapitre 6.

Le déterminant

Le **déterminant** est un mot qui précède le nom et qui sert à le préciser sous différents aspects : la singularité ou la généralité, la quantité, l'appartenance, l'insistance, etc.

Un homme t'attend devant la porte.

Deux hommes t'attendent devant la porte.

L'homme t'attend devant la porte.

Ton homme t'attend devant la porte.

Cet homme t'attend depuis une heure.

Quel homme m'attend devant la porte ?

Aucun homme ne m'attend devant la porte.

Pour connaître les caractéristiques sémantiques, morphologiques et syntaxiques du déterminant, voir le tableau « Déterminant » dans le *Multi*.

Le pronom

Nous avons vu plus haut qu'un **pronom** peut tenir lieu de GN. Voyons donc maintenant ce qu'est un pronom.

Étymologiquement, le mot *pronom* signifie « à la place du nom ». Mais le pronom peut aussi remplacer d'autres groupes de mots qu'un GN (un GPrép, un GInf ou un GAdj), et même une phrase ou une partie de phrase. Le pronom peut servir à reprendre quelque chose, une idée, etc., qui a été mentionné antérieurement dans le texte ; on l'appelle alors **pronom de reprise** :

> *Pierre est mon collègue et ami. Je* l'*estime beaucoup.*
> (Le pronom l'[*le*] fait référence à l'antécédent *Pierre*.)

> *Pierre a enfin obtenu un travail* qui *lui plaît.*
> (Le pronom *qui* fait référence à l'antécédent *travail*.)

Lorsque le pronom ne reprend pas d'antécédent, on l'appelle **pronom nominal** :

> **Rien** *ne* **me** *fera manquer le spectacle.*

Pour connaître les caractéristiques sémantiques et morphologiques du pronom, voir le tableau « Pronom » dans le *Multi*.

Les caractéristiques syntaxiques du pronom dépendent de la nature du groupe de mots qu'il remplace.

EXERCICE 1.5

Complétez le tableau en transcrivant les 19 noms et les 15 pronoms de l'extrait suivant et en indiquant entre parenthèses, lorsqu'il y a lieu :

- le déterminant qui accompagne le nom ;
- l'antécédent des pronoms de reprise.

Jadis vivaient un vieil homme et sa femme. Ils logeaient dans une masure en terre battue que peu de personnes auraient accepté d'occuper, mais eux ne s'en plaignaient pas. Depuis trente-trois ans, le vieil homme et sa femme vivaient heureux ensemble. Parfois ils se chamaillaient, mais cela n'avait jamais beaucoup d'importance. Le vieil homme était pêcheur. Pendant qu'il pêchait, sa femme filait, assise à son rouet. Or, au moment où commence cette histoire, rien n'allait. C'était comme si tous les poissons de la mer étaient partis vers d'autres océans. Le vieil homme avait beau s'entêter, il ne pêchait plus rien.

(Adaptation de *Le pêcheur et le petit poisson doré*, Alexandre Pouchkine)

Noms	Pronoms
	s' (le vieil homme et sa femme)
personnes (peu de)	
	où (le moment)
moment (au = à le)	
	rien

Les expansions dans le GN

Comme on l'a vu précédemment, le noyau d'un groupe de mots peut être complété par d'autres groupes de mots qu'on appelle **expansions**. Celles-ci servent à préciser le noyau, à l'expliquer ou à le qualifier ; bref, elles le complètent. Voyons quelles peuvent être les expansions dans le GN.

La phrase suivante contient toutes les expansions possibles dans un GN :

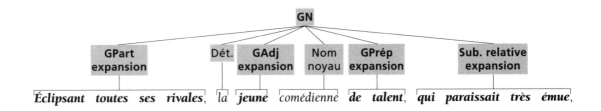

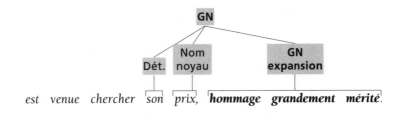

Ainsi, les expansions dans les GN de cette phrase sont :

	Noyau du GN	Expansion dans le GN
Un GAdj	comédienne	jeune
Un GPrép	comédienne	de talent
Un GPart	comédienne	Éclipsant toutes ses rivales
Une subordonnée	comédienne	qui paraissait très émue
Un GN	prix	hommage grandement mérité

EXERCICE 1.6

Dans les phrases qui suivent, soulignez, s'il y a lieu, les expansions des noyaux en caractères gras et précisez de quelle sorte de groupe de mots il s'agit.

EXEMPLE

Mon **amie** Marie est en Australie. ____GN____

1 Un **tremblement** de terre a ébranlé le petit village de Sutto. _____

2 Je vous présente mon **frère** Martin. _____

3 Ne manquez pas cette **émission** qui vous bouleversera. _____

4 J'ai présenté mon **frère** à Marie-Dominique. _____

5 Cette fois-là, nous avions emprunté le **sentier** sinueux qui mène à la rivière. _____

6 Le sentier est bordé d'**arbres** en santé. _____

7 L'**arrière-cour**, un véritable jardin anglais, était limitée par la rivière. _____

8 L'arrière-cour, un véritable **jardin** anglais, était limitée par la rivière. _____

9 Les plaines d'Abraham surplombent le **fleuve** Saint-Laurent. _____

10 Les spécialistes ne craignent pas la **disparition** de l'espèce. _____

Les fonctions du GN

Voyons les fonctions qu'un GN peut remplir dans la phrase et dans des groupes de mots.

a) Sujet de P

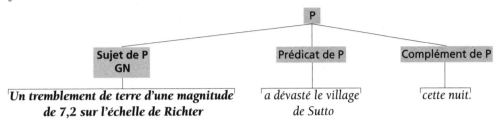

b) Complément de P

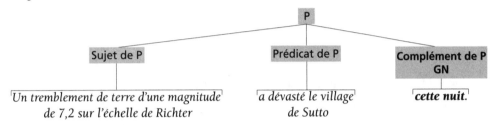

c) Complément direct du verbe (CD)

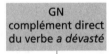

Un tremblement de terre a dévasté le village de Sutto cette nuit.

> Contrairement au complément de phrase, le complément du verbe est indissociable du verbe. On ne peut donc pas le déplacer. De plus, on peut rarement l'effacer sans modifier le sens de l'énoncé. Certains verbes, d'ailleurs, demandent obligatoirement un complément. Ainsi, on ne peut pas dire
>
> *Un tremblement de terre a dévasté Ø.

d) Complément du nom

Mon frère Martin est avocat.　　　　Martin, mon frère, est avocat.

e) Attribut du sujet

Mon frère est avocat.

L'attribut du sujet est une expansion obligatoire d'un verbe essentiellement attributif, comme les verbes *être*, *paraître*, *devenir*, *sembler*, etc. ; il ne peut donc être effacé.

> **Mon frère Martin est Ø.*

L'attribut du sujet peut également être une expansion d'un verbe occasionnellement attributif, comme *sortir*, *arriver*, etc.

> *Elle arrive **première** dans toutes les matières.*

f) Attribut du complément direct

GN
attribut du CD
Vincent

On a élu Vincent président de l'assemblée.

Récapitulation

Voici un tableau récapitulatif des fonctions du GN :

Sujet de P	***Mon ami Simon, qui subissait souvent les railleries de ses camarades**, était pourtant un enfant heureux cet été-là.*	Le GN est sujet de la phrase.
Complément de P	*Mon ami Simon, qui subissait souvent les railleries de ses camarades, était pourtant un enfant heureux **cet été-là**.*	Le GN est complément de phrase. On peut le supprimer ou le déplacer.
Complément direct (CD)	*Mon ami Simon, qui subissait souvent **les railleries de ses camarades**, était pourtant un enfant heureux cet été-là.*	Le GN est complément direct du verbe *subissait*.
Complément du nom	*Mon ami **Simon**, qui subissait souvent les railleries de ses camarades, était pourtant un enfant heureux cet été-là.*	Le GN est complément du nom *ami*.
Attribut du sujet	*Mon ami Simon, qui subissait souvent les railleries de ses camarades, était pourtant **un enfant heureux** cet été-là.*	Le GN est attribut du sujet et est une expansion obligatoire du verbe *était*.
Attribut du complément direct	*Ses camarades l'avaient nommé **« président des cancres »**.*	Le GN est attribut du complément direct *l'*.

EXERCICE 1.7

Donnez la fonction des GN soulignés dans les phrases suivantes.

> **EXEMPLE**
>
> La compagnie remboursera <u>les frais de location de la voiture</u>.
> Complément direct (CD) du verbe remboursera

1 La plupart des cyclistes respectent <u>les règlements de la circulation</u>.

2 Son père est <u>professeur de mécanique automobile</u>.

3 Une téléphoniste prendra <u>vos appels</u>.

4 <u>L'été dernier</u>, nous avons visité les gorges de l'Enfer à Saint-Narcisse.

5 <u>Des milliers de petits coquillages</u> craquaient sous nos pas.

6 Ilana, <u>une néo-Québécoise</u>, vient d'obtenir un poste dans un CLSC.

7 Ilana est <u>une néo-Québécoise</u>.

8 <u>La marée descendante</u> laissait derrière elle des filaments d'algues verdâtres.

9 Ma cousine <u>Gabrielle</u> revient d'un voyage en Europe.

10 Nous participerons au Festival des rameurs de Petit-Rocher <u>l'été prochain</u>.

Le groupe verbal (GV)

Le noyau du GV

Le noyau du groupe verbal est un **verbe conjugué** à un mode personnel, soit à l'indicatif, au subjonctif ou à l'impératif :

> *On l'**a expulsé** de son cours.*
>
> *Qu'il **respecte** les règlements !*
>
> ***Corrigeons**-le.*

Les verbes employés à l'**infinitif** (*former*, *sortir*, *voir*, *prendre*, etc.) et au **participe présent** (*formant*, *sortant*, etc.) ne sont pas le noyau d'un GV parce qu'ils ne peuvent généralement pas à eux seuls tenir le rôle de prédicat de la phrase (ce que l'on dit du sujet).

Le verbe à l'infinitif est le noyau d'un groupe infinitif (GInf). Le GInf peut remplir certaines fonctions du GN. Entre autres, il peut être

– Sujet de P :

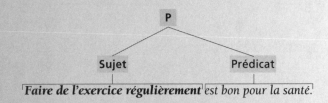

Faire de l'exercice régulièrement est bon pour la santé.

– CD du verbe :

CD du verbe
préfère

Je préfère aller au cinéma.

Le participe présent est le noyau d'un groupe participe (GPart) :

C'est un programme **permettant** de corriger les fautes d'orthographe.

En **activant** le correcteur orthographique, on peut déjà éviter bien des fautes.

Précédé de la préposition *en*, le participe présent forme ce qu'on appelle le **gérondif**. Il est alors le noyau d'un GPart inclus dans un GPrép dont le noyau est la préposition *en*.

Le gérondif indique la manière ou le moyen et exprime la simultanéité avec le verbe principal (conjugué) de la phrase.

Le verbe exprime différentes valeurs. D'abord, il permet de situer un événement dans le temps, soit le passé, le présent ou le futur. Il permet aussi de situer un événement par rapport à un autre, en indiquant s'il lui est antérieur ou postérieur ou si les deux événements sont simultanés. Il indique la façon dont on doit envisager l'événement, en précisant qu'il s'agit d'un souhait, d'un ordre, d'une réalité, d'une opinion, d'un état, etc. Il existe plusieurs types de verbes et leurs constructions sont nombreuses.

Pour connaître les différents types de verbes, voir le tableau « Verbe » dans le *Multi*.
Pour connaître ses caractéristiques morphologiques (la conjugaison), voir « Le verbe et les conjugaisons » au chapitre 5.
Pour connaître ses caractéristiques syntaxiques (accord du verbe avec le sujet et accord du participe passé), voir « L'accord du verbe avec le sujet » et « L'accord du participe passé » au chapitre 6.

EXERCICE 1.8

Soulignez les 22 verbes de l'extrait suivant et indiquez dans le tableau le groupe dont ils sont le noyau : GV, GInf ou GPart.

Cendrillon alla aussitôt cueillir la plus belle citrouille qu'elle put trouver, et la porta à sa marraine, ne pouvant deviner comment cette citrouille pourrait la faire aller au bal. Sa marraine la creusa et, ne laissant que l'écorce, la frappa de sa baguette, et la citrouille se changea aussitôt en un beau carrosse tout doré. Ensuite elle alla regarder dans la souricière, où elle trouva six souris toutes en vie. Elle dit

à Cendrillon de lever la trappe de la souricière, et à chaque souris qui sortait elle donnait un coup
de baguette, et la souris se changeait aussitôt en un beau cheval.

(Adaptation de *Cendrillon*, Charles Perrault)

Verbe	GV	GInf	GPart

Verbe	GV	GInf	GPart

Les expansions dans le GV

Le verbe est parfois le seul élément du GV.

GV
Le beau temps revient.

GV
Tout resplendit.

Mais la plupart du temps, le verbe a des expansions. Les principales expansions du verbe sont
représentées dans le tableau suivant :

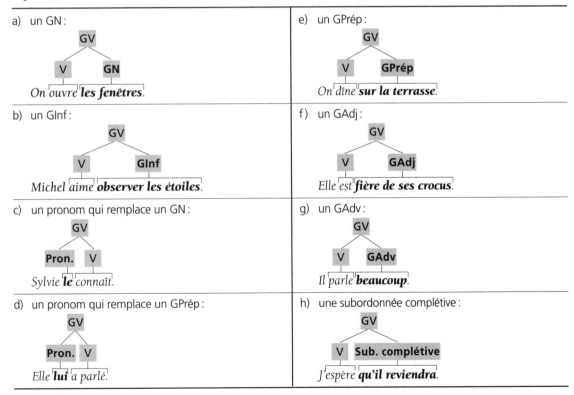

a) un GN :

GV
V   GN
On ouvre **les fenêtres**.

b) un GInf :

GV
V   GInf
Michel aime **observer les étoiles**.

c) un pronom qui remplace un GN :

GV
Pron.   V
Sylvie **le** connaît.

d) un pronom qui remplace un GPrép :

GV
Pron.   V
Elle **lui** a parlé.

e) un GPrép :

GV
V   GPrép
On dîne **sur la terrasse**.

f) un GAdj :

GV
V   GAdj
Elle est **fière de ses crocus**.

g) un GAdv :

GV
V   GAdv
Il parle **beaucoup**.

h) une subordonnée complétive :

GV
V   Sub. complétive
*J'*espère **qu'il reviendra**.

Les expansions dans le groupe verbal peuvent bien sûr être cumulées, même si le nombre de combinaisons possibles reste limité. Voici quelques exemples de combinaisons possibles :

a) GV = Pronom + V + GN

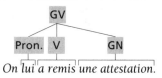

b) GV = V + GN + GPrép

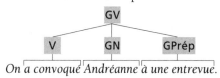

c) GV = Pronom + V + GPrép + GPrép

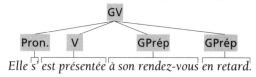

d) GV = Pronom + V + GAdj

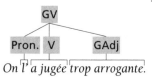

Récapitulation

Voici un tableau récapitulatif des principales constructions du GV :

		GV		
GV = V		**V**		
	La rivière	*scintille.*		
GV = V + GN		**V**	**GN**	
	Nous	*remontons*	*la rivière.*	
	Nous	*observons*	*l'eau qui monte.*	
GV = Pron. + V		**Pronom**	**V**	
	Je	*la*	*remercierai.*	
	Tu	*lui*	*téléphoneras.*	
GV = V + GPrép		**V**	**GPrép**	
	Nous	*revenons*	*dans un instant.*	
	Nous	*penserons*	*à le prévenir.*	
GV = V + GInf		**V**	**GInf**	
	Nous	*reviendrons*	*pêcher.*	
	On	*a prévu*	*visiter quelques maisons.*	
GV = V + GAdj		**V**	**GAdj**	
	Elle	*semble*	*satisfaite.*	
	Nous	*sommes*	*heureux du dénouement.*	

		GV	
GV = V + GAdv		**V**	**GAdv**
	Il	*respire*	*régulièrement.*
	Il	*réagissait*	*trop promptement.*
GV = V + Sub. complétive		**V**	**Sub. complétive**
	Je	*suppose*	*que vous n'êtes pas encore décidé.*
	Nous	*avons remarqué*	*qu'il manifestait beaucoup d'intérêt.*

EXERCICE 1.9

Donnez les expansions des verbes soulignés dans les phrases suivantes à l'aide des informations qui vous sont fournies.

EXEMPLE

Je <u>pense</u> qu'il se rendra aux îles de Mingan en avion.

GV = V + Sub. complétive
Expansion : qu'il se rendra aux îles de Mingan en avion (Sub. complétive)

1 Claire <u>semble</u> satisfaite de son nouvel emploi.

GV = V + GAdj
Expansion : _____

2 Je l'<u>ai rencontré</u> au cinéma.

GV = Pronom + V + GPrép
Expansions : _____

3 Vous <u>devez</u> explorer toutes les avenues possibles.

GV = V + GInf
Expansion : _____

4 J'<u>ai transmis</u> ton message à Sébastien.

GV = V + GN + GPrép
Expansions : _____

5 On l'<u>a trouvée</u> débordante d'énergie.

GV = Pronom + V + GAdj
Expansions : _____

6 Lucas <u>semblait</u> plutôt confiant.

GV = V + GAdj
Expansion : _____

7 Je <u>vois</u> que tu as changé d'idée !

GV = V + Sub. complétive
Expansion : _____

8 Je vois que tu <u>as changé</u> d'idée !

GV = V + GPrép
Expansion : _____

EXERCICE 1.10

Identifiez les constituants des groupes verbaux soulignés.

> **EXEMPLE**
>
> Je <u>suppose qu'il a amené les enfants à la rivière</u>.
>
> Je suppose qu'il <u>a amené les enfants à la rivière</u>.
>
> <u>GV</u> = V + Sub. complétive _____
>
> <u>GV</u> = V + GN + GPrép _____

1 On <u>vous a préparé tout un pique-nique</u> !

<u>GV</u> = _____

2 J'ai fait un rêve <u>qui m'a tourmenté</u>.

J'ai fait un rêve qui <u>m'a tourmenté</u>.

<u>GV</u> = _____

<u>GV</u> = _____

3 En rentrant de voyage avec ses parents, la petite Nelly <u>semblait surprise de revoir ses affaires</u>.

<u>GV</u> = _____

4 Sa mémoire <u>avait dû enregistrer des choses</u>, mais elles <u>restaient enfouies dans son subconscient</u>.

<u>GV</u> = _____

<u>GV</u> = _____

5 On <u>l'a prévenu à temps</u>.

<u>GV</u> = _____

6 Vous <u>ajoutez un filet d'huile</u> et le tour est <u>joué</u>.

<u>GV</u> = _____

<u>GV</u> = _____

7 Nous <u>l'avons trouvé très attachant</u>.

<u>GV</u> = _____

EXERCICE 1.11

Soulignez les GV dans le texte suivant et indiquez leur type de construction.

Cela se passait en plein hiver et les flocons de neige tombaient du ciel comme un duvet léger.
Une reine était assise à sa fenêtre encadrée de bois d'ébène et cousait. Tout en tirant l'aiguille,
elle regardait voler les blancs flocons. Elle se piqua le doigt et quelques gouttes de sang tombèrent
sur la neige. Le contraste entre le rouge du sang, la couleur de la fenêtre et la blancheur de la neige
était si beau, qu'elle se dit :

— Je voudrais avoir une petite fille à la peau blanche comme cette neige, aux lèvres rouges comme
ce sang, aux yeux et aux cheveux noirs comme l'ébène de cette fenêtre.

Peu de temps après, elle eut une petite fille à la peau blanche comme la neige, aux lèvres rouges comme
le sang, aux yeux et aux cheveux noirs comme l'ébène. On l'appela Blanche-Neige. Mais la reine mourut
le jour de sa naissance.

Un an plus tard, le roi se remaria. Sa femme était très belle et très jalouse. Elle possédait un miroir
magique qui répondait à toutes les questions. Chaque matin, lorsque que la reine se coiffait,
elle lui demandait :

— Miroir, miroir, dis-moi que je suis la plus belle.

(Adaptation de *Blanche-Neige*, Jacob et Wilhelm Grimm)

La fonction du GV dans la phrase

Le GV ne peut avoir qu'une seule fonction dans la phrase P, celle de **prédicat**. Comme nous l'avons déjà vu, le prédicat est un constituant obligatoire de P.

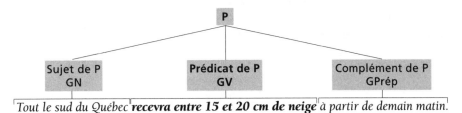

Le groupe adjectival (GAdj)

Le noyau du GAdj

Le noyau du GAdj est un **adjectif**. Il existe deux sortes d'adjectifs : l'adjectif qualifiant et l'adjectif classifiant.

a) L'adjectif **qualifiant**, comme son nom l'indique, sert à qualifier un nom ou un pronom. La qualité, qu'elle soit neutre, négative ou positive, peut d'ailleurs généralement varier en intensité :

*Le fleuve est **calme** aujourd'hui./Le fleuve est **très calme** aujourd'hui.*

*Elle est **jolie**./Elle est **plutôt jolie**.*

b) L'adjectif **classifiant** sert, quant à lui, à distinguer d'autres réalités la réalité exprimée par le nom ou le pronom. Contrairement à l'adjectif qualifiant, il ne peut pas varier en intensité :

*J'apporterai mon ordinateur **portatif**./J'apporterai mon ordinateur ***très portatif**.*

*Notre compagnie espère pouvoir offrir un vol **hebdomadaire** dans cette région./Notre compagnie espère pouvoir offrir un vol ***moins hebdomadaire** dans cette région.*

Un même adjectif peut être qualifiant ou classifiant selon le contexte. Comparez :

*Comme d'habitude, il s'est montré **très négatif**.* (adjectif qualifiant)

*Votre relevé de compte indique que votre solde est **négatif**.* (adjectif classifiant)

> Le **participe passé** qui ne sert pas à former un temps composé (avec l'auxiliaire *être* ou *avoir*) fait partie de la classe de l'adjectif et constitue, comme lui, un GAdj. Certains grammairiens appellent ces adjectifs issus d'un participe passé « adjectifs participes ».
>
> *Je n'aime pas marcher dans les rues peu **éclairées**.*
>
> *Je me suis retrouvé dans un coin **perdu**.*
>
> *Elle a été **choisie** parmi des centaines de candidates.*
>
> Dans la dernière phrase, le mot *choisie* n'est pas un participe passé employé dans un temps composé. En effet, le passé composé du verbe *choisir* (à la 3e personne du singulier) serait *a choisi*. Nous avons ici une phrase à la forme passive dont le verbe est *être* au passé composé. Le mot *choisie* est employé comme adjectif et a la fonction d'attribut du sujet.

Sur le plan syntaxique, l'adjectif est un mot variable. Il reçoit son genre et son nombre du nom dont il est complément.

*Un **bel** arbre   Une **belle** maison   De **beaux** arbres   De **belles** maisons*

Pour connaître les caractéristiques sémantiques de l'adjectif (les types d'adjectifs), voir le tableau « Adjectif » dans le *Multi*.

Pour connaître ses caractéristiques morphologiques (la variation de son orthographe selon son genre et son nombre), voir « L'adjectif » au chapitre 5.

Pour connaître ses caractéristiques syntaxiques, voir « Les accords dans le GN », au chapitre 6.

EXERCICE 1.12

Dites si les adjectifs contenus dans les groupes de mots suivants sont qualifiants ou classifiants.

1 Une réunion importante : _____

2 Un gros chat : _____

3 Un chat siamois : _____

4 La culture maraîchère : _____

5 Une plante aquatique : _____

6 Un ruban adhésif : _____

7 Un discours ennuyeux : _____

8 Le discours présidentiel : _____

9 Un livre intéressant : _____

10 Un parcours difficile : _____

Les expansions dans le GAdj

Seul l'adjectif qualifiant peut avoir des expansions. L'adjectif classifiant n'est donc jamais complété par un autre mot ou un autre groupe de mots :

> *Votre solde est ****très négatif***.

Les principales expansions de l'adjectif qualifiant peuvent être

a) un GAdv :

```
              GAdj
             /    \
        GAdv       Adjectif
```
C'est un projet **difficilement** *réalisable.*

b) une subordonnée complétive :

```
                 GAdj
                /    \
        Adjectif      Sub. complétive
```
Ils sont contents **que la conjoncture nous soit favorable***.*

c) un GPrép :

```
            GAdj
           /    \
        Adj.     GPrép
```
Elle est fière **de sa petite-fille***.*

d) un pronom qui remplace un GPrép :

```
          GAdj
         /    \
      Pron.    Adj.
```
Elle **en** *est* fière.   *(en = de sa petite-fille)*

EXERCICE 1.13

Transcrivez les expansions du noyau du GAdj dans les phrases suivantes et donnez leur nature.

EXEMPLE

> Il s'est montré plutôt intéressé par notre offre.
>
> *plutôt* : GAdv ; *par notre offre* : GPrép

1 Il est important que vous communiquiez avec elle.

2 Je vais vous faire goûter un vin agréablement fruité.

3 Elle était trop sûre de son coup.

4 Votre reproduction est conforme à l'original.

5 Il est fâché contre Julien.

6 Je suis déçue qu'on n'ait pas retenu ta candidature.

7 Il est si mignon.

8 Je suis satisfait de mon séjour. Vraiment, j'en suis ravi.

9 Je suis ravi que vous m'ayez accompagné.

Les fonctions du GAdj

Le GAdj peut avoir les fonctions suivantes dans la phrase :

a) Complément du nom

> GAdj
> complément du nom
> *histoire*

Je vais vous raconter une histoire vraie.

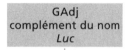

> GAdj
> complément du nom
> *Luc*

Luc, impassible, contemplait le désordre de la chambre.

> ### Où donc est passée l'épithète ?
>
> La fonction d'« épithète » n'existe plus dans la nouvelle grammaire. Elle a été remplacée par la fonction **complément du nom**.
>
> On appelait « épithète détachée » (ou apposition) les adjectifs apposés au nom et encadrés par des virgules, comme c'est le cas de *impassible* dans l'exemple ci-dessus. Alors que la fonction épithète était réservée à l'adjectif, celle de **complément du nom** s'applique à tous les groupes de mots qui complètent le nom.

b) Attribut du sujet

Sa demande est exagérée.

c) Attribut du complément direct

GAdj
attribut du CD
ses excuses

Je trouve ses excuses inacceptables.

EXERCICE 1.14

Complétez le tableau en fournissant les informations suivantes :

1) Dites si les adjectifs contenus dans les GAdj en gras sont qualifiants (Q) ou classifiants (C).

2) Le cas échéant, précisez la nature de l'expansion de l'adjectif.

3) Donnez la fonction du GAdj.

1 J'ai été **très surprise de sa visite**.

2 Je suis **étonné qu'il ait accepté ce poste**.

3 Nous espérons être **capables de vous communiquer d'autres informations d'ici peu**.

4 Pourrais-tu être **plus précis** ?

5 Au Québec, les bières **artisanales** connaissent une popularité **grandissante**.

6 J'ai eu une **assez bonne** note. J'**en** suis **plutôt satisfaite**.

7 Je préfère ma bière **bien froide**.

8 Il préfère les bières **importées**.

9 Je la trouve **un peu amère**.

10 Celle-ci est **très appréciée pour son goût fruité et aigrelet**.

ADJECTIF	TYPE		EXPANSION				FONCTION DU GAdj		
	Q	C	GAdv	Sub.	GPrép	Pron.	Compl. du nom	Attribut du sujet	Attribut du CD
surprise									
étonné									
capables									
précis									
artisanales									
grandissante									
bonne									
satisfaite									
froide									
importées									
amère									
appréciée									
fruité									
aigrelet									

Le groupe prépositionnel (GPrép)

Le noyau du GPrép

Le noyau du GPrép est une **préposition**. La préposition est un mot invariable qui permet de former des compléments :

> *Ici, seule la pêche **à la mouche** est permise.* (Le GPrép complète le nom *pêche*.)
>
> *Prépare-toi **à utiliser l'épuisette**.* (Le GPrép complète le verbe *prépare*.)
>
> *François est fier **de son lancer**.* (Le GPrép complète l'adjectif *fier*.)

Lorsque la préposition est formée de plusieurs mots, on l'appelle *locution prépositive*. Celle-ci est le plus souvent formée d'un GN et des prépositions *à* et *de* :

> ***Grâce à** son aide, j'ai attrapé deux grosses truites.*
>
> *Il rouspète **à propos de** tout.*

Pour connaître les principales prépositions et locutions prépositives, voir le tableau « Préposition » dans le *Multi*.

Devant ***le*** ou ***les***, les prépositions ***à*** et ***de*** fusionnent avec le déterminant :

> *Il a participé **au** spectacle.* (au = à + le)
>
> *Il a participé **aux** biennales.* (aux = à + les)
>
> *Cela dépend **du** temps.* (du = de + le)
>
> *Cela dépend **des** circonstances.* (des = de + les)

Le mot *de* n'est pas toujours une préposition et n'introduit donc pas nécessairement un GPrép. Il est déterminant indéfini et fait partie d'un GN lorsqu'il détermine un nom dans une phrase négative ou lorsque le nom est précédé d'un adjectif au pluriel.

Dans une phrase négative :

> *J'ai apporté **un** canif = je **n'**ai **pas** apporté **de** canif.*

Nom précédé d'un adjectif pluriel :

> *Il a **des raisons sérieuses** pour démissionner = il a **de sérieuses raisons** pour démissionner.*

EXERCICE 1.15

Soulignez les 24 prépositions ou locutions prépositives contenues dans l'extrait suivant.

Mais très vite elle se reprit à penser au monde au-dessus d'elle ; elle ne pouvait oublier le beau prince ni son propre chagrin de ne pas avoir comme lui une âme immortelle. C'est pourquoi elle se glissa hors du château de son père et, tandis que là tout était chants et gaieté, elle s'assit, désespérée, dans son petit jardin. Soudain elle entendit le son d'un cor venant vers elle à travers l'eau.

Elle était devant le palais de son père. Les lumières étaient éteintes dans la grande salle de bal, tout le monde dormait sûrement, et elle n'osa pas aller auprès des siens maintenant qu'elle était muette et allait les quitter pour toujours. Il lui sembla que son cœur se brisait de chagrin.

Alors la petite sirène sortit de son jardin et nagea vers les tourbillons mugissants derrière lesquels habitait la sorcière. Elle n'avait jamais été de ce côté où ne poussait aucune fleur, aucune herbe marine, il n'y avait là rien qu'un fond de sable gris et nu s'étendant jusqu'au gouffre.

(Adaptation de *La petite sirène*, Hans Christian Andersen)

Les expansions dans le GPrép

Les expansions dans le GPrép sont obligatoires. La préposition ne peut, à elle seule, former un GPrép. Les expansions de la préposition sont représentées dans le tableau suivant :

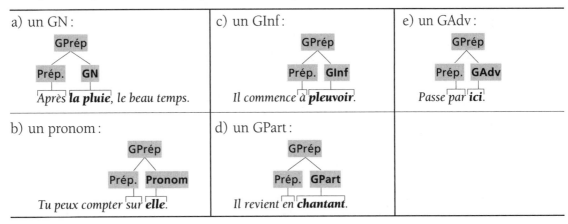

a) un GN :	c) un GInf :	e) un GAdv :
*Après **la pluie**, le beau temps.*	*Il commence à **pleuvoir**.*	*Passe par **ici**.*
b) un pronom :	d) un GPart :	
*Tu peux compter sur **elle**.*	*Il revient en **chantant**.*	

EXERCICE 1.16

Décomposez les GPrép contenus dans les phrases suivantes.

EXEMPLE

Il souffre d'une vilaine grippe.

d'une vilaine grippe : d' (Prép.) + une vilaine grippe (GN)

1 Il écoute la radio en clavardant.

2 Michel est revenu enchanté de son voyage.

3 Vous avez tout ce qu'il faut pour réussir.

4 Je sais que tu es déjà passé par là.

5 J'espère qu'on vous reverra avant Noël !

Les fonctions du GPrép

Le GPrép peut avoir les fonctions suivantes :

a) Complément du nom

GPrép
complément du nom
chambre

La chambre de mon frère est en désordre.

b) Complément du pronom

GPrép
complément
du pronom *celui*

Le succès du livre est indéniable, mais celui du film n'est pas encore confirmé.

c) Complément de l'adjectif

GPrép
complément de l'adjectif
réfractaire

Le public s'est montré réfractaire aux modifications apportées par le réalisateur.

d) Complément de phrase

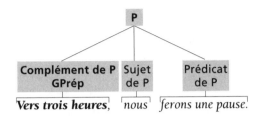

e) Complément indirect du verbe (CI)

> GPrép
> complément indirect
> du verbe *aboutissent*

Les fugitifs aboutissent dans un mystérieux tunnel.

Le complément indirect du verbe est généralement introduit par une préposition. Dans certains cas, par exemple lorsque le complément a été pronominalisé, on ne voit pas la préposition.

Je **lui** ai parlé ce matin. (lui = **à** lui, **à** elle)

Nous **leur** demanderons de revenir. (leur = **à** elles, **à** eux)

Le complément indirect du verbe ne peut généralement pas être déplacé. Il ne peut être supprimé sans que le sens de la phrase en soit affecté.

*Dans un mystérieux tunnel, les fugitifs aboutissent.

*Les fugitifs aboutissent Ø.

f) Attribut du sujet

> GPrép
> attribut du sujet
> *Le réalisateur*

Le réalisateur était en colère.

g) Attribut du complément direct

> GPrép
> attribut du CD
> *les autres*

Il traitait les autres d'imbéciles.

h) Modificateur du verbe

> GPrép
> modificateur
> du verbe *signait*

L'auteur signait les autographes avec empressement.

Récapitulation

Voici un tableau récapitulatif des fonctions du GPrép :

Complément du nom	*C'est le livre **de Pierre**.*	Le GPrép *de Pierre* est complément du nom *livre*.
Complément du pronom	*C'est celui **de Pierre**.*	Le GPrép *de Pierre* est complément du pronom *celui*.
Complément de l'adjectif	*Ils sont fiers **de Pierre**.*	Le GPrép *de Pierre* est complément de l'adjectif *fiers*.
Complément de phrase	***Selon Pierre**, le livre est intéressant.*	Le GPrép *Selon Pierre* est complément de P.
Complément indirect du verbe	*J'ai prêté mon livre **à Pierre**.*	Le GPrép *à Pierre* est complément indirect du verbe *ai prêté*.
Attribut du sujet	*Ce livre est **en retard**.*	Le GPrép *en retard* est attribut du sujet *livre*.
Attribut du CD	*J'ai trouvé ce livre **sans intérêt**.* *Je l'ai trouvé **sans intérêt**.*	Le GPrép *sans intérêt* est attribut du CD *ce livre*. Le GPrép *sans intérêt* est attribut du CD *l'*.
Modificateur du verbe	*Pierre a lu ce livre **avec passion**.*	Le GPrép *avec passion* modifie le verbe *a lu*.

EXERCICE 1.17

Donnez la fonction des GPrép contenus dans les phrases suivantes.

1 Je suis maintenant prête à déménager.

    à déménager : _____

2 Ma ligne téléphonique sera en service dès demain matin.

    en service : _____

    dès demain matin : _____

3 Passe au bureau de poste pour faire ton changement d'adresse.

    au bureau de poste : _____

    de poste : _____

    pour faire ton changement d'adresse : _____

    d'adresse : _____

4 La réservation du camion est au nom de Nancy.

    du camion : _____

    au nom de Nancy : _____

    de Nancy : _____

5 Il vaudrait mieux passer par l'arrière.

par l'arrière : _____

6 Prends celui du milieu.

du milieu : _____

7 J'ai offert mon congélateur à Nicolas.

à Nicolas : _____

8 Manipule le vaisselier avec soin.

avec soin : _____

9 On pourrait qualifier son comportement de délinquant.

de délinquant : _____

10 Laquelle de ces boîtes doit-on apporter ?

de ces boîtes : _____

Le groupe adverbial (GAdv)

Le noyau du GAdv

Le noyau du GAdv est un **adverbe**. L'adverbe a des statuts très différents dans la langue. En donner une définition générale est impossible, car il existe en fait plusieurs sortes d'adverbes qui n'ont pas de réels points communs, si ce n'est leur invariabilité. La façon la plus logique de les définir consiste à observer le rôle qu'ils jouent dans la phrase et dans le texte, c'est-à-dire à les classer selon leur fonction.

L'expansion dans le GAdv

Un adverbe peut être l'expansion d'un autre adverbe :

Elles sont arrivées **presque** *aussitôt.*

Les fonctions et rôles du GAdv

a) Les adverbes modificateurs

Dans certains cas, l'adverbe modifie un mot ou un groupe de mots. Il agit alors un peu comme un adjectif, en ce sens qu'il apporte une précision complémentaire qui n'est pas obligatoire sur le plan syntaxique.

– Adverbe modificateur d'un verbe

Lorsque l'adverbe modifie un verbe, il peut préciser la manière dont se déroule l'événement exprimé par le verbe :

> *Nos réserves s'épuisent **rapidement**.*
>
> *Il travaille **dur** ces temps-ci.*

– Adverbe modificateur d'un adjectif

Lorsque l'adverbe modifie un adjectif ou un autre adverbe, il marque généralement le degré de la qualité exprimée :

> *Vous touchez là une corde **très** sensible.*
>
> *Il est **un peu** fâché.*

– Adverbe modificateur d'un adverbe

> *Nos réserves s'épuisent **trop** rapidement.*
>
> *Il travaille **extrêmement** dur ces temps-ci.*

b) Les adverbes modaux

L'adverbe modal porte sur le verbe et ses compléments, et sert à nier un fait ou à se prononcer sur son éventualité, son degré de réalisation et sa fréquence.

– La négation :	*Il **n'a pas** dit de bêtises.*
	*Il **ne** dit **jamais** de bêtises.*
– Le degré de réalisation :	*Il parle **trop**.*
	*Il a **entièrement** raison.*
– La fréquence :	*Il dit **souvent** des bêtises.*
	*Il dit **toujours** des bêtises.*
– L'éventualité :	*Il est **peut-être** venu.*
	*Il viendra **certainement**.*

c) Les adverbes compléments de phrase

Les adverbes compléments de phrase peuvent être, comme tous les compléments de phrase, effacés ; on peut en outre les déplacer. Ils peuvent marquer le temps et le lieu.

– Le temps : ***Bientôt**, nous ferons la tournée des antiquaires.*

> *Nous ferons, **bientôt**, la tournée des antiquaires.*
>
> *Nous ferons la tournée des antiquaires **bientôt**.*
>
> *Ø Nous ferons la tournée des antiquaires.*

– Le lieu : ***Là-bas**, il ne fait presque jamais soleil.*

> *Il ne fait, **là-bas**, presque jamais soleil.*
>
> *Il ne fait presque jamais soleil **là-bas**.*
>
> *Ø Il ne fait presque jamais soleil.*

d) Les adverbes compléments directs ou indirects

Contrairement aux adverbes compléments de phrase, les adverbes compléments de verbe (CD ou CI) sont une expansion obligatoire du verbe. Ils ne peuvent pas être effacés ni déplacés. Ce sont des adverbes de lieu.

> *Retourne **là-bas**.*
>
> *Il habite **ici**.*

D'autres adverbes n'ont pas de fonction syntaxique :

a) Les adverbes qui permettent d'exprimer la position de l'auteur ou du locuteur à l'égard de l'énoncé

> ***Heureusement**, aucun locataire n'était présent lorsque l'incendie a éclaté.*
>
> *Les manifestants, **assez bizarrement**, se sont calmés après l'arrivée des policiers.*

b) Les adverbes organisateurs du texte (ou adverbes coordonnants)

Ces adverbes ont comme fonction de faire le lien logique entre une phrase et ce qui la précède ou la suit. Ils peuvent marquer, entre autres rapports logiques, l'opposition, la cause, la consé-quence, l'affirmation, la conclusion, etc., ou fournir des points de repère concernant l'ordre logique ou chronologique du déroulement de l'action. Certains grammairiens appellent ces adverbes **mots-liens** ou encore **marqueurs de relation**. Comme les adverbes compléments de phrase, on trouve très souvent les adverbes coordonnants en tête de phrase ou après le verbe.

> ***Oui**, il est vrai que ces résultats sont incomplets.*
>
> ***Cependant**, nous pouvons déjà avancer quelques hypothèses.*
>
> *Voyons **d'abord** ce qu'il nous reste de nourriture.*

Pour connaître la liste des principaux adverbes et locutions adverbiales, voir le tableau « Adverbe » dans le *Multi*.

EXERCICE 1.18

Soulignez les adverbes contenus dans les phrases ou paragraphes suivants, puis donnez leur fonction (ou leur rôle) en précisant, s'il y a lieu, leur sens.

EXEMPLE

> Nos bureaux fermeront <u>désormais</u> à 17 h.
>
> Adverbe complément de phrase exprimant le temps

1 Finalement, la menace qui plane sur tout le territoire, c'est la destruction de la faune des anciennes forêts.

_____

2 Vous entendez ensuite le premier appel de la grive à collier, puis d'autres oiseaux chanteurs entrent dans le concert. Et les couleurs, des verts, des rouges et des jaunes, prennent vie lentement.

a) _____

b) _____

c) _____

3 La sauvegarde des espèces menacées d'extinction est une bataille qui se livre partout.

_____

4 Malheureusement, les efforts déployés n'ont pas porté leurs fruits et la situation écologique s'est progressivement dégradée.

a) _____

b) _____

c) _____

> ### Où sont passés les compléments d'objet et les compléments circonstanciels ?
> Les notions de complément d'*objet* et de complément *circonstanciel* associées à la grammaire traditionnelle ne se trouvent pas dans la terminologie de la nouvelle grammaire. Parce qu'elle se fonde sur la structure de la phrase et de ses constituants, c'est-à-dire essentiellement sur la construction de cette dernière, la nouvelle grammaire a en effet éliminé ces notions qui faisaient appel au sens. On se rappelle par exemple les listes interminables d'espèces de compléments circonstanciels que les grammaires répertoriaient : de temps, de lieu, d'accompagnement, de prix, de poids, de propos, etc. Ces précisions ne sont pas pertinentes dans une analyse de la construction de la phrase. Voici donc un tableau qui répertorie les principales modifications terminologiques qui concernent les fonctions, et auxquelles les « traditionnels » doivent s'initier s'ils veulent s'y retrouver dans les grammaires modernes.

Grammaire traditionnelle	Exemple	Nouvelle grammaire
Apposition	*Dany, **engourdie par le froid**, m'attendait patiemment.*	Complément du nom
Épithète	*Jean m'a demandé de garder son **petit** chien saucisse.*	Complément du nom
Complément d'objet direct/indirect	*Josée a prêté **mon parapluie**/ **à Louise**.*	Complément direct du verbe (CD)/ Complément indirect du verbe (CI)
Complément d'agent	*Cette table a été construite **par mon grand-père**.*	Complément de l'adjectif
Complément circonstanciel	*Je vais le conduire au travail **tous les matins**.*	Complément de phrase (peut être déplacé)
	*Je vais **à la piscine**.*	Complément indirect (ne peut être déplacé ni supprimé)
	*Il chante **mal**.*	Modificateur

La conjonction

La conjonction, tout comme le déterminant, ne forme pas le noyau d'un groupe de mots. Son rôle consiste à unir des mots ou groupes de mots, ou des phrases, mais elle ne fait pas partie des groupes qu'elle met en rapport. Lorsqu'elle unit des groupes qui sont sur le même plan syntaxique, on l'appelle **conjonction de coordination**. On dit aussi que c'est un **coordonnant**.

Dans la phrase qui suit, la conjonction *et* relie deux GN sujets de P :

> Rachel *et* Sophie *sont les deux plus jeunes de la famille.*

Dans cette autre phrase, la conjonction *et* relie deux GPrép compléments de phrase :

> *Un record de pluie a été enregistré* en juin *et* en juillet *.*

Dans l'exemple qui suit, la conjonction unit deux phrases P :

> Il avala son verre *,* **puis** il plongea dans la piscine *.*

Lorsque la conjonction unit des phrases qui ne sont pas sur le même plan syntaxique, c'est-à-dire deux phrases dont l'une dépend de l'autre, on l'appelle **conjonction de subordination** et elle fait alors partie des **subordonnants** :

> *Je* <u>crains</u> **qu'** il ne soit pas encore rentré *.*

La conjonction *que* relie la subordonnée *il ne soit pas encore rentré* au verbe *crains*.

Chapitre 2

LA LIAISON DES PHRASES

Les procédés syntaxiques qui permettent de lier des phrases sont la coordination, la subordination et l'insertion de phrases.

2.1 LA COORDINATION

La coordination consiste à établir une relation entre des éléments qui ont la même fonction. Ce lien peut être implicite – on parle alors de **juxtaposition** – et les éléments sont alors liés par un signe de ponctuation. On dit que le lien est explicite quand il est exprimé par une conjonction de coordination ou un adverbe de liaison, qu'on appelle **coordonnant**.

a) Coordination de phrases par un signe de ponctuation (juxtaposition) :

P₁   P₂

L'orage approchait, *il fallait rentrer.*

b) Coordination de phrases par un coordonnant :

P₁   P₂

Il vente ***et*** *il pleut.*

Certains coordonnants sont précédés d'un signe de ponctuation :

P₁   P₂

Il fallait renter, ***car*** *l'orage approchait.*

P₁   P₂

Je pense, ***donc*** *je suis.*

Rappelons que la jonction de phrases par coordination ne peut se faire que si les éléments coordonnés ont la même fonction. Par exemple, dans la phrase P suivante, la conjonction *ou* relie deux phrases subordonnées remplissant la fonction de complément de phrase :

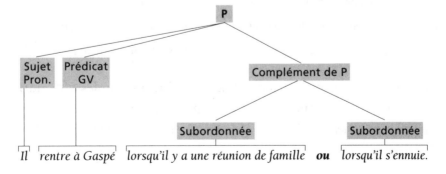

Pour connaître les conjonctions et adverbes de liaison, voir le tableau « Conjonction de coordination » dans le *Multi*.

2.2 LA SUBORDINATION

La subordination est le procédé qui consiste à lier deux phrases dont l'une, la phrase enchâssée, qu'on appelle **subordonnée (Sub.)**, dépend syntaxiquement de l'autre, la phrase enchâssante, qu'on appelait traditionnellement la « principale ». L'ensemble de ces deux phrases constitue la phrase **matrice**. La phrase subordonnée est insérée dans la phrase matrice à l'aide d'un **subordonnant**.

Phrase matrice : *J'espère que Laurent arrivera à l'heure.*

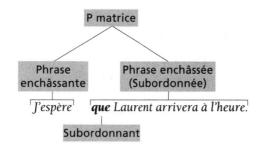

La subordonnée relative

Le pronom relatif possède une double nature. Comme pronom, il représente dans la subordonnée un nom ou un pronom de la phrase enchâssante qu'on appelle **antécédent**. Comme subordonnant, il sert à joindre à cet antécédent une subordonnée qui l'explique ou le caractérise. La subordonnée relative a la même fonction syntaxique que le GAdj et est donc toujours **complément du nom ou du pronom** :

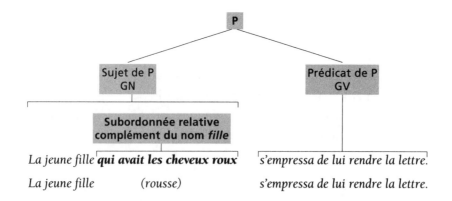

Parmi les formes du pronom relatif, on distingue des **formes simples** et des **formes composées**. Les formes simples du pronom relatif sont *qui*, *que*, *quoi*, *dont* et *où*. Les formes composées du pronom relatif sont *lequel/laquelle* et leurs dérivés. Le choix du pronom relatif dépend de la fonction qu'il a dans la subordonnée.

a) Le pronom *qui*, utilisé sans préposition, est sujet du verbe de la subordonnée :

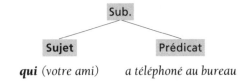

Vous donnerez ces informations à votre ami **qui** a téléphoné au bureau.

Sujet	Prédicat
qui *(votre ami)*	*a téléphoné au bureau*

b) Introduit par une préposition, le pronom *qui* est complément indirect du verbe :

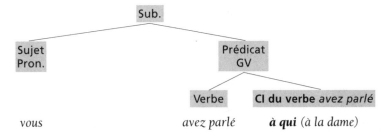

Je connais bien la dame **à qui** vous avez parlé.

c) Le pronom *que* est complément direct du verbe :

Si l'antécédent est inanimé ou si c'est un animal, on emploie *lequel*, précédé d'une préposition :

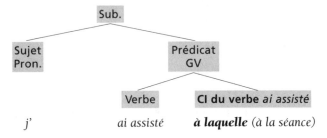

La séance **à laquelle** j'ai assisté n'a guère été convaincante.

c) Le pronom *que* est complément direct du verbe :

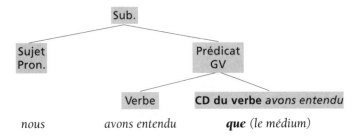

Le médium **que** nous avons entendu avait un accent scandinave.

d) Le pronom *dont* peut être

– complément indirect d'un verbe qui se construit avec la préposition *de* (*du*, *des*) :

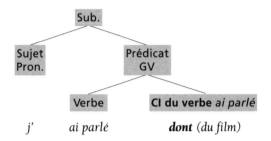

Le film **dont** j'ai parlé est présentement à l'affiche.

Sub.
Sujet Pron.
Prédicat GV
Verbe
CI du verbe *ai parlé*
j'   ai parlé   **dont** (*du film*)

– complément d'un nom qui remplace un GPrép construit avec *de* (*du*, *des*) :

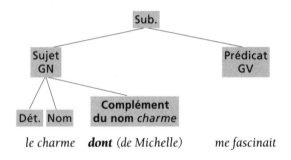

Michelle, **dont** le charme me fascinait, venait tous les soirs à la piscine.

Sub.
Sujet GN
Prédicat GV
Dét. Nom
Complément du nom *charme*
le charme   **dont** (*de Michelle*)   me fascinait

e) Le pronom relatif *où* est généralement un complément du verbe ou de phrase exprimant le lieu ou le temps :

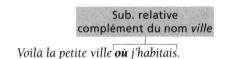

Voilà la petite ville **où** j'habitais.

Sub.
Sujet Pron.
Prédicat GV
Verbe
CI du verbe *habitais*
j'   habitais   **où** (*dans cette petite ville*)

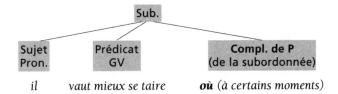

Sub. relative
complément du nom *moments*

Il y a des moments **où** *il vaut mieux se taire.*

Sub.

Sujet Pron.	Prédicat GV	Compl. de P (de la subordonnée)
il	*vaut mieux se taire*	**où** *(à certains moments)*

EXERCICE 2.1

Employez le pronom relatif qui convient.

1 La maison _____ je suis née a été décrétée monument historique.

2 La maison _____ est située sur la colline a été décrétée monument historique.

3 La maison _____ j'ai visitée a été décrétée monument historique.

4 La maison _____ je t'ai parlé a été décrétée monument historique.

EXERCICE 2.2

Soulignez les subordonnées relatives dans les phrases suivantes. Donnez le pronom relatif subordonnant (et la préposition qui le précède, s'il y a lieu), puis sa fonction et son antécédent.

EXEMPLE

Ce sont des moustiques <u>dont il faut se méfier</u>.

dont ; CI ; moustiques

1 Les personnes qui veulent être remboursées doivent se présenter au guichet.

_____

2 Il retourne souvent dans le petit village où il est né.

_____

3 Le cours dont j'aurais besoin n'est pas offert cette session.

_____

4 La personne à qui Madeleine a remis l'enveloppe ne lui a pas adressé la parole.

_____

5 Le restaurant où nous avons mangé hier était le préféré de papa.

_____

6 J'ai encore oublié le livre que tu m'as prêté.

---

7 Je connais bien les gens chez qui tu as passé la fin de semaine.

---

8 Les enfants dont les parents sont absents doivent suivre Jean-Michel et Julie.

---

9 Le dernier roman de cette auteure, lequel m'a beaucoup plu, a été traduit en plusieurs langues.

---

10 Il y a des fois où j'ai envie de tout abandonner.

La subordonnée complétive

La subordonnée « complétive » remplit, dans la très grande majorité des cas, la fonction de **complément direct** ou de **complément indirect** du verbe de la phrase enchâssante.

La subordonnée complétive complément direct

La subordonnée complétive complément direct est généralement introduite par le subordonnant *que* :

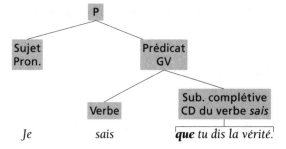

Le verbe *savoir* se construit sans préposition : *je sais quelque chose* (*Je sais quoi ? que tu dis la vérité*). La complétive est donc complément direct du verbe principal *sais*.

La subordonnée complétive complément indirect

La subordonnée complétive complément indirect est généralement introduite par les subordonnants *à ce que* ou *de ce que*, et parfois par le subordonnant *que* :

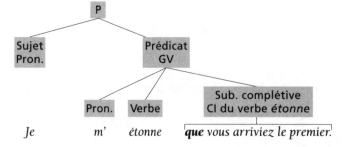

Le verbe *s'étonner* se construit avec une préposition : *je m'étonne **de** quelque chose*. La complétive est donc complément indirect du verbe principal *étonne*.

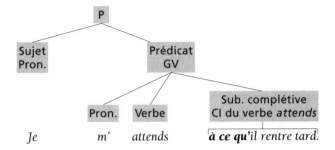

Le verbe *s'attendre* se construit avec une préposition : *je m'attends **à** quelque chose*. La complétive est donc complément indirect du verbe principal *attends*.

La subordonnée complétive peut également être introduite par un subordonnant interrogatif ou indéfini :

> *Je me demande* | ***pourquoi*** *il est en retard* |.
>
> *Respecte* | ***qui*** *te respecte* |.

La subordonnée complétive peut être également

– sujet du verbe principal :

> | ***Qu'*** *il soit intéressé à cette affaire* | *n'est pas étonnant.*

– complément de l'adjectif :

> *Je suis heureux* | ***que*** *vous soyez venu* |.

– complément du nom :

> *Le fait* | ***qu'*** *il soit là* | *prouve son intérêt.*

EXERCICE 2.3

Soulignez les propositions complétives, donnez le subordonnant ainsi que la fonction de la complétive (CD ou CI) par rapport au verbe principal.

EXEMPLE

> Je ne sais <u>comment vous remercier</u>.   comment ; CD

1 Je l'ai prévenu que cette situation me dérange énormément. _____

2 Est-ce qu'on t'a dit que Pierre pratique maintenant en région ? _____

3 Je sais bien que vous avez raison. _____

4 Je suppose que tout cela est normal. _____

5 Je m'attends à ce qu'il neige encore demain. _____

6 François se plaint de ce que vous faites trop de bruit. _____

7 Certains grincheux prétendent que le sport nuit à la santé. _____

8 N'oublions pas que les écrits restent. _____

9 Je me doute qu'elle annoncera la grande nouvelle ce soir. _____

10 Tout le monde me demande pourquoi je suis revenue à Québec. _____

EXERCICE 2.4

Dites si le subordonnant *que (qu')* dans les phrases suivantes est conjonction de subordination (introduisant une subordonnée complétive) ou pronom relatif (introduisant une subordonnée relative).

EXEMPLE

La traduction qu'il en a faite est d'une grande fidélité. _pronom relatif_____

1 Samuel croit que Pauline lui en veut. _____

2 Le manteau qu'elle porte est démodé. _____

3 Son professeur craint qu'elle se décourage. _____

4 Ton père prétend que tu parles couramment l'allemand. _____

5 Trouves-tu que le jeu en vaut la chandelle ? _____

6 Nicolas a perdu la boucle d'oreille que je lui avais donnée. _____

7 J'imagine qu'il a voulu plaisanter. _____

8 C'est incroyable le nombre de plaisanteries qu'il a imaginées ! _____

9 Je ne tolérerai plus que tu me parles sur ce ton ! _____

10 Le ton qu'il utilise est intolérable. _____

La subordonnée circonstancielle

La subordonnée circonstancielle remplit la fonction de **complément de P** :

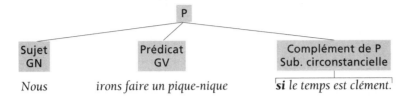

Sujet GN	Prédicat GV	Complément de P Sub. circonstancielle
Nous	*irons faire un pique-nique*	**si** *le temps est clément.*

Elle possède donc les caractéristiques des groupes qui ont cette fonction. Elle est généralement mobile et on peut l'effacer sans nuire à la grammaticalité de la phrase :

> *Si le temps est clément*, *nous irons faire un pique-nique.*

> *Nous irons faire un pique-nique si le temps est clément .*

> *Ø Nous irons faire un pique-nique.*

Les subordonnées compléments de P expriment différents rapports, soit le temps, l'opposition, la cause, la concession, la conséquence, etc., et ces rapports sont marqués par le choix du subordonnant. On peut par ailleurs exprimer ou nuancer un même rapport sémantique par l'emploi de subordonnants différents :

> ***Lorsque*** *nous sommes arrivés sur la colline*, *l'orage a éclaté.*

> ***Quand*** *nous sommes arrivés sur la colline*, *l'orage a éclaté.*

> ***Comme*** *nous arrivions sur la colline*, *l'orage a éclaté.*

À l'inverse, un même subordonnant peut marquer des rapports sémantiques différents :

> *Les enfants se sont réveillés* ***comme*** *j'allais partir* . (temps)

> ***Comme*** *la gardienne était malade*, *j'ai dû annuler mon rendez-vous.* (cause)

> ***Comme*** *on fait son lit*, *on se couche.* (comparaison)

Les subordonnées remplissant la fonction de complément de P peuvent souvent être remplacées par un GPrép ou un GPart, notamment lorsque le sujet de la subordonnée et celui du verbe principal représentent la même chose ou la même personne :

> *Quand* ***j'****aurai fait ma sieste*, ***j****'irai me promener avec toi.*

> *Après avoir fait ma sieste*, *j'irai me promener avec toi.*

> *Après ma sieste*, *j'irai me promener avec toi.*

> *Comme* ***il*** *courait*, ***il*** *s'est cassé la cheville.*

> *En courant*, *il s'est cassé la cheville.*

> *Comme* ***il*** *s'absentait trop souvent*, ***il*** *a perdu son emploi.*

> *S'absentant trop souvent*, *il a perdu son emploi.*

Pour connaître les différentes conjonctions de subordination et leur signification, voir le tableau « Conjonction de subordination » dans le *Multi*.

EXERCICE 2.5

Soulignez les subordonnées circonstancielles remplissant la fonction de complément de P et précisez le rapport sémantique qu'elles expriment par rapport au GV principal.

EXEMPLE

Je vous invite à souper <u>parce que vous le méritez bien</u>. cause

1. Lorsqu'il mourut, tout le petit village prit le deuil.

2. Le coq ne chante même pas quand le jour se lève.

3. Avant qu'il nous raconte le roman, il faudrait se renseigner sur l'auteur.

4. Elle m'a dit qu'on lui avait volé sa montre sans qu'elle s'en rende compte.

5. Je le répète afin que vous me compreniez bien.

6. J'accepte, bien que la proposition ne m'enchante pas.

7. Je veux bien rester, à condition que la réunion débute bientôt.

8. Les deux fillettes, qui grelottaient parce qu'elles avaient de la fièvre, s'étaient serrées l'une contre l'autre.

9. Elle n'est pas malhonnête, puisqu'elle ne t'avait rien promis.

10. Comme j'étais grippée, j'ai pris quelques jours de repos.

La subordonnée corrélative

La subordonnée corrélative est liée à un adverbe **modificateur** et est enchâssée dans un groupe de mots à l'aide du subordonnant *que*. Cette subordonnée est toujours placée à la fin du groupe de mots dont elle fait partie. Elle peut modifier

a) un GAdj :

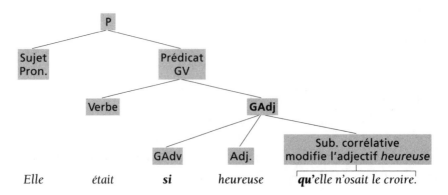

b) un GN :

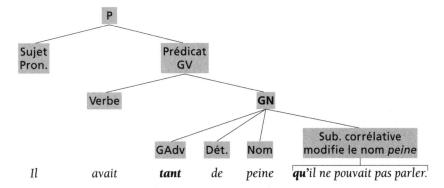

c) un GAdv :

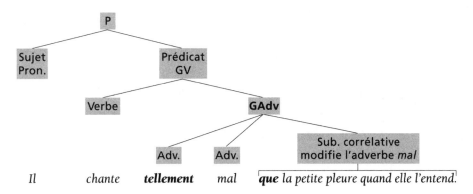

d) un GV :

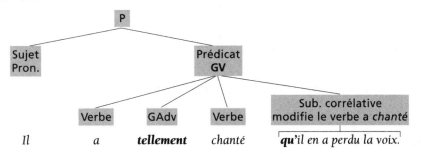

Dans les subordonnées corrélatives qui marquent la comparaison (avec les adverbes *plus*, *moins*, *autant*, *aussi*), les termes communs à la phrase enchâssante et à la phrase enchâssée sont souvent effacés.

– Effacement du sujet et du prédicat :

> *J'ai fait plus de confitures aux fraises que **j'ai fait** de confitures aux framboises.*
>
> *J'ai fait plus de confitures aux fraises que   Ø   de confitures aux framboises.*

– Effacement du prédicat :

> *J'ai fait plus de confitures que Nicole **en a fait**.*
>
> *J'ai fait plus de confitures que Nicole   Ø   .*

Les corrélatives liées aux adverbes *assez* et *trop* sont introduites par le subordonnant *pour que* au lieu du subordonnant *que*, et le verbe de la subordonnée est au subjonctif :

> *Pierre est **trop** indiscipliné* **pour qu**'*on l'admette dans l'équipe* .

De plus, si le sujet de la subordonnée et celui du verbe principal désignent la même chose ou la même personne, on peut réduire la subordonnée à un GPrép contenant un GInf :

*Pierre est **trop** indiscipliné* | ***pour** réussir ses études* |.

EXERCICE 2.6

Soulignez les adverbes corrélatifs et les subordonnées corrélatives qui leur sont liées dans les phrases suivantes, et dites si les subordonnées font partie d'un GAdj, d'un GN, d'un GAdv ou d'un GV.

EXEMPLE

La pluie est arrivée <u>si</u> rapidement <u>que nous nous sommes fait complètement mouiller</u>.   GAdv

1 Il a tellement plu que la piscine a débordé. _____

2 Il a tant de charme que tout le monde l'adore. _____

3 Il est si drôle que tout le monde l'adore. _____

4 Luce a nagé plus longtemps que Louis. _____

5 Il parle si vite que personne ne le comprend. _____

6 Il est trop entêté pour que je l'accepte dans mon équipe. _____

7 Il a écrit plus de contes que de nouvelles. _____

8 Mon cerf-volant est monté si haut que je l'ai perdu de vue. _____

2.3 L'INSERTION

L'insertion consiste à insérer une phrase entre deux virgules dans une autre, appelée phrase enchâssante :

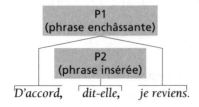

D'accord, dit-elle, je reviens.

Il y a deux sortes de phrases insérées : les **incises** et les **incidentes**.

La phrase incise

La phrase incise est insérée entre deux virgules dans une phrase enchâssante pour signaler un discours rapporté directement.

Lorsque la phrase incise est en fin de phrase, la deuxième virgule se confond avec le point. Quand la phrase enchâssante se termine par un point d'exclamation ou d'interrogation, la première virgule se confond avec ce point :

Très bien, | *s'empressa-t-elle d'ajouter* | *, monsieur a raison.*

Très bien, monsieur a raison, | *s'empressa-t-elle d'ajouter* | *.*

Très bien ! | *s'empressa-t-elle d'ajouter* | *, monsieur a raison.*

La phrase incidente

La phrase incidente est insérée à l'aide de virgules ou de tirets dans une phrase enchâssante, et indique un commentaire du scripteur ou du locuteur à propos de ce qui est dit dans la phrase enchâssante :

La richesse du territoire est attribuable, | *comme on s'en doute* | *, au grand nombre de rivières poissonneuses.*

Récapitulation

Voici un tableau récapitulatif des modes de liaison des phrases :

Mode de liaison	Procédé	Exemples
Par coordination	à l'aide d'un signe de ponctuation	*Rose est arrivée* **:** *la fête peut commencer* .
	à l'aide d'un coordonnant	*Reviens vite* **ou** *je m'en vais* .
Par subordination	à l'aide d'un subordonnant	Sub. relative complément du nom : *As-tu vu le nouvel ordinateur* **qu'**il s'est acheté *?*
		Sub. complétive CD ou CI : *Il sait* **où** *il va* .
		Sub. circonstancielle complément de phrase : **Quand** *il l'a vu* , *il s'est moqué de lui.*
		Sub. corrélative modificateur : *Il a* **tellement** *froid* **qu'**il en tremble .
Par insertion	à l'aide de signes de ponctuation	Phrase incise : *Je vous remercie,* ajouta-t-elle .
		Phrase incidente : *La tempête annoncée –* c'est tant mieux *– n'a pas eu lieu.*

Chapitre 3

QUELQUES POINTS DE SYNTAXE

Que faut-il penser de phrases comme *Il s'est produit un accident dont la cause en est inconnue* ou *Il a insisté sur comment il fallait présenter le travail* ? Pour terminer une lettre, écrit-on *En terminant, veuillez agréer...* ou *En terminant, je vous prie d'agréer...* ? On voit ou on entend couramment ce genre de phrases et, si elles nous font parfois tiquer, on ne saurait pas toujours dire pourquoi elles sont incorrectes ni comment il faudrait les corriger, faute de bien connaître les règles de la syntaxe du français.

Puisqu'il sera question de syntaxe tout au long de ce chapitre, commençons par définir ce qu'est au juste la syntaxe. Dans le *Nouveau Petit Robert*, on apprend que la syntaxe est *l'étude des règles qui président à l'ordre des mots et à la construction des phrases, dans une langue.* La phrase est en effet constituée de suites de mots agencées d'une certaine façon, mises en relation et porteuses de sens. C'est la *syntaxe* qui établit les règles gouvernant les relations de dépendance entre mots et groupes de mots à l'intérieur de la phrase. C'est par exemple ce qu'on peut observer dans la phrase suivante :

> *Les habitudes acquises à l'adolescence laissent des traces tout au long de la vie.*

Le sujet est le GN *Les habitudes acquises à l'adolescence*. Il comporte un *noyau*, qui est le mot *habitudes*. Ce noyau du groupe est à la tête d'un autre groupe : *acquises à l'adolescence*, qui est son complément. Le groupe *acquises à l'adolescence* comporte à son tour un noyau, l'adjectif *acquises*, qui est suivi du complément *à l'adolescence*. Ces différents groupes compléments s'emboîtent en quelque sorte les uns dans les autres, pour former l'ensemble global mis en rapport avec le GV.

Il n'est pas toujours facile de détecter avec précision les erreurs de syntaxe et de les corriger. La syntaxe du français est en effet contraignante et rigide, il faut le reconnaître, et c'est d'ailleurs pourquoi écrire est une tâche difficile, exigeant vigilance et souci du détail. Si la rédaction d'une phrase contenant un seul verbe conjugué (une phrase sans subordonnée) ne pose généralement pas de problème, on ne peut en dire autant des phrases interrogatives et négatives, ou des phrases qui contiennent plus d'un verbe conjugué. Leur rédaction pose en effet souvent problème : on hésite, on se demande comment articuler les différents éléments de la phrase et quelles tournures privilégier.

Ces problèmes, ces hésitations viennent généralement du fait qu'à l'oral, dans la conversation courante, on privilégie les phrases simples, voire les « bouts de phrase ». De plus, l'oral a sa syntaxe propre – plus simple, il faut bien le dire, que celle de l'écrit –; or, ce qui est tout à fait acceptable dans la langue parlée ne l'est pas nécessairement dans la langue écrite. Ainsi, des questions formulées en termes aussi simples que *Combien ça coûte* ? ou *Tu prends quoi* ? sont courantes dans la langue orale familière. Dans la langue écrite, il faudra cependant leur préférer des structures interrogatives plus complexes, telles que *Combien est-ce que ça coûte* ?, *Combien cela coûte-t-il* ?, *Qu'est-ce que tu prends* ? ou *Que prends-tu* ?

Un bon rédacteur doit également se soucier de varier la structure de ses phrases, entre autres pour éviter la monotonie, ce qui suppose qu'il connaît et maîtrise les règles de la syntaxe. Le scripteur soucieux de clarté et qui souhaite être bien compris de ses lecteurs n'a donc guère le choix : il lui faut connaître et respecter les règles. Mais qu'il se console, car l'effort en vaut la peine : son style n'en sera que plus clair et ses écrits, plus agréables à lire et plus efficaces.

Dans ce chapitre, nous allons passer en revue différents points qui peuvent poser problème dans la rédaction de la phrase. Nous présenterons les règles de la façon la plus simple et la plus claire possible, en mettant l'accent sur la correction des erreurs les plus courantes. Le rappel et la pratique de ces règles devraient, nous l'espérons, vous donner des moyens d'améliorer la qualité de vos textes.

3.1 LA SYNTAXE DES PHRASES INTERROGATIVES

Interrogation directe et interrogation indirecte

Il faut d'abord distinguer l'interrogation directe de l'interrogation indirecte. On parle d'interrogation indirecte quand les termes de la question sont rapportés sous la forme d'une subordonnée :

> Il m'a demandé **quand je partais**.
>
> Je me demande bien **qui elle a rencontré**.
>
> Les étudiants se demandent **si la grève durera longtemps**.

Quand la phrase enchâssante est une phrase déclarative, on ne met pas de point d'interrogation à la fin de la subordonnée. Cependant, on mettra un point d'interrogation si la phrase enchâssante est de type interrogatif :

> **Sais-tu** si la grève durera longtemps ?

On parle d'interrogation directe quand on rapporte exactement les termes de la question :

> Il m'a demandé : « **Quand pars-tu ?** »

L'interrogation directe est toujours suivie d'un point d'interrogation.

EXERCICE 3.1

Ajoutez le signe de ponctuation finale qui convient.

1 Je me demande quelle heure il est

2 Quelle heure est-il

3 Pourrais-tu me dire quelle heure il est

4 L'horloge indique-t-elle la bonne heure

5 Peut-être l'horloge n'indique-t-elle pas la bonne heure

6 Ne me dites pas que l'horloge n'indique pas la bonne heure

7 Quelqu'un aurait-il l'heure

8 Ils se demandent combien de temps il nous reste

9 Combien de temps nous reste-t-il

10 Vous avez l'heure

11 Personne ne sait à quelle heure le train arrivera

12 Depuis quand travaillez-vous ici

13 Comment devons-nous procéder pour faire une réclamation

14 Mais comment avez-vous fait pour perdre nos bagages

15 Combien de fois vous ai-je dit de faire attention

16 Ne m'en parlez pas

Double interrogation

Il faut faire attention de ne pas doubler les formules interrogatives. Une suffit !

>**Est-ce que ton ami est-il venu ?*

>→*Ton ami est-il venu ?*

>→*Est-ce que ton ami est venu ?*

Emploi de *qui est-ce qui (que)* et *qu'est-ce qui (que)*

Les locutions *qui est-ce qui (que)* et *qu'est-ce qui (que)* s'emploient dans l'interrogation directe :

>*Qui est-ce qui a téléphoné ?*

>*Qu'est-ce que tu veux ?*

>*Qu'est-ce qui te plairait ?*

Mais elles ne s'emploient pas dans l'interrogation indirecte :

>**Je lui ai demandé qu'est-ce qu'il voulait.*

>**Nathalie se demande qui est-ce qui peut bien lui avoir joué ce sale tour.*

On écrira plutôt :

>*Je lui ai demandé ce qu'il voulait.*

>*Nathalie se demande qui peut bien lui avoir joué ce sale tour.*

Emploi erroné de *que*

On prendra garde également de ne pas ajouter un *que* inutile après des mots interrogatifs tels que *comment, combien, où, quand, qui,* etc. :

>**Combien que ça coûte ?*

>**Comment que l'appareil fonctionne ?*

On écrira plutôt :

>*Combien est-ce que ça coûte ?*

>*Combien ça coûte ?*

>*Combien cela coûte-t-il ?*

>*Comment l'appareil fonctionne-t-il ?*

>*Comment est-ce que l'appareil fonctionne ?*

Emploi erroné de la subordonnée interrogative après une préposition

On n'emploie pas de subordonnée interrogative après une préposition :

> *Ne t'inquiète pas **de** comment ça se passera.*
>
> *On l'a interrogé **sur** pourquoi il n'avait rien dit.*

On pourra remplacer le mot interrogatif par un groupe du nom :

> *Ne t'inquiète pas de la façon (de la manière) dont ça se passera.*
>
> *On l'a interrogé sur les raisons (sur les causes, sur les motifs) de son silence.*

On pourra aussi récrire la phrase de façon à faire disparaître la préposition :

> *On lui a demandé pourquoi il n'avait rien dit.*

EXERCICE 3.2

Reformulez les phrases suivantes. Certaines sont tout à fait incorrectes, d'autres peuvent être améliorées à l'écrit.

1 Comment est-ce que tu penses qu'il réagira en apprenant la nouvelle ?

_____

2 Elle m'a demandé qu'est-ce que Mathieu avait voulu dire ?

_____

3 Lequel des deux que tu veux ?

_____

4 Où est-ce que vous êtes allés ?

_____

5 Comment que ça s'écrit, ce mot-là ?

_____

6 Est-ce que quelqu'un a-t-il des questions à poser ?

_____

7 Comment les autres ont fait ?

_____

8 Je ne sais pas qui est-ce qui est parti le premier.

_____

9 Avec qui qu'il est parti ?

_____

10 Les chercheurs se demandent depuis belle lurette comment le corps règle-t-il la circulation du sang dans les tissus.

11 Elle se demande pourquoi qu'on veut s'attaquer à ce problème dès l'an prochain.

12 Pourquoi la plupart des femmes ne le croient pas quand on leur dit qu'elles font de l'ostéoporose ?

13 Ils ont essayé de savoir quand voulait-elle qu'on la rappelle ?

3.2 LA SYNTAXE DES PHRASES NÉGATIVES

Les locutions adverbiales de négation ou de restriction comportent généralement **deux** termes : *ne... pas, ne... que, ne... jamais, ne... plus*, etc. (Voir le tableau « Ne, ni, non » dans le *Multi*.)

Examinez les phrases suivantes, toutes deux incorrectes :

> **Je ne veux pas lancer la pierre à personne, mais tout est à refaire.*

> **Aucun des hôpitaux montréalais proposés par l'Université de Montréal répondait à tous les critères.*

La première de ces phrases contient trois mots négatifs : *ne*, *pas* et *personne*. C'est un de trop. Il aurait suffi d'écrire :

> *Je **ne** veux lancer la pierre à **personne**, mais tout est à refaire.*

La deuxième phrase, quant à elle, ne contient qu'un mot négatif : *aucun*. Il en manque un. Il aurait fallu écrire :

> ***Aucun** des hôpitaux montréalais proposés par l'Université de Montréal **ne** répondait à tous les critères.*

Une phrase négative est une phrase où l'on nie une affirmation. La construction de la phrase négative est souvent source d'erreurs, le plus souvent dues à l'influence de l'oral, mais heureusement faciles à corriger. Voici donc l'essentiel de ce qu'il faut savoir pour bien construire les phrases négatives et corriger ses erreurs, le cas échéant.

Omission de *ne*

L'omission de *ne* est très fréquente dans la langue parlée. Cette tendance est tout à fait naturelle et ne pose aucun problème. Dans la langue écrite, cependant, il faut veiller à respecter l'usage et éviter l'ellipse du *ne* :

> **J'y vais **pas**.*

> *→Je **n'**y vais **pas**.*

On peut cependant omettre le *ne* dans quelques cas très particuliers, par exemple dans des tours ou des phrases elliptiques :

> *Tu es content ? Moi **pas**.*

> *Quand changeras-tu d'idée ? **Jamais**.*

Pas de chance !

Ce chat est magnifique, mais **pas** très gentil.

As-tu fini ton travail ? **Pas** encore.

Négation avec *on*

L'adverbe de négation *n'* est souvent confondu avec la liaison de *on* avec l'initiale d'un mot commençant par une voyelle ou un *h* muet. Si la phrase est négative, il ne faut en aucun cas omettre le *n'* après *on* :

*On entend **rien**.

→On **n'**entend **rien**.

*On a **plus** le choix.

→On **n'**a **plus** le choix.

Place de *ne... pas*

Si la négation porte sur l'ensemble de la phrase, on la forme en ajoutant l'adverbe *ne... pas* à la phrase. Les deux termes de cet adverbe se placent généralement de part et d'autre du verbe ou de l'auxiliaire :

Je **ne** partirai **pas**.

Je **n'**ai **pas** vu le feu rouge.

Quand le verbe est à l'infinitif, on place *ne pas* devant cet infinitif. Attention de ne pas oublier le *ne*, obligatoire dans la langue écrite :

*Je vous ai dit de **pas** partir.

→Je vous ai dit de **ne pas** partir.

Quand l'infinitif est *être* ou *avoir* ou qu'il est formé avec l'auxiliaire *être* ou *avoir*, on place *ne pas* devant *être* ou *avoir* ou de part et d'autre de l'auxiliaire :

Il prétend **ne pas** être responsable de l'accident.

Il prétend **n'**être **pas** responsable de l'accident.

Il dit **ne pas** avoir entendu Jean sortir.

Il dit **n'**avoir **pas** entendu Jean sortir.

Omission de *pas*

On notera également qu'il faut omettre *pas* quand la phrase contient déjà *ne* et un autre mot négatif :

*Ils **n'**ont **pas rien** à ajouter.

→Ils **n'**ont **rien** à ajouter.

*Ils **n'**ont **pas** parlé à **personne**.

→Ils **n'**ont parlé à **personne**.

*Il **n'**y a **pas personne** qui puisse me dire quoi faire.

→Il **n'**y a **personne** qui puisse me dire quoi faire.

*Il **n'**y a **pas jamais** assez de neige à son goût.*

→*Il **n'**y a **jamais** assez de neige à son goût.*

Si la négation porte seulement sur un des groupes ou éléments de la phrase (sujet, complément...), on emploie *ne* et un déterminant négatif (*aucun, nul*) ou un pronom négatif (*personne, rien*) :

*Il **n'**a fait **aucun** commentaire.*

*Nous **n'**avons vu **personne**.*

Emploi de certains adverbes de négation

On emploie les adverbes *jamais*, *plus* et *guère* avec *ne* en opposition à *toujours*, *encore* et *beaucoup* :

*Elle **n'**a **jamais** fait de musique.*

*Je **n'**en parlerai **plus**.*

*Je **n'**ai **guère** de temps à consacrer à ce travail.*

Emploi de *ne... que*

La locution *ne... que* s'emploie dans le sens de « seulement » ; son emploi n'exprime pas la négation mais la restriction. Il ne faut jamais omettre le *ne* :

*Je **n'**ai **que** deux ou trois dollars sur moi.*

*Je **n'**irai au cinéma **que** si je n'ai rien d'autre à faire.*

Il faut éviter les pléonasmes *ne... que seulement*, *ne... que simplement* :

*Ils **ne** sont **seulement que** trois.*

→*Ils **ne** sont **que** trois.*

→*Ils sont **seulement** trois.*

Il faut également faire attention de ne pas cumuler les formes de la négation et de la restriction :

*Ils ont apporté assez de vêtements pour **ne pas** avoir à faire de lavage **qu'**en cas d'obligation.*

→*Ils ont apporté assez de vêtements pour **n'**avoir à faire de lavage **qu'**en cas d'obligation.*

On pourra cependant écrire des phrases comme celles-ci où *pas* nie *ne que* :

*Il **n'**y a **pas que** les factures à payer.*

*On **n'**a **pas** invité **que** lui.*

On se rappellera enfin qu'une double négation est en réalité une affirmation :

*Jean **n'**est **pas sans** savoir que nous l'attendons.* (= *Jean sait que nous l'attendons.*)

EXERCICE 3.3

Ajoutez, quand il y a lieu, l'adverbe de négation *n'*.

1 On _____ a souvent besoin que d'un petit peu d'encouragement.

2 On _____ a souvent besoin d'un plus petit que soi.

3 On _____ aperçoit l'île que par temps clair.

4 On _____ obtient rien sans peine.

5 On _____ est jamais si bien servi que par soi-même.

6 On _____ a aucun recours.

7 On _____ a plus qu'à partir.

8 On _____ a plus d'amis quand on en prend soin.

9 Je crains qu'on _____ ait plus qu'à plier bagage.

10 Je crains qu'on _____ ait tort.

Emploi de _ni_

On peut utiliser _ni_ pour relier les termes à l'intérieur d'une phrase négative. Il y a deux façons de le faire :

> Ils **n'**ont **pas** de chat **ni** de chien.
> Ils **n'**ont **ni** chat **ni** chien.

Il faut noter que quand _ni_ est répété, _pas_ est exclu. On n'écrira donc pas :

> *Ils **n'**ont **pas ni** chat **ni** chien.

_Ne_ employé seul

Dans le registre soutenu, _ne_ peut s'utiliser seul dans certaines circonstances :

• Avant les verbes _pouvoir, savoir, oser, cesser_ :

> Je **n'**ose le dire. (usage courant : Je **n'**ose **pas** le dire.)

Il faut noter que l'omission de _pas_ est obligatoire après _savoir que_ suivi de l'infinitif :

> Elle **ne sait que faire** pour nous aider.

• Dans une subordonnée relative dont la phrase enchâssante est négative :

> Je **n'**ai **rien** dit qui **ne** soit vrai.

• Après _depuis que, voilà... que, il y a... que_ :

> Il a beaucoup changé **depuis que** je **ne** l'ai vu.
> (usage courant : Il a beaucoup changé **depuis que** je l'ai vu ou **depuis que** je **ne** l'ai **pas** vu.)

> **Il y a** bien cinq ans **que** je **ne** lui avais parlé.
> (usage courant : **Il y a** bien cinq ans **que** je lui avais parlé. **Il y a** bien cinq ans **que** je **ne** lui avais **pas** parlé.)

• Dans certaines expressions plus ou moins figées, telles que _ne dire mot, n'avoir de cesse de, n'en déplaise à_, etc. :

> Pierre **ne dit mot** : serait-il d'accord avec nous ?

Un mot sur le *ne* explétif

L'appellation *explétif* signifie que l'adverbe *ne* n'est pas essentiel au sens de la phrase ; il n'y ajoute rien, en fait. C'est pourquoi son emploi est la plupart du temps facultatif. Il ne faut pas confondre le *ne* explétif et le *ne pas* qui exprime la négation, car ils s'opposent.

Le *ne* explétif est couramment utilisé (mais sans être obligatoire) dans les subordonnées comparatives d'inégalité :

> *Ce travail est **plus** difficile **que** je **ne** le pensais.*
>
> *Il est **moins** malade **qu'**il **ne** le paraît.*

Le *ne* explétif s'utilise également, sans être obligatoire, avec des verbes au subjonctif précédés de certains subordonnants tels *avant que*, *de peur que*, *de crainte que* :

> *Téléphonez-lui **avant qu'**il **ne** soit trop tard !*

On peut aussi employer le *ne* explétif à la suite de certains verbes à la forme affirmative suivis d'un subjonctif :

> *Je **crains** qu'il **ne** soit déjà parti.*

EXERCICE 3.4

Corrigez les phrases suivantes, qui contiennent toutes une erreur relative à l'emploi des adverbes de négation ou de restriction.

1 Ce qu'elle a fait, personne d'autre l'aurait fait.

_____

2 J'ai rien dit de tel.

_____

3 Tu n'as simplement qu'à pousser sur ce bouton : l'enregistrement se fera automatiquement.

_____

4 Elle veut voir que sa mère.

_____

5 Je n'ai pas pensé à rien pendant tout le temps qu'a duré cette crise.

_____

6 Aucun remboursement sera fait après le 1er janvier.

_____

7 On économisera 45 000 $ en aménageant qu'une salle de conférence.

_____

8 L'homme a été condamné à 1000 $ d'amende. Il ne pourra non plus conduire pendant deux ans.

_____

9 Les discussions sont assez dures, mais on n'a pas blâmé personne.

---

10 Ils ont embauché que les meilleurs candidats.

3.3 L'EMPLOI DES PRONOMS ET DES DÉTERMINANTS POSSESSIFS

Règles générales

(Voir les tableaux « Pronom » et « Déterminant » dans le *Multi*.)

La syntaxe des pronoms est très exigeante et repose sur un grand principe : l'emploi d'un pronom, quel qu'il soit, ne doit jamais créer d'ambiguïté. On peut dire la même chose des déterminants, particulièrement des déterminants possessifs, qui sont, comme les pronoms, porteurs d'une personne grammaticale (première, deuxième ou troisième personne, du singulier ou du pluriel). Pour éviter toute ambiguïté dans l'emploi des pronoms ou des déterminants possessifs, on pourra se conformer aux règles exposées ci-dessous.

S'assurer que le référent du pronom est clair

Le référent du pronom (ce à quoi le pronom renvoie) doit être clair et explicite, présent dans la phrase et pas seulement sous-entendu, à moins que le pronom soit le sujet de la phrase, auquel cas son référent se trouvera dans une phrase précédente. Peu importe la situation, le lecteur ne doit avoir aucune difficulté à identifier le référent du pronom, ce qui suppose également qu'il n'y a qu'un seul référent possible :

> *L'homme est finalement rattrapé par les deux policiers et mis en état d'arrestation.*
> *C'est en vérifiant le contenu de **celle-ci** qu'ils trouvent, dans le coffre arrière,*
> *un cadavre encore tout chaud.*

Dans cet énoncé, le pronom *celle-ci* n'a pas de référent : on laisse au lecteur le soin de deviner que *celle-ci* représente *la voiture*. Le référent d'un pronom doit être explicite et placé assez près du pronom, surtout quand il s'agit d'un pronom démonstratif du type de *celle-ci*, pour que le lecteur sache tout de suite à quoi on fait référence. Dans ce cas précis, il aurait fallu écrire :

> *C'est en vérifiant le contenu de **la voiture** qu'ils trouvent, dans le coffre arrière,*
> *un cadavre encore tout chaud.*

S'assurer qu'un même pronom a toujours le même référent

Un même pronom doit toujours avoir le même référent. Si un même pronom renvoie à plus d'un référent ou si différents pronoms renvoient au même référent, on parlera de *discordance pronominale*. Il faut se méfier particulièrement des pronoms de troisième personne (*on, il, elle*, etc.).

Dans la phrase suivante, les deux pronoms *il* n'ont pas le même référent :

> *Robert s'est approché du chien, **il** l'a flatté et **il** s'est mis à grogner.*
>   Robert   le chien

Il aurait fallu écrire :

> *Robert s'est approché du chien,* **il** *l'a flatté et* **celui-ci** *s'est mis à grogner.*

Dans la phrase suivante, le pronom *nous* et le pronom *on* ont le même référent :

> ******Nous*** *avons frappé à la porte et ensuite* **on** *est entrés.*

Il faut plutôt écrire :

> ***Nous*** *avons frappé à la porte et ensuite* **nous** *sommes entrés.*

Vérifier le référent des pronoms personnels de 3ᵉ personne

De la même façon, un pronom personnel de 3ᵉ personne ne doit pas avoir plus d'un référent possible dans la phrase. Si le pronom peut renvoyer à deux référents de même genre, la règle veut que le pronom renvoie au sujet de la phrase précédente. Mais il vaut toujours mieux éviter les ambiguïtés :

> **Hier, Paul a été mordu par le chien de son voisin et* **il** *s'est excusé.*

Selon la règle, il faut comprendre que Paul s'est excusé d'avoir été mordu. Pour rétablir les faits, il faut écrire :

> *Hier, Paul a été mordu par le chien de son voisin,* **qui** *s'est excusé.*

Éviter les ruptures dans l'accord grammatical

Dans les textes, il faut également éviter les ruptures dans l'accord grammatical :

> **L'équipe canadienne est prête à relever le défi, car* **ils** *se sont bien entraînés.*

> **Les enseignantes qui doivent utiliser deux programmes différents ont constaté un alourdissement de* **sa** *tâche.*

Dans la première phrase, le pronom *ils* renvoie à *équipe*, qui est féminin singulier. Il y a donc rupture de l'accord grammatical et il faut corriger la phrase. Il y a deux façons de le faire :

> *L'équipe canadienne est prête à relever le défi, car* **les athlètes** *se sont bien entraînés.*

> *L'équipe canadienne est prête à relever le défi, car* **elle s'est** *bien* **entraînée.**

Dans la deuxième phrase, l'adjectif possessif *sa*, de troisième personne du singulier, n'a pas de référent singulier. Son référent, *les enseignantes*, est pluriel. Il aurait donc fallu écrire :

> *Les enseignantes qui doivent utiliser deux programmes différents ont constaté un alourdissement de* **leur** *tâche.*

Éviter les redondances indues avec les pronoms *en* et *y*

On prendra garde également de créer des redondances indues avec les pronoms *en* et *y*, comme dans les exemples suivants :

> **Lorsqu'on* **y** *mange tous les jours* **à la cafétéria,** *il faut avoir un estomac solide !*

> **Il* **en** *ressort* **de cette situation** *que les autorités n'ont pas réagi assez vite.*

Dans la première phrase, le pronom *y* reprend inutilement le complément *à la cafétéria* et dans la deuxième, le pronom *en* reprend le complément *de cette situation*. La redondance vient du fait que le pronom est utilisé dans la même phrase que le complément qu'il représente sans qu'il y ait intention de reprise emphatique. Il suffit de supprimer le pronom pour corriger la phrase :

> *Lorsqu'on mange tous les jours à la cafétéria, il faut avoir un estomac solide !*

> *Il ressort de cette situation que les autorités n'ont pas réagi assez vite.*

On pourra bien sûr utiliser ces pronoms pour marquer l'insistance, en somme si la reprise emphatique est voulue ; dans ce cas, on peut également déplacer le complément qu'on veut mettre en relief en tête de phrase :

> ***Préparer trois repas par jour,*** *on finit par **en** avoir assez !*
>
> *On finit par **en** avoir assez de préparer trois repas par jour !*
>
> ***Ramasser derrière ses enfants,*** *il **en** a ras le pompon.*
>
> *Il **en** a ras le pompon de ramasser derrière ses enfants.*

EXERCICE 3.5

Les phrases suivantes contiennent toutes une erreur causée par le mauvais emploi d'un pronom ou d'un déterminant. Corrigez-les et justifiez votre correction.

1 Nous invitons les personnes qui n'ont pas encore contribué à la campagne de financement à accueillir les solliciteurs qui frapperont à votre porte samedi.

_____

2 Pour d'autres, comme Mathieu Caron, c'est la vie de groupe qui l'a attiré.

_____

3 Quand il ne participe pas à des compétitions, le jeune homme et son équipe organisent des spectacles pyrotechniques en Europe.

_____

4 Beaucoup de personnes s'y opposent parce qu'ils croient que cela nuira au Québec.

_____

5 Les gouvernements devront faire des lois, être plus sévères envers les pollueurs et les faire respecter.

_____

6 Que vous alliez observer les baleines pour la première ou pour la dixième fois, il faut se préparer et bien planifier son excursion.

_____

7 Nous devons, selon elle, avoir à cœur de s'exprimer correctement lors des entrevues.

_____

8 Le couple a tout vendu pour pouvoir réaliser leur rêve.

_____

9 De ce total de 460 millions de dollars, il en sera redistribué 53 millions de dollars aux arrondissements.

_____

10 Ne manquez pas de visiter le moulin de Beaumont, où on y produit d'excellentes farines biologiques.

_____

Emploi des pronoms relatifs

Pourquoi écrit-on *la fille **dont** je te parle* et non**la fille **que** je te parle* ?

Les pronoms relatifs, vous le savez maintenant, introduisent des subordonnées relatives compléments du nom ou du pronom. Ils servent à joindre le nom ou le pronom qu'ils représentent – et qu'on appelle *antécédent* – à la subordonnée relative qu'ils introduisent. En plus de leur rôle de marqueurs de relation (ou subordonnants), les pronoms relatifs exercent aussi une fonction grammaticale dans la subordonnée. Ainsi, dans la phrase

> *La maison* ⟨ **que** *j'ai visitée* ⟩ *coûte malheureusement trop cher pour moi.*

le pronom relatif *que* a comme référent le nom *maison*. Il introduit la subordonnée relative *que j'ai visitée* dans la phrase matrice, et il est aussi **complément du verbe** *ai visitée*.

L'emploi de tel ou tel pronom relatif dépend de sa fonction syntaxique dans la subordonnée relative ; ce n'est donc pas par hasard que l'on utilise *qui, que* ou *dont* dans une phrase donnée. Voyons comment cela fonctionne...

Formes et fonctions des pronoms relatifs

Parmi les formes du pronom relatif, on distingue des **formes simples** et des **formes composées**. Les formes simples du pronom relatif sont *qui, que, quoi, dont* et *où*. Les formes composées du pronom relatif sont *lequel/laquelle* et leurs dérivés. Voyons maintenant quelles sont leurs fonctions respectives.

a) ***Qui***

Qui est un pronom sujet :

> *L'étudiant **qui** travaille ne peut que réussir.*
>
> (*qui* : sujet de la subordonnée)

Qui est parfois précédé d'une préposition, auquel cas il fait partie d'un GPrép complément indirect du verbe de la subordonnée relative :

> *La femme **à qui** je me suis adressé ne parlait pas français.*
>
> *Malheur à celui **par qui** les problèmes arrivent !*
>
> *Les travailleurs **à qui** on avait promis un emploi sont très déçus.*

b) ***Que***

Que est habituellement un pronom complément direct du verbe de la subordonnée relative :

> *Pour qui sont tous ces cadeaux **que** tu as achetés ?*
>
> (*que* : CD du verbe *as achetés*)

Que est attribut du sujet quand le verbe de la subordonnée relative est un verbe attributif :

> *Chanceux **que** vous êtes !*

c) ***Dont***

Dont représente toujours un complément introduit par la préposition *de*. Il peut s'agir d'un complément indirect du verbe, mais aussi d'un complément du nom ou de l'adjectif. On utilise *dont* quand l'antécédent précède immédiatement le pronom relatif :

> *Le <u>garçon</u> **dont** je parle... (je parle **de** ce garçon)*
>
> (*dont* : CI du verbe *parle*)

*Ma <u>voiture</u>, **dont** les pneus sont usés. (les pneus **de** ma voiture)*
(*dont* : compl. du nom *voiture*)

*Voilà un <u>résultat</u> **dont** elle est fière. (elle est fière **de** ce résultat)*
(*dont* : compl. de l'adjectif *fière*)

d) *Où*

Où est un complément indirect du verbe de la subordonnée ou un complément de phrase indiquant le lieu ou le temps ; il peut s'utiliser seul ou précédé d'une préposition :

*La ville **où** il est né a été complètement détruite.*
(*où* : CI du verbe *est né*, indiquant le lieu)

*La ville **d'où** il vient est réputée pour son hospitalité.*
(*d'où* : CI du verbe *vient*, indiquant le lieu)

*Il y a des jours **où** tout semble compliqué.*
(*où* : compl. de P de la subordonnée, indiquant le temps)

e) *Quoi*

Quoi est presque toujours précédé d'une préposition. Il ne s'applique qu'à des choses, c'est-à-dire que son antécédent ne peut être qu'une chose, généralement vague. *Quoi* fait partie d'un GPrép complément indirect du verbe de la subordonnée relative :

*Il n'y a rien **sur quoi** nous nous entendons.*
(*sur quoi* : CI du verbe *entendons*)

*C'est ce **par quoi** nous allons commencer.*
(*par quoi* : CI du verbe *commencer*)

f) *Lequel / laquelle* et leurs dérivés

Les formes composées du pronom relatif dérivent toutes du pronom de base *lequel*, dont la forme varie selon le genre et le nombre de l'antécédent, et aussi selon sa fonction dans la subordonnée relative. Dans la langue juridique ou littéraire, on peut utiliser *lequel* seul, en fonction sujet. Dans les écrits courants, on utilise *lequel* et ses dérivés surtout en fonction complément ; on réservera l'emploi de *lequel* comme sujet aux cas, peu fréquents, où l'emploi de *qui* pourrait créer une équivoque :

*J'ai rencontré le mari de ma sœur, **lequel** m'a raconté toute l'histoire.*

Dans cette phrase, un *qui* pourrait renvoyer à *mari* ou à *sœur* ; l'emploi de *lequel*, qui ne peut renvoyer qu'à *mari*, permet d'éviter l'équivoque.

Le pronom *lequel*, précédé d'une préposition, fait partie d'un GPrép qui a la fonction de complément indirect du verbe de la subordonnée :

*C'est une solution **à laquelle** je n'avais pas pensé.*
(*à laquelle* : CI du verbe *avais pensé*)

*L'immeuble **dans lequel** j'habite est paisible.*
(*dans lequel* : CI du verbe *habite*)

*On offre une multitude de jeux, **parmi lesquels** vous pourrez choisir ceux qui vous plaisent le plus.*
(*parmi lesquels* : compl. de P de la subordonnée)

*Le programme d'entraînement rigoureux **auquel** l'athlète s'est soumis a donné des résultats étonnants.*
(*auquel* : CI du verbe *s'est soumis*)

Comme complément, *lequel*, toujours précédé d'une préposition, renvoie à un nom désignant une chose ou un animal. Si l'antécédent est une personne, on préférera *qui* à *lequel* ou ses dérivés :

> *L'entreprise **pour laquelle** il travaille devra fermer ses portes.* (laquelle = l'entreprise)

> *Marie, **pour qui** Pierre travaillait depuis quinze ans, a démissionné de son poste de directrice.* (qui = Marie)

> *Voilà le lac au bord **duquel** nous avons passé nos vacances.* (duquel = du lac)

Choix du pronom relatif

On sait que le choix du pronom relatif dépend de sa fonction dans la subordonnée. Transformer la phrase matrice qui contient une subordonnée relative en deux phrases aide à choisir le pronom relatif qui convient, puisque cette transformation permet de trouver plus facilement la fonction du mot ou du groupe de mots que le pronom relatif représente. Voici comment procéder.

a) *La maison _____ je te parle est à vendre depuis six mois.*

- Première étape : faire deux phrases à partir de cette phrase.
  > *La maison est à vendre depuis six mois. Je te parle de la maison.*

- Deuxième étape : dans la phrase qui sera la subordonnée, trouver la fonction du mot commun aux deux phrases (ou du groupe contenant ce mot) que le pronom relatif remplacera.
  > *La maison est à vendre depuis six mois. Je te parle **de la maison**.*
  > *de la maison* : CI du verbe *parle*

Le pronom relatif qui remplace un complément indirect introduit par la préposition *de* étant le pronom *dont*, on aura :

> *La maison **dont** je te parle est à vendre depuis six mois.*

b) *Le professeur _____ j'ai parlé a refusé de m'accorder un délai.*

> *Le professeur a refusé de m'accorder un délai. J'ai parlé **au professeur**.*
> *au professeur* : CI du verbe *ai parlé*

Le pronom relatif qui remplace un complément indirect introduit par la préposition *à* (*au*) est *qui* (s'il représente un être animé, comme dans cet exemple). On aura donc :

> *Le professeur **à qui** j'ai parlé a refusé de m'accorder un délai.*

c) *Le tabouret _____ tu es assis aurait besoin d'être repeint.*

> *Le tabouret aurait besoin d'être repeint. Tu es assis **sur le tabouret**.*
> *sur le tabouret* : CI du verbe *es assis*

Le pronom relatif qui remplace un complément indirect introduit par la préposition *sur* est *lequel* (s'il représente un être inanimé, comme dans cet exemple). On aura donc :

> *Le tabouret **sur lequel** tu es assis aurait besoin d'être repeint.*

EXERCICE 3.6

Dans les phrases suivantes, ajoutez le pronom relatif qui convient, précédé s'il y a lieu d'une préposition.

1 La situation _____ nous devons faire face n'est pas simple.

2 La personne à côté de _____ tu es assis est la présidente du syndicat.

3 La garderie _____ mes enfants fréquentent devra fermer ses portes.

4 Ce _____ les Québécois doivent prendre conscience, c'est qu'ils détiennent le record peu glorieux de plus grands consommateurs d'énergie sur la planète.

5 Les dépenses énergétiques du Québec, _____ plus de la moitié sont attribuables à notre mode de développement axé sur la trilogie auto - bungalow - banlieue, pourraient facilement être ramenées à des proportions plus raisonnables.

6 Le projet _____ on a réservé le meilleur accueil est celui des étudiants en informatique.

7 Les étudiants _____ on a attribué une bourse devront publier les résultats de leurs recherches.

8 Est-ce que c'est de la possibilité de déclencher une grève générale _____ il sera question à cette assemblée syndicale ?

9 C'est un projet _____ la réalisation nous tient à cœur.

10 Il y a des conducteurs _____ il faut se méfier et _____ on a intérêt à essayer de prévoir les maladresses.

Place du pronom relatif

Dans la construction des subordonnées relatives, il faut veiller à rapprocher le pronom relatif de son antécédent, pour éviter des constructions équivoques comme celle-ci :

> *J'ai acheté un meuble chez un antiquaire qui dégageait une odeur de moisi.*

La construction de la phrase laisse croire que l'antécédent de *qui* est *antiquaire*, puisque c'est ce mot qui précède le pronom relatif. Or c'est sans doute le meuble, et non l'antiquaire, qui dégage une odeur de moisi. Pour corriger cette construction maladroite donnant lieu à une équivoque et appelée *janotisme* (de *Janot*, nom d'un personnage du théâtre comique du XVIIIᵉ siècle), il suffira de rapprocher le pronom relatif de *meuble*, son véritable antécédent :

> *J'ai acheté, chez un antiquaire, un meuble qui dégageait une odeur de moisi.*

Voici d'autres exemples de **janotismes** et les façons de les corriger :

> *Il y a un **drapeau** sur le toit **qui** flotte. (qui = **drapeau** ou **toit** ?)*
> →*Il y a un **drapeau** **qui** flotte sur le toit. (qui = **drapeau**)*

> *Voilà le **chien** du voisin **qui** a volé mes saucisses ! (qui = **chien** ou **voisin** ?)*
> →*Voilà le **chien** **qui** a volé mes saucisses ! C'est le chien du voisin. (qui = **chien**)*

S'il est impossible de rapprocher le pronom relatif de son antécédent, on aura recours à l'**anaphore**, procédé qui consiste à répéter l'antécédent. C'est ce qu'on a fait dans la phrase suivante :

> *Un important **projet** a été annoncé, **projet auquel** tout le personnel sera appelé à collaborer*
> *dès l'an prochain.*

Le recours à l'anaphore, dans cette phrase, permet d'éviter la construction maladroite suivante, dans laquelle le sujet *projet* serait trop éloigné du verbe *a été annoncé* :

> **Un important **projet auquel** tout le personnel sera appelé à collaborer dès l'an prochain*
> *a été annoncé.*

EXERCICE 3.7

Dans les phrases suivantes, le pronom relatif est éloigné de son antécédent. Réparez la maladresse en rapprochant le pronom de son antécédent et en faisant les modifications nécessaires.

1 Chaque année, il se produit plusieurs accidents sur cette route qui font de nombreux blessés.

_____

2 Il a travaillé pendant 28 ans comme cuisinier dans de petits restaurants plus ou moins connus, dont 20 ans au même endroit.

_____

3 Certains professeurs exigent un travail acharné de leurs étudiants que la plupart ne peuvent pas fournir.

_____

4 Vous y verrez notamment une intéressante rocaille sur le bord d'un ruisseau qui plaira aux amateurs d'horticulture.

_____

5 Deux trouble-fête sous l'effet de la drogue qui avaient semé la pagaille ont été arrêtés hier soir.

_____

Remarques sur l'emploi du pronom *dont*

Le pronom *dont*, qui renferme la préposition *de*, peut compléter le verbe, le nom, l'adjectif ou l'adverbe de quantité.

> *Voilà le livre **dont** j'**ai besoin**.*
>
> *Le journaliste **dont** j'ai lu les **articles** est très connu pour son sens critique.*
>
> *C'est un résultat **dont** il est **fier**.*
>
> *Ces enfants, **dont beaucoup** ont moins de trois ans, ont dû être retirés de la garderie.*

a) S'il y a déjà un *de* dans le groupe de la phrase matrice que reprend le pronom relatif, on utilisera le relatif *que* (et non *dont*) pour éviter une redondance :

> *C'est **de** l'examen **qu'**il sera question.* (et non : **C'est **de** l'examen **dont** il sera question.*)
>
> *C'est **de** lui **que** je veux parler.* (et non : **C'est **de** lui **dont** je veux parler.*)

b) *Dont* complément du nom

Le pronom *dont* ne peut pas compléter un nom complément indirect d'un verbe (et donc précédé d'une préposition). Dans ce dernier cas, il faudra remplacer *dont* par *de qui*, *duquel*, etc. Ainsi, on peut écrire

*C'est un appareil **dont** je connais **le fonctionnement**.*

*J'ai vérifié l'orthographe des mots **dont** j'ai appris **l'existence** en lisant des manuels techniques.*

parce que *le fonctionnement* et *l'existence* sont des compléments directs des verbes *connais* et *ai appris*; il n'y a donc pas de préposition.

Mais on ne pourra écrire

Je n'ai pas trouvé, dans le dictionnaire, les mots **dont je doutais **du sens**.*

C'est un appareil **dont je m'intéresse **au fonctionnement**.*

parce que *du sens* et *au fonctionnement* sont des compléments indirects des verbes *doutais* et *m'intéresse*, introduits respectivement par la préposition *de* et par la préposition *à*. Dans de tels cas, soit quand le pronom relatif est complément d'un nom complément indirect du verbe de la subordonnée relative, on emploie *de qui* (pour remplacer les noms de personnes seulement), *duquel*, *desquels*, *de laquelle* ou *desquelles*. Il faudra donc plutôt écrire :

*Je n'ai pas trouvé, dans le dictionnaire, les mots **du sens desquels** je doutais.*

*C'est un appareil **au fonctionnement duquel** je m'intéresse.*

On notera que c'est tout le GPrép (ici, *du sens desquels* et *au fonctionnement duquel*) dont fait partie le pronom relatif qui se déplace avec lui au début de la subordonnée relative.

c) Comme le pronom relatif renvoie déjà à un antécédent, il faut éviter d'ajouter un autre terme qui y renvoie aussi, comme un déterminant possessif ou les pronoms personnels *en* et *y* :

Ce chat **dont vous admirez **sa** couleur est un persan.*

Dans cette phrase, *dont* et *sa* renvoient tous les deux à l'antécédent *chat*. On écrira plutôt :

*Ce chat **dont** vous admirez **la** couleur est un persan.*

On observe le même genre de redondance dans les exemples suivants :

Il s'agit d'ateliers **auxquels tout le monde pourra **y** participer.*

Est-ce le roman **dont vous **en** êtes l'auteur ?*

Est-ce le roman **dont vous êtes **son** auteur ?*

Dans le premier exemple, *auxquels* et *y* renvoient tous deux à l'antécédent *ateliers*. Dans les deux autres exemples, on crée aussi une redondance fâcheuse en utilisant conjointement *dont* et le pronom *en* ou le déterminant *son*. On corrigera ces phrases comme suit :

*Il s'agit d'ateliers **auxquels** tout le monde pourra participer.*

*Est-ce le roman **dont** vous êtes **l'**auteur ?*

EXERCICE 3.8

Refaites les phrases suivantes, toutes incorrectes, en utilisant les pronoms relatifs qui conviennent.

1 J'ai fait tout ce que j'étais capable et dit tout ce que j'étais sûr.

2 C'est un sport dont on s'en fatigue vite.

3 Tout ce qu'on a besoin pour finir la sauce, c'est des oignons.

4 Ce que tu me parles ne m'intéresse pas beaucoup.

5 On présente des pièces où les gens peuvent s'y reconnaître.

6 Il ne faut pas jeter la pierre aux joueurs, dont leur enthousiasme n'a pas suffi à leur assurer la victoire.

7 Il a réussi à se procurer tout ce dont il lui manquait pour réparer la fissure.

8 La gardienne dont j'ai eu recours aux services a décidé de retourner aux études.

9 Le psychologue a expliqué ce qu'ont besoin les adolescents.

10 Il s'est produit un accident dont la cause en est inconnue.

11 L'astrologie : pour ceux dont l'avenir les intéresse.

12 L'appareil que je me sers appartient à mon père.

13 Les deux femmes, dont on ne craint pas pour la vie, ont d'abord été conduites à l'urgence avant d'être transférées dans un centre hospitalier.

14 Ce type de traitement provoque des saignements que les femmes croyaient s'être débarrassées après la ménopause.

15 C'est de tous ces problèmes de communication dont il est question dans son nouveau livre.

⟨3.4⟩ L'EMPLOI DES PRÉPOSITIONS

Comme les conjonctions de subordination, les prépositions établissent une relation de dépendance syntaxique entre deux éléments. Cependant, alors que la conjonction de subordination établit une relation entre deux phrases, en marquant l'enchâssement de la subordonnée dans la P matrice (voir le chapitre 2), la préposition établit une relation entre deux mots ou groupes de mots. En fait, la préposition est le mot qu'on utilise pour introduire les divers types de compléments dans la phrase : compléments du nom, de l'adjectif, du verbe, etc.

> *Sophie s'est classée **parmi** les premiers.*
> (***parmi** les premiers* : complément du verbe *s'est classée*)

> *Les clés **de** Julie traînent **sur** la table.*
> (***de** Julie* : complément du nom *clés* ;
> ***sur** la table* : complément du verbe *traînent*)

> *Il est très content **de** sa note.*
> (***de** sa note* : complément de l'adjectif *content*)

Choix de la préposition

Les prépositions ont beau être de petits mots, elles donnent souvent de grands maux aux rédacteurs. Le français dispose d'une quarantaine de prépositions simples (*à*, *de*, *pour*, etc.) et d'une centaine de prépositions composées (*afin de*, *à cause de*, *grâce à*, etc.) dont l'emploi n'est pas toujours facile (voir le tableau « Préposition » dans le *Multi*). Dans bien des cas, notamment dans le cas des prépositions dites « neutres », « incolores » ou « vides », telles que *à* et *de*, l'emploi des prépositions est affaire d'usage plus que de logique, et c'est d'ailleurs ce qui rend leur maniement difficile.

La plupart des prépositions peuvent en effet avoir une grande variété de significations – souvent abstraites –, selon les mots ou groupes de mots avec lesquels elles sont combinées. Ainsi, dans le cas des compléments indirects, le choix de la préposition est régi par la construction du verbe. Il s'agit alors d'une question de lexique : tel verbe se construit avec telle ou telle préposition. La préposition sert aussi à introduire des compléments de phrase et certaines expansions du verbe qui ne sont pas des compléments indirects, comme les modificateurs. C'est encore l'usage qui détermine le choix de la préposition, selon le sens qu'elle peut véhiculer. La préposition *pour*, par exemple, peut contenir l'idée de but :

> *Ils se sont réunis **pour** adopter une position commune sur les fusions.*
> (= dans le but d'adopter une position commune sur les fusions)

Ailleurs, elle évoquera la cause :

> *Il a été défait **pour** avoir été trop honnête avec les électeurs.*
> (= parce qu'il a été trop honnête avec les électeurs)

Le choix de la préposition tient donc au sens de cette dernière et à celui du complément qu'elle introduit. La polyvalence sémantique des prépositions est souvent source d'imprécisions, comme c'est le cas ici pour l'emploi de *avec* :

> **L'exploitation forestière se fait également **avec** des méthodes qui sont plus respectueuses des écosystèmes.*

Dans cette phrase, *avec* ne convient pas. Il faudrait utiliser une expression du type *au moyen de*.

La préposition se combine donc avec différents mots et dans différents contextes pour livrer des significations variées. L'emploi des prépositions étant de ce fait une affaire très délicate, l'allié le plus sûr du rédacteur reste le dictionnaire, et il ne faut pas hésiter à le consulter au moindre doute. Le meilleur moyen de s'assurer du bon emploi d'une préposition reste en effet la consultation d'un dictionnaire. Pour chaque verbe et chaque adjectif, on trouve habituellement des exemples qui renseignent sur la ou les prépositions qu'on peut utiliser avec le mot, selon le contexte.

Il reste que l'emploi des prépositions est soumis à quelques règles qu'il est bon de connaître ou de se rappeler. Voyons donc quels sont les principaux pièges à éviter dans l'emploi des prépositions.

Erreurs fréquentes dans l'emploi de la préposition

Les erreurs les plus fréquentes dans l'emploi des prépositions concernent le choix de la préposition : la construction est fautive parce que la préposition est mal choisie ou qu'on en fait un emploi abusif dans le contexte. On peut aussi faire des fautes dans la coordination de groupes de mots : on oublie de répéter une préposition alors qu'il est obligatoire de le faire ou on coordonne des groupes de mots dont les constructions sont différentes en utilisant une seule préposition alors qu'il en faudrait deux différentes. Passons en revue les problèmes qui se posent fréquemment pour savoir comment corriger les erreurs éventuelles.

Erreur dans le choix de la préposition

Voici quelques exemples d'erreurs courantes dans le choix de la préposition.

a) **Erreur relative à la construction du verbe**

Ce type d'erreur consiste à utiliser une préposition pour introduire le complément d'un verbe transitif direct ou, au contraire, à « oublier » la préposition nécessaire devant le complément d'un verbe transitif indirect ou intransitif :

   *Il s'est rappelé **de** son code d'accès.*
   →*Il s'est rappelé son code d'accès.*

   *Ils sont censés **d'**arriver bientôt.*
   →*Ils sont censés arriver bientôt.*

   *Il faudra trouver une façon de pallier **aux** insuffisances du système.*
   →*Il faudra trouver une façon de pallier les insuffisances du système.*

   Les candidats devront satisfaire les exigences de l'emploi.
   →*Les candidats devront satisfaire **aux** exigences de l'emploi.*

Il faut aussi éviter de répéter inutilement la préposition :

   *Avez-vous besoin **de d'**autre chose ?*
   →*Avez-vous besoin **d'**autre chose ?*

b) **Confusion entre la préposition *à* et la préposition *de***

Une autre erreur consiste à utiliser *à* quand il faudrait utiliser *de*, et l'inverse. Ce type d'erreur survient le plus souvent dans des situations où le verbe est suivi d'un autre verbe à l'infinitif :

   *Ils ont l'air **à** comprendre la situation.*
   →*Ils ont l'air **de** comprendre la situation.*

   *Ils s'attendent **de** partir bientôt.*
   →*Ils s'attendent **à** partir bientôt.*

Erreur dans l'expression de la périodicité

On n'utilise pas de préposition devant *chaque* et *tout* indiquant une périodicité :

> **Vous recevrez un relevé de vos transactions **à tous** les mois.*
> →*Vous recevrez un relevé de vos transactions **tous** les mois.*

> **Le guide alimentaire canadien recommande de manger des fruits et des légumes **à chaque** jour.*
> →*Le guide alimentaire canadien recommande de manger des fruits et des légumes **chaque** jour.*

Préposition postposée (après le verbe qu'elle devrait introduire)

La place de la préposition est devant le complément qu'elle doit introduire, et non après. On veillera donc à éviter, à l'écrit, des constructions fautives qu'on entend parfois dans la langue parlée :

> **Les problèmes de gestion **que** les administrations publiques sont aux prises **avec** semblent énormes.*
> →*Les problèmes de gestion **avec lesquels** les administrations publiques sont aux prises semblent énormes.*

Emploi abusif de prépositions dites « passe-partout »

Le choix de la préposition, vous le savez maintenant, est affaire de sens. Certaines prépositions et locutions prépositives étendent leur emploi de façon telle qu'elles se substituent, comme passe-partout, à la préposition qui convient dans le contexte. L'usage inapproprié de locutions de ce type est souvent l'indice d'un raccourci de pensée, d'une incapacité à décrire la réalité dans toute sa complexité. Voici quelques exemples de ces prépositions dont il faut se garder de faire un emploi abusif. Consultez le dictionnaire ou le *Multi* pour en connaître le bon usage et les emplois fautifs.

a) *Avec*

Dans les exemples suivants, il convient d'employer d'autres prépositions que *avec* :

> **Il est content **avec** ses résultats.*
> →*Il est content **de** ses résultats.*

> **Elle s'est contentée **avec** un sandwich pour dîner.*
> →*Elle s'est contentée **d'**un sandwich pour dîner.*

b) *Sur*

Dans les exemples suivants, il convient d'employer d'autres prépositions que *sur* :

> **Pierre siège **sur** le comité de programme.*
> →*Pierre siège **au** comité de programme.*

> **Les jeunes ont été sensibilisés **sur** les dangers liés à la consommation de drogues.*
> →*Les jeunes ont été sensibilisés **aux** dangers liés à la consommation de drogues.*

> **Les entrevues auront lieu **sur** semaine.*
> →*Les entrevues auront lieu **en** semaine.* (ou ***pendant** la semaine)*

c) *Pour*

Il faut éviter d'utiliser *pour* dans des constructions de ce type :

> **Ils cherchent **pour** une solution.*
> →*Ils cherchent une solution.*

d) *Au niveau de*

La locution *au niveau de* signifie *à la même hauteur que* et s'utilise sans problème quand on lui donne ce sens :

>   *L'eau lui arrive au niveau de la taille.*

Il faut cependant se méfier des autres emplois de cette locution, qu'on a tendance à utiliser à tout propos de nos jours :

>   **Nous avons recours à des méthodes profitables **au niveau de** la création d'emplois.*
>   →*Nous avons recours à des méthodes profitables **du point de vue de** la création d'emplois.*
>
>   **Au niveau des** résultats, le bilan est mitigé.*
>   →**En ce qui concerne** les résultats, le bilan est mitigé.*

e) *Face à*

On observe aussi un emploi abusif de la locution *face à* dans les écrits. Il ne faut pas l'utiliser en lieu et place de prépositions comme *par rapport à*, *vis-à-vis de*, *quant à*, *relativement à*, *du point de vue de*, *sur*, *devant*, *pour*, etc., et éviter des fautes comme celles-ci :

>   **On ne sait comment réagir **face à** de tels comportements.*
>   →*On ne sait comment réagir **devant** de tels comportements.*
>
>   **Nos opinions diffèrent **face à** cette question.*
>   →*Nos opinions diffèrent **relativement à** cette question.*

f) *Suite à*

Il faut réserver l'emploi de la locution *suite à* à la correspondance commerciale ou administrative ; c'est une faute que d'employer *suite à* dans des textes autres que des lettres officielles. Dans les écrits courants, on lui préférera des locutions telles que *comme suite à*, *pour faire suite à*, *en réponse à*, *à la suite de*, *par suite de*, etc.

>   **Suite à** la tempête, on a dû fermer l'école.*
>   →**En raison de** la tempête, on a dû fermer l'école.*
>
>   **Suite à** la recommandation du comité, on révisera les critères d'admission.*
>   →**Comme suite à** la recommandation du comité, on révisera les critères d'admission.*

g) *Dû à*

En fait, la locution prépositive *dû à* n'existe pas : c'est un calque de l'anglais *due to*. Il ne faut donc jamais l'employer au sens de *à cause de*, *en raison de*, *étant donné* ou *compte tenu de*, comme dans :

>   **Dû à** la pluie, le match a été annulé.*
>   →**En raison de** la pluie, le match a été annulé.*

Notez bien que la séquence *dû à* existe en français, mais elle résulte de la combinaison du participe passé du verbe *devoir*, utilisé comme adjectif et donc variable, et de la préposition *à* introduisant le complément. Voici des exemples de phrases bien construites :

>   *Ses échecs répétés sont dus à son inattention.*
>   *Cet accident est dû à la maladresse de l'autre joueur.*

EXERCICE 3.9

Corrigez les phrases suivantes en remplaçant les prépositions mal choisies. N'hésitez pas à consulter le dictionnaire au besoin et à reformuler certaines parties de la phrase si vous le jugez nécessaire.

1 Les parents essaieront à nous orienter vers l'informatique ou les sciences.

2 Cela n'a pas eu l'air à les surprendre.

3 Il faudrait demander l'avis de d'autres personnes.

4 La fille que tu étais assis avec s'appelle Joannie.

5 À part de lui, tout le monde a assisté à la réunion.

6 Antoine se rappellera longtemps de sa participation au marathon des Deux Rives.

7 Si le produit existe sur un autre nom, j'aimerais le savoir.

8 On pourrait obtenir les données à tous les trois mois.

9 L'entreprise connaîtra un déficit cette année avec les frais élevés de commercialisation du produit.

10 Il a fallu travailler sans relâche sur 15 jours pour régler le problème.

11 Selon le porte-parole pour l'organisme, tous les résidents connaissaient cet endroit.

12 Certains jeunes déclarent faillite avant même d'être tenus à rembourser leur prêt.

13 Il a été condamné pour voies de fait avec son ex-conjointe, qui heureusement s'en est tirée indemne.

14 Le petit déjeuner sera servi sur l'avion.

_____

15 Est-ce qu'ils disposent assez de temps pour faire ce travail ?

_____

Répétition de la préposition

Il faut généralement répéter les prépositions *à*, *de* et *en* devant chaque nouveau complément, sauf si les deux compléments forment un tout, un ensemble :

> *Allez-vous à Montréal **en** voiture ou **en** autobus ?*
>
> *J'ai écrit **à** Pierre et **à** Julie.* (deux lettres distinctes, chacun la leur)
>
> *J'ai écrit **à** Pierre et Julie.* (une seule lettre, destinée au « couple » que forment Pierre et Julie)
>
> *Il faudra annoncer la nouvelle **à** ses amis et connaissances.*

Dans les prépositions composées se terminant par *à* ou *de* (*avant **de***, *grâce **à***, etc.), on ne répète généralement que le *à* ou le ***de*** (*du*, *des*, *au*, *aux*, s'il y a contraction de la préposition et du déterminant article) :

> *Tu as réussi **grâce à** ta patience et **à** ta persévérance.*

Dans la comparaison avec *plutôt que*, *autant que*, *moins que*, etc., il faut aussi répéter la préposition après la conjonction *que* :

> *Il préfère donner son spectacle **devant** une salle pleine **plutôt que devant** une salle à moitié vide.*
>
> *On le plaint **moins pour** les pertes qu'il a subies **que pour** les difficultés qu'il éprouve à surmonter l'épreuve.*

On ne répétera les autres prépositions que si l'on veut insister sur chacun des éléments ou si l'on veut marquer une alternative :

> *Tout ce que je te demande, c'est de répondre **par** oui ou **par** non.*
>
> *Répondez **par** oui ou non aux questions suivantes.*

On ne répétera pas non plus la préposition dans les expressions toutes faites :

> ***En** ton âme et conscience.*
>
> *L'école **des** arts et métiers.*

_____

EXERCICE 3.10

Corrigez les phrases suivantes, toutes incorrectes.

1 Le but de ce travail est de décrire la situation et proposer des solutions.

_____

2 À la radio, la télé, on parle beaucoup des loisirs.

_____

3 On n'a qu'à prendre chaque jour qui vient comme un nouveau jour et de l'accepter comme il vient.

_____

4 L'équipe organise des spectacles pyrotechniques populaires surtout en Italie et Espagne.

_____

5 Félicitations à Careau et les personnes qui l'ont secondé.

_____

6 Le responsable du dossier suggère de bien définir le mandat de l'organisme, analyser sa gestion et déterminer qui, du gouvernement ou de la région, en sera responsable.

_____

_____

7 L'objectif, c'est de vivre sa vie et non pas la rêver.

_____

8 Il s'agit de remplacer le système de chauffage et refaire les cheminées.

_____

9 Certains affirment que le Québec n'est déjà plus compétitif par rapport aux autres provinces et les autres pays.

_____

10 Se changer trois à quatre fois avant de sortir, ce n'est pas exceptionnel pour certaines adolescentes !

_____

Prépositions et compléments communs

On peut faire précéder un groupe nominal de deux prépositions différentes, à condition toutefois que les deux prépositions admettent la même construction :

> *L'entraîneur rencontrera les membres de l'équipe **avant** et **après le match**.*

Dans l'exemple qui suit, cependant, on ne peut lier *au début du* et la préposition *pendant* pour introduire le même complément parce qu'ils n'admettent pas la même construction. On appelle ce genre de faute de construction un **zeugme** :

> ****Au début** et **pendant** le match...*

Il faut donc répéter le complément ou le reprendre par un pronom :

> *Au début du **match** et pendant **le match**...*
> *Au début du **match** et pendant **celui-ci**...*

La forme la plus fréquente du zeugme réside dans la mise en facteur commun de verbes qui construisent différemment leurs compléments :

> **La société informe, reçoit, répond, analyse et traite les demandes de ses clients.*

Les verbes *reçoit*, *analyse* et *traite* se construisent sans préposition, alors que le verbe *répond* se fait suivre d'un complément indirect introduit par la préposition à : on répond **à** *des demandes*. La mise en facteur commun dans cette phrase est donc une faute. Il aurait fallu écrire :

> *La société informe, reçoit, analyse et traite les demandes de ses clients, puis elle **y** répond.*
>
> (y = **aux** *demandes de ses clients*)

Le zeugme peut aussi affecter les compléments du nom :

> **L'accès et le maintien de services de bonne qualité sont prioritaires.*

Alors que le nom *accès* doit être suivi de la préposition à, le nom *maintien* exige la préposition *de*. Pour corriger le zeugme, il faudrait plutôt écrire :

> *L'accès à des services de bonne qualité et leur maintien sont prioritaires.*

Ce type d'erreur dans l'emploi des prépositions est assez répandu. Il faut retenir qu'on ne peut compléter au moyen d'une seule préposition deux mots ou groupes de mots exigeant deux prépositions différentes. Si on donne le même complément à deux verbes ou à deux adjectifs, il faut donc s'assurer que les deux verbes ou adjectifs admettent la même construction pour le complément, comme c'est le cas dans les phrases suivantes :

> *Il est défendu de rire et de se moquer **d'un coéquipier**.*
>
> (*rire **de*** et *se moquer **de*** : même construction)

> *Il est content et fier **de la victoire de son équipe**.*
>
> (*content **de*** et *fier **de*** : même construction)

Si ce n'est pas le cas, il faudra respecter les exigences de construction des deux verbes, adjectifs ou noms, et leur donner à chacun le complément qui leur convient, ce qui oblige à répéter le complément. Pour éviter de répéter le mot ou groupe de mots, on pourra avoir recours à un pronom :

> **Il est strictement défendu de critiquer ou de se moquer **de l'entraîneur**.*
>
> →*Il est strictement défendu de critiquer **l'entraîneur** ou de se moquer **de lui**.*

> **Il est prêt et heureux **de passer à autre chose**.*
>
> →*Il est prêt **à** passer à autre chose et il **en** est heureux.*

On peut également recourir à une tournure différente :

> *Il est prêt **à** passer à autre chose et heureux **de le faire**.*

EXERCICE 3.11

Corrigez les phrases suivantes, toutes incorrectes. Reformulez-les au besoin.

1 J'ai non seulement pensé, mais j'ai parlé de mes vacances à ma sœur.

_____

2 J'ai entendu parler et décidé d'acheter cet appareil.

_____

3 Les étudiants se sont installés à côté et devant le professeur.

_____

4 Il aspire et il a besoin de notre protection.

5 Il se soucie et pense à son avenir.

6 Les montagnes se dressent autour et derrière le village.

7 Il est prêt et capable de travailler fort pour réussir.

8 Elle a dit qu'elle connaissait et avait discuté souvent avec cet individu.

9 La boue a immobilisé et fait perdre un temps précieux aux cyclistes.

10 Il est possible de se faire dispenser et de se faire créditer un cours lorsqu'on considère avoir acquis les connaissances auparavant.

11 Les textes argumentatifs permettent à l'auteur, pour ne pas dire l'obligent, à prendre position.

12 Le président du comité de parents a appelé et même écrit à la directrice générale.

13 Nous allons préparer et nous engager à fond dans un plan d'action à long terme.

3.5 CONSTRUCTION DE LA PHRASE : FAUTES COURANTES

Disons d'abord que pour être complète une phrase doit généralement contenir au moins un verbe conjugué. L'une des erreurs les plus répandues dans la construction de la phrase est l'omission du verbe :

Pour faire suite à votre lettre du 11 mars dernier.
Un intérêt plus grand de la part de la population.

Une autre faute courante est de mettre un point entre la phrase enchâssée et la phrase enchâssante, car la phrase enchâssée (ou subordonnée) n'est pas une phrase autonome :

Il n'a pas remboursé son prêt étudiant. Parce qu'il a fait faillite.
(subordonnée à enchâsser)

Selon les renseignements que nous obtenons. Il n'y a aucune raison de s'alarmer.
(subordonnée à enchâsser)

Outre ces fautes, relativement faciles à corriger pour peu qu'on y soit attentif, d'autres types de fautes de construction peuvent affecter la structure de la phrase. Nous allons maintenant en étudier trois : l'**anacoluthe**, qui se manifeste par une rupture de l'enchaînement syntaxique ; l'**asymétrie**, qui résulte de la coordination ou de la juxtaposition de séquences de construction différente ; enfin, l'**ordre incorrect des mots**.

Les constructions en anacoluthe

Dans le *Petit Robert*, on apprend que le mot *anacoluthe* tire son origine du grec *anacoluthon* qui signifie « absence de suite » et désigne une « rupture ou discontinuité dans la construction d'une phrase ». En littérature, si elle est bien utilisée, l'anacoluthe peut produire des effets de style recherchés ; mais dans les écrits courants, elle est rarement bienvenue parce qu'elle crée des vices de construction qui affectent la lisibilité de la phrase et, partant, gênent la compréhension de l'énoncé.

L'anacoluthe (voir aussi l'entrée « anacoluthe » dans le *Multi*) est donc une rupture dans l'enchaînement syntaxique des constituants de la phrase. Elle est fréquente dans l'emploi des participes présents et des groupes infinitifs comme compléments de phrase. Le sujet du verbe au participe présent ou à l'infinitif est en effet généralement sous-entendu, et la règle exige, dans ce cas, que le sujet du verbe au participe présent ou à l'infinitif soit le même que celui du verbe principal de la phrase, c'est-à-dire le verbe conjugué qui est le noyau du GV (voir la section **Construction** dans le tableau « Participe présent » du *Multi*). Les phrases suivantes, construites conformément à cette règle, sont correctes :

> En **finissant**, *je voudrais parler de l'auteur de ce très beau livre.*
> (Le sujet implicite du participe présent *finissant* est le pronom *je*, lui-même sujet du verbe principal de la phrase.)

> En **cliquant** *sur les photos, l'utilisateur pourra voir une présentation de la section.*
> (Le sujet non exprimé du participe présent est le sujet du verbe principal de la phrase : *l'utilisateur.*)

Si le verbe principal est impersonnel, on peut généralement utiliser conjointement un verbe à l'infinitif ou au participe présent (ou un gérondif), à condition toutefois que l'énoncé ait un caractère général. Le verbe impersonnel est en effet l'équivalent du pronom sujet indéfini *on* :

> *Il est difficile de pleurer sur leur sort.* (= *on* peut difficilement pleurer sur leur sort)
> *Pour résoudre le problème, il faut en connaître les causes.* (= *on* doit en connaître les causes)
> *Il est possible d'y arriver en cliquant sur l'image apparaissant au bas de l'écran.*
> (= *on* peut y arriver en cliquant sur l'image)

Quand la règle énoncée précédemment est enfreinte, le sujet de la phrase diffère de celui du participe présent ou de l'infinitif, et il y a anacoluthe :

> **Espérant que ces commentaires vous satisfont, veuillez agréer...*

Dans cette phrase, le sujet du verbe *veuillez* est *vous* (sous-entendu) alors que celui de *espérant* est *je* (sous-entendu aussi). Il y a donc anacoluthe, et il faudra refaire la phrase, en la reformulant au besoin, de façon que le sujet des deux verbes soit *je* :

> *Espérant que ces commentaires vous satisfont, je vous prie d'agréer...*

Ce problème de structure se corrige de la même façon dans les phrases suivantes :

Les gens qui défient la loi devraient se rappeler qu'en agissant de la sorte la vie de plusieurs malades est menacée.

→*Les gens qui défient la loi devraient se rappeler qu'en agissant de la sorte **ils** menacent (mettent en danger) la vie de plusieurs malades.*

Pour commencer notre recherche, l'accord du Comité sur l'éthique est exigé.

→*Pour commencer notre recherche, **nous** devons obtenir l'accord du Comité sur l'étique.*

→*Pour commencer notre recherche, il **nous** faut l'accord du Comité sur l'éthique.*

Le même problème peut se poser avec un adjectif ou un adjectif participe employés en début de phrase :

Bien que pourrie, elle mange sa pomme sans dire un mot.
Trop petit, j'ai dû échanger ce pantalon.
Bien que malade, sa mère a envoyé Gabrielle à l'école.

On corrigera de cette façon :

Bien que sa pomme soit pourrie, elle la mange sans dire un mot.
J'ai dû échanger ce pantalon trop petit.
Bien que Gabrielle soit malade, sa mère l'a envoyée à l'école.

Les subordonnées circonstancielles, entre autres celles qui expriment le temps, la concession, et parfois aussi la cause (avec *parce que*), peuvent parfois se réduire à un GAdj ; il faut s'assurer que l'adjectif se rapporte bien au sujet de la phrase lorsqu'on effectue ces transformations :

*Bien qu'**il** soit **favorable** au projet, **il** s'est rangé du côté des opposants.*
*Bien que **favorable** au projet, **il** s'est rangé du côté des opposants.*

La réduction est acceptable puisque l'adjectif *favorable* se rapporte au sujet du verbe principal (*il*).

Bref, la règle est claire et confirmée dans toutes les grammaires : si le participe présent ou l'infinitif n'a pas de sujet propre exprimé dans la phrase, il faut s'assurer que le sujet sous-entendu du verbe à l'infinitif ou au participe présent est le même que celui du verbe principal de la phrase. Il en va de même pour l'adjectif ou l'adjectif participe : il doit se rapporter au sujet de la phrase.

En terminant, rappelons qu'un participe présent seul ne peut suffire à former une phrase : il faut lui adjoindre un verbe principal ou encore transformer la phrase :

Espérant que ces renseignements vous satisfont.

→*Espérant que ces renseignements vous satisfont, je vous prie d'accepter mes salutations.*

→*J'espère que ces renseignements vous satisfont.*

EXERCICE 3.12

Corrigez l'anacoluthe dans les phrases suivantes.

1 En arrivant dans mon village natal, les rues étaient désertes.

2 Étant infirmière-auxiliaire, l'infirmière en chef ne m'autorise pas à faire des injections.

_____

3 Un peu dur d'oreille, Marie a dû répéter trois fois l'adresse à son père.

_____

4 Après avoir quitté ta mère, celle-ci a reçu un coup de téléphone pour toi.

_____

5 Avant de pouvoir examiner sa demande d'emploi, ce candidat devra nous envoyer une copie de son dernier diplôme.

_____

6 Conçu pour les activités de plein air, les vacanciers apprécieront ce petit appareil photo qui résiste aux intempéries.

_____

7 Ayant discuté de mon projet avec mes collègues, ceux-ci m'invitèrent à assister à leur réunion de travail.

_____

8 Ce n'est pas en restant les bras croisés que la situation changera.

_____

9 Rentrant à la maison ensanglanté, madame Béland crut que son conjoint avait eu un accident.

_____

10 Pour faire trois ou quatre enfants, les enfants doivent être placés très haut dans l'échelle des valeurs personnelles des parents.

_____

11 Le dictionnaire peut être consulté à l'écran sans sortir du document.

_____

12 En utilisant votre carte de débit, le montant de votre achat est déduit immédiatement de votre compte.

_____

13 Les voleurs ont agi trop rapidement pour pouvoir supposer qu'il y a eu préméditation.

_____

L'asymétrie dans la coordination

Les principales fautes de symétrie concernent la structure des groupes de mots coordonnés dans une phrase. On se rappellera que la coordination est le procédé par lequel on joint, par un coordonnant, des éléments de même niveau syntaxique, autrement dit qui remplissent la même fonction :

> *C'est une travailleuse **habile** et **constante**.*

Les mots *habile* et *constante*, reliés par *et*, sont des GAdj qui ont tous les deux la fonction complément du nom *travailleuse*.

Notons qu'il n'est pas nécessaire que les mots ou groupes de mots coordonnés soient de même catégorie syntaxique, bien que cela puisse être parfois préférable. Ainsi, on peut coordonner un GAdj et un GPrép compléments du nom :

> *C'est une travailleuse **honnête** et **sans reproches**.*

On peut même coordonner un mot ou groupe de mots et une subordonnée, pourvu qu'ils aient la même fonction syntaxique :

> *C'est une travailleuse **habile** et **qui ne craint pas l'effort**.*

Cependant, on ne pourrait écrire :

> **Elle a quitté les lieux **rapidement** et **découragée de ses résultats**.*

En effet, l'adverbe *rapidement* est modificateur du verbe *a quitté*, tandis que le GAdj *découragée de ses résultats* est complément du pronom *elle*.

Il faut écrire :

> *Découragée de ses résultats, elle a quitté les lieux rapidement.*

Cela dit, la coordination reste un procédé exigeant qui ne souffre aucune ambiguïté : le lecteur doit pouvoir relier immédiatement les termes dans son esprit sans avoir à analyser la phrase ou à la retourner dans tous les sens. La coordination est avant tout une affaire de sens et de clarté : elle doit être symétrique et cohérente. En d'autres termes, pour que la coordination soit réussie, les éléments doivent être liés grammaticalement et être homogènes au point de vue sémantique. C'est la condition essentielle d'une coordination réussie.

Examinez la phrase suivante :

> *Les employés sont exaspérés **non seulement** par les frais de stationnement, **mais aussi** par les compressions budgétaires en éducation.*

Dans cette phrase, les éléments coordonnés *par les frais de stationnement* et *par les compressions budgétaires en éducation* sont de même nature : il s'agit de deux GPrép. Ils occupent également la même fonction (complément de l'adjectif participe *exaspérés*). En outre, les deux termes coordonnés sont parents au point de vue du sens (deux facteurs d'exaspération). Enfin, les deux termes de l'adverbe *non seulement… mais aussi* sont placés de façon symétrique, de part et d'autre des termes de même catégorie syntaxique et de même fonction qu'ils relient. Les règles de la coordination ont été observées, et la phrase est parfaitement claire.

EXERCICE 3.13

Corrigez les phrases suivantes, qui contiennent toutes un défaut touchant la symétrie ou la cohérence des éléments coordonnés.

1 Le conducteur saguenéen souffre de blessures graves de même qu'un des passagers de la Mazda.

2 En plus d'un traitement aux hormones, les femmes atteintes sont invitées à revoir leur alimentation, à faire de l'exercice, à cesser de fumer et réduire leur consommation d'alcool.

3 Ses agresseurs se sont enfuis en emportant les quelques dollars contenus dans son portefeuille et sa casquette.

4 Il y aurait des économies et de l'efficacité à réaliser en réduisant le nombre d'opérations.

5 Il n'a pas aimé la remarque du professeur et les étudiants qui riaient.

6 Selon lui, ces projets de lois non seulement vont à l'encontre du traité de libre-échange, mais aussi à l'encontre des intérêts commerciaux du Québec.

7 Se faire des frites et oublier le chaudron d'huile sur le feu, et les fumeurs qui s'endorment sont deux causes importantes d'incendies.

8 Ces observations indiquent que toute réduction supplémentaire des graisses peut non seulement s'avérer moins bénéfique mais aussi franchement nuisible.

9 Un policier a été tabassé et soulagé de son arme de service, alors qu'il se trouvait en congé et en tenue civile dans un établissement de Jonquière.

10 L'incontinence urinaire se rencontre autant chez les femmes et chez les hommes.

L'ordre incorrect des mots

Vous l'avez vu au début de ce chapitre, l'ordre des constituants de la phrase est soumis à des contraintes d'ordre syntaxique. Ainsi, le sujet précède normalement le prédicat. À l'intérieur de ces constituants, l'ordre des groupes de mots est également régi par certaines règles. Ainsi, le complément direct du verbe se place avant le complément indirect, les compléments indiquant un lieu avant ceux qui indiquent le moyen :

> *Il a donné une pomme à l'enfant.*

> *Pierre est allé à Toronto en avion.*

On peut bien sûr varier l'ordre des éléments dans la phrase, pour lier une phrase au contexte précédent, pour mettre en relief un de ses constituants ou simplement pour rompre la monotonie : un texte devient vite ennuyeux si les phrases sont toutes construites de la même façon. On peut ainsi déplacer des compléments, notamment les compléments de phrase et certains compléments du nom, ou encore inverser le verbe et son sujet. Il faut cependant respecter certains principes.

Ces règles sont subordonnées à des contraintes de longueur et de complexité syntaxique. Par exemple, si le complément direct est plus long que le complément indirect, il se place après ce dernier. Une autre règle exige en effet que la phrase soit construite selon un ordre croissant du volume des groupes, ce qui signifie que les compléments les plus courts précèdent les plus longs. Enfin, si le complément direct est une subordonnée, il doit suivre le complément indirect. Une dernière règle veut que soient rapprochés les groupes fortement liés sur le plan syntaxique : il faut donc veiller à ce que le sujet et le complément direct soient placés le plus près possible du verbe.

Ces différentes règles concordent dans la plupart des cas. Parfois, elles entrent en conflit au sein d'une même phrase, surtout quand la phrase est longue et qu'elle comporte plusieurs compléments. Revoyons ici différentes situations où l'agencement des groupes peut poser problème et être à l'origine de fautes ou de maladresses dans la construction de la phrase.

Complément direct et complément indirect du verbe

Vous savez déjà qu'une maladresse courante consiste à placer le complément indirect (CI) plus long avant le complément direct (CD) :

> **La Faculté offre <u>aux étudiants étrangers</u> <u>quatre bourses</u>.*
>
                            CI   CD

Il aurait mieux valu écrire :

> *La Faculté offre quatre bourses aux étudiants étrangers.*

Cependant, si le complément direct est plus complexe sur le plan syntaxique que le complément indirect, on le placera généralement après ce dernier.

> **Après avoir examiné ses déclarations de revenus des cinq dernières années, nous en sommes venus à la conclusion qu'il fallait réclamer un montant de deux mille dollars qu'il avait omis de verser **à ce contribuable**.*

Dans cette phrase, le complément indirect *à ce contribuable* aurait dû précéder le complément direct *un montant de deux mille dollars qu'il avait omis de verser* en raison de la complexité du complément direct, qui comporte une subordonnée relative. On corrigera ainsi :

> *Après avoir examiné ses déclarations de revenus des cinq dernières années, nous en sommes venus*
> *à la conclusion qu'il fallait réclamer **à ce contribuable** un montant de deux mille dollars*
> *qu'il avait omis de verser.*

Compléments de P

La place des compléments de phrase est variable. Ils ne sont donc pas soumis aux mêmes contraintes syntaxiques que les autres compléments. Il faut toutefois se soucier de l'équilibre de la phrase et veiller à répartir les compléments en tenant compte de leur longueur et de la distribution de l'information dans la phrase. Voici un exemple de phrase bien construite :

> *Après avoir repoussé du revers de la main, la veille, une offre syndicale qualifiée de « totalement*
> *scandaleuse », la société a demandé hier au syndicat de lui soumettre une nouvelle proposition*
> *de règlement, par crainte que les effets négatifs de ce conflit ne continuent de ternir son image.*

Deux longs compléments de P, l'un placé au début de la phrase (*Après avoir repoussé du revers de la main, la veille, une offre syndicale qualifiée de «totalement scandaleuse»*) et l'autre à la fin (*par crainte que les effets négatifs de ce conflit ne continuent de ternir son image*), encadrent le noyau de la phrase, dont les groupes sont placés dans l'ordre suivant : le sujet (*la société*) et le prédicat, lui-même composé du verbe (*a demandé*), d'un complément indirect (*au syndicat*) et d'un complément direct (*de lui soumettre une nouvelle proposition de règlement*), et accompagné d'un complément de P (*hier*). Ces trois derniers compléments sont placés par masses croissantes (du plus court au plus long) à la suite du verbe, ce qui est une façon d'assurer l'équilibre et l'harmonie de la phrase.

Voici, par contre, un exemple de phrase moins bien construite :

> **Ces individus, malgré le fait qu'ils soient considérés comme divisés et incapables de se regrouper*
> *derrière un projet commun, s'entendent fort bien sur ce point.*

Le complément de P *malgré le fait qu'ils soient considérés comme divisés et incapables de se regrouper derrière un projet commun* sépare le sujet du prédicat. Il vaudrait mieux le placer au début de la phrase, ce qui permettrait de rapprocher le sujet du verbe :

> *Malgré le fait qu'ils soient considérés comme divisés et incapables de se regrouper derrière*
> *un projet commun, ces individus s'entendent fort bien sur ce point.*

Dislocation d'un constituant de la phrase

Normalement, il faut veiller à rapprocher les groupes plus étroitement liés sur le plan syntaxique. La dislocation d'un constituant peut en effet donner une phrase incorrecte.

La dislocation des groupes peut donner lieu entre autres à des janotismes, qui consistent en une ambiguïté de sens produisant parfois un effet amusant :

> **Il est allé chercher un poulet chez le boucher qu'il a fait cuire pour le souper.*
> →*Il est allé chercher, chez le boucher, un poulet qu'il a fait cuire pour le souper.*

EXERCICE 3.14

Les phrases suivantes comportent toutes un défaut de structure lié à l'ordre des mots et affectant la clarté de l'énoncé. Corrigez-les en déplaçant les mots ou groupes de mots mal placés ou en récrivant la phrase de façon différente si cela s'avère nécessaire.

1 Elle est sortie de cette mauvaise passe dans sa vie grandie.

2 Le fils de sa deuxième femme qui avait plein de boutons avait un caractère exécrable.

3 La dernière offre des propriétaires aurait, si elle avait été acceptée, permis aux joueurs de toucher immédiatement les augmentations.

4 En entrevue, les deux responsables ont décrit les grands axes du document qui réclame dans le traitement des dossiers plus d'équité, une accessibilité pour les jeunes plus grande aux emplois de la fonction publique.

5 Les malfaiteurs se sont introduits au moyen d'un passe-partout dans l'établissement commercial.

6 On a rarement demandé ce qui l'avait incité à abandonner la recherche à ce médecin célèbre.

7 Dans votre lettre du 14 octobre dernier, vous réclamez que nous remplacions l'ordinateur que nous vous avons vendu l'an dernier par un appareil neuf.

8 Le chemin Saint-Louis entre l'avenue Maguire et l'avenue William sera fermé à la circulation les 30 et 31 juillet pour permettre à la Ville d'effectuer des travaux de réparation d'aqueduc et d'égout.

9 Y aura-t-il une élection en septembre, à la mairie, dans cette municipalité ?

10 L'Office des professions du Québec soumettra demain une proposition au gouvernement susceptible de satisfaire la majorité des intervenants.

3.6 **L'EMPLOI DU SUBJONCTIF**

Vous le verrez dans le chapitre sur la conjugaison, les grammairiens contemporains distinguent cinq modes en français : l'indicatif, le subjonctif, l'impératif, l'infinitif et le participe ; le **conditionnel** est aujourd'hui de plus en plus considéré comme un temps de l'indicatif. Cette section du chapitre portera exclusivement sur l'emploi du subjonctif dans les phrases subordonnées. (Voir le tableau « Subjonctif » dans le *Multi*.)

Le subjonctif et l'indicatif

On dit dans les grammaires que l'indicatif pose les événements en réalité alors que le subjonctif les déclare virtuels. Pourtant, bien peu de situations d'opposition de ces modes en français correspondent à une telle différence de sens.

On peut quand même dire que, généralement, l'indicatif présente l'action exprimée par le verbe comme actuelle, éventuelle ou réelle, alors que le subjonctif la présente comme virtuelle ou possible, rarement comme réelle :

> *Je pense qu'elle **viendra**.* (indicatif ; action éventuelle)
>
> *Je sais qu'elle **viendra**.* (indicatif ; action éventuelle)
>
> *Je veux qu'elle **vienne**.* (subjonctif ; action virtuelle et possible ; volonté)
>
> *On vient de m'apprendre qu'elle **est** malade.* (indicatif ; action actuelle)
>
> *J'ai peur qu'il ne **perde** son temps.* (subjonctif ; action virtuelle ; crainte)

L'emploi du subjonctif dans les subordonnées complétives

À vrai dire, le subjonctif ne s'emploie que dans des phrases subordonnées. Dans les subordonnées complétives, c'est le verbe de la phrase enchâssante qui commande le subjonctif de la subordonnée :

> *Le ministre a dit <u>regretter</u> que des citoyens **aient été** incommodés.*

Le verbe *regretter* commande en effet le mode subjonctif dans la subordonnée. Le recours à l'indicatif ou au subjonctif n'est pas arbitraire la plupart du temps. Il s'agit en fait d'une question de lexique. Le verbe *espérer* se fait suivre de l'indicatif alors que *souhaiter* demande le subjonctif.

Ainsi, il faut utiliser le subjonctif dans une phrase subordonnée complément d'un verbe principal exprimant une volonté, un sentiment ou une appréciation :

> *Je <u>veux</u>, <u>exige</u>, <u>déplore</u>, <u>refuse</u> qu'il **revienne** ici.*

On utilise aussi le subjonctif dans une phrase subordonnée commandée par une construction impersonnelle exprimant la nécessité, la possibilité ou l'appréciation d'un fait ou d'un événement :

> *<u>Il faut</u> que nous **finissions** ce rapport.*
>
> *<u>Il est possible</u> que tu **sois** convoqué en entrevue.*
>
> *<u>Il est dommage</u> que vous ne **puissiez** pas nous accompagner.*

On utilisera l'indicatif dans une phrase subordonnée complément d'un verbe déclaratif :

> *Je <u>dis</u>, <u>affirme</u>, <u>déclare</u>, <u>pense</u>, <u>crois</u> que tout **va** bien.*

Plutôt que d'essayer de retenir des listes de verbes commandant le subjonctif, il ne faut pas hésiter à consulter les ouvrages de référence, notamment les dictionnaires, pour savoir quel mode il faut utiliser avec tel ou tel verbe. Dans le tableau « Subjonctif » du *Multi*, entre autres, vous trouverez une liste de verbes imposant l'emploi du subjonctif dans la subordonnée.

Le subjonctif dans les subordonnées relatives

Dans les phrases subordonnées relatives, l'indicatif domine. On peut employer le subjonctif (mais l'indicatif est également possible) lorsque l'antécédent du pronom est spécifié par un déterminant indéfini, que la phase est négative ou qu'elle contient un superlatif :

> *Dans cette ville, on cherchera en vain <u>un</u> appartement qui **soit** abordable.*
>
> *Les administrateurs de l'organisme cherchent <u>des</u> candidats qui **sachent** (ou savent) l'espagnol.*
>
> *Je <u>ne</u> trouve <u>personne</u> qui **sache** (ou sait) l'espagnol.*
>
> *Pierre est le <u>meilleur</u> professeur d'espagnol que je **connaisse**.*

Le subjonctif dans les subordonnées circonstancielles

Dans les subordonnées circonstancielles, il faut savoir que l'emploi du subjonctif dépend essentiellement du subordonnant. Par exemple, la conjonction de subordination *pour que* signifiant le but exige le subjonctif :

> *On a bouclé le secteur <u>pour que</u> le site du parlement **soit** protégé.*

Le subjonctif s'impose dans les subordonnées circonstancielles introduites par certaines conjonctions de subordination, dont les plus courantes sont *avant que, jusqu'à ce que, en attendant que, bien que, pour que, afin que, quoique…* Vous trouverez des listes plus complètes de ces conjonctions de subordination (ou subordonnants) dans toutes les grammaires, ainsi que dans le tableau « Subjonctif » du *Multi*.

> *J'ai agi ainsi <u>afin qu'</u>il **comprenne** à quel point je l'aime.*
>
> *Je resterai <u>jusqu'à ce que</u> vous **ayez fini** ce travail.*

EXERCICE 3.15

Subjonctif ou indicatif ? Complétez les phrases suivantes en employant le présent de l'indicatif ou du subjonctif. Consultez au besoin un dictionnaire, une grammaire ou le *Multi*. Vous pouvez également remplacer le verbe par un autre où on « entend » le subjonctif pour savoir quel mode utiliser.

1 Il faut absolument que nous (voir) _____ le directeur.

2 Que vous (avoir) _____ raison est loin d'être certain.

3 Il est évident que vous ne (pouvoir) _____ pas avoir terminé pour ce soir.

4 Mon impression est que vous (avoir) _____ tort.

5 Les chances que nous (travailler) _____ ensemble s'amenuisent chaque jour.

6 Je crois qu'il (avoir) _____ raison.

7 Je ne crois pas qu'il (avoir) _____ raison.

8 Crois-tu qu'il (avoir) _____ raison ?

9 Se pourrait-il qu'il (avoir) _____ raison ?

10 Nous exigeons que vous (faire) _____ un rapport.

11 Je voudrais te parler avant que tu ne [ne explétif, facultatif] le (voir) _____.

12 Je tiens à vous donner des explications pour que vous ne (croire) _____ pas à une quelconque malversation de notre part.

13 Quelles que (être) _____ vos raisons, elles ne me convaincront pas.

14 Je voudrais voir un film qui me (divertir) _____ vraiment.

15 Il n'y a personne qui vous (croire) _____.

Le subjonctif : aussi une question d'orthographe

Certaines fautes d'orthographe des verbes dans l'emploi de l'indicatif ou du subjonctif dans les subordonnées sont dues à la similitude entre certaines formes verbales. Par exemple, dans *je sais qu'elle te **croit***, le verbe *croire* est à l'indicatif présent et se termine par un *t*, et dans *il faut qu'elle te **croie***, le verbe est au subjonctif présent et se termine par un *e*. Comme les formes verbales *croit* et *croie* ont la même prononciation, il est facile de les confondre.

On peut toujours recourir à la substitution quand on hésite entre la terminaison du subjonctif et celle de l'indicatif. Il suffit de remplacer le verbe qui pose problème par un autre dont la terminaison au subjonctif diffère de celle de l'indicatif. Ainsi, si on hésite entre *J'aimerais bien qu'il me **croit*** ou *qu'il me **croie***, on remplacera le verbe *croire* par le verbe *venir*, *partir* ou *finir*, car la différence entre l'indicatif et le subjonctif est audible : elle « s'entend », en quelque sorte. On dira et écrira

> *J'aimerais bien qu'il **vienne**, qu'il **parte** ou qu'il **finisse**.*

mais pas :

> **J'aimerais bien qu'il **vient**, qu'il **part** ou qu'il **finit**.*

On conclura donc qu'il faut choisir le subjonctif, et on écrira :

> *J'aimerais bien qu'il me **croie**.*

EXERCICE 3.16

Certains verbes des phrases suivantes contiennent une faute liée à l'emploi du mode (subjonctif ou indicatif) ou une faute liée à l'orthographe du verbe. Corrigez ces verbes ; au besoin, consultez une grammaire, le *Multi* ou un dictionnaire de verbes.

1 La police de Québec croit fortement que l'alcool soit le principal responsable de cet accident.

2 Approchez un peu pour qu'il vous voit mieux.

---

3 Bien qu'aucune étude n'a été commandée à ce sujet, les gestionnaires évaluent à plusieurs millions de dollars l'investissement initial nécessaire à la réalisation du projet.

---

4 Ils se sont engagés à ce que les économies résultant de mises en commun de services ou de fusions avec d'autres municipalités serviront à la réduction des taxes.

---

5 Il déplore que les participants à cet exercice ne font que tourner en rond.

---

6 Quoique les circonstances entourant sa disparition sont très obscures, les assurances ont réglé l'affaire sans tarder.

---

7 Les garderies à but non lucratif craignent que le gouvernement n'aura pas les moyens de leur venir en aide.

---

8 Nous sommes heureux qu'ils reconnaissent qu'il y a un problème et qu'ils veulent le résoudre, mais nous nous interrogeons sur les moyens qu'ils prendront pour y arriver.

---

9 Il est possible que nous ayions besoin d'au moins six semaines de travail pour terminer ce rapport.

---

10 Le député s'explique mal comment son dossier fiscal ait pu aboutir entre les mains d'un proche conseiller du premier ministre.

---

11 Selon le porte-parole de la police, il y a tout lieu de craindre que le jeune homme a été emporté dans le tourbillon de la chute.

Chapitre 4

LA PONCTUATION

Avant de commencer l'étude de la ponctuation, il importe de faire la distinction entre phrase syntaxique et phrase graphique.

Nous l'avons déjà vu, une **phrase syntaxique (P)** est un ensemble de mots formant un énoncé porteur de sens et contenant deux constituants obligatoires, un sujet et un prédicat.

Quant à la **phrase graphique**, c'est une suite de mots qui commence par une majuscule et se termine par un point, un point d'interrogation, un point d'exclamation ou des points de suspension. Voici des phrases graphiques :

> *Marie a accepté notre invitation.*
>
> *Je suis fatigué, je vais me coucher.*
>
> *Non* **!**
>
> *Il paraît qu'il avait de bonnes raisons...*

Dans la phrase suivante, on peut observer qu'une phrase graphique peut contenir plus d'une P (phrase syntaxique) :

Ainsi, lorsqu'on énonce qu'une phrase « commence par une majuscule et se termine par un point », il s'agit d'une **phrase graphique**.

Bien entendu, une phrase graphique peut coïncider avec une phrase syntaxique :

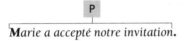

4.1 LA PONCTUATION FORTE

Les signes de ponctuation forte sont ceux qui marquent la fin d'une phrase graphique. Ils sont toujours suivis d'une majuscule.

Le point

On met un point pour indiquer la fin d'une phrase de type déclaratif ou, parfois, de type impératif :

> *C'est sans doute le meilleur roman que j'ai lu depuis très longtemps.*

On ne met pas de point à la fin des titres et des sous-titres :

> *Table des matières*

Le point d'interrogation

Le point d'interrogation s'utilise à la fin d'une interrogation directe :

> *Est-ce que Lucie a envoyé sa lettre de démission* **?**

On ne met donc pas de point d'interrogation à la fin d'une interrogation indirecte :

*Je me demande si Lucie a envoyé sa lettre de démission ?

→ *Je me demande si Lucie a envoyé sa lettre de démission.*

Le point d'exclamation

On utilise le point d'exclamation pour marquer diverses émotions (surprise, joie, colère, etc.) :

Lucie a envoyé sa lettre de démission !

Ah ! *Te voilà enfin* !

Attention ! Le point d'exclamation perd de son efficacité si on en abuse.

Généralement, les points d'interrogation et d'exclamation sont, comme le point, suivis d'une majuscule. Cependant, lorsqu'ils sont employés pour rapporter des paroles et qu'ils ne terminent pas la phrase, ils sont suivis d'une minuscule :

Il me cria : « Salut, camarade ! *» et continua sa route sans s'arrêter.*

Les points de suspension

On utilise les points de suspension pour laisser entendre qu'une phrase est inachevée, en suspens :

Laissez-moi deviner...

On ne met pas de points de suspension après l'abréviation *etc.* :

La mutation d'une population est régie par des facteurs sociaux au sens très large :
la culture, l'économie, la démographie, etc.

4.2 LA PONCTUATION MOYENNE

Contrairement aux signes de ponctuation forte, les signes de ponctuation moyenne ne marquent jamais la fin d'une phrase graphique ; ils ne sont donc pas suivis d'une majuscule. Ils s'emploient souvent entre deux phrases P.

Le deux-points

On utilise le deux-points pour introduire

a) une énumération :

J'ai perdu toutes mes cartes : carte de crédit, carte d'assurance-maladie, carte d'assurance sociale,
carte de l'université.

b) une explication, une cause ou un exemple :

Je suis épuisée : j'ai travaillé toute la fin de semaine !

c) une conséquence :

M. Dufoin a été réélu : je démissionne !

d) une conclusion :

Le vocabulaire est imprécis, la syntaxe boiteuse, la présentation négligée : voilà un travail bâclé.

e) une citation ou le discours direct :

Il se tut quelques instants, puis me demanda : « Vous m'aimez un peu ? »

On n'utilise pas le deux-points pour introduire une énumération complément d'un verbe :

> *Dans sa jeunesse, il a fait : du vélo, de la natation, du ski et de l'escalade.

> → *il a fait du vélo, de la natation, du ski…*

> → *il a pratiqué plusieurs sports : du vélo, de la natation, du ski…*

Le point-virgule

Le point-virgule s'emploie pour séparer deux idées distinctes, mais étroitement liées par le sens. Il se place alors entre deux phrases P, et peut presque toujours être remplacé par un point :

> *Il fallait rentrer ; l'orage menaçait. (Il fallait rentrer. L'orage menaçait.)*

Dans cet exemple, le point-virgule pourrait également être remplacé par le deux-points, ce qui renforcerait le rapport de cause entre les deux phrases P :

> *Il fallait rentrer : l'orage menaçait.*

On utilise parfois le point-virgule, à la place d'une virgule, pour séparer les éléments (plutôt longs) d'une énumération ou lorsque, dans une énumération, la virgule sert déjà à séparer des sous-groupes :

> *Nous avons réuni des représentants de tous les secteurs : professeurs, chargés de cours, auxiliaires d'enseignement ; employés de soutien, préposés à l'entretien et au service à la clientèle ; étudiants et auditeurs libres.*

4.3 LA PONCTUATION FAIBLE

La **virgule** est un signe de ponctuation faible. C'est le signe de ponctuation le plus fréquent, mais c'est également celui dont l'emploi est le plus complexe. Dans les faits, la virgule exerce deux fonctions syntaxiques bien distinctes : elle sert à coordonner des éléments ou des phrases P et elle permet d'insérer divers éléments dans une phrase P.

La virgule simple ou coordonnante

La virgule **coordonnante** sert à juxtaposer des éléments qui sont à un même niveau syntaxique, comme c'est le cas, par exemple, dans l'énumération : on l'appelle alors **virgule simple**. Signalons que dans une énumération la dernière virgule est souvent remplacée par une conjonction comme *et* ou *ou* :

> *Le registre contient des données économiques, sociales, culturelles et démographiques.*

Les éléments coordonnés peuvent être

a) des phrases P :

> *Ce n'est pas un métier si difficile, mais il demande beaucoup de patience.*

b) des GN sujets :

> *La revalorisation de la formation professionnelle, l'utilisation de nouvelles technologies de l'information et des communications ainsi que l'encouragement à l'innovation pédagogique font partie des recommandations de la Commission.*

c) des compléments directs ou indirects du verbe :

> *À cette époque, on empruntait toujours les théories, les modèles scientifiques*
> *et les concepts européens pour étudier les réalités québécoises.*

> *Il a habité à Liège, à Amsterdam et à Milan.*

d) des attributs :

> *Les avantages d'un tel système sont que les lunettes sont très légères, que les écrans procurent*
> *une image de très bonne qualité, que le coût est modéré et qu'il permet aux participants*
> *de partager leur expérience.*

e) des GV :

> *Il se versa un verre, but une gorgée, s'alluma une cigarette, puis éclata en sanglots.*

f) des compléments du nom :

> *Le registre contient des données économiques, sociales, culturelles et démographiques.*

> *En se basant sur les données des actes de baptême, de mariage, de sépulture, on constate*
> *que le changement social n'intervient pas de façon brute et générale.*

g) des compléments de phrase :

> *Aujourd'hui, à peine trois ans plus tard, c'est la catastrophe.*

Dans le cas de l'ellipse, la virgule simple ne sert pas à coordonner des éléments, mais à marquer l'absence d'un mot ou d'un groupe de mots :

> *Lucie était bagarreuse et fonceuse ; Marie, timide et mélancolique.*

> (Ellipse du verbe *était*)

La virgule double ou subordonnante

La virgule **subordonnante** permet d'insérer un mot, un groupe de mots ou une phrase (incidente, incise ou subordonnée) dans une phrase P. Cette virgule s'emploie par paires, c'est pourquoi on l'appelle **virgule double**. Notons que lorsque le segment inséré coïncide avec le début ou la fin d'une phrase graphique il n'est pas encadré par deux virgules. En effet, l'une d'entre elles se confond avec la majuscule ou avec le point final, selon le cas.

Les éléments pouvant être insérés peuvent être

a) un GAdj ou un GN complément du nom ou du pronom :

> *La maison, aussi austère qu'un couvent, n'avait pas été repeinte depuis des années.*

> *Elle, la petite sauvageonne, s'était enfuie dans les bois.*

b) une subordonnée relative explicative :

> *Ces lunettes, qui font appel à des technologies similaires à celles du casque virtuel,*
> *ont l'avantage d'être montées sur un contre-balancier.*

c) une apposition à une phrase ou à une partie de phrase :

> *Certains pensent que la recherche devrait être financée par le secteur privé, c'est-à-dire par*
> *des entreprises multinationales qui ne se préoccupent pas de la réalité canadienne.*

> *Trois nouvelles pistes ont été balisées, ce qui nous permettra de tenir des compétitions sans avoir*
> *à limiter l'accès aux anciens parcours.*

d) un sujet ou un complément mis en évidence :

> *Moi, je m'inscris à un cours d'informatique.* (Mise en évidence du sujet)

> *Les frais qu'occasionneront ces modifications, il faudra en rendre compte dans le prochain rapport.*

> (Mise en évidence du complément indirect)

e) une phrase incise :

Votre commentaire, me fit-il remarquer, était intempestif.

f) une phrase incidente :

C'est un véritable langage, on l'a prouvé, qui permet aux abeilles
de s'orienter en groupes.

g) un complément de phrase qui n'est pas en fin de phrase :

Lorsque nous sommes arrivés, toute la maisonnée dormait.

Les prêts sont remboursés, dans la majorité des cas, en moins de dix ans.

Cependant, lorsque le complément est court, l'emploi de la virgule n'est pas nécessaire :

Hier j'ai rencontré Paul. J'irai demain à Montréal.

h) un mot mis en apostrophe :

Antoine, réponds-moi.

i) des organisateurs textuels marquant des liens logiques ou chronologiques :

En premier lieu, il conviendrait de définir nos priorités.

Nous ne pouvons, par conséquent, répondre à votre demande.

j) des adverbes ou autres groupes de mots indiquant un commentaire ou l'opinion du locuteur à l'égard de l'énoncé :

Heureusement, aucun locataire n'était présent lorsque l'incendie a éclaté.

Il ne pourra pas, à mon humble avis, vous être d'un grand secours.

k) l'expression *et ce* :

Il faut se pencher sur les problèmes occasionnés par le non-remplacement des employés retraités,
et ce, dans les plus brefs délais.

On ne met pas de virgule

a) entre le GN sujet et le GV :

*Parfois, le choix de la virgule, du point-virgule ou du deux-points, relève de l'intention du locuteur.

→ *Parfois, le choix de la virgule, du point-virgule ou du deux-points relève de l'intention du locuteur.*

b) entre le verbe et son complément :

*Thomas convainquit mes parents par de savants arguments, que nous devions absolument assister
à cette réunion.

→ *Thomas convainquit mes parents par de savants arguments que nous devions absolument assister*
à cette réunion.

c) avant la conjonction *que* introduisant une subordonnée corrélative :

*Il avait tellement de choses à raconter quand nous sommes allés le chercher, qu'il a parlé
sans arrêt durant tout le trajet.

→ *Il avait tellement de choses à raconter quand nous sommes allés le chercher qu'il a parlé*
sans arrêt durant tout le trajet.

d) avant *et*, *ou* et *ni* dans une énumération :

*Ses travaux sur les antibiotiques, les agents antiviraux, et les antileucémiques
lui ont valu six brevets.

→ *Ses travaux sur les antibiotiques, les agents antiviraux et les antileucémiques*
lui ont valu six brevets.

Cependant, le scripteur qui veut attirer l'attention du lecteur sur un élément du texte peut décider de mettre en évidence un élément d'une énumération en le détachant au moyen de virgules doubles :

> *Il a remercié sa famille, ses amis**,** et tous ceux qui l'ont fidèlement soutenu dans cette longue lutte.*

e) devant une subordonnée relative déterminative :

> **Seuls les candidats**,** qui habitent la région de Québec**,** seront convoqués en entrevue.*

> → *Seuls les candidats qui habitent la région de Québec seront convoqués en entrevue.*

On doit mettre une virgule devant une subordonnée relative **explicative**, mais pas devant une subordonnée relative **déterminative**. Comment distinguer ces deux types de subordonnées ?

Comparons les deux exemples suivants :

> *L'océan Pacifique**, dont la superficie dépasse les 180 millions de kilomètres carrés,** constitue la plus grande étendue d'eau du monde.*
>
> (Subordonnée relative **explicative**)

> *Seuls les candidats **qui habitent la région de Québec** seront convoqués en entrevue.*
>
> (Subordonnée relative **déterminative**)

Dans le premier cas, la subordonnée relative *dont la superficie dépasse les 180 millions de kilomètres carrés* ne fait qu'ajouter une information complémentaire à propos du sujet de la phrase, *L'océan Pacifique*. On appelle cette subordonnée relative **explicative** et on l'encadre d'une paire de virgules.

Dans le second exemple, la relative *qui habitent la région de Québec* est essentielle. En effet, ce ne sont pas tous les candidats qui seront convoqués en entrevue, mais seulement « ceux qui habitent la région de Québec ». Si on supprimait la relative, le sens de la phrase se trouverait profondément modifié. Cette subordonnée, appelée relative **déterminative**, ne doit pas être entre virgules.

4.4 LES GUILLEMETS, LES PARENTHÈSES, LES CROCHETS ET LES TIRETS

Les guillemets

Les guillemets servent

a) à rapporter des paroles ou à encadrer une citation de moins de cinq lignes :

> *Il m'a dit : **« Je t'aime. »***

> *M. Jesse Jackson est le premier à le reconnaître : **« Ceux qui ont réussi ne comprennent pas qu'ils ont ramassé les pommes d'un arbre que d'autres qu'eux ont secoué. »** (Le Monde diplomatique, 18 janvier 1992)*

b) à marquer une certaine distance par rapport à la définition habituellement donnée à un terme. Les guillemets peuvent ainsi traduire le doute, la perplexité, voire l'ironie d'un auteur :

Quand il y a doute, il suffit de consulter ces autorités pour connaître ce qu'on appelle encore, à tort ou à raison, le « bon usage », c'est-à-dire l'usage des « bons écrivains ».

Avez-vous eu la « chance » de goûter sa cuvée « exceptionnelle » ?

c) à indiquer qu'on n'ignore pas qu'un mot ou qu'une expression appartiennent à une autre langue ; qu'ils appartiennent au langage familier, populaire ou vulgaire, ou qu'ils n'existent tout simplement pas ; en fait, tout mot ou expression qu'on ne veut pas prendre à son compte dans ce cas particulier :

Depuis qu'il étudie la philosophie, Martin a toujours « Dasein » à la bouche !

Il est plutôt du genre « cool ».

d) à souligner un titre d'œuvre (livre, film, article, etc.) dans un texte manuscrit[1] :

Elles m'ont demandé de leur lire « Le Petit Prince ».

Les parenthèses

Les parenthèses s'emploient pour encadrer

a) une explication ou un commentaire qu'on ne juge pas essentiel à la compréhension du texte :

Le ministre, accompagné de sa femme (comme toujours), s'est présenté au Club avec une heure de retard.

b) un nombre, un exemple, une précision :

Nous avons reçu cinq cent vingt-trois (523) nouvelles demandes d'inscription.

De même, le Français qui s'adressera à des francophones d'ici aura peut-être du mal à se faire comprendre s'il parle de carte grise (carte d'immatriculation d'un véhicule), de gendarmerie (poste de police), de lycée (école secondaire)...

c) une référence :

Dans une récente entrevue (Le Soleil, 2 mai 1992), la ministre a soutenu que...

Les crochets

Les crochets s'emploient

a) pour indiquer qu'on a modifié un passage dans une citation :

Comme l'affirme l'auteur d'un article paru en 1982 dans Meta, « [la poésie] ne se situe ni au-delà, ni en marge, mais en plein cœur de la langue ».

b) pour indiquer qu'on a omis un passage dans une citation (le plus souvent parce que ce passage est superflu ou redondant dans le paragraphe où il s'insère). Dans ce cas, on insère des points de suspension à l'intérieur des crochets :

On précise à la page 4 du rapport : « Le procès-verbal [...] doit être rédigé par une ou un secrétaire, qui n'intervient pas dans le débat. »

c) pour éviter des parenthèses doubles, c'est-à-dire des parenthèses à l'intérieur de parenthèses :

(Les étudiants devront présenter leur carte d'identité [aut. 97].)

1. En règle générale, dans un texte dactylographié, les guillemets sont remplacés par l'italique.

Les tirets

Les tirets servent

a) à annoncer un changement d'interlocuteur dans un dialogue :

> *— Avez-vous déjeuné ?*
>
> *— Pas encore.*
>
> *— Puis-je vous inviter ?*
>
> *— Avec plaisir.*

b) à détacher les termes d'une énumération :

> *Les principaux genres d'écrits journalistiques sont :*
>
> *— la brochure*
>
> *— l'article*
>
> *— la chronique*
>
> *— l'éditorial*
>
> *— la lettre publique.*

c) à encadrer un commentaire ou une précision qu'on juge utile à la compréhension du texte :

> *Les céréales de base dans le monde — le blé, le riz et le maïs — sont cultivées depuis plus de quatre mille ans.*

4.5 LE POINT ABRÉVIATIF

Le point s'emploie pour marquer la fin de certaines abréviations :

> *M. Pierre Landry*
>
> *2, av. de la Gare, app. 3*
>
> *Carleton (Québec)*

On n'emploie pas le point

a) après certains symboles ou abréviations d'unités de mesure :

> *30 km (kilomètres)   Ca (calcium)   17 h (heures)*

b) après le point d'abréviation d'*et cetera* :

> *Tous sont convoqués : administrateurs, secrétaires, techniciens, etc.*

EXERCICE 4.1

Ajoutez les virgules dans les phrases suivantes et justifiez leur emploi.

EXEMPLE

> Tout à coup, près de l'arbre, apparurent trois chatons.
>
> Coordination et insertion de deux compléments de P (virgule simple et virgule double).

1 Elles déambulaient tard femmes-enfants enfants fatiguées petites filles abandonnées et dans la nuit éclataient de rire pour un rien.

2 Une pluie torrentielle capable d'inonder le jardin en quelques heures s'abattit brusquement.

_____

3 Mon grand-père avait fabriqué une horloge qui à notre grand désespoir déclenchait une sonnerie qui empoisonnait nos réveils.

_____

4 Son frère lui était un maniaque des jeux vidéo.

_____

5 C'est pour moi fit-il remarquer une question d'honneur.

_____

6 Nous avons dégusté des calmars qui venaient d'être pêchés puis ivres de bon vin et de bonheur nous avons décidé d'aller nous promener sur les remparts.

_____

7 Le vent soufflait les vagues nous léchaient le visage mais le voilier refusait toujours d'avancer dans la bonne direction.

_____

8 Dans un documentaire diffusé la semaine dernière le premier ministre a déclaré que tout serait mis en œuvre pour que l'on dédommage dans les plus brefs délais les riverains qui ont perdu une partie de leurs biens.

_____

9 Chemises souliers chaussettes tout était sens dessus dessous.

_____

10 Les élèves de troisième qui ont beaucoup d'imagination ont monté un spectacle pour la Sainte-Catherine.

_____

EXERCICE 4.2

Ajoutez les signes de ponctuation qui conviennent.

1 Quelle belle journée Nous en faut-il beaucoup plus pour être heureux

2 Je me demande pourquoi Jean est parti si rapidement

3 Les règles d'accord du mot tout sont assez simples s'il se rapporte au nom il sera déterminant et s'accordera s'il se rapporte à l'adjectif il sera adverbe et invariable

4 Est-ce qu'il reste quelque chose à manger demanda-t-il Je meurs de faim

5 Quand elle est arrivée à la maison il lui a posé quelques questions

Pourquoi rentres-tu si tard

J'avais envie de profiter du beau temps lui dit-elle Alors j'ai marché plutôt que de prendre l'autobus

Tu aurais pu me prévenir je commençais à m'inquiéter

C'est que je n'ai pas vu le temps passer ajouta-t-elle après une brève hésitation

L'ORTHOGRAPHE GRAMMATICALE

LA MORPHOLOGIE

En français, les noms, les adjectifs et les déterminants sont marqués en genre et en nombre ; quant aux verbes, ils varient selon la personne, le nombre, le genre (pour le participe passé), le temps et le mode. Ces variations constituent la morphologie grammaticale, objet de ce chapitre-ci. Nous traiterons également des homophones grammaticaux et lexicaux, qui sont source d'erreurs fréquentes.

Afin d'éliminer quelques règles complexes et inutiles, le Conseil supérieur de la langue française de France proposait en 1990 des rectifications de l'orthographe dont certaines (touchant l'emploi des accents, l'emploi du trait d'union et le pluriel des noms composés) permettent de supprimer quelques « casse-tête » (ou « casse-têtes » selon l'orthographe rectifiée) orthographiques. Si les ouvrages de référence sont assez lents à intégrer ces changements, l'Office québécois de la langue française a réitéré en 2004 son appui à ces rectifications : dans ce contexte, on peut dire que ni les graphies anciennes ni les graphies rectifiées ne sont fautives. Il en sera tenu compte dans ce chapitre, qui propose une révision de la morphologie grammaticale et des homophones courants.

5.1 LE VERBE ET LES CONJUGAISONS

Le verbe français possède une morphologie très riche. Les variations dans la **terminaison** du verbe signalent essentiellement la **personne**, le **temps** et le **mode** au sein du système des conjugaisons. À certains temps, les terminaisons varient également en fonction du **groupe** auquel appartient le verbe. De surcroît, certaines caractéristiques orthographiques du **radical** appellent à leur tour des variations dans la conjugaison. Cette section propose par conséquent une révision systématique des conjugaisons, en attirant l'attention sur les difficultés orthographiques les plus courantes.

Les personnes

La terminaison du verbe change selon la personne du sujet. Il y a, en français, trois personnes grammaticales, qui varient en nombre. Tous les groupes nominaux sujets sont de la troisième personne.

LES PRONOMS PERSONNELS SELON LA PERSONNE GRAMMATICALE		
Personne	**Singulier**	**Pluriel**
1re	je	nous
2e	tu	vous
3e	il, elle	ils, elles

Seuls les pronoms de la troisième personne varient selon le genre (masculin ou féminin : *il/elle*, *ils/elles*). Le genre caractérise néanmoins aussi les pronoms des première et deuxième personnes, comme en témoigne l'accord du participe passé (des verbes conjugués avec *être*) et de l'adjectif attribut :

> *Je suis deve**nu** sérieux.* (*Je* = Julien)
>
> *Tu es deve**nue** sérieuse.* (*Tu* = Juliette)

Il ne faut pas non plus oublier que *vous* peut être singulier lorsqu'il s'agit d'une personne que l'on vouvoie :

> *Cher directeur, vous êtes très appréci**é** de tous vos collègues.* (*vous* = Cher directeur)

Même *nous* est occasionnellement singulier :

> *Nous, roi de France, sommes attrist**é** de la famine qui sévit.* (*nous* de majesté)
>
> *Nous sommes parti**e** de l'hypothèse suivante.* (*nous* d'auteur, aussi dit de modestie)

À ces pronoms s'ajoute le pronom *on* qui, grammaticalement, est de la 3ᵉ personne du singulier et appelle, dans sa valeur indéfinie, un accord au masculin singulier pour le participe passé et l'adjectif attribut :

> **On** *n'est jamais si bien serv**i** que par soi-même.*

Utilisé dans le sens de *nous*, il commande cependant un accord au pluriel :

> *Julie et moi* (= Julien), **on** *est all**és** au cinéma.*
>
> *Julie et moi* (= Juliette), **on** *est all**ées** au cinéma.*

EXERCICE 5.1

Indiquez le genre et le nombre du pronom en caractères gras.

1 **Vous** n'êtes pas encore parti ?

_____

2 Dans la population, **on** commence à être fatigué de tous ces scandales.

_____

3 **Je** me suis trompée.

_____

4 Après examen du dossier, **nous** sommes arrivée à la conclusion qu'un recours collectif était la meilleure voie.

_____

5 Si **on** est absents, la clé sera chez le voisin.

_____

Les modes et les temps

On distingue les modes **personnels** et les modes **impersonnels**. Les modes personnels sont l'indicatif, le subjonctif et l'impératif. Les modes impersonnels sont l'infinitif et le participe. Comme leur nom l'indique, les modes impersonnels ne varient pas en personne.

a) L'**infinitif** exprime strictement le contenu lexical du verbe. L'infinitif comporte une forme simple (infinitif présent) et une forme composée (infinitif passé) :

> *Il veut **finir** ce soir.* (infinitif présent)
>
> *Il veut **avoir fini** ce soir.* (infinitif passé)

L'infinitif passé n'a aucune valeur temporelle : l'action n'est pas vue comme passée (dans le deuxième exemple ci-dessus, elle appartient même au futur), mais comme « accomplie ». Cette valeur est dite **aspectuelle**. L'aspect accompli caractérise en fait tous les temps composés.

b) Le mode **participe** comprend le participe passé et le participe présent.

- Le **participe passé** sert en particulier à former les temps composés du verbe :

  > *J'aurai tout **essayé** !* (participe passé employé avec l'auxiliaire *avoir* dans un futur antérieur de l'indicatif)
  >
  > *Je suis **arrivée** à temps.* (participe passé employé avec l'auxiliaire *être* dans un passé composé de l'indicatif)

  > Le participe passé peut aussi constituer le **noyau d'un groupe adjectival** (**GAdj**). Dans ce cas, on l'appelle **adjectif participe** :
  >
  > *C'est une histoire **inventée**.*
  >
  > *Les élèves apprécient le correcteur orthographique **installé dans les laboratoires**.*
  >
  > *Le problème est **résolu**.* (adjectif participe dans une forme passive)

- Le **participe présent** se présente sous une forme simple (participe présent) ou sous une forme composée (participe présent composé) :

  > *Il est reparti en **courant**.* (participe présent)
  >
  > ***Ayant remercié** mes hôtes, je pris congé.* (participe présent composé)
  >
  > ***Étant arrivé** le premier, je pris la meilleure place.* (participe présent composé)

c) L'**indicatif**, dans lequel, aujourd'hui, on inclut le plus souvent le conditionnel, compte dix temps, répartis en formes simples et composées.

- Les formes simples sont :

  > *Il **chante** bien.* (présent)
  >
  > *Il **chantait** bien lorsqu'il était jeune.* (imparfait)
  >
  > *Il **chanta** un air connu.* (passé simple)
  >
  > *Il **chantera** à l'Opéra demain soir.* (futur simple, aussi appelé futur)
  >
  > *Je ne croyais pas qu'il **chanterait** si bien.* (conditionnel présent)

– Les formes composées sont :

> *Il **a** bien **chanté**.* (passé composé)
>
> *Il **avait** bien **chanté** ce soir-là.* (plus-que-parfait)
>
> *Après qu'il **eut chanté**, tout le monde applaudit.* (passé antérieur)
>
> *Après qu'il **aura chanté**, nous pourrons l'interviewer.* (futur antérieur)
>
> *Il **aurait** mieux **chanté** s'il avait réchauffé sa voix.* (conditionnel passé)

L'indicatif est le seul mode qui situe réellement les événements dans le temps, c'est-à-dire dans le passé, dans le présent ou dans l'avenir. C'est en fait le seul mode proprement temporel.

d) Le **subjonctif** est le mode de la dépendance : il ne s'utilise que dans les subordonnées, sauf à la 3ᵉ personne, où il peut exprimer un ordre ou un vœu à la manière d'un impératif :

> *Qu'il **aille** à l'école.* (Comparer avec : *Va à l'école.*)
>
> *Qu'ils en **soient** remerciés.* (Comparer avec : *Soyez-en remerciés.*)

Il compte quatre temps, répartis en formes simples et composées :

– Les formes simples sont :

> *Il faut qu'il **parte**.* (subjonctif présent)
>
> *Il fallait toujours qu'elle **eût** le dernier mot.* (subjonctif imparfait)

– Les formes composées sont :

> *Je ne crois pas qu'il **soit parti**.* (subjonctif passé)
>
> *La maladie l'emporta avant qu'il **eût terminé** son livre.* (subjonctif plus-que-parfait)

Le subjonctif imparfait et le subjonctif plus-que-parfait ne s'emploient que dans la langue littéraire. Le subjonctif passé et le subjonctif plus-que-parfait marquent l'aspect accompli, comme l'infinitif passé. Le subjonctif plus-que-parfait s'emploie dans la langue soutenue avec la valeur du conditionnel passé :

> *Il **eût** mieux **chanté** s'il avait réchauffé sa voix.*

e) L'**impératif**, qui ne se conjugue qu'à trois personnes (2ᵉ du singulier et 1ʳᵉ et 2ᵉ du pluriel), exprime différentes modalités : ordre, conseil, prière, etc. Il compte une forme simple (impératif présent) et une forme composée (impératif passé) :

> ***Mange** ta soupe !* (impératif présent, 2ᵉ personne du sing.)
>
> ***Mangeons** vite !* (impératif présent, 1ʳᵉ personne du plur.)
>
> ***Mangez*** (impératif présent, 2ᵉ personne du plur.), *mes pauvres enfants,*
>
> *mais **soyez partis*** (impératif passé, 2ᵉ personne du plur.) *avant que l'ogre rentre.*

EXERCICE 5.2

En vous aidant au besoin d'un tableau de conjugaison du verbe *être*, indiquez à quel mode et à quel temps sont les verbes en italique.

1 Il *fut* (_____) impossible de s'entendre.

2 Je ne croyais pas qu'il *fût* (_____) possible de s'entendre.

3 Je *suis* (_____) contente qu'il *ait été* (_____) possible de s'entendre.

4 Il *avait été* (_____) déçu qu'elle ne *soit* (_____) pas là.

5 J'*aurais été* (_____) déçue que vous ne *fussiez* (_____) pas là.

6 Déçue que son amant ne *fût* (_____) pas là, elle *s'en fut* (_____) chez elle.

7 N'en *soyez* (_____) pas si certain.

8 Après *avoir été* (_____) longuement malade, elle n'*était* (_____) pas en mesure de passer ses examens.

9 *Ayant été* (_____) longuement malade, elle n'*a pas été* (_____) en mesure de passer ses examens.

10 L'exercice 2001 *aura été* (_____) difficile pour les sociétés Internet.

Les groupes de conjugaison

Selon leur terminaison à l'infinitif, on répartit les verbes en deux groupes (ou trois traditionnellement). Les verbes en *-er* forment le premier groupe. Les verbe en *-ir*, en *-re* et en *-oir* forment le deuxième groupe.

Les verbes du premier groupe sont de loin les plus nombreux. La quasi-totalité des nouveaux verbes qui apparaissent dans la langue française sont d'ailleurs des verbes en *-er*. Mis à part le verbe *aller*, qui est totalement irrégulier, les verbes en *-er* (premier groupe) ne souffrent aucune exception dans leurs terminaisons. Les difficultés que présente la conjugaison des verbes du premier groupe touchent en fait des modifications du **radical** (la partie du début qui porte le sens lexical du verbe).

Parmi les verbes du deuxième groupe, ceux en *-ir* qui se conjuguent comme *finir* – et font *-issons* à la 1re personne du pluriel – sont dits réguliers. Les autres verbes en *-ir* ainsi que ceux en *-re* et en *-oir* sont irréguliers : ils connaissent de nombreuses modifications dans le radical et des exceptions dans leurs terminaisons.

Les erreurs dans l'orthographe du verbe sont particulièrement fréquentes lorsque la terminaison n'est pas sonore ou qu'elle se prononce comme celle d'un verbe de l'autre groupe :

> *La décision de l'arbitre li**e** les deux parties.* (*lier*, 1er groupe)
>
> *La ministre li**t** tous les rapports.* (*lire*, 2e groupe)

La présence d'un *e* muet dans le radical de certaines formes verbales peut aussi prêter à confusion :

> *Nous distribu**erons** des dépliants.* (*distribuer*, 1er groupe)
>
> *Nous conclu**rons** cette entente dès que possible.* (*conclure*, 2e groupe)

Pour conjuguer correctement un verbe, il faut donc bien reconnaître à quel groupe il appartient.

De façon plus générale, il faut, lorsqu'on écrit, avoir en tête que la conjugaison écrite a beaucoup plus de formes que la conjugaison orale : *aime*, *aimes* et *aiment* se prononcent de la même façon, mais ont des terminaisons différentes, tout comme *voyais*, *voyait* et *voyaient*, *crois* et *croie*, etc.

EXERCICE 5.3

Donnez l'infinitif des verbes en italique et indiquez s'ils appartiennent au 1er ou au 2e groupe. Pour les verbes du 2e groupe, indiquez s'ils sont réguliers (comme *finir*) ou irréguliers. (Ne suivez pas le *PR* ou le *Multi*, qui classent les verbes en trois groupes.)

1 Ce livre *se lit* (_____) très facilement.

2 Elle *se lie* (_____) facilement d'amitié.

3 Le cabinet de la jeune dentiste ne *désemplit* (_____) pas.

4 Il *fuit* (_____) son passé.

5 Le comité *fondera* (_____) sa décision sur des principes d'équité.

6 La neige *fondra* (_____) bientôt.

7 Nous n'*inclurons* (_____) pas ce document dans le rapport.

8 Le chef *désavouera*-t-il (_____) son candidat ?

9 Il *fonda* (_____) l'entreprise en 1880 avec un capital de 100 $.

10 Après la mort de ses parents, la fortune familiale *fondit* (_____) comme neige au soleil.

EXERCICE 5.4

Donnez l'infinitif des verbes en italique, puis récrivez les phrases à la personne correspondante du singulier.

1 Nous *publions* dix livres par mois.

_____

2 Nous *vérifions* toutes nos informations avant de les publier.

_____

3 Nous *parions* que le ministre démissionnera.

_____

4 Nous *créons* des logiciels personnalisés.

_____

5 Vous *tuez* le projet dans l'œuf.

_____

6 Nous *appuyons* votre demande.

_____

7 Nous nous *fions* à vous.

8 Ils *ruent* dans les brancards.

9 Vous *louez* votre appartement beaucoup trop cher !

10 Ils *essaient* de bien comprendre.

Les conjugaisons

Afin d'éliminer certaines complexités inutiles ainsi que certaines anomalies graphiques dans les variations de radical, « Les rectifications de l'orthographe » de 1990 ont proposé les trois simplifications suivantes :

— Remplacer l'accent aigu par l'accent grave au futur et au conditionnel des verbes du type de *céder* pour que l'accent reflète la prononciation : *je cèderai, je considèrerais* (traditionnellement écrits *je céderai, je considérerai*).

— Supprimer l'accent circonflexe sur le *i* lorsqu'il n'a pas pour fonction de distinguer des formes verbales : *connaitre, accroitre, il parait* (traditionnellement écrits *connaître, accroître, il paraît*).

— Écrire les verbes en *-eler* et *-eter* (sauf *appeler, jeter* et leurs dérivés) avec un accent grave et un seul *l* ou un seul *t*, sur le modèle de *peler* et *acheter* : *j'étiquète, tu renouvèles, il ruissèle* (traditionnellement écrits *j'étiquette, tu renouvelles, il ruisselle*).

Les ouvrages de référence courants n'ayant pas encore incorporé les nouvelles graphies verbales – c'est le cas notamment pour *Le Petit Robert* (*PR*) 2003 et le *Multidictionnaire* (*Multi*) 2003 –, l'orthographe traditionnelle domine encore largement en ce qui concerne les verbes. (Les correcticiels des logiciels de traitement de texte n'ont généralement pas encore intégré ces changements non plus.) Dans les corrigés des exercices qui suivent, nous donnerons cependant entre crochets les nouvelles formes graphiques.

Malgré l'absence des nouvelles formes (somme toute peu nombreuses), n'hésitez pas à consulter vos ouvrages de référence pour les conjugaisons. Si vous avez l'habitude de vous aider d'un guide de conjugaison (comme le *Bescherelle*), continuez à le faire ; mais pensez aussi à consulter vos ouvrages de référence généraux pour trouver les réponses aux difficultés de conjugaison.

La version électronique du *PR*, par exemple, donne la conjugaison complète de chaque verbe à partir de l'article même (en cliquant sur l'icône des formes fléchies ou de la conjugaison selon l'édition) ; au bas de chaque tableau de conjugaison se trouve aussi un rappel des principales difficultés orthographiques touchant la catégorie du verbe en cause. Dans la version imprimée du *PR*, chaque verbe est suivi d'un numéro renvoyant à son modèle de conjugaison (en annexe).

Pour sa part, le *Multi* présente 76 tableaux de conjugaison de verbes modèles, qui apparaissent à l'ordre alphabétique des verbes en cause ; pour tous les autres verbes, le *Multi* indique le modèle à suivre, tout en signalant les particularités de formes s'il s'agit d'un verbe irrégulier.

Le présent de l'indicatif

Les terminaisons du présent de l'indicatif sont :

1er GROUPE (VERBES EN -ER)		
Personne	**Singulier**	**Pluriel**
1re	-e	-ons
2e	-es	-ez
3e	-e	-ent

Aller est un verbe totalement irrégulier, qu'on ne classe pas dans les verbes du 1er groupe.

2e GROUPE (VERBES EN -IR, -OIR, -RE)		
Personne	**Singulier**	**Pluriel**
1re	-s	-ons
2e	-s	-ez
3e	-t	-ent

Le présent de l'indicatif comporte de nombreux changements dans le radical qui se produisent avec une grande régularité : ils touchent souvent les mêmes personnes grammaticales (les trois personnes du singulier et la 3e personne du pluriel, par exemple) et reviennent généralement à d'autres temps ou d'autres modes. Une fois les transformations morphologiques du présent retenues, on peut donc les appliquer facilement aux autres temps ou modes concernés. Le présent de l'indicatif comporte également quelques terminaisons particulières, bien connues pour la plupart. Les deux tableaux qui suivent rassemblent l'essentiel des changements de radical et des terminaisons spéciales au présent de l'indicatif.

CHANGEMENTS DANS LE RADICAL DES VERBES AU PRÉSENT DE L'INDICATIF		
Verbes	**Changements dans le radical selon la personne**	**Remarques**
Verbes en -yer	y → i 1re, 2e, 3e du sing. et 3e du plur. *je paie, tu envoies, elle essuie, ils balaient*	La chute de la dernière syllabe rend le y inutile. Les verbes en -*ayer* peuvent toutefois garder le y : *j'essaye, tu égayes, elle bégaye, ils déblayent.*
Verbes en -ger	g → ge 1re du plur. *nous changeons*	Pour être prononcée [ʒ], la lettre g doit être suivie d'un e devant a, o et u (*gageure*).
Verbes en -cer	c → ç 1re du plur. *nous avançons*	Pour être prononcée [s], la lettre c doit porter la cédille devant a, o et u.
Verbes ayant un e muet à l'avant-dernière syllabe de l'infinitif	e → è 1re, 2e, 3e du sing. et 3e du plur. *je lève, tu congèles, il achète, elles amènent*	Mais *nous levons, vous congelez*, à cause de la finale sonore.
Certains verbes en -eler et en -eter	l → ll, t → tt 1re, 2e, 3e du sing. et 3e du plur. *j'appelle, tu jettes, elle épelle, ils renouvellent*	« Les rectifications de l'orthographe » proposent que, sauf *appeler, jeter* et leurs dérivés, les verbes en -*eler* et en -*eter* suivent le modèle de *peler* et d'*acheter*.

CHANGEMENTS DANS LE RADICAL DES VERBES AU PRÉSENT DE L'INDICATIF		
Verbes	**Changements dans le radical selon la personne**	**Remarques**
Verbes ayant un *e* fermé à l'avant-dernière syllabe de l'infinitif	*é → è* 1re, 2e, 3e du sing. et 3e du plur. *je possède, tu cèdes, il révèle, elles préfèrent*	Mais *nous possédons, vous cédez*, à cause de la finale sonore.
Verbes en *-ir* réguliers	*i → iss* 1re, 2e et 3e du plur. *nous finissons, vous grandissez, ils rougissent*	
Verbe *haïr*	*ï → i* 1re, 2e et 3e du sing. *je hais, tu hais, elle hait*	
Certains verbes en *-ir* irréguliers	Chute de la consonne précédant la terminaison de l'infinitif 1re, 2e et 3e du sing. *je dors, tu pars, il sert*	Mais *je vêts, tu cours, il secourt, elle encourt.*
Verbes *fuir* et *s'enfuir*	*i → y* 1re et 2e du plur. *nous fuyons, vous fuyez*	
Verbes *tenir* et *venir* (et leurs dérivés)	Radical → *tien-* et *vien-* 1re, 2e, 3e du sing. et 3e du plur. *je tiens, tu viens, elle retient, ils surviennent*	
Verbes *acquérir* et autres dérivés de *quérir*	Radical → *acquier-* 1re, 2e et 3e du sing. *j'acquiers, tu conquiers, il s'enquiert, elle requiert* Radical → *acquièr-* 3e du plur. *ils acquièrent, elles conquièrent*	Mais *nous acquérons, vous conquérez.* Le verbe *quérir* est pour sa part complètement défectif et ne s'emploie qu'à l'infinitif.
Verbe *bouillir*	Radical → *bou-* 1re, 2e et 3e du sing. *je bous, tu bous, il bout*	
Verbe *mourir*	Radical → *meur-* 1re, 2e, 3e du sing. et 3e du plur. *je meurs, tu meurs, il meurt, elles meurent*	
Verbes en *-indre* et en *-soudre*	Chute du *d* 1re, 2e et 3e du sing. *je joins, tu peins, il résout* Changement de radical 1re, 2e et 3e du plur. *nous joignons, vous peignez, elles résolvent*	La chute du *d* à la 3e pers. du sing. permet la terminaison *t*, normale pour les verbes du 2e groupe. Voir les verbes en *-dre* dans le tableau des terminaisons particulières.
Verbes en *-ttre*	Un *t* au sing., deux *t* au plur. *je mets, nous battons*	
Verbes en *-aître* et en *-oître* (sauf *croître*)	Chute de l'accent circonflexe devant un *s*. *je connais, tu accrois, nous paraissons, vous décroissez, elles disparaissent*	Mais *il connaît, il accroît, il naît.* « Les rectifications de l'orthographe » proposent l'élimination de l'accent circonflexe dans ces verbes, sauf pour *croître* : *je croîs, tu croîs, elle croît.*
Verbes *aller, avoir, être* et autres verbes irréguliers du 2e groupe		Voir les tableaux du *PR*, du *Multi*, du *Bescherelle* ou de tout autre guide.

TERMINAISONS PARTICULIÈRES DES VERBES AU PRÉSENT DE L'INDICATIF		
Verbes	**Terminaisons particulières selon la personne**	**Remarques**
Verbes *couvrir* et *cueillir* (et leurs dérivés) ainsi que *assaillir*, *défaillir*, *offrir*, *ouvrir*, *souffrir* et *tressaillir*	Terminaison en -e comme les verbes en -*er* 1re, 2e et 3e du sing. *je couvre, tu cueilles, il assaille, elle offre*	
Verbes *pouvoir*, *valoir* et *vouloir*	Terminaison en *x* 1re et 2e du sing. *je peux, je vaux, je veux tu peux, tu vaux, tu veux*	Mais 3e pers. du sing. en -*t* selon le modèle général pour le 2e groupe : *il peut, il vaut, il veut.*
Verbes en -*dre* (sauf ceux en -*indre* et en -*soudre*)	Terminaison en *d* 3e du sing. *il fend, elle coud, il entend, elle répond*	Mais *il joint, elle peint, il résout, elle dissout.* Voir les verbes en -*indre* et en -*soudre* dans le tableau des changements dans le radical.
Verbes *dire* et *faire*	Terminaison en -*es* (et non -*ez*) 2e du plur. *vous dites, vous faites*	Sauf *redire*, les dérivés de *dire* prennent -*ez* à la 2e pers. du plur. : *vous contredisez, vous prédisez.*
Verbes *vaincre* et *convaincre*	Terminaison en *c* 3e du sing. *il vainc, elle convainc*	Mais radical *vainc-* → *vainqu-* aux 3 pers. du plur. : *nous vainquons, elles convainquent.*

EXERCICE 5.5

Écrivez les verbes entre parenthèses au présent de l'indicatif.

1 Tu (*broyer*) _____ du noir, mon pauvre ami.

2 Il (*frayer*) _____ avec de drôles de gens.

3 Ça t'(*ennuyer*) _____ de venir ici ?

4 Je le (*côtoyer*) _____ depuis longtemps.

5 Certains (*zézayer*) _____, d'autres (*grasseyer*) _____.

EXERCICE 5.6

Écrivez les verbes entre parenthèses au présent de l'indicatif.

1 Je (*rager*) _____.

2 Tu (*piger*) _____ ?

3 Notre école (*regorger*) _____ de possibilités.

4 Vous (*ménager*) _____ vos forces.

5 Ils (*ronger*) _____ leur frein.

Récrivez les verbes précédents à la 1re personne du pluriel.

6 Nous (*rager*) _____.

7 Nous (*piger*) _____?

8 Nous (*regorger*) _____ de possibilités.

9 Nous (*ménager*) _____ nos forces.

10 Nous (*ronger*) _____ notre frein.

EXERCICE 5.7

Devant quelles voyelles place-t-on une cédille sous le *c* ? Consultez le *Multi* ou le *PR*.

_____

EXERCICE 5.8

Mettez des cédilles là où elles sont nécessaires.

1 Nous ne financons pas les projets comme celui-ci, mais nous nous efforcons de rembourser les dépenses.

2 Remerciez vos parents pour tout ceci.

EXERCICE 5.9

Conjuguez les verbes suivants au présent de l'indicatif.

APPELER	j'	_____	nous	_____
	tu	_____	vous	_____
	il	_____	ils	_____
JETER	je	_____	nous	_____
	tu	_____	vous	_____
	elle	_____	elles	_____
ACHETER	j'	_____	nous	_____
	tu	_____	vous	_____
	il	_____	ils	_____
DÉCELER	je	_____	nous	_____
	tu	_____	vous	_____
	elle	_____	elles	_____
PELLETER	je	_____	nous	_____
	tu	_____	vous	_____
	il	_____	ils	_____

EXERCICE 5.10

Écrivez les verbes entre parenthèses au présent de l'indicatif.

1 Cela (*soulever*) _____ des problèmes.

2 Nous (*emmener*) _____ le chien en voyage.

3 Les trois marmitons (*peler*) _____ les pommes de terre.

4 Je vous (*rappeler*) _____ ce soir.

5 La pluie (*ruisseler*) _____ sur les carreaux.

6 L'eau (*se congeler*) _____ à 0°.

7 Des papillons de nuit (*voleter*) _____ autour de la lumière.

8 Jean-Pierre (*grommeler*) _____ dans son coin.

9 L'avenir appartient à ceux qui (*se lever*) _____ tôt.

10 Ce n'est pas vous qui (*mener*) _____ la barque.

EXERCICE 5.11

Conjuguez les verbes suivants au présent de l'indicatif.

CÉDER   je _____   nous _____

tu _____   vous _____

elle _____   elles _____

DÉLÉGUER   je _____   nous _____

tu _____   vous _____

il _____   ils _____

EXERCICE 5.12

Écrivez les verbes entre parenthèses au présent de l'indicatif.

1 Trois étudiants (*siéger*) _____ au conseil d'administration.

2 Vous (*interpréter*) _____ tout ce qu'on vous dit.

3 Apprendre les conjugaisons (*se révéler*) _____ passionnant.

4 Nous (*alléguer*) _____ le manque de temps.

5 Vos propos me (*sidérer*) _____ .

EXERCICE 5.13

Conjuguez les verbes suivants au présent de l'indicatif.

DÉPÉRIR je _____ nous _____

tu _____ vous _____

il _____ ils _____

HAÏR je _____ nous _____

tu _____ vous _____

elle _____ elles _____

EXERCICE 5.14

Conjuguez les verbes suivants au présent de l'indicatif.

SENTIR je _____ nous _____

tu _____ vous _____

il _____ ils _____

MENTIR je _____ nous _____

tu _____ vous _____

elle _____ elles _____

REVÊTIR je _____ nous _____

tu _____ vous _____

il _____ ils _____

DISCOURIR je _____ nous _____

tu _____ vous _____

elle _____ elles _____

EXERCICE 5.15

Conjuguez les verbes suivants au présent de l'indicatif.

DÉTENIR je _____ nous _____

tu _____ vous _____

il _____ ils _____

SUBVENIR je _____ nous _____

tu _____ vous _____

elle _____ elles _____

ACQUÉRIR	j'	_____	nous	_____
	tu	_____	vous	_____
	il	_____	ils	_____
MOURIR	je	_____	nous	_____
	tu	_____	vous	_____
	elle	_____	elles	_____
BOUILLIR	je	_____	nous	_____
	tu	_____	vous	_____
	il	_____	ils	_____

EXERCICE 5.16

Écrivez les verbes suivants au présent de l'indicatif.

1 *Cueillir*   je   _____   nous   _____

2 *Accueillir*   tu   _____   vous   _____

3 *Couvrir*   elle   _____   elles   _____

4 *Découvrir*   je   _____   nous   _____

5 *Ouvrir*   tu   _____   vous   _____

6 *Offrir*   il   _____   ils   _____

7 *Souffrir*   je   _____   nous   _____

8 *Assaillir*   tu   _____   vous   _____

9 *Défaillir*   elle   _____   elles   _____

10 *Tressaillir*   je   _____   nous   _____

EXERCICE 5.17

Conjuguez les verbes suivants au présent de l'indicatif.

RIRE	je	_____	nous	_____
	tu	_____	vous	_____
	il	_____	ils	_____
CONCLURE	je	_____	nous	_____
	tu	_____	vous	_____
	elle	_____	elles	_____

CORROMPRE	je _____	nous _____
	tu _____	vous _____
	il _____	ils _____

CONSTRUIRE	je _____	nous _____
	tu _____	vous _____
	elle _____	elles _____

CROIRE	je _____	nous _____
	tu _____	vous _____
	il _____	ils _____

FAIRE	je _____	nous _____
	tu _____	vous _____
	elle _____	elles _____

EXERCICE 5.18

Conjuguez les verbes suivants au présent de l'indicatif.

VENDRE	je _____	nous _____
	tu _____	vous _____
	il _____	ils _____

CONFONDRE	je _____	nous _____
	tu _____	vous _____
	elle _____	elles _____

PRENDRE	je _____	nous _____
	tu _____	vous _____
	il _____	ils _____

EXERCICE 5.19

Conjuguez les verbes suivants au présent de l'indicatif.

DISSOUDRE	je _____	nous _____
	tu _____	vous _____
	elle _____	elles _____

PEINDRE	je _____	nous _____
	tu _____	vous _____
	il _____	ils _____

EXERCICE 5.20

Conjuguez le verbe suivant au présent de l'indicatif.

CONVAINCRE	je	_____	nous	_____
	tu	_____	vous	_____
	elle	_____	elles	_____

EXERCICE 5.21

Conjuguez les verbes suivants au présent de l'indicatif.

ADMETTRE	j'	_____	nous	_____
	tu	_____	vous	_____
	il	_____	ils	_____
BATTRE	je	_____	nous	_____
	tu	_____	vous	_____
	elle	_____	elles	_____

EXERCICE 5.22

Conjuguez les verbes suivants au présent de l'indicatif.

CONNAÎTRE	je	_____	nous	_____
	tu	_____	vous	_____
	il	_____	ils	_____
CROÎTRE	je	_____	nous	_____
	tu	_____	vous	_____
	elle	_____	elles	_____

EXERCICE 5.23

Écrivez les verbes entre parenthèses au présent de l'indicatif.

1 Ce que l'on (*concevoir*) _____ bien s'énonce clairement, disait en son temps Boileau.

2 Cela m' (*émouvoir*) _____ beaucoup.

3 Une image (*valoir*) _____ mille mots.

4 Il (*pourvoir*) _____ aux besoins de sa famille.

5 Je ne (*pouvoir*) _____ accéder à mon courrier électronique !

EXERCICE 5.24

Écrivez les verbes entre parenthèses au présent de l'indicatif.

1 Nous (*être*) _____ sceptiques.

2 (*Être*) _____-vous sûre ?

3 (*Avoir*) _____-ils toutes les données en main ?

4 (*Aller*) _____-t-il revenir ?

5 (*Aller*) _____-tu partir ?

EXERCICE 5.25

Récapitulation

Écrivez les verbes entre parenthèses au présent de l'indicatif.

1 Moi aussi, cela m'(*ennuyer*) _____ prodigieusement.

2 Ce contrat me (*lier*) _____ à vous.

3 Tous les matins, elle (*lire*) _____ son journal.

4 Nous (*créer*) _____ une nouvelle pièce tous les ans.

5 Je ne (*répondre*) _____ pas de lui.

6 Nous (*se distraire*) _____ comme nous (*pouvoir*) _____.

7 Les deux équipes (*se relayer*) _____ toutes les quatre heures.

8 Nous (*rejoindre*) _____ notre régiment.

9 Nous (*placer*) _____ notre confiance en vous.

10 Pour quelque temps, nous (*se contraindre*) _____ à faire des conjugaisons
    tous les jours.

11 Je (*protéger*) _____ vos intérêts.

12 Il (*se fourvoyer*) _____ complètement.

13 Je (*rejeter*) _____ votre demande.

14 Mes créanciers me (*harceler*) _____.

15 Cela n'en (*valoir*) _____ pas la peine.

16 Il (*se souvenir*) _____ de tout.

17 Pendant que vous (*être*) _____ ici, vous (*acquérir*) _____

de l'expérience.

18 Vous (*faire*) _____ honneur à vos parents.

19 Je (*soutenir*) _____ votre candidature.

20 Une véritable foule (*accourir*) _____ sur les lieux.

21 Il (*falloir*) _____ partir immédiatement.

22 Il (*pleuvoir*) _____ depuis ce matin.

23 Attention ! La voleuse (*s'enfuir*) _____.

24 Le vieux policier (*maugréer*) _____ sans cesse.

25 Qui (*vouloir*) _____ (*pouvoir*) _____, dit le proverbe.

L'imparfait de l'indicatif

Pour tous les verbes, les terminaisons de l'imparfait sont :

Personne	Singulier	Pluriel
1re	-ais	-ions
2^e	-ais	-iez
3^e	-ait	-aient

L'erreur la plus courante dans la conjugaison de l'imparfait est l'oubli du *i* dans la terminaison des 1re et 2e personnes du pluriel lorsqu'on ne l'entend pas. C'est le cas, en particulier, après une voyelle, un double *l* (*ll*), la séquence *gn* ou un *y* :

> *nous cri**ions***
>
> *nous travaill**ions***
>
> *nous gagn**ions***
>
> *nous essuy**ions***

On hésite aussi parfois quant au radical auquel s'ajoute la terminaison. En fait, on peut former l'imparfait de tous les verbes (sauf *être*) en ajoutant la terminaison appropriée au radical de la 1re personne du pluriel du présent de l'indicatif :

> Présent   Imparfait
>
> *nous **pay**ons*   → *je payais*
>
> *nous **finiss**ons*   → *tu finissais*
>
> *nous **fuy**ons*   → *il fuyait*
>
> *nous **craign**ons* → *vous craigniez*
>
> *nous **acquér**ons* → *elles acquéraient*

EXERCICE 5.26

Écrivez les verbes suivants aux 1re et 2e personnes du pluriel du présent de l'indicatif, puis de l'imparfait.

		PRÉSENT		IMPARFAIT
1 *Multiplier*	nous	_____	nous	_____
	vous	_____	vous	_____
2 *Déjouer*	nous	_____	nous	_____
	vous	_____	vous	_____
3 *Suer*	nous	_____	nous	_____
	vous	_____	vous	_____
4 *S'indigner*	nous	_____	nous	_____
	vous	_____	vous	_____
5 *Bâiller*	nous	_____	nous	_____
	vous	_____	vous	_____
6 *Déblayer*	nous	_____	nous	_____
	vous	_____	vous	_____
7 *Noyer*	nous	_____	nous	_____
	vous	_____	vous	_____
8 *S'ennuyer*	nous	_____	nous	_____
	vous	_____	vous	_____
9 *Cueillir*	nous	_____	nous	_____
	vous	_____	vous	_____
10 *S'enfuir*	nous	_____	nous	_____
	vous	_____	vous	_____

EXERCICE 5.27

Verbes en -cer ou en -ger

Écrivez les verbes entre parenthèses à l'imparfait.

Devant les terminaisons commençant par un *a*, le *c* devient *ç* et le *g* est suivi d'un *e*.

1 Je (*placer*) _____ beaucoup d'espoir en elle.

2 Nous (*commencer*) _____ à nous impatienter.

3 Il (*nager*) _____ dans l'opulence.

4 Elles (*manger*) _____ leur crème glacée avec voracité.

5 Les adversaires (*se jauger*) _____ en silence.

EXERCICE 5.28

Verbes ayant un e muet ou un e fermé (é) à l'avant-dernière syllabe de l'infinitif

Écrivez les verbes entre parenthèses à l'imparfait.

La terminaison étant toujours sonore, il n'y a pas de modification du radical.

1 Je ne (*se rappeler*) _____ pas vous avoir dit ça.

2 Il a été arrêté parce qu'il (*receler*) _____ des objets volés.

3 Vos arguments ne (*peser*) _____ pas lourd.

4 Pourquoi (*rejeter*) _____-vous toute offre d'aide ?

5 Pourquoi ne (*démanteler*) _____-vous pas le réseau ?

6 Il (*énumérer*) _____ tristement tous les virus que son ordinateur avait contractés.

7 Devant cette adversité, ils ne (*céder*) _____ pas au découragement.

8 Leur savoir (*sidérer*) _____ le professeur.

9 La tâche (*se révéler*) _____ difficile.

10 L'enfant (*épeler*) _____ tous les mots de sa dictée.

EXERCICE 5.29

Verbes en -ir

Écrivez les verbes entre parenthèses à l'imparfait.

Le radical des verbes en *-ir* qui suivent le modèle de *finir* se termine par un double *s* (*ss*).

1 Il (*partir*) _____ à cinq heures tous les matins.

2 Il (*répartir*) _____ son temps entre ses deux emplois.

3 Sa voiture (*requérir*) _____ beaucoup d'entretien.

4 Elle (*acquérir*) _____ ainsi une grande expérience.

5 Le mystère (*s'épaissir*) _____.

EXERCICE 5.30

Verbes en -re

Écrivez les verbes entre parenthèses à l'imparfait.

L'imparfait se construit toujours à partir du radical de la 1re personne du pluriel du présent de l'indicatif. (N'oubliez pas les *i* qu'on n'entend pas.)

1 Il ne (*se plaindre*) _____ jamais.

2 (*Faire*) _____-vous du ski lorsque vous étiez jeune ?

3 Elle lui (*extraire*) _____ tous ses secrets.

4 Nous ne (*croire*) _____ pas qu'elle partirait.

5 Elle (*se contraindre*) _____ à faire de l'exercice tous les matins.

6 Ses doutes (*rejoindre*) _____ les miens.

7 Plus rien ne l'(*atteindre*) _____.

8 Les enfants (*connaître*) _____ leurs règles par cœur.

9 (*Entrevoir*) _____-elles les difficultés lorsqu'elles ont commencé ?

10 Tous ne (*souscrire*) _____ pas à la thèse de l'imminence d'un danger.

Le futur et le conditionnel présent de l'indicatif

Les terminaisons du futur et du conditionnel présent se ressemblent. De plus, les verbes ont le même radical à ces deux temps. Pour cette double raison, nous avons regroupé les terminaisons du futur et du conditionnel dans un seul tableau :

Personne	Futur	Conditionnel
sing. 1re	-rai	-rais
2^e	-ras	-rais
3^e	-ra	-rait
plur. 1re	-rons	-rions
2^e	-rez	-riez
3^e	-ront	-raient

Les terminaisons du futur et du conditionnel sont les mêmes pour tous les verbes. Toutefois, les terminaisons des verbes en *-er* (1er groupe) sont précédées d'un *e*.

EXERCICE 5.31

Écrivez les verbes suivants au futur, puis au conditionnel.

Prononcez-les à haute voix : vous remarquerez qu'à l'oral on fait souvent l'ellipse du *e* de l'avant-dernière syllabe.

		FUTUR		CONDITIONNEL
1 *Penser*	je	_____	je	_____
2 *Parler*	tu	_____	tu	_____
3 *Déborder*	elle	_____	elle	_____
4 *Améliorer*	nous	_____	nous	_____
5 *Créditer*	vous	_____	vous	_____
6 *Déménager*	ils	_____	ils	_____

EXERCICE 5.32

Écrivez les verbes suivants au futur, puis au conditionnel.

Au futur et au conditionnel, les terminaisons des verbes en *-er* sont précédées d'un *e*.

		FUTUR		CONDITIONNEL
1 *Créer*	je	_____	je	_____
2 *Continuer*	tu	_____	tu	_____
3 *Lier*	elle	_____	elle	_____
4 *Revivifier*	nous	_____	nous	_____
5 *Replier*	vous	_____	vous	_____
6 *Tuer*	ils	_____	ils	_____

EXERCICE 5.33

Écrivez les verbes suivants au futur, puis au conditionnel.

Traditionnellement, le *é* de la dernière syllabe du radical de l'infinitif ne change pas, même s'il se prononce comme un *è*.

		FUTUR		CONDITIONNEL
1 *S'inquiéter*	je	_____	je	_____
2 *Protéger*	tu	_____	tu	_____

3 *Assécher* il _____ il _____

4 *Répéter* nous _____ nous _____

5 *Léguer* vous _____ vous _____

6 *Énumérer* elles _____ elles _____

EXERCICE 5.34

Conjuguez les verbes suivants au futur.

Le radical se transforme, comme au présent, avec un doublement de la consonne (*ll* ou *tt*) ou la transformation du *e* en *è*.

APPELER	j'	_____	nous	_____
	tu	_____	vous	_____
	elle	_____	elles	_____

LEVER	je	_____	nous	_____
	tu	_____	vous	_____
	il	_____	ils	_____

EXERCICE 5.35

Écrivez les verbes entre parenthèses au conditionnel.

1 S'il le pouvait, il (*racheter*) _____ toutes les parts.

2 Je ne croyais pas que la rivière (*geler*) _____ si rapidement.

3 Je n'aurais jamais cru que vous (*rejeter*) _____ la faute sur lui.

4 Si tu avais du nouveau, me (*rappeler*) _____-tu ?

5 À votre place, je (*peser*) _____ mes mots.

EXERCICE 5.36

Conjuguez les verbes suivants au futur.

Pour les verbes en *-ayer*, en *-oyer* et en *-uyer*, le *e* précédant la terminaison du futur et du conditionnel étant muet, le *y* doit se transformer en *i* (comme au présent). (Dans les verbes en *-ayer*, on peut conserver l'*y*, mais alors l'avant-dernière syllabe se prononce.)

ESSAYER	j'	_____	nous	_____
	tu	_____	vous	_____
	il	_____	ils	_____

CONVOYER	je	_____	nous	_____
	tu	_____	vous	_____
	il	_____	ils	_____
APPUYER	j'	_____	nous	_____
	tu	_____	vous	_____
	elle	_____	elles	_____

EXERCICE 5.37

Conjuguez le verbe suivant au futur.

Le radical du verbe *envoyer* (et de ses dérivés) devient *enverr-* au futur et au conditionnel.

RENVOYER	je	_____	nous	_____
	tu	_____	vous	_____
	elle	_____	elles	_____

EXERCICE 5.38

Écrivez les verbes entre parenthèses au futur.

Le futur et le conditionnel des verbes en *-ir* réguliers (ceux qui suivent le modèle de *finir*) et de bon nombre des verbes en *-ir* irréguliers ne posent aucune difficulté particulière.

1 (*S'enfuir*) _____-t-elle ?

2 Leur ardeur (*tiédir*) _____ rapidement.

3 Notre amour ne (*vieillir*) _____ jamais.

4 Je ne (*pourrir*) _____ pas ici.

5 (*Renchérir*) _____-t-il ?

EXERCICE 5.39

Écrivez les verbes suivants à l'imparfait de l'indicatif, puis au présent du conditionnel.

La présence d'un double *r* dans le futur et le conditionnel de *courir*, *mourir* et *acquérir* s'explique par l'ajout du *r* de la terminaison à celui du radical : cou**r** + **r**ai ou **r**ais.

		IMPARFAIT		CONDITIONNEL
1 *Courir*	je	_____	je	_____
2 *Mourir*	tu	_____	tu	_____
3 *Acquérir*	elle	_____	elle	_____

4 *Accourir* nous _____ nous _____

5 *Requérir* vous _____ vous _____

6 *Recourir* ils _____ ils _____

EXERCICE 5.40

Écrivez les verbes entre parenthèses au conditionnel.

Parmi les verbes en *-ir* qui, au présent, se conjuguent comme les verbes en *-er*, seuls *cueillir* et ses dérivés conservent cette altération au futur et au conditionnel : *je cueill**e**rais*, mais *je souffr**i**rais*.

1 Si les élections avaient lieu aujourd'hui, le parti au pouvoir ne (*recueillir*) _____

que 30 % des voix.

2 Nous vous (*accueillir*) _____ avec plaisir si nous le pouvions.

3 Le doute l'(*assaillir*) _____-il ?

4 Nous ne vous (*offrir*) _____ pas l'hospitalité si cela ne nous faisait pas plaisir.

5 Ne (*souffrir*) _____-vous pas de paranoïa ?

EXERCICE 5.41

Écrivez les verbes entre parenthèses au futur.

Les radicaux de *tenir*, *venir* et leurs dérivés sont *tiend-* et *viend-* au futur et au conditionnel.

1 Je ne (*retenir*) _____ pas plus longtemps votre attention.

2 Nous (*maintenir*) _____ l'embargo.

3 Il (*venir*) _____ plus de mille congressistes.

4 Tu n'(*intervenir*) _____ que si c'est nécessaire.

5 L'État (*subvenir*) _____ aux besoins des sinistrés.

EXERCICE 5.42

Écrivez les verbes entre parenthèses au futur.

Il n'y a pas de *e* devant les terminaisons du futur des verbes en *-re* (*conclu**rai***). Traditionnellement, l'accent circonflexe des verbes en *-aître* et en *-oître* se maintient au futur et au conditionnel, puisque le *t* est toujours présent.

1 Nous (*soumettre*) _____ votre demande aux autorités compétentes.

2 Les témoins (*comparaître*) _____ demain.

3 Vous ne me (*convaincre*) _____ pas.

4 Nous n' (*inclure*) _____ pas cette dépense.

5 Nous (*poursuivre*) _____ vaille que vaille.

EXERCICE 5.43

Conjuguez le verbe suivant au futur et au conditionnel.

		FUTUR		CONDITIONNEL
FAIRE	je	_____	je	_____
	tu	_____	tu	_____
	elle	_____	elle	_____
	nous	_____	nous	_____
	vous	_____	vous	_____
	ils	_____	ils	_____

EXERCICE 5.44

Écrivez les verbes entre parenthèses au futur.

Dans les verbes en *-oir*, les altérations du radical sont fréquentes. Il faut vérifier dans un guide de conjugaison ou autre ouvrage de référence.

1 J'y (*voir*) _____ demain.

2 Je vous (*recevoir*) _____ cet après-midi.

3 L'État (*pourvoir*) _____ aux besoins des sinistrés.

4 Vous (*savoir*) _____ la semaine prochaine si votre candidature a été retenue.

5 À l'avenir, vous (*devoir*) _____ faire preuve de plus de vigilance.

6 (*Pouvoir*) _____-vous terminer à temps ?

7 Il (*falloir*) _____ que nous en parlions.

8 Demain, il (*pleuvoir*) _____ toute la journée.

9 Vous (*prévoir*) _____ pour dix personnes.

10 J'espère que je ne vous (*revoir*) _____ pas de sitôt.

Le passé simple de l'indicatif

Le passé simple s'emploie surtout à l'écrit, dans les textes narratifs (romans, biographies, etc.).
À l'oral et, de façon générale, dans les textes courants, il est remplacé par le passé composé.
Le passé simple ne s'emploie plus guère qu'à la 3e personne. Voici tout de même l'ensemble des
terminaisons du passé simple :

1er GROUPE (VERBES EN -*ER*)		
Personne	Singulier	Pluriel
1re	-ai	-âmes
2e	-as	-âtes
3e	-a	-èrent

2e GROUPE (VERBES EN -*IR*, -*OIR*, -*RE*)					
	Verbes en -*ir*		Verbes en -*re* ou -*oir* (plus *courir* et *mourir*)		
Personne	Singulier	Pluriel	Singulier	Pluriel	Singulier	Pluriel
1re	-is	-îmes	-is	-îmes	-us	-ûmes
2e	-is	-îtes	-is	-îtes	-us	-ûtes
3e	-it	-irent	-it	-irent	-ut	-urent

L'accent circonflexe n'apparaît qu'aux **1re et 2e personnes du pluriel**.

EXERCICE 5.45

Conjuguez les verbes suivants au passé simple.

ÊTRE	je	_____	nous	_____
	tu	_____	vous	_____
	elle	_____	elles	_____

AVOIR	j'	_____	nous	_____
	tu	_____	vous	_____
	il	_____	ils	_____

EXERCICE 5.46

Écrivez les verbes entre parenthèses au passé simple.

Les altérations du radical des verbes irréguliers du deuxième groupe sont nombreuses. Il vaut mieux
les vérifier dans un guide de conjugaison.

1 Poète, archiviste, diplomate, Simone Routier (*naître*) _____ à Québec en 1903

et (*faire*) _____ ses études chez les Ursulines et à l'Université Laval.

Elle (*publier*) _____ son premier recueil de poésie, *L'Immortel Adolescent*,

en 1928. Pendant dix ans, Simone Routier (*vivre*) _____ à Paris, où elle (*devenir*) _____ membre de la Société des poètes français et (*travailler*)

_____ pour les Archives canadiennes. De retour au Canada, elle (*séjourner*)

_____ quelque temps chez les moniales dominicaines, à Berthierville. À la suite

de cette expérience, elle (*écrire*) _____ *Les Psaumes du jardin clos.* Assistante

archiviste à Ottawa pendant plusieurs années, Simone Routier (*occuper*) _____

ensuite diverses fonctions dans la diplomatie canadienne. Elle (*entrer*) _____

à l'Académie canadienne-française en 1947.

2 Poète et romancière au lyrisme impétueux, Éva Sénécal (*chanter*) _____ la nature

et l'amour, les élans et les regrets. Née à La Patrie en 1905, elle (*étudier*) _____

pendant deux ans à l'École normale de Saint-Hyacinthe avant de se lancer dans l'écriture. Elle (*être*)

_____ lauréate à plusieurs concours de poésie : son poème « Vent du nord »

(*remporter*) _____ un premier prix au Salon des poètes de Lyon en 1928 et son

recueil *La Course dans l'aurore* lui (*valoir*) _____ un prix au Concours d'action

intellectuelle de l'A.C.J.C. l'année suivante. *Dans les ombres*, son premier roman, (*recevoir*)

_____ pour sa part le prix Albert-Lévesque en 1930. La même année, Éva Sénécal

(*devenir*) _____ journaliste à *La Tribune* de Sherbrooke. Son dernier livre,

Mon Jacques, (*paraître*) _____ en 1933. Après la guerre, Éva Sénécal

(*travailler*) _____ comme traductrice à Ottawa. Elle (*s'éteindre*)

_____ en 1988 à Sherbrooke.

3 Gilles (*se baisser*) _____ pour ramasser sous le lit une petite souris grise, dont il

(*brancher*) _____ la très longue queue à une prise située à l'arrière de l'ordinateur.

Puis, il (*prendre*) _____ place sur sa chaise à tablette, face à l'impressionnant

appareil. À l'aide de la pédale de gauche, il (*mettre*) _____ d'abord en marche le

double disque dur – un ronron de félin (*s'échapper*) _____ des entrailles du

monstre. Ensuite, après avoir écarté les rideaux, il (*éclairer*) _____ le moniteur à

l'aide de la pédale de droite – une lumière bleutée, laiteuse, (*se propager*) _____

sur l'écran. Il (*laisser*) _____ alors la petite souris trotter sur la tablette de la chaise et,

la caressant dextrement, il (*faire*) _____ jaillir, blanc sur bleu, une myriade de signes

cabalistiques, qu'en Champollion de l'informatique il n'(*avoir*) _____ aucun

mal à dégyptianiser, à manipuler et, enfin, à ordonner en deux colonnes à bas-relief d'égale longueur.

Satisfait, il (*repartir*) _____ alors à la bibliothèque finir son service nocturne.

En rentrant, vers minuit, devant l'écran un moment éclairé, Gilles (*sourire*) _____.

Puis, nictant des paupières sous l'effet du sommeil, il (*convenir*) _____ avec quelque

sagesse que se coucher tard nuit, et il (*se mettre*) _____ au lit sans plus attendre.

(Claude Tatilon, *Les Portugaises ensablées*, Toronto, Éditions du Gref,
collection « Le beau mentir », 2001, p. 92)

Les temps composés de l'indicatif

À chaque temps simple de l'indicatif correspond un temps composé, formé de l'auxiliaire *avoir* ou *être* (au temps simple correspondant) et du participe passé du verbe :

Présent	*je chante*	**Passé composé**	*j'ai chanté*
Imparfait	*je chantais*	**Plus-que-parfait**	*j'avais chanté*
Passé simple	*je chantai*	**Passé antérieur**	*j'eus chanté*
Futur	*je chanterai*	**Futur antérieur**	*j'aurai chanté*
Conditionnel présent	*je chanterais*	**Conditionnel passé**	*j'aurais chanté*

La plupart des verbes se conjuguent avec l'auxiliaire *avoir* aux temps composés. L'auxiliaire **être** est utilisé pour un certain nombre de verbes de déplacement et pour les verbes attributifs. Les verbes pronominaux se conjuguent toujours avec l'auxiliaire *être*.

Les temps composés indiquent essentiellement l'antériorité et l'aspect accompli.

EXERCICE 5.47

Écrivez les verbes entre parenthèses au passé composé.

1 J' (*lire*) _____ toute la soirée.

2 Tu (*être*) _____ absent longtemps !

3 Elle (*avoir*) _____ une mauvaise surprise.

4 Nous (*finir*) _____ les premiers.

5 Vous (*terminer*) _____ ?

6 Ils (*subir*) _____ de nombreuses blessures.

EXERCICE 5.48

Écrivez les verbes entre parenthèses au plus-que-parfait.

1 Si j'(*savoir*) _____, je ne serais pas venu.

2 Il (*terminer*) _____ le travail quand je suis arrivé.

3 Quand il (*finir*) _____ un chapitre, il s'accordait un moment de repos.

4 J'(*venir*) _____ seul.

5 Si j'(*être*) _____ plus tenace, j'aurais peut-être eu gain de cause.

Et si j'(*avoir*) _____ gain de cause, je vous l'aurais dit.

EXERCICE 5.49

Écrivez les verbes entre parenthèses au passé antérieur.

1 Dès qu'elle (*succéder*) _____ à son père, elle commença à restructurer la compagnie.

2 Après que leurs parents (*quitter*) _____ la maison, les enfants remontèrent le volume de la musique.

3 Quand elle (*finir*) _____, elle poussa un grand soupir de soulagement.

4 Dès qu'il (*devenir*) _____ chef du gouvernement, il oublia la moitié de ses promesses.

EXERCICE 5.50

Écrivez les verbes entre parenthèses au futur antérieur.

1 Dès que tu (*terminer*) _____, téléphone-nous.

2 Il (*partir*) _____ quand vous arriverez.

3 Ce n'est pas qu'ils n'(*essayer*) _____ pas _____.

EXERCICE 5.51

Écrivez les verbes entre parenthèses au conditionnel passé.

1 On n'(*croire*) _____ jamais _____ une telle chose possible.

2 Les deux parties (*signer*) _____ finalement _____ une entente.

3 Si le paquet n'était pas arrivé aujourd'hui, il (*falloir*) _____ tout recommencer.

4 Il n'(*courir*) _____ pas _____ un tel risque si l'argent avait été à lui.

L'impératif présent

Les terminaisons de l'impératif présent sont :

1er groupe (verbes en -er)		2e groupe (verbes en -ir, -oir, -re)	
Personne		**Personne**	
2e du sing.	-e	2e du sing.	-s
1re du plur.	-ons	1re du plur.	-ons
2e du plur.	-ez	2e du plur.	-ez

Les verbes du 1ᵉʳ groupe se terminant par un *-e* à la 2ᵉ personne du singulier de l'impératif présent, il se crée un hiatus lorsqu'ils sont suivis des pronoms *en* ou *y*. Pour aider à l'enchaînement sonore, on ajoute un **s** :

> *Parle du problème au directeur.* → *Parle**s**-en au directeur.*
>
> *Va à l'école immédiatement !* → *Va**s**-y immédiatement !*

Toutefois, on ne met pas de **s** (ni d'ailleurs de trait d'union) si *en* est complément d'un **autre verbe** :

> *Va chercher **des timbres** au bureau de poste.* → *Va **en** chercher au bureau de poste.*
>
> *(en* est complément de *chercher)*

On ne met pas non plus de **s** (ni de trait d'union) si *en* est préposition :

> *Voyage en paix.*

Le trait d'union entre le verbe à l'impératif et les pronoms compléments

Le pronom personnel complément qui suit un verbe à l'impératif est relié au verbe par un trait d'union :

> *Écoute-la !*   *Parlons-lui !*   *Allez-y !*

Le pronom du verbe pronominal à l'impératif est également relié au verbe par un trait d'union :

> *Tais-toi !*   *Promenons-nous.*   *Servez-vous !*

L'impératif peut avoir deux pronoms compléments :

> *Explique-les-lui.*

L'ordre des pronoms compléments

À l'écrit, les compléments d'un impératif se placent dans l'ordre suivant : le complément direct, puis le complément indirect :

> *Donne-le-moi.*

À l'oral, l'ordre est souvent inversé.

Dans le cas des verbes ayant deux compléments dont l'un est *en* ou *y*, le complément *en* ou *y* vient en dernier :

> *Donne-lui-en.*   *Parle-lui-en.*   *Conduis-nous-y.*

L'élision des pronoms compléments moi et toi

Devant *en* ou *y*, les pronoms *moi* et *toi* s'élident. La marque de l'élision est **l'apostrophe** :

> *Parle-moi de ton voyage.* → *Parle-**m**'en.*
>
> *Inquiète-toi de ton avenir.* → *Inquiète-**t**'en.*
>
> *Méfie-toi du chien.* → *Méfie-**t**'en.*
>
> *Mets-toi tout de suite au travail.* → *Mets-**t**'y tout de suite.* (style très soutenu)

Le pronom *toi* élidé ne doit pas être confondu avec le *t* euphonique de la forme interrogative :

> *Va-**t**'en.* (s'en aller, 2ᵉ pers., impératif présent)
>
> *S'en va-t-il ?* (s'en aller, 3ᵉ pers., indicatif présent, forme interrogative)

EXERCICE 5.52

Conjuguez les verbes suivants à l'impératif présent.

ÊTRE _____ AVOIR _____

_____ _____

_____ _____

SAVOIR _____ VOULOIR _____

_____ _____

_____ _____

EXERCICE 5.53

Écrivez les verbes entre parenthèses à la 2e personne du singulier de l'impératif présent.

1 (Manger) _____ vite.

2 (Retourner) _____-y tout de suite.

3 (Partir) _____ immédiatement.

4 (Être) _____ prêt à 5 heures.

5 N'(avoir) _____ pas peur.

6 (Savoir) _____ bien que c'est impossible.

7 (Étudier) _____-en une partie ce soir.

8 (Se garder) _____ de lui en parler.

9 (Se souvenir) _____ de ce que nous avons fait ensemble.

10 (S'inspirer) _____ de lui.

EXERCICE 5.54

Écrivez les verbes entre parenthèses à la 2e personne du pluriel de l'impératif présent.

1 (Essayer) _____ de le joindre par téléphone.

2 Ne (céder) _____ pas à son chantage.

3 (Se souvenir) _____ de ce que j'avais dit.

4 Ne vous (tromper) _____ pas !

5 (Faire) _____ tout ce qui est en votre pouvoir.

6 (Lire) _____ ce rapport et (dire) _____ -moi ce que vous en pensez.

7 (Savoir) _____ tenir compte de mes conseils.

8 Ne (être) _____ pas si pessimistes.

9 (Vouloir) _____ agréer mes salutations distinguées.

10 (Résoudre) _____ ce problème aujourd'hui même.

EXERCICE 5.55

Écrivez les verbes entre parenthèses à la 2ᵉ personne du singulier de l'impératif présent.

1 (Parler) _____ .

2 (Parler) _____ -lui.

3 (Parler) _____ -lui-en.

4 (Parler) _____ -en au ministre.

5 (Penser) _____ à ton avenir.

6 (Penser) _____ -y.

7 (Aller) _____ à l'imprimerie voir ce qui se passe.

8 (Aller) _____ -y !

9 (S'en aller) _____ !

10 (Aviser) _____ -en le syndicat.

EXERCICE 5.56

Récrivez les phrases suivantes en utilisant un pronom pour remplacer le complément en caractères gras.

1 Donnes-en **à ta sœur**.

_____

2 Livrez-moi **cette marchandise** dès demain.

_____

3 Livrez-moi trois douzaines **de ces sacs à main**.

_____

4 Ne te sers pas **de l'imprimante au laser**.

_____

5 Souviens-toi **de ce que tu avais dit**.

6 Charge-toi **de ce travail** toi-même.

7 Chargez-vous **de l'appeler**.

8 Apportez-nous **des échantillons** dès demain.

L'impératif passé

D'emploi peu fréquent, l'impératif passé exprime l'antériorité et l'aspect accompli. Il est formé de l'auxiliaire *avoir* ou *être* à l'impératif présent et du participe passé du verbe :

> **Ayez** tout **terminé** avant que je revienne.
>
> **Soyez revenus** avant minuit.

EXERCICE 5.57

Écrivez les verbes entre parenthèses à l'impératif passé.

1 (*Apprendre*, 2ᵉ pers. du plur.) _____ tout _____ pour demain.

2 Luc, (*rentrer*, 2ᵉ pers. du sing.) _____ avant que les invités arrivent.

Le subjonctif présent

Les terminaisons du subjonctif présent sont les mêmes pour tous les verbes (sauf pour *être* et *avoir*) :

Personne	Singulier	Pluriel
1ʳᵉ	-e	-ions
2ᵉ	-es	-iez
3ᵉ	-e	-ent

Les règles orthographiques du subjonctif présent

– Toujours un *e* dans les terminaisons du singulier **sauf** dans *être* et *avoir*.

– Pas de *e* aux trois personnes du singulier pour *être* : *que je sois, que tu sois, qu'il soit.*

– Pas de *e* à la 3ᵉ personne du singulier pour *avoir* : *qu'il ait.*

– Toujours un *i* dans la terminaison des 1ʳᵉ et 2ᵉ personnes du pluriel, même quand on ne l'entend pas (après une voyelle, *y*, *ll* ou *gn*) **sauf** dans *être* et *avoir* : *que nous payions/voyions ; que vous brilliez/craigniez ; que nous soyons/ayons ; que vous soyez/ayez.*

– Pour les verbes irréguliers, souvent le même radical au subjonctif présent qu'à la 3ᵉ personne du pluriel du présent de l'indicatif : *ils **acquièrent**/que j'**acquière** ; ils **aperçoivent**/que j'**aperçoive** ; ils **résolvent**/que je **résolve**.*

EXERCICE 5.58

Conjuguez les verbes suivants au subjonctif présent.

ÊTRE   Il faut que je   _____

            que tu   _____

            qu'il   _____

            que nous   _____

            que vous   _____

            qu'ils   _____

AVOIR   il faut que j'   _____

            que tu   _____

            qu'elle   _____

            que nous   _____

            que vous   _____

            qu'elles   _____

EXERCICE 5.59

Écrivez les verbes entre parenthèses au subjonctif présent.

1 Je ne crois pas que nous (*publier*) _____ ce livre cet hiver.

2 Nous regrettons que vous (*essuyer*) _____ de telles pertes.

3 Il faut que nous (*travailler*) _____ jusqu'à minuit.

4 Les poules auront des dents avant que vous ne (*gagner*) _____ un million à la loterie.

5 Voudrait-elle que nous la (*croire*) _____ ?

6 Je crains que nous n'(*avoir*) _____ plus ce livre en stock.

EXERCICE 5.60

Écrivez les verbes entre parenthèses au subjonctif présent.

L'exercice est organisé en fonction de différentes catégories d'emploi. Voir le chapitre 3 « Quelques points de syntaxe » pour une description plus complète de l'emploi du subjonctif.

Le subjonctif s'emploie :

- Après de nombreux verbes de sentiment (parfois des noms ou des adjectifs) :

1 Je veux qu'il (*s'abstenir*) _____ de voter.

2 Nous craignons qu'il ne (*venir*) _____ trop tard.

3 Nous sommes contents qu'il (*aller*) _____ à Montréal.

- Après certains verbes d'opinion dans des phrases négatives, interrogatives ou ayant un verbe au conditionnel :

4 Je ne crois pas que cela en (*valoir*) _____ la peine.

5 Pensez-vous qu'il (*falloir*) _____ conclure à un échec ?

6 J'admettrais que tu (*s'enfuir*) _____ si cela pouvait donner quelque chose.

- Après de nombreuses locutions impersonnelles :

7 Il est impossible que je (*faire*) _____ ce travail aujourd'hui.

8 Il ne faut pas que tu (*conclure*) _____ trop rapidement.

9 Il vaut mieux que tu (*disparaître*) _____ immédiatement.

- Dans des subordonnées relatives, après un superlatif ou les adjectifs *seul*, *dernier*, *unique* :

10 C'est la meilleure voiture qui (*se vendre*) _____ en ce moment.

11 C'est le seul magazine que je (*recevoir*) _____ actuellement.

12 C'est le plus petit modèle que nous (*avoir*) _____ en stock actuellement.

- Dans les subordonnées introduites par *quoi que* :

13 Quoi que tu (*croire*) _____, tu te trompes.

- Dans les subordonnées introduites par certaines conjonctions :

14 Puis-je vous parler avant que vous ne (*prendre*) _____ une décision ?

15 Je vous écris afin que vous (*savoir*) _____ la vérité.

16 Prenez les mesures nécessaires pour que cela ne (*se reproduire*) _____ pas.

17 J'accepte, bien que rien ne m'y (*contraindre*) _____.

18 Quoique vous ne (*être*) _____ pas très expérimenté, vous êtes tout de même le meilleur candidat.

19 D'aussi loin que je (*se souvenir*) _____, nous avons toujours procédé ainsi.

20 Pourvu qu'il (*faire*) _____ beau !

21 Tout s'est fait sans que je (*pouvoir*) _____ intervenir.

• Dans des subordonnées sujet :

22 Qu'il (*faire*) _____ beau si longtemps est un miracle !

23 Qu'on ne (*savoir*) _____ jamais la vérité est fort possible.

Le subjonctif passé

Le subjonctif passé est formé de l'auxiliaire *avoir* ou *être* au subjonctif présent et du participe passé du verbe :

> *Crois-tu qu'il **ait réussi** ?*
>
> *Crois-tu qu'il **soit devenu** plus sage ?*

EXERCICE 5.61

Écrivez les verbes entre parenthèses au subjonctif passé.

1 Il est venu sans que nous le lui (*demander*) _____ .

2 Je craignais qu'il ne (*s'en apercevoir*) _____ .

3 C'est le seul appel que j'(*recevoir*) _____ de lui.

4 C'est heureux qu'elle (*réagir*) _____ aussi rapidement.

5 Je ne crois pas que tu (*avoir*) _____ raison d'agir ainsi.

6 La décision a été prise sans qu'il (*être*) _____ possible d'intervenir.

Le subjonctif imparfait

Les terminaisons du subjonctif imparfait sont en *a*, en *i* ou en *u* selon les terminaisons du verbe au passé simple :

1er GROUPE (VERBES EN -*ER*)		
Personne	**Singulier**	**Pluriel**
1re	-asse	-assions
2e	-asses	-assiez
3e	-ât	-assent

2e GROUPE (VERBES EN -*IR*, -*OIR*, -*RE*)					
	Verbes en -*ir*		**Verbes en -*re* ou -*oir* (plus *courir* et *mourir*)**		
Personne	**Singulier**	**Pluriel**	**Singulier**	**Pluriel**	**Singulier**	**Pluriel**
1re	-isse	-issions	-isses	-issions	-usse	-ussions
2e	-isses	-issiez	-isses	-issiez	-usses	-ussiez
3e	-ît	-issent	-ît	-issent	-ût	-ussent

Seule la 3e personne du singulier est d'un emploi relativement courant. La terminaison de la 3e personne du singulier comporte toujours un **accent circonflexe** et un *t*.

EXERCICE 5.62

Écrivez les verbes entre parenthèses au subjonctif imparfait.

1 Il n'admettait pas qu'on (*faire*) _____ des erreurs.

2 Nous n'avions jamais cru qu'il (*être*) _____ coupable.

3 Il était impossible que M. Dupont (*avoir*) _____ tort.

4 C'était la meilleure chose qui (*pouvoir*) _____ arriver.

Le subjonctif plus-que-parfait

Le subjonctif plus-que-parfait est d'emploi extrêmement rare. Il est formé de l'auxiliaire *avoir* ou *être* au subjonctif imparfait et du participe passé du verbe :

> *Il avait tout fait sans qu'on le lui **eût demandé**.*
>
> *Je craignais qu'il ne s'en **fût aperçu**.*

La conjugaison et la phrase interrogative

La phrase interrogative soulève deux difficultés orthographiques liées à l'inversion du sujet.

L'inversion du sujet et le trait d'union

Dans la phrase interrogative, chaque fois que le pronom personnel sujet est placé après le verbe, il y est joint par un trait d'union. Si l'on construit l'interrogation avec *est-ce que*, il ne faut pas oublier le trait d'union entre *est* et *ce*, qui est également un sujet postposé :

> *Est-ce que tu viens ?*   *Venez-vous avec moi ?*   *Irons-nous ensemble ?*

L'inversion du sujet et le *t* euphonique

Les verbes du 1er groupe se terminant par un -*e* à la 3e personne du singulier du présent de l'indicatif, il se crée un hiatus, à la forme interrogative, entre le verbe et les pronoms **il**, **elle** ou **on** en inversion. Pour aider à l'enchaînement sonore, on intercale donc un *t*, précédé et suivi d'un trait d'union, entre le verbe et le pronom. Il en va de même pour les verbes *aller* et *avoir* à la 3e personne du singulier et pour les verbes en -*ir* ayant une terminaison en -*e*.

> *Parle-t-il... ?*   *Parle-t-on... ?*   *Va-t-il... ?*   *A-t-elle... ?*   *Souffre-t-elle ?*

Le futur et le passé simple de l'indicatif demandent aussi ce *t* euphonique :

> *Chantera-t-il... ?*   *Chanta-t-elle ?*

EXERCICE 5.63

Ajoutez des traits d'union là où ils sont nécessaires.

1 Faudra t il partir ?

2 Va t il falloir vendre nos actions ?

3 Est ce que je chante juste ?

4 A t on vraiment besoin de cela ?

5 Mange t il toujours autant ?

EXERCICE 5.64

Changez la construction interrogative avec *est-ce que* pour une interrogation par inversion.

1 Est-ce qu'il chante juste ?

_____

2 Est-ce qu'on a tout fini ?

_____

3 Est-ce qu'elle termine aujourd'hui ?

_____

4 Est-ce qu'il entend me convaincre ainsi ?

_____

5 Est-ce que cet argument te convainc ?

_____

5.2 LE NOM

Cette section porte sur le genre et le nombre des noms et leur variation orthographique. Sont également regroupés ici quelques points qui touchent indirectement l'orthographe des noms, soit l'emploi des majuscules et des minuscules, les abréviations et les symboles.

Le genre du nom

Le nom possède son genre en lui-même. Il est soit masculin, soit féminin :

> *un clavier*
>
> *une autoroute*

Toutefois, les noms désignant des êtres animés peuvent varier en genre :

> *un ami, une amie*
>
> *un chat, une chatte*

Les autres noms se répartissent arbitrairement entre les genres masculin et féminin ; ils n'ont pas toujours le genre qu'on croit et la forme du nom ne donne pas toujours un indice de son genre. La présence d'un *e* à la fin du nom, par exemple, ne signifie pas nécessairement que ce nom est féminin : on dit et écrit **une** *idée*, **une** *arrivée*, mais aussi **un** *trophée* et **un** *musée* ! De même, *beauté* et *honnêteté*, qui sont des noms féminins, s'écrivent sans *e*. Il vaut mieux s'habituer à consulter le dictionnaire au moindre doute quant au genre d'un nom. (Voir le tableau « Genre » dans le *Multi*.) L'exercice qui suit vous en donne d'ailleurs l'occasion.

EXERCICE 5.65

Complétez les phrases suivantes avec l'une ou l'autre des formes proposées.

1 On a eu (*un, une*) _____ (*bel, belle*) _____ été, mais

(*un, une*) _____ automne (*pluvieux, pluvieuse*) _____ .

2 On parle de construire (*un, une*) _____ (*nouvel, nouvelle*) _____

autoroute.

3 Pourquoi l'autobus a-t-(*il, elle*) _____ tant de retard ce matin ? J'attends

(*le, la*) _____ 801 depuis quinze minutes.

4 (*Un, Une*) _____ gang de malfaiteurs sévit dans le quartier.

5 Aujourd'hui, j'ai dîné d'(*un, une*) _____ sandwich et d'un café.

6 (*Grands, Grandes*) _____ soldes dans tous nos magasins.

7 L'ascenseur est (*plein, pleine*) _____ .

8 L'algèbre de Boole est (*un, une*) _____ algèbre qui s'applique à l'étude des relations

logiques.

9 As-tu reçu (*le, la*) _____ circulaire de l'épicerie ?

10 J'ai profité des soldes pour acheter (*un, une*) _____ (*nouveau, nouvelle*)

_____ radio.

Formation du féminin des noms d'êtres animés

Le féminin se forme généralement par addition d'un *e*. Les cas particuliers sont recensés dans toutes les grammaires. Les dictionnaires donnent également les féminins des noms d'êtres animés.

EXERCICE 5.66

Complétez les phrases suivantes avec les noms entre parenthèses.

1 C'est une (*Japonais*) _____ qui a été nommée à la tête de l'entreprise.

2 C'est une (*Grec*) _____ qui tient ce restaurant italien.

3 Est-ce une (*Italien*) _____ qui vous enseigne l'italien ?

4 Il paraît que le Canadien veut embaucher une (*gardien*) _____ de but.

5 Trois petites (*vieux*) _____ faisaient la queue devant le magasin.

6 Ce livre a été écrit par une (*Métis*) _____ du Manitoba.

7 La (*demandeur*) _____ voudrait faire entendre deux témoins.

8 C'est Marie qui est l'(*aîné*) _____ de leurs enfants.

9 Le Musée a une nouvelle (*directeur*) _____ .

10 C'est une femme qui est (*ambassadeur*) _____ du Canada en Espagne.

Féminisation des noms désignant un titre ou une profession

Traditionnellement, les noms qui désignaient des professions exercées surtout par des hommes avaient rarement une forme féminine. On palliait alors ces lacunes par des périphrases :

> *une femme professeur*
>
> *une femme écrivain*

Au Québec, on féminise presque toujours les noms de titres et de fonctions :

> *une professeure*
>
> *une écrivaine*

Mais la féminisation n'est pas toujours facile :

> *un médecin, une médecin...*

La question de la féminisation des titres a soulevé bien des passions et a déjà fait couler beaucoup d'encre, mais elle s'installe dans l'usage. La féminisation des titres comme la « désexisation » du discours ou la rédaction non sexiste des textes sont considérées comme allant de soi aujourd'hui. Il s'agit donc d'apprendre à utiliser les ressources dont dispose la langue pour s'adapter aux réalités contemporaines. Le *Multi* répertorie un grand nombre de noms de métiers et de professions ; à l'entrée du dictionnaire, la désignation féminine figure si son usage est attesté. Le *Multi* présente en outre une liste de titres et de fonctions en indiquant la forme féminine de chacun des titres répertoriés (voir le tableau « Féminisation des titres »). Consultez ce tableau pour faire l'exercice qui suit.

EXERCICE 5.67

Complétez les phrases suivantes avec l'une ou l'autre des formes proposées.

1 Madame Côté est (*professeur, professeure*) _____ à l'Université Laval.

2 Marguerite Yourcenar a été la première femme à faire partie de l'Académie française. Elle est l' (*auteur, auteure*) _____ , entre autres ouvrages, des *Mémoires d'Hadrien* et de *L'Œuvre au noir*.

3 (*Le, La*) _____ ministre de l'Éducation, rentrée hier soir à Québec, se penchera dès demain sur le rapport de la commission scolaire.

4 (*Le, La*) _____ (*gouverneur général, gouverneure générale*) _____ _____ a-t-elle apprécié son voyage en France ?

5 (*Le, La*) _____ (*maire, mairesse*) _____ a-t-elle été réélue ?

6 Notre (*député, députée*) _____ est une femme honnête et dévouée.

7 Adressez-vous à notre (*ingénieur, ingénieure*) _____, madame Lavoie.

Formation du pluriel

La règle générale relative au pluriel des noms consiste à ajouter un *s* au nom singulier. Des particularités orthographiques, par exemple les noms en *-al* qui font *-aux* au pluriel (sauf quelques exceptions), sont sources d'erreurs fréquentes. Reportez-vous au tableau « Pluriel des noms » dans le *Multi* pour vous remémorer les cas spéciaux de formation du pluriel et faire l'exercice qui suit.

EXERCICE 5.68

Mettez les noms entre parenthèses au pluriel.

1 Les courses de (*cheval*) _____ ont perdu de leur popularité.

2 Il a donné plusieurs (*récital*) _____ au Canada.

3 Il y a toutes sortes de (*festival*) _____ l'été.

4 Au Québec, les (*bail*) _____ se renouvellent surtout au mois de juillet.

5 Elle porte souvent des (*bijou*) _____ extravagants.

6 Les (*ciel*) _____ des peintres hollandais ont souvent une lumière un peu jaune.

7 Combien de versions y a-t-il de la chanson *Savez-vous planter des* (*chou*) _____ ?

8 À prix égal, les (*pneu*) _____ se valent.

9 Les ouvriers français portent, pour travailler, des (*bleu*) _____ de travail.

10 Y a-t-il deux (*Canada*) _____ ou n'y en a-t-il qu'un ?

11 Au hockey, il faut se protéger les (*genou*) _____.

12 Grands soldes dans les (*clou*) _____ de tapisserie.

13 Nous sommes encore à cent (*lieue*) _____ de la réussite.

14 Ces (*lieu*) _____ sont sinistres.

15 Cessons de couper les (*cheveu*) _____ en quatre !

des noms composés

posés sont relativement nombreux en français (voir le tableau « Noms composés »
). Aussi est-il bon d'avoir une vue générale du mode de formation de leur pluriel
que seuls varient les éléments qui, par leur nature, peuvent varier, c'est-à-dire les
djectifs :

x-*fleurs* (nom : variable + nom : variable)

ls-*muets* (adjectif : variable + adjectif : variable)

es-*forts* (nom : variable + adjectif : variable)

posés peuvent être constitués de mots appartenant à n'importe quelle classe gram-
éléments appartenant aux classes autres que celles du nom et de l'adjectif sont

e-*attaques* (préposition : invariable + nom : variable)

t (pronom : invariable + verbe : invariable)

ifications de l'orthographe (1990), les noms composés d'un verbe et d'un nom suivent
rale de formation du pluriel des noms simples. Au singulier, le nom ne prend pas
pluriel. Au pluriel, seul le nom prend la marque du pluriel :

-*bagage* → *des porte-bagage***s**

dent → *des cure-dent***s**

5.69

ms entre parenthèses au pluriel.

n'aura jamais eu autant de (*sans-abri*) _____ qu'en cette année

abri) _____ .

grandi à l'ère des robots culinaires, les (*hache-viande*) _____ et

(hache-légumes) _____ de nos (*grand-mère*) _____

doivent s'apparenter à quelque instrument de torture préhistorique.

3 Le ministre aurait-il touché des (*pot-de-vin*) _____ ?

4 Combien de (*brise-glace*) _____ la garde côtière canadienne a-t-elle ?

5 Nos deux (*grand-père*) _____ et nos deux (*grand-mère*)

_____ sont venus nous rendre visite.

6 La ténacité des (*Franco-Manitobain*) _____ dans la défense de leurs droits

est digne de notre admiration.

7 Les (*arc-en-ciel*) _____ les plus beaux sont ceux qu'on voit en Asie pendant

la mousson.

8 Le laboratoire d'informatique sera ouvert tous les (*après-midi*) _____.

9 Les deux chefs d'État ont eu plusieurs (*tête-à-tête*) _____.

10 Des (*hors-d'œuvre*) _____ seront servis à partir de six heures et demie.

11 Au Québec, les plus grosses cultures de (*pomme de terre*) _____ se trouvent dans la région de Portneuf.

12 Les (*arc-boutant*) _____ sont caractéristiques de l'art gothique.

13 Lord Mountbatten fut le dernier des (*vice-roi*) _____ de l'Inde.

14 Les (*pare-choc*) _____ sont maintenant tous caoutchoutés.

15 La ville pense acheter quelques nouveaux (*chasse-neige*) _____.

16 Il a déployé des (*chef-d'œuvre*) _____ d'ingéniosité.

Noms sans pluriel

Certains noms ne s'emploient qu'au singulier. Voici quelques exemples :

– Le nom **argent** s'emploie toujours au singulier. Pour préciser la quantité d'argent, il faut recourir à d'autres noms :

> *Des fonds seront alloués à...*
>
> *Des sommes d'argent importantes...*

On ne doit pas dire ni écrire :

> **Des argents seront débloqués.*

– De même, **énergie** s'emploie généralement au singulier :

> *J'ai mis toute mon énergie dans ce travail.*
>
> *Nous mettrons toute notre énergie dans ce projet.*

On ne devrait pas dire ni écrire :

> **J'ai mis toutes mes énergies dans ce projet.*

Parfois, le sens distributif peut appeler un pluriel :

> *Joignons nos énergies et nous réussirons.*

Nombre des compléments du nom introduits par une préposition

On hésite parfois sur le nombre des compléments introduits par certaines prépositions. C'est le cas avec les compléments du nom introduits par **de** :

> *de la confiture **de framboise***
>
> *de la confiture **de fraises***
>
> *de la marmelade **d'oranges***
>
> *du jus **d'orange***

Telle est l'orthographe donnée dans le *Petit Robert*. La répartition entre le singulier et le pluriel n'est pas toujours d'une logique parfaite. De façon générale, on peut cependant suivre les principes suivants :

– Quand le complément du nom exprime l'espèce, la classe ou la matière et qu'il forme avec le premier nom une sorte de locution figée, la tendance est de le mettre au singulier :

> *des toiles d'araignée*
>
> *des chefs d'entreprise*
>
> *de l'huile d'olive*

– Quand le complément du nom comporte l'idée de plusieurs objets ou quand on considère la quantité ou la diversité, il se met au pluriel :

> *un pays de montagnes*
>
> *un manque d'égards*
>
> *un agent d'affaires*

On hésite également sur le nombre des compléments introduits par *en*. Là encore, l'usage va parfois à l'encontre de la logique :

> *un arbre en fleur(s)*

Le nombre du complément introduit par *sans* dépend également du sens :

> *une maison sans fenêtres* (une maison a généralement plusieurs fenêtres)
>
> *un bureau sans fenêtre(s)* (un bureau peut avoir une ou plusieurs fenêtres)

EXERCICE 5.70

Mettez les noms entre parenthèses au singulier ou au pluriel, puis vérifiez dans un dictionnaire de langue ou un dictionnaire de difficultés.

1 Son ambition est sans (*limite*) _____.

2 La proposition a été votée sans (*discussion*) _____.

3 Je vous conseille de lui remettre votre manuscrit en (*main propre*) _____.

4 La police se perd en (*conjecture*) _____.

5 Nous sommes actuellement en (*pourparler*) _____. Aucune décision n'a encore été prise.

6 Le nombre de négociants en (*vin*) _____ s'est considérablement accru au Québec.

7 Les histoires de (*revenant*) _____ vous épouvantent-elles ?

Sens lié au nombre ou au genre

Les grammaires recensent un certain nombre de cas de variation de sens liée à des variations de nombre ou de genre. Voici deux cas :

– **Vacance**, au singulier, ne se dit jamais d'une période de congé. Une *vacance* est un poste vacant, un poste sans titulaire. Pour désigner une période de congé, le mot est toujours au pluriel :

> *J'ai pris une journée de vacances.* (de congé)
>
> *J'ai passé de belles vacances.*

Mais :

> *La vacance du poste dure depuis trop longtemps.*

– **Œuvre** a des sens différents au masculin et au féminin. Une œuvre est une production artistique ; pour désigner l'ensemble des œuvres d'un artiste, on emploie le mot au masculin :

> *C'est son œuvre capitale.*
> *C'est une œuvre de jeunesse.*
>
> *l'œuvre gravé de Miró*
> *l'œuvre peint de Vinci*

Œuvre au masculin est également un terme d'architecture. Le *gros œuvre* désigne les fondations, les murs et la toiture d'un bâtiment.

Emploi des majuscules

Saint- ou *saint*

Le mot *saint* s'écrit avec une minuscule et n'est pas suivi d'un trait d'union quand on parle de la personne même. Dans les autres cas (toponymes, noms de fêtes religieuses, noms de sociétés, etc.), *saint* s'écrit avec une majuscule et est suivi d'un trait d'union :

> *La statue de saint Georges exécutée par Louis Jobin a été restaurée*
> *et sera placée dans l'église de Saint-Georges.*

Notez que tous les mots entrant dans un toponyme sont en principe reliés entre eux par des traits d'union et que la préposition ne prend pas de majuscule :

> *Nous sommes allés en excursion à Saint-Éphrem-de-Tring.*

(Voir le tableau « Majuscules et minuscules » dans le *Multi*.)

Nationalités et autres appartenances géographiques

Les mots désignant une nationalité ou toute autre appartenance géographique ne prennent la majuscule que lorsqu'ils sont employés substantivement, c'est-à-dire comme noms :

> *les Québécois*

Employés adjectivement, ils s'écrivent avec une minuscule :

> *le peuple québécois*

Les noms des langues s'écrivent toujours avec une minuscule :

> *Parlez-vous anglais ?*

(Voir le tableau « Peuples, noms de » dans le *Multi*.)

EXERCICE 5.71

Ajoutez les majuscules et les traits d'union nécessaires.

1 Y a-t-il une statue de sainte thérèse à sainte thérèse de lisieux ?

2 Avez-vous vu le film *La vie de sainte thérèse* ?

3 Il parle allemand comme un allemand.

4 Deux chercheurs américains ont découvert une nouvelle bactérie.

5 L'état français offre des bourses aux québécois qui veulent étudier en france.

6 Le français a depuis longtemps cédé la place à l'anglais comme langue internationale.

7 Les citoyens canadiens sont priés de remplir ce formulaire avant de descendre de l'avion.

8 On fait traditionnellement commencer le moyen âge avec la chute de l'empire romain d'occident et se terminer avec la prise de constantinople.

9 L'économie de l'europe occidentale se porte bien.

10 En 1977, un pétrolier coulait au large de la côte bretonne, en france, causant une des pires marées noires de l'histoire, jusqu'à ce qu'en 1989 un pétrolier américain cause des dégâts encore plus grands sur la côte de l'alaska.

Les abréviations

En français, il existe trois modes de formation des abréviations :

a) On coupe **avant** la voyelle de la deuxième syllabe :

> *Ap - par - te - ment*

La deuxième syllabe est *par*. On coupe avant le *a* et on indique la troncation par un point :

> *app.*

Il faut veiller à ne pas oublier le point. C'est lui qui indique qu'il y a abréviation :

> *a - ve - nue* → *av.*
>
> *bou - le - vard* → *boul.*
>
> *té - lé - phone* → *tél.*

b) On retient la première lettre du mot et on lui adjoint la dernière lettre du mot, que l'on place en exposant :

> *numéro* → n^o
>
> *Maître* → M^e

Parfois, on met en exposant plus d'une lettre, mais ce sont toujours les dernières lettres du mot :

> *Madame* → Mme

Vous aurez remarqué que les abréviations formées selon ce deuxième mode ne sont pas suivies d'un point. En effet, la présence de la dernière lettre du mot rend inutile le point abréviatif.

c) On retient la lettre initiale et on la fait suivre d'un point :

Monsieur → M.

page → p.

Au Québec, et dans la francophonie canadienne en général, on forme presque toujours les abréviations selon le premier mode (coupure avant la voyelle de la deuxième syllabe). Seule une poignée d'abréviations formées suivant le second mode sont utilisées ; aux quatre mots déjà donnés en exemples, ajoutons les abréviations des numéraux ordinaux :

1er, 1re, 2e, 3e, 20e, 100e, 1000e, etc.

(Voir les tableaux « Abréviation, règles de l' » et « Abréviations courantes » dans le *Multi*.)

Les symboles des unités de mesure

Comme les grandeurs mesurables sont multiples (espace, temps, poids, force, température, etc.) et que leur échelle est infinie, les désignations des unités de mesure sont souvent des noms composés de plusieurs éléments :

(un gramme) → *(un mètre)*

un centigramme → *un centimètre*

un kilogramme → *un kilomètre*

Les abréviations des unités de mesure suivent deux règles :

1° on retient en général la première lettre de chaque élément,

2° on ne fait **jamais** suivre l'abréviation d'une unité de mesure par un point :

un gramme   → *1 g*

un centigramme → *1 cg*

un kilogramme → *1 kg*

un mètre   → *1 m*

un centimètre   → *1 cm*

un kilomètre   → *1 km*

Souvent, les unités de mesure sont désignées par le nom de leur inventeur. Si la majuscule du nom propre disparaît généralement dans l'unité de mesure, elle réapparaît presque toujours dans son abréviation :

un volt   → *1 V*

un ampère → *1 A*

un watt   → *1 W*

un joule   → *1 J*

(Voir le tableau « Symbole » dans le *Multi*.)

EXERCICE 5.72

Donnez les abréviations des mots suivants.

1 paragraphe　_____　11 appartement　_____

2 page　_____　12 avenue　_____

3 numéro　_____　13 boulevard　_____

4 téléphone　_____　14 pavillon　_____

5 Monsieur　_____　15 local　_____

6 Messieurs　_____　16 premier　_____

7 Madame　_____　17 première　_____

8 Mesdames　_____　18 cinquantième　_____

9 Mademoiselle　_____　19 étage　_____

10 Mesdemoiselles　_____　20 bureau　_____

EXERCICE 5.73

Donnez les symboles des unités de mesure suivantes.

1 heure　_____　6 kilo　_____

2 mètre　_____　7 kilomètre　_____

3 minute　_____　8 kilowatt　_____

4 seconde　_____　9 kilowattheure　_____

5 gramme　_____

EXERCICE 5.74

Corrigez les fautes contenues dans les phrases suivantes. Certaines phrases peuvent être correctes.

1 La réunion aura lieu à 3 hrs 30.

_____

2 Il a parcouru les 20 kilomètres en 1 h 20 min 30 s.

_____

3 Monsieur La Framboise
36, blvd. de l'Amitié, # 15
Québec (Québec) G1X 1X1

4 Num. de tél. : 525-0000

EXERCICE `5.75`

Récapitulation

Mettez les noms entre parenthèses au pluriel.

1 Ce n'est pas facile de trouver de jolis (*abat-jour*) _____.

2 J'ai rencontré deux (*garde-chasse*) _____ dans la forêt.

3 Ce sont tous les deux des (*pince-sans-rire*) _____.

4 Le tandem est équipé de deux (*porte-bébé*) _____.

5 Le laboratoire est ouvert tous les (*après-midi*) _____.

6 Cette maison manque de (*garde-robe*) _____.

7 Il y a deux (*festival*) _____ du cinéma à Montréal.

8 On utilise plus de (*tuyau*) _____ en plastique que de (*tuyau*)
_____ en cuivre.

9 Les (*cheveu*) _____ longs reviennent à la mode.

10 Avec des (*si*) _____ et des (*peut-être*) _____,
on ne va nulle part.

EXERCICE `5.76`

Récapitulation

Corrigez les fautes contenues dans les phrases suivantes. Certaines phrases peuvent être correctes.

1 Il a remporté le Prix de la Gouverneure générale.

2 Le gouvernement entend insuffler des argents neufs dans les hôpitaux.

3 Auriez-vous un livre sur Saint-Ignace de Loyola ?

_____

4 Les jeunes québécois demandent plus d'emplois.

_____

5 Un nouveau magasin de vêtements s'est ouvert rue Saint-Jean.

_____

6 Je me suis offert une petite vacance en Grèce.

_____

7 Vous parlez Japonais ?

_____

8 Le dollar Canadien est à la hausse.

_____

9 Les pays du Sud-Est asiatique envient l'entente nord-américaine de libre-échange.

_____

10 Le premier ministre Indien a procédé à un important remaniement ministériel.

_____

EXERCICE 5.77

Récapitulation

Corrigez, parmi les phrases suivantes, celles qui sont fautives.

1 L'hiver vous semble interminable ? Pourquoi ne pas prendre une petite vacance ?

_____

2 Une lunette gratuite à l'achat de lentilles cornéennes.

_____

3 Il a déployé toutes ses énergies pour que nous obtenions cette subvention.

_____

4 Le gouvernement a mis des argents à notre disposition.

_____

5 Il y a une vacance au département. Vous devriez poser votre candidature.

_____

5.3 L'ADJECTIF

Formation du féminin

Les adjectifs qui se terminent par un *e* gardent la même forme au féminin :

> Un fondement **solide**.   Une amitié **solide**.

Les adjectifs qui se terminent par une voyelle autre que *e* ou par une consonne forment généralement leur féminin par addition d'un *e* :

> Un **fort** vent.   Une mer **forte**.
>
> Un ciel **bleu**.   Une lumière **bleue**.

Veillez à ne pas oublier le *e*, même quand il ne s'entend pas, comme dans *une lumière bleue* ou *une personne loyale*.

Les grammaires et le *Multi* recensent les féminins particuliers, c'est-à-dire les cas où la formation du féminin s'accompagne d'une modification du radical. Reportez-vous-y pour l'exercice suivant. Vous aurez ainsi une vue d'ensemble des variations morphologiques liées à la formation du féminin. Ultérieurement, quand vous chercherez le féminin d'un adjectif en particulier, vous préférerez peut-être utiliser le dictionnaire, qui est d'une consultation plus rapide.

EXERCICE 5.78

Complétez les phrases suivantes avec les adjectifs entre parenthèses, que vous accorderez.

1 Pourriez-vous me trouver une chemise (*pareil*) _____ à celle-ci ?

2 Il semble éprouver une joie (*malin*) _____ à semer des embûches sur notre chemin.

3 Elle semble très (*éprouvé*) _____ par la mort (*subit*) _____ de son canari.

4 C'est de l'histoire (*ancien*) _____.

5 Il n'y a aucune (*commun*) _____ mesure entre ces deux événements.

6 Semez en (*plein*) _____ terre dès que sont passés les risques de gelée.

7 C'est une (*beau*) _____ fripouille ! C'est un (*beau*) _____ escroc !

8 Quelle (*beau*) _____ maison ! Quel (*beau*) _____ appartement !

9 Nous pensions acheter une (*nouveau*) _____ machine à café et un (*nouveau*) _____ ordinateur.

10 C'était une (*fou*) _____ entreprise.

11 Nous entretenions un (*fou*) _____ espoir.

12 Il portait toujours le même (*vieux*) _____ habit et la même (*vieux*) _____ casquette.

13 Deux (*vieux*) _____ ivrognes étaient assis au bar.

14 Sa dissertation est (*nul*) _____.

15 La ministre est restée (*muet*) _____ sur la question.

16 Elle semblait trouver la question (*indiscret*) _____.

17 C'est une personne bien (*secret*) _____.

18 Il faudrait une enquête plus (*complet*) _____.

19 Ne pourrions-nous pas éviter qu'une (*tiers*) _____ personne soit mise au courant ?

20 C'est une (*heureux*) _____ issue.

21 La pâte était un peu trop (*épais*) _____, mais elle était tout de même (*léger*) _____, quoiqu'un peu (*sec*) _____.

22 Sa réponse était un tantinet (*naïf*) _____ .

23 Quoi de meilleur qu'une salade (*grec*) _____ arrosée d'un petit rosé bien frais !

24 La température est un peu (*frais*) _____, mais le temps reste beau.

25 Il a donné une réponse très (*ambigu*) _____ .

26 C'est votre (*meilleur*) _____ chance d'obtenir ce que vous désirez.

27 Dans une phase (*ultérieur*) _____, une aile sera ajoutée au bâtiment.

28 N'en faisons pas une affaire (*public*) _____ ; c'est une affaire (*personnel*) _____.

29 La situation demeure (*inchangé*) _____.

30 L'issue du conflit est tout à fait (*incertain*) _____.

31 Le contrat est prolongé pour une période (*indéterminé*) _____.

32 Il faudrait que notre tâche soit un peu mieux (*défini*) _____.

Formation du pluriel

En règle générale, on forme le pluriel d'un adjectif en ajoutant un *s* à la forme singulier de l'adjectif :

    un plat élaboré → *des plats élaborés*
    une entreprise ardue → *des entreprises ardues*

Il existe des règles particulières, dont les principales sont qu'on ajoute un **x** aux adjectifs se terminant par -*eau* au singulier, et que la plupart des adjectifs en -*al* changent leur finale en -*aux* au pluriel. Les grammaires et le *Multi* recensent les pluriels particuliers des adjectifs. Au besoin, reportez-vous-y pour faire l'exercice suivant.

EXERCICE 5.79

Complétez les phrases suivantes avec les adjectifs entre parenthèses, que vous accorderez.

1 Les examens (*final*) _____ auront lieu en juillet.

2 Il faisait de grands gestes (*théâtral*) _____.

3 Partout dans le monde, les chantiers (*naval*) _____ connaissent des difficultés.

4 Venez voir nos (*nouveau*) _____ modèles.

5 Les objectifs (*général*) _____ doivent être aussi bien définis que les objectifs particuliers.

6 Nous avons suivi des cours (*prénatal*) _____.

7 Nous n'embauchons que des candidats (*idéal*) _____.

8 Il y a eu plusieurs accidents (*fatal*) _____ sur les routes ce week-end.

9 Nous avons conservé les documents (*original*) _____.

10 Les baux (*commercial*) _____ sont soumis à une réglementation à part.

11 Lundi auront lieu les examens (*oral*) _____.

12 Les mélèzes sont les seuls conifères à avoir des feuilles (*caduc*) _____.

5.4 LE DÉTERMINANT NUMÉRAL

– Traditionnellement, les déterminants numéraux de *dix-sept* à *quatre-vingt-dix-neuf*, de même que ces séquences lorsqu'elles apparaissent dans des nombres plus élevés, prennent un trait d'union entre les éléments qui les composent :

> *trente-cinq, cent dix-sept, dix-huit mille*

Le coordonnant **et** remplace le trait d'union dans les six cas suivants :

> *vingt et un*   *trente et un*
>
> *quarante et un*   *cinquante et un*
>
> *soixante et un*   *soixante et onze*

– On ajoute un **s** à *vingt* et à *cent* s'ils sont multipliés par un nombre et s'ils ne sont pas suivis d'un autre déterminant numéral :

> *À quatre-vingts ans, elle avait vingt petits-enfants.*
>
> *À quatre-vingt-un ans, elle en avait vingt et un.*

– Le nombre *mille* est invariable :

> *trois mille ans*

Les mots *million* et *milliard* sont des noms et non des déterminants numéraux ; ils n'influent donc pas sur l'accord de *vingt* et de *cent*.

    quatre-vingt mille   mais   *quatre-vingts millions*

    deux cent mille   mais   *deux cents milliards*

Les règles d'écriture des nombres sont parfaitement expliquées dans les grammaires et le *Multi* (voir les tableaux « Nombres » et « Mille, million, milliard » dans le *Multi*).

Selon « Les rectifications de l'orthographe », on peut lier par un trait d'union tous les éléments des déterminants numéraux complexes. Comme ces recommandations ne sont pas encore attestées dans les dictionnaires usuels, ni les graphies traditionnelles ni les nouvelles graphies ne doivent être considérées comme fautives.

EXERCICE 5.80

Transcrivez les nombres suivants en lettres.

17	100	
20	101	
21	300	
22	301	
31	480	
37	482	
41	1 000	
59	1 001	
61	1 100	
70	2 000	
71	50 000	
80	100 000	
81	300 000	
90	1 000 000	
91	2 225 000	
94	80 000 000	
99	200 000 000	

5.5 HOMOPHONES

é/er/ez

Observez le verbe *chanter* dans les phrases suivantes :

> *L'artiste a chanté pendant deux heures.*
>
> *J'aime chanter sous la douche.*
>
> *Cette berceuse a été chantée par bien des mamans.*
>
> *Je vais vous chanter une chanson d'amour.*
>
> *Vous chantez juste.*

Pour éviter de faire une erreur dans l'orthographe de la terminaison du verbe ou du participe passé, remplacez-le par un verbe dont la terminaison est autre que *-er* à l'infinitif : *vendre, recevoir* ou *finir*, par exemple. Ces verbes se prononcent différemment à l'infinitif présent, au participe passé et à la 2ᵉ personne du pluriel de l'indicatif présent, de sorte qu'il n'y a pas de confusion possible. Bref,

si on peut remplacer par :	la terminaison sera :
vendre, recevoir, finir	*-er*
vendu, reçu, fini	*-é*
vendez, recevez, finissez	*-ez*

Quand on utilise ce truc, on ne se préoccupe évidemment pas du sens de la phrase. Si on reprend les cinq phrases données en exemple au début et qu'on applique ce principe de substitution, on obtient :

> *L'artiste a **reçu** pendant deux heures.* (donc, *chanté*)
>
> *J'aime **vendre** sous la douche.* (donc, *chanter*)
>
> *Cette berceuse a été **reçue** par bien des mamans.* (donc, *chantée*)
>
> *Je vais vous **vendre** une chanson.* (donc, *chanter*)
>
> *Vous **finissez** juste.* (donc, *chantez*)

EXERCICE 5.81

Ajoutez les terminaisons appropriées.

1 Après avoir termin _____ ce travail, nous pourrons all _____ dans _____.

2 Nous espérons commenc _____ le plus tôt possible, dès qu'il sera arriv _____.

3 Avant de téléphon _____ à ma mère, je voulais vous demand _____ votre avis.

4 Je vais all _____ vous cherch _____ si vous le voul _____.

5 Des terroristes ont menac _____ de faire saut _____ un avion.

6 Ils ont exig _____ de pass _____ les premiers.

7 Je dois vous avou _____ que je n'y avais pas pens _____.

8 Vous parl _____ souvent trop ; si vous n'avi _____ pas tant parl _____ à la dernière réunion, les gens n'auraient pas pens _____ du mal de vous.

9 Qu'est-il all _____ faire en Europe ? Vous êtes-vous inform _____ de ses déplacements ?

10 Vous avez chang _____ et vous croy _____ aim _____ cette personne ; all _____ donc vous repos _____ quelque temps à la campagne et y pens _____ un peu...

11 Je lui en ai parl _____ ; il s'est montr _____ très surpris de ta réaction et m'a demand _____ de ne plus te parl _____ de cette affaire.

12 J'en viens à pens _____ que tu l'as aid _____ à rédig _____ ce travail.

13 Il semble décid _____ à agir, mais je n'aime pas le voir chang _____ d'avis si vite ; il aurait dû cherch _____ une solution plus sage.

14 J'ai entendu parl _____ à voix basse ; si ce sont des voleurs, il faudra téléphon _____ à la police et nous cach _____ !

15 Il va nous faire pass _____ un mauvais quart d'heure...

16 Os _____ arriv _____ avec une demi-heure de retard alors que nous vous avions demand _____ de vous présent _____ au rendez-vous à l'heure précise : vous av _____ du culot !
Est-ce que nous avions oubli _____ de vous téléphoner pour confirm _____ l'heure ?
J'en serais très étonn _____.

17 Il est all _____ à la fenêtre pour contempl _____ ce spectacle.

18 Il n'y a pas un seul joueur de bless _____.

19 Le jeu semble commenc _____ depuis quelques minutes.

20 Le jeu paraît commenc _____ par une forte attaque de l'équipe adverse.

i/*is*/*it*

On hésite parfois devant l'orthographe des participes passés en *i* : prennent-ils un *s*, un *t* ou rien du tout ? Pour régler le problème rapidement, il suffit de mettre le participe passé au féminin : si à l'oral la terminaison ne change pas, on n'ajoute rien après le *i* ; si le féminin fait *ite*, on ajoute un *t* ; et si le féminin fait *ise*, on ajoute un *s*. Par exemple :

> *J'ai fini ma rédaction.* (*Ma rédaction est finie.*)
> *J'ai écrit une lettre.* (*Ma lettre est écrite.*)
> *Je me suis assis.* (*Je me suis assise.*)

On peut appliquer le même principe aux autres participes passés ou à certains adjectifs dont la terminaison nous embête (*plainte*/*plaint*, *exclue*/*exclu*, etc.). Deux exceptions cependant : les participes passés *dissous* et *absous*, qui prennent un *s* au masculin singulier, mais font leur féminin avec *t* (*dissoute*, *absoute*).

EXERCICE 5.82

Ajoutez les terminaisons appropriées.

1 Il avait préd _____ ce qui est arrivé.

2 Elle lui a prom _____ d'essayer de faire mieux la prochaine fois.

3 Elle a entrepr _____ des études en administration.

4 Ils ont invest _____ tout leur argent dans cette affaire.

5 Elle a acqu _____ beaucoup d'expérience en peu de temps.

6 Il a accompl _____ tout son travail et ne s'est pas plain _____.

7 Il a adm _____ qu'il avait mal ag _____.

8 Les juges ont concl _____ à sa responsabilité dans cette affaire.

9 Il a introdu _____ de nouveaux aspects dans son argumentation.

10 Le toit de la maison est pein _____ en vert.

11 Il a étein _____ la lumière et s'est ass _____ près de la bibliothèque.

12 Tout a été détru _____ dans l'incendie.

13 J'ai rejoin _____ mes amis au restaurant.

14 Elle nous a perm _____ de partir plus tôt.

15 Il s'est produ _____ un grand bruit, qui nous a tous fait sursauter.

16 Il nous a d _____ qu'il avait pr _____ tout son temps.

17 Elle a raccourc _____ cette jupe hier.

18 J'ai tradu _____ ce texte l'an dernier.

19 Il a rempl _____ le formulaire et a été inscr _____ au cours automatiquement.

20 Il a été contrain _____ de révéler la vérité.

21 Enfin, j'ai compr _____ !

22 Ils ont beaucoup vieill _____ après avoir sub _____ ce choc.

23 Ce qu'il m'a décr _____ ne correspond pas à ce que je veux.

24 Le garage a été démol _____ l'an dernier.

25 Ils ont cueill _____ des fleurs tous les jours, l'été dernier.

26 Nous l'avons recondu _____ chez lui à la fin de la soirée.

27 Il est instru _____, mais pas très débrouillard.

28 Il a été très surpr _____ d'apprendre ta nomination.

ce/se

Ce est un déterminant démonstratif ou un pronom démonstratif.

Déterminant démonstratif, il s'utilise devant un nom :

> *ce* chien   *ce* bureau

Pronom, il s'emploie devant les pronoms *que, qui, à quoi, quoi* :

> *Ce* que je veux...   *Ce* à quoi je pense...

ou devant le verbe *être* employé seul (sans participe passé) :

> *Ce* sera ton tour.   *Ce* sont mes amis.

Se est un pronom personnel conjoint de la même personne que le sujet et servant à la construction pronominale ; il s'utilise devant tous les verbes qui peuvent être employés à la forme pronominale :

> Ils *se* parlent.   Ils *se* sont parlé.

EXERCICE 5.83

Utilisez *ce* ou *se*.

Il _____ pourrait que _____ soit demain qu'ils arrivent. Il est vrai qu'ils _____ font souvent attendre,

mais je les ai prévenus que _____ serait dommage qu'ils ratent le mariage de Martin et Odette,

qui _____ tiendra _____ jour-là.

on/ont

On est un pronom personnel et est toujours **sujet** d'un verbe ; on peut le remplacer par le pronom *il* ou par un prénom :

> *On* pense que Nathalie a raison. (**Il** pense...)

> *On* devrait partir tôt. (**Léon** devrait partir...)

Quant à **ont**, c'est le verbe *avoir* à la 3e personne du pluriel de l'indicatif présent ; on peut le remplacer par l'imparfait *avaient* :

> Ils **ont** tort de ne pas t'écouter. (Ils **avaient** tort...)

> Ils **ont** travaillé toute la nuit. (Ils **avaient** travaillé...)

EXERCICE 5.84

Utilisez *on* ou *ont*.

1 Ils _____ beau faire et beau dire, _____ ne m'y reprendra plus.

2 Il faut qu' _____ se rende compte de la complexité des problèmes qu' _____ à résoudre ces techniciens.

3 _____ a annoncé que les marathoniens _____ battu un record, mais _____ ne pouvait préciser davantage.

ou/où

Ou est une conjonction de coordination (coordonnant) qui marque l'alternative, c'est-à-dire un choix entre deux possibilités ; on peut le remplacer par *ou bien* :

> *J'ai le choix : **ou** (ou bien) je le quitte, **ou** (ou bien) je l'endure.*

Où peut être adverbe ou pronom ; il évoque toujours un lieu, le temps ou le moment :

> ***Où** que tu ailles, je te suivrai.* (lieu)
> *Le jour **où** tu es né, il faisait une chaleur étouffante.* (moment)

EXERCICE 5.85

Utilisez *ou* ou *où*.

1 _____ tu me le donnes, _____ tu le gardes.

2 Le jour _____ tu te décideras, tu sauras _____ me trouver !

3 _____ as-tu rangé la marguerite ?

4 Je m'y rendrai en autobus _____ en taxi.

5 Dis-moi la vérité _____ je me fâche.

6 Dis-moi _____ tu vas.

s'est/c'est

S'est est toujours suivi d'un participe passé et sert à construire les temps composés de la forme pronominale :

> *Il **s'est** rendu à Montréal.*
> ***S'est**-il aperçu de son erreur ?*

C'est est un présentatif qu'on peut remplacer par *cela est* ou *il est* :

> ***C'est** mon meilleur ami.* (Il est...)
> ***C'est** demain que l'on doit rendre ce travail.* (Cela est...)

EXERCICE 5.86

Utilisez *c'est* ou *s'est*.

1 Elle _____ bien défendue dans cette affaire, preuve qu'elle ne _____ pas sentie responsable du mauvais état d'esprit qui régnait dans le bureau.

2 Novembre, _____ déjà l'hiver chez nous.

3 L'automne _____ retiré tout doucement, sans qu'on s'en aperçoive.

4 Tout ce bruit, _____ insupportable ! Personne ne _____ donc plaint au propriétaire ?

ces/ses

Ces est un déterminant démonstratif ; on peut ajouter *-là* au nom qui le suit :

> ***Ces*** *oiseaux sont ceux que je préfère.* (*ces oiseaux-**là***)

Ses est un déterminant possessif ; on peut ajouter *à lui*, *à elle* au nom qui le suit :

> *Philippe est allé chez le vétérinaire :* ***ses*** *oiseaux sont malades.* (*ses oiseaux **à lui***)

EXERCICE 5.87

Utilisez *ces* ou *ses*.

1 À l'avenir, nous ne tolérerons plus _____ retards que vous vous permettez trop souvent.

2 C'est une de _____ journées où tout va mal et où on devrait rester couché !

3 De la montagne, on peut bien voir la ville et _____ environs.

4 Marie a encore perdu _____ lunettes.

peu/peut

Peu est un adverbe de quantité ; on peut le remplacer par son antonyme, *beaucoup* :

> *J'ai **peu** de temps à vous consacrer.* (*J'ai **beaucoup** de temps...*)
>
> *Il parle **peu**.* (*Il parle **beaucoup**.*)

Peut est le verbe *pouvoir* à la 3e personne du singulier de l'indicatif présent ; on peut le remplacer par l'imparfait *pouvait* :

> *Est-ce qu'on **peut** partir ?* (*Est-ce qu'on **pouvait** partir ?*)

EXERCICE 5.88

Utilisez *peu* ou *peut*.

1 On ne _____ pas dire qu'il y avait foule au spectacle d'hier. C'est vrai qu'il avait plu un _____,

mais c'était quand même on ne _____ plus décourageant, ce _____ d'intérêt des gens pour

les artistes de chez nous.

2 Qui _____ le plus _____ le moins.

plus tôt/plutôt

Plus tôt peut être remplacé par son contraire, *plus tard* :

> *Essaie d'arriver un peu **plus tôt**. (Essaie d'arriver un peu **plus tard**.)*

Plutôt est un adverbe qui signifie « de préférence », mais peut aussi signifier « passablement »
ou « très » ; *plutôt que de* signifie « au lieu de » :

> *Viens **plutôt** (de préférence) demain, j'aurai plus de temps à te consacrer.*
>
> ***Plutôt que de** (Au lieu de) te plaindre, agis !*
>
> *J'ai **plutôt** (passablement) faim, est-ce qu'on mange bientôt ?*
>
> *Il est **plutôt** (très) énervant, celui-là.*

EXERCICE 5.89

Utilisez *plus tôt* ou *plutôt*.

1 _____ vous arriverez, mieux ce sera.

2 J'aimerais manger _____.

3 Si tu étais arrivé _____, tu aurais eu droit au champagne !

4 Je préfère mourir _____ que de lui faire des excuses !

5 Je viendrai _____ vers huit heures.

quoique/quoi que

Quoique en un seul mot est une conjonction de subordination (subordonnant) synonyme de
bien que ou de *même si* :

> ***Quoiqu**'il ait largement dépassé la soixantaine, cet homme ne se décide pas à prendre sa retraite.*
> *(**Bien qu**'il ait largement dépassé...)*

Quoi que en deux mots (pronom indéfini + pronom relatif) a le sens de « quelle que soit la chose
que » ou de « peu importe la chose que » :

> ***Quoi que** je te dise, tu n'en fais qu'à ta tête. (**Peu importe la chose que** je te dise...)*

EXERCICE 5.90

Utilisez *quoique* ou *quoi que*.

1 _____ on lui dise, il ne se fâche jamais.

2 _____ fatigué, il a fait l'effort de venir.

3 _____ vous prétendiez, cette affaire vous concerne personnellement.

4 Cette décision, _____ irrévocable, ne l'affecte pas trop.

5 Je refuse de le recevoir, _____ il fasse ou dise.

6 _____ il en soit, ne vous en faites pas trop.

7 _____ il soit arrivé très tard, nous avons parlé longuement.

8 _____ tu en penses, je rentrerai à l'heure qu'il me plaira.

9 J'irai, _____ il advienne.

10 Je terminerai ce travail pour vendredi, _____ il m'en coûte.

11 _____ on lui fasse, ce chat ne griffe jamais.

12 _____ il soit un peu lent d'esprit, il obtient de bons résultats.

13 _____ je sois très en colère, je vous pardonne pour cette fois.

14 Il est toujours satisfait, _____ on lui serve dans ce restaurant.

15 Il est très sympathique, _____ très colérique à ses heures.

quand/quant/qu'en

Quand est une conjonction de subordination (subordonnant) ou un adverbe interrogatif. Conjonction, il est synonyme de *lorsque*; adverbe, il exprime une interrogation concernant un moment dans le temps:

> *Vous disposerez **quand** je vous le dirai.* (conjonction)
>
> ***Quand** puis-je disposer?* (adverbe interrogatif)

Quant à est une préposition complexe (aussi appelée locution prépositive) synonyme des expressions *en ce qui concerne* et *pour ce qui est de*:

> *Pierre préfère le cassis; **quant à** Danielle, je n'en ai pas la moindre idée.*
>
> (***pour ce qui est de** Danielle...*)

Qu'en est formé de *que* (qui s'élide devant une voyelle) et du pronom complément *en*. Dans les phrases interrogatives, on peut généralement le remplacer par *que... de cela*:

> ***Qu'en** dites-vous? (**Que** dites-vous **de cela**?)*

S'il est suivi du participe présent, *qu'en* marque la simultanéité ; *en* est alors préposition :

> *Ne vous a-t-il pas dit **qu'en** le quittant Jeanne avait oublié son porte-documents ?*

EXERCICE 5.91

Utilisez *quand*, *quant* ou *qu'en*.

1 _____ vient l'été, nous nous installons à la campagne ; _____ au chat, nous le laissons en ville.

2 _____ pensez-vous ?

3 J'y consentirai _____ ils m'auront donné la preuve de leur bonne volonté.

4 _____ penses-tu me rendre les livres que je t'ai prêtés ? _____ aux disques, tu peux les garder.

5 Ce n'est _____ réduisant le nombre de tes consommations que tu parviendras à maigrir.

6 Ce n'est _____ second lieu que nous présenterons le nouveau modèle, c'est-à-dire _____ nous aurons terminé l'exposé théorique.

7 Ce _____ dit Daniel, je m'en moque.

peut-être/peut être

Peut-être est un adverbe exprimant le doute ou la possibilité. Il n'a pas, en français, de véritable synonyme. S'il est possible de le remplacer par son antonyme *sans doute* sans changer la structure grammaticale de la phrase, son emploi est correct :

> *Jean n'est toujours pas arrivé : il est **peut-être** malade. (... il est **sans doute** malade.)*

Peut être est le verbe *pouvoir* à la 3ᵉ personne du singulier de l'indicatif présent, suivi du verbe *être*. Le passage du singulier au pluriel (*peut être / peuvent être*) permet de le distinguer de son homologue *peut-être* :

> *Le problème de transmission **peut être** corrigé facilement.*
> *(Les problèmes de transmission **peuvent être**...)*

EXERCICE 5.92

Utilisez *peut-être* ou *peut être*.

1 Bien que la tomate soit un fruit, elle _____, en cuisine, considérée comme un légume.

2 Votre parrain _____ ou non parent avec vous.

3 Comme vous vous en êtes _____ rendu compte, la valeur du terrain a encore augmenté.

4 Vous devriez _____ consulter un avocat.

5 Ce virus _____ transmis de plusieurs façons, mais on le contracte le plus souvent dans les cours d'eau pollués.

6 C'est _____ vous, c'est _____ moi ; ne cherchons donc pas de coupable.

leur/leur(s)

Leur peut être un pronom personnel. Il correspond alors au pluriel de *lui* et ne prend jamais de *s* :

> *Jacques et Hélène m'en veulent de **leur** avoir vendu des moules empoisonnées.*
>
> *(Jacques m'en veut de **lui**...)*

Leur peut être un déterminant possessif (**leur**, **leurs**) ou un élément d'un pronom possessif (**le leur**, **les leurs**). *Leur* et *le leur* ne se mettent au pluriel que s'ils renvoient à plusieurs choses ou à plusieurs êtres possédés :

> *Est-ce **leur** enfant ? Oui, c'est **le leur**.*
>
> *Est-ce que ce sont **leurs** enfants ? Oui, ce sont **les leurs**.*

EXERCICE 5.93

Écrivez correctement *leur*, au singulier ou au pluriel, selon le cas.

1 Mireille examina _____ yeux comme une professionnelle.

2 _____ as-tu précisé la date de notre départ ?

3 Ils ont encore réduit _____ personnel.

4 Ce ne sont que des enfants ; il faut _____ pardonner.

5 Peux-tu les aider à attacher _____ souliers ?

6 Michel et Jeanne viennent souper. Qu'est-ce qu'on _____ prépare ?

a/à

A est le verbe *avoir* ou l'auxiliaire *avoir* conjugué à la 3ᵉ personne du singulier de l'indicatif présent. On peut, dans tous les cas, le remplacer par *avait* :

> *Il **a** (avait) mal à la tête.*
>
> *Louis **a** (avait) soigneusement replacé toutes les lettres dans le tiroir.*

À est une préposition qui sert à introduire des compléments indirects du verbe et des compléments de phrase, ainsi que des compléments du nom :

> *Lucien est parti **à** la pêche aux moules.*
>
> *Un piano **à** queue.*

EXERCICE 5.94

Utilisez *a* ou *à*.

1 Josée _____ aidé Carole _____ préparer le cours pour demain.

2 Nous avons proposé _____ Carmen de prendre des vacances, mais elle en _____ été insultée.

3 La secrétaire _____ largement contribué _____ la réalisation de ce document.

4 Nous nous fions _____ Nathalie pour ce qui est de la mise en pages.

davantage/d'avantage

On confond parfois l'adverbe *davantage*, qui signifie « plus », avec le nom *avantage* précédé de la préposition *de* élidée, que l'on écrit, au fait, assez rarement. Retenons, par conséquent, que l'adverbe s'écrit en un seul mot :

> *Je prendrai celle-ci ; elle me plaît **davantage** (plus).* (adverbe)
>
> *C'est **davantage** (plus) aux femmes que revient la responsabilité d'administrer le budget familial.* (adverbe)
>
> *Je ne vous parle pas **d'avantages**, monsieur, mais de profits.* (nom)

EXERCICE 5.95

Utilisez *davantage* ou *d'avantage*.

1 Ces enfants sont insatiables, ils en veulent toujours _____.

2 Il ne tirera pas _____ de cette situation, c'est évident.

3 Je crains que ma voiture ne tienne pas le coup _____.

4 Ne m'en dites pas _____, j'ai compris !

5 Est-ce bien _____ que vous avez parlé ?

quelle/qu'elle

Quelle est un déterminant interrogatif ou exclamatif :

> ***Quelle** rivière est la plus longue ?*
>
> ***Quelle** aventure !*

Qu'elle est formé de l'adverbe exclamatif *que*, ou du pronom relatif *que*, ou de la conjonction *que*, élidé devant le pronom personnel *elle*. Pour éviter la confusion avec *quelle*, on remplacera le pronom *elle* par un prénom :

> ***Qu'elle** (Que **Marie**) est belle !* (adverbe exclamatif)
>
> *Je me demande ce **qu'elle** (ce que **Marie**) en pense.* (pronom relatif)
>
> *Je crois **qu'elle** (que **Marie**) ne viendra pas.* (conjonction)

EXERCICE 5.96

Utilisez *qu'elle* ou *quelle*.

1 Il ne faut surtout pas _____ s'en aperçoive.

2 Ce _____ en pense, je m'en moque.

3 _____ histoire stupide !

4 J'ajoute _____ s'est permis d'arriver en retard.

5 Pouvez-vous me dire à _____ heure est le prochain départ ?

6 Si tu crois ce _____ te raconte, je me demande à _____ école tu es allé.

près/prêt

Près, suivi de *de*, est une locution prépositive qui signifie « à proximité de » ou « sur le point de » :

> *Marise habite **près** de (à proximité de) chez moi.*

> *Luc est **près** de (sur le point de) perdre la tête.*

Prêt (qui peut être suivi de la préposition *à* ou *pour*) est un adjectif qui varie au féminin et au pluriel. *Prêt à* signifie « disposé à » et *prêt pour* signifie « préparé pour » :

> *Il n'est pas **prêt** à (disposé à) faire du bénévolat.*

> *Nous sommes **prêts** pour (préparés pour) l'examen.*

EXERCICE 5.97

Utilisez *près* ou *prêt* et faites les accords nécessaires.

1 Pierre est toujours _____ à rendre service.

2 Je cherche un appartement _____ de tous les services.

3 Avant que j'intervienne, ils étaient _____ à divorcer.

4 Jean n'est pas _____ de finir sa thèse.

5 Ils étaient _____ à vendre leur maison à cause de quelques perce-oreilles.

6 Il est _____ à rendre l'âme.

7 Ils sont _____ pour le voyage.

6 LES ACCORDS

Dans ce chapitre, vous réviserez les principales règles d'accord dans le GV et dans le GN. Mais revoyons d'abord les principes généraux qui sous-tendent le système des accords en français.

6.1 PRINCIPES GÉNÉRAUX

Les classes de mots

Les mots se répartissent en deux grandes catégories : les classes de mots invariables, c'est-à-dire les mots dont la forme ne varie pas, et les classes de mots variables, c'est-à-dire les mots dont la forme peut varier en genre et en nombre et, dans le cas des verbes, en personne.

Les classes de mots invariables sont les **adverbes**, les **prépositions** et les **conjonctions**.

Les classes de mots variables comprennent les **noms**, les **pronoms**, les **déterminants**, les **adjectifs** et les **verbes** (incluant, dans les temps composés, les verbes auxiliaires et les participes passés).

Traits grammaticaux et marques grammaticales

Les **traits grammaticaux** sont les caractéristiques de personne, de genre et de nombre des mots appartenant à une classe variable. Le pronom *il*, par exemple, a trois traits grammaticaux : 3e personne, masculin, singulier.

Les **marques grammaticales** font référence aux variations dans la forme d'un mot selon ses traits grammaticaux : par exemple, le -*e* est souvent une marque de féminin, le -*t* une marque de 3e personne du singulier et le -*s* une marque de pluriel.

Il faut savoir que les marques grammaticales, perceptibles à l'écrit, « ne s'entendent pas » toujours à l'oral, ce qui est la cause d'erreurs d'accord fréquentes. Comparez :

> *Il est poli.*
>
> *Elle est poli**e**.*
>
> *Elles sont poli**es**.*

L'adjectif *poli*, auquel on ajoute les marques du féminin et du pluriel, se prononce toujours de la même façon. Il ne faut donc pas se fier à ce que l'on entend quand il s'agit de faire des accords.

Notions de donneur et de receveur d'accord

Tout le système des accords se fonde sur la relation syntaxique établie entre le donneur et le receveur. Le **donneur** (D) est un mot d'une classe variable qui donne ses traits grammaticaux à un mot d'une autre classe variable qui les reçoit, devenant ainsi le **receveur** (R). Les donneurs sont le **nom** et le **pronom**. Les receveurs sont le **verbe** (y compris le verbe auxiliaire dans les formes composées), l'**adjectif**, le **participe passé** et le **déterminant**.

Il faut retenir que le donneur et le receveur sont étroitement liés sur le plan syntaxique, le premier donnant ses traits grammaticaux (personne, genre ou nombre) au second :

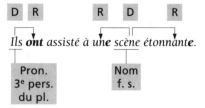

Dans cette phrase, le pronom *ils* donne au verbe auxiliaire *ont* ses traits grammaticaux de personne et de nombre (3ᵉ personne du pluriel), et le nom *scène* donne au déterminant *une* et à l'adjectif *étonnante* ses traits grammaticaux de genre et de nombre (féminin, singulier).

Importance et utilité des accords

L'orthographe grammaticale décrit les règles d'accord des mots dits de classe variable. Il est important de respecter ces règles, car les accords renseignent le lecteur sur les rapports syntaxiques s'établissant entre les mots dans la phrase, et favorisent de ce fait une bonne compréhension de la phrase lue. Comparez, par exemple, les deux phrases suivantes :

> *On lui a remis un horaire de cours **adapté** à sa situation.*
>
> *On lui a remis un horaire de cours **adaptés** à sa situation.*

Dans la première phrase, l'accord de l'adjectif *adapté* montre clairement que l'adjectif est en relation syntaxique avec le nom *horaire*, qui lui a donné ses traits grammaticaux de genre (masculin) et de nombre (singulier). Dans la deuxième phrase, le même adjectif est en relation syntaxique avec, cette fois, le nom *cours*, qui lui a donné ses traits grammaticaux de genre (masculin) et de nombre (pluriel), ce qui se traduit par l'ajout de la marque grammaticale du pluriel *-s*. On comprend donc, en lisant la première phrase, que c'est l'horaire qui est adapté à ses besoins, alors qu'en lisant la deuxième phrase on comprend que ce sont les cours qui sont adaptés à ses besoins.

Dans l'esprit de la nouvelle grammaire, on cherche à mettre l'accent sur ce qu'il y a de systématique dans la langue, et la présentation des règles d'accord est intimement liée au travail d'analyse de la phrase : une fois que les groupes formant le sujet et le prédicat de la phrase sont isolés, on peut en analyser la composition et découvrir quels sont les donneurs et les receveurs d'accord dans la phrase.

Dès lors, l'accord des mots n'obéit plus à une longue série de règles, mais à un nombre très limité de règles fondées sur la relation entre le donneur et le receveur d'accord, et que l'on peut appliquer dans tous les contextes où il y a un ou des accords à faire.

6.2 LES ACCORDS DANS LE GROUPE DU VERBE

L'accord du verbe avec le sujet

Dans la nouvelle grammaire, la règle de l'accord du verbe est la suivante : le verbe (ou l'auxiliaire du verbe à un temps composé) reçoit le nombre et la personne du pronom sujet ou du noyau du GN sujet. Le verbe est donc le receveur d'accord, et le noyau du GN sujet, ou le pronom sujet, qui donne ses traits grammaticaux de nombre et de personne au verbe avec lequel il est en relation syntaxique, est le donneur d'accord :

Ils *parlent*. (donneur : *ils*, 3ᵉ pers. du plur. ; receveur : *parlent*)

Il *a parlé*. (donneur : *il*, 3ᵉ pers. du sing. ; receveur : *a*)

Les **romans** *policiers* *le fascinent*. (donneur : *romans*, 3ᵉ pers. du plur. ; receveur : *fascinent*)

Plusieurs **enfants** *de l'école* **ont** *attrapé la grippe*. (donneur : *enfants*, 3ᵉ pers. du plur. ; receveur : *ont*)

> Un GInf ou une subordonnée sujet sont de la 3ᵉ personne du singulier ; ils peuvent donc eux aussi donner leurs traits grammaticaux au verbe avec lequel ils sont en relation.

Reconnaissance du sujet

Le verbe s'accorde en personne et en nombre avec le sujet. Il faudra donc, avant tout, savoir reconnaître le sujet. (Voir le tableau « Sujet » dans le *Multi*.)

L'habitude de l'analyse logique et grammaticale permet de reconnaître le sujet à la première lecture. Lorsqu'on n'a pas cette habitude, la façon la plus sûre et la plus pratique de reconnaître le sujet est de poser la question *Qui est-ce qui ?* ou *Qu'est-ce qui ?* devant le verbe :

Les enfants des voisins *viennent souvent jouer chez nous*. (**Qui est-ce qui** *viennent ?*)

Des Grands Lacs à l'estuaire, **la pollution de la voie maritime** *est totale*. (**Qu'est-ce qui** *est totale ?*)

Pour identifier le sujet, on peut aussi essayer de le remplacer par un pronom occupant toujours la fonction de sujet, soit *il*, *ils* ou *ce* (*c'*). Le remplacement par un pronom est une manipulation syntaxique relativement simple et très utile pour repérer le sujet avec certitude. Par exemple, dans la première phrase ci-dessus, on remplacera par le pronom *ils* les mots dont on pense qu'ils constituent le sujet jusqu'à ce qu'on obtienne une phrase grammaticale :

Les enfants des voisins viennent souvent jouer chez nous.

***Ils** *des voisins viennent souvent jouer chez nous.* (phrase agrammaticale)

→**Ils** *viennent souvent jouer chez nous.* (phrase grammaticale)

La manipulation de remplacement par un pronom permet donc de repérer le sujet de cette phrase : *Les enfants des voisins*. Voici un autre exemple :

Que vous soyez présent à la réunion *est très important.*

C'est *très important.*

On peut remplacer *Que vous soyez présent à la réunion* par le pronom *C'*, pronom de la 3ᵉ personne du singulier. Le sujet de la phrase est donc la subordonnée *Que vous soyez présent à la réunion*.

Dans un groupe du nom sujet (GNs), il est également nécessaire de reconnaître le **noyau** du groupe, car c'est lui qui régit l'accord :

3ᵉ pers. du sing.

Le **retard** *dans les livraisons* *inquiète le directeur.*

3ᵉ pers.
du plur.

Les **étudiants** que nous avons reçus cette année seront nos hôtes l'année prochaine.

Difficultés de repérage du sujet

Examinons maintenant quelques cas où le repérage du sujet peut s'avérer plus difficile.

a) La présence d'un écran entre le sujet et le verbe

Le mot qui précède le verbe n'est pas forcément son sujet. En effet, des mots qu'on appelle **mots écrans** peuvent, comme leur nom le dit, faire « écran » entre le pronom ou le nom noyau du GN sujet et le verbe. Les mots (ou groupes de mots) qui peuvent s'intercaler ainsi entre le verbe et le noyau du GNs sont

– un ou des pronoms personnels compléments :

> Je **les** achète.
>
> Je **vous** téléphonerai demain.

Il ne faut pas se laisser tromper par les pronoms compléments et écrire *Je les achètent* ; *Je vous téléphonerez demain.*

– un complément de phrase (CP) :

> Les enfants, **pendant ce temps**, achetaient des bonbons.
>
> Ces skis, **malgré leur prix prohibitif**, me tentent beaucoup.

– un complément du nom :

> Les matous **du quartier** font peur aux enfants.
>
> Les derniers livres **que vous m'avez recommandés** étaient excellents

b) L'inversion du sujet

Le sujet n'est pas toujours placé avant le verbe. Il y a des cas où le sujet est placé après le groupe verbal (GV) ou après l'auxiliaire :

> Les achètes-**tu**? Les as-**tu** achetés ?
>
> Devant eux surgirent **deux chiens à l'allure inquiétante**.

L'inversion du sujet peut être source d'erreur d'accord comme dans la phrase que voici :

> *Les problèmes que vous causent cet enfant sont dus à ses difficultés scolaires.*

Le GNs du verbe, *cet enfant*, est placé après le verbe. Il faut éviter d'accorder le verbe avec le GN *les problèmes*, même s'il est placé avant le verbe, et écrire :

> Les problèmes que vous cause cet enfant sont dus à ses difficultés scolaires.

c) L'éloignement du noyau du GNs

Le noyau du GNs n'est pas toujours placé à proximité du verbe, ce qui rend son repérage plus difficile. Examinons la phrase suivante qui contient une erreur d'accord :

> *Les **athlètes** qui veulent participer au marathon de Boston s'entraîne toute l'année.*

Dans cette phrase, le verbe doit s'accorder avec le noyau du GNs, *athlètes* (3ᵉ personne du pluriel). Il aurait donc fallu écrire *s'entraînent*. L'éloignement du sujet est probablement la cause de l'erreur, l'auteur de la phrase ayant peut-être « oublié » le sujet de sa phrase ou ayant tout simplement accordé le verbe avec le nom *marathon*, placé plus près.

EXERCICE 6.1

Soulignez le sujet (GN, pronom, GInf ou subordonnée) des verbes en italique.

1 Les *crois*-tu ?

2 Où l'*as*-tu *mis*, ce marteau ?

3 Malgré ce que vous en dites, tout *peut* encore arriver.

4 Je te les *apporte*, c'est promis.

5 *Écoute* Paul qui est en train de jouer du piano.

6 Sur les rives du Rhin *s'élèvent* de magnifiques châteaux et de très nombreuses usines.

7 Ils ne nous *écouteront* que si nous sommes bien préparés.

8 Quelles bêtises *ont* encore *faites* les enfants ?

9 *Envoyez*-les-moi dès que vous aurez terminé.

10 Des jardins *montaient* mille et un parfums.

11 Vous avez fait ces exercices trop rapidement ; aussi les *referez*-vous ce soir.

12 *Laissez*-nous vos enfants pour la fin de semaine ; nous les *garderons* avec plaisir.

13 Que ce soit vous le coupable ne *fait* aucun doute.

14 À qui *revient* cet argent ?

15 Manger trop de carottes *donne* un teint jaune.

16 Qui ne fume ni ne boit *mourra* en bonne santé. (aphorisme russe)

Personne grammaticale du sujet

Précisons tout de suite que les sujets nominaux sont tous de la troisième personne. En fait, la quasi-totalité des sujets sont de la 3ᵉ personne, à l'exception des pronoms personnels des 1ʳᵉ et 2ᵉ personnes ou des GN contenant un ou des pronoms personnels de 1ʳᵉ ou 2ᵉ personne. Dans ce cas, l'accord du verbe se fait selon la règle suivante : la 1ʳᵉ personne l'emporte sur la 2ᵉ et la 3ᵉ, et la 2ᵉ personne l'emporte sur la 3ᵉ.

a) Sujets de 1ʳᵉ personne :

> ***Je*** *travaille.*
>
> ***Nous*** *travaillons.*
>
> ***Marie (elle) et*** <u>***moi***</u> ***(je)*** *travaillons ensemble.*
>
> ***Toi (tu) et*** <u>***moi***</u> ***(je)*** *travaillons trop fort.*

b) Sujets de 2ᵉ personne :

> *Tu travailles.*
>
> *Vous travaillez.*
>
> *Ma sœur (elle) et <u>toi</u> (tu) êtes du même âge.*
>
> *Ma sœur (elle) et <u>vous</u> (vous) êtes du même âge.*

c) Les autres sujets sont de la 3ᵉ personne :

- Noyau des groupes du nom (GN) :

  > *Pierre est parti pour la fin de semaine.*
  >
  > Les *listes* des étudiants inscrits *seront affichées en face du secrétariat.*

- Pronoms personnels :

  > *Il travaille tous les soirs.*
  >
  > *Elles travaillent souvent ensemble.*

- Pronoms démonstratifs :

  > *Cela se saura.*
  >
  > *Ceux-ci sont meilleur marché que ceux-là.*

- Pronoms possessifs :

  > *Le vôtre est peut-être plus beau, mais **le mien** fonctionne mieux.*
  >
  > *Vos enfants sont de véritables pestes ; **les nôtres** n'auraient jamais fait ça.*

- Pronoms indéfinis :

  > *Rien ne me sourit.*
  >
  > *Tout te réussit.*
  >
  > *On verra bien !*
  >
  > *D'aucuns pensent qu'elle a eu tort d'agir ainsi.*
  >
  > *D'autres disent qu'elle a eu raison.*
  >
  > *Tous ne sont pas d'accord.*

- Pronoms interrogatifs :

  > *Qui frappe ?*
  >
  > *Lesquels sont les meilleurs ?*

- Pronoms relatifs sujets :

  > *Les soupçons **qui** pèsent sur lui ne sont pas fondés.*
  >
  > (Mais : *Est-ce toi qui **as** obtenu le contrat ?* L'antécédent est de la 2ᵉ personne du singulier.)

- Verbes à l'infinitif (GInf) et subordonnées :

  > *Rire fait du bien.*
  >
  > *Qui a bu boira.*
  >
  > *Que sa nomination n'ait pas plu à tout le monde ne fait aucun doute.*

Notez que les sujets à base nominale sont toujours de la 3ᵉ personne du singulier ou du pluriel. Dans le cas d'apostrophes associées à un impératif, comme dans les phrases suivantes, la personne du sujet dépend de la ou des personnes concernées par l'apostrophe :

Dors, **mon petit enfant**. (2ᵉ pers. du singulier)

Venez, **mes petits**. (2ᵉ pers. du pluriel)

Partons, **mes amis**. (1ʳᵉ pers. du pluriel, inclut la personne qui parle)

Dans la plupart des cas, déterminer la personne et le nombre du sujet ne présente pas de difficulté particulière. Pour ce faire, procédez avec méthode : identifiez le sujet ainsi que le noyau du GN sujet dans les groupes du nom complexes, puis déterminez sa personne et son nombre.

EXERCICE 6.2

Donnez la personne et le nombre du sujet dans les phrases suivantes.

1 Moi et mes amis avons décidé de rebrousser chemin.

_____

2 Nicolas et Jacinthe m'ont accueillie chaleureusement.

_____

3 Toi et moi partirons les premiers.

_____

4 Toi et tes frères me rejoindrez au coin de la rue.

_____

5 Lui et ma mère sont des vieux amis.

_____

6 Vous et moi savons cela depuis longtemps.

_____

7 Lui et moi sommes devenus de bons complices.

_____

8 Toi et lui n'êtes pas en très bons termes.

_____

EXERCICE 6.3

Donnez la personne et le nombre des verbes à l'impératif dans les phrases suivantes.

1 Les enfants, écoutez-moi bien. _____

2 Les jeunes, retenez bien ceci. _____

3 Viens ici, mon petit. _____

4 Mes amis, ne perdons pas de temps. _____

5 Sébastien, rappelle-moi ce soir. _____

Accord des formes composées du verbe

Dans les formes composées du verbe, l'auxiliaire de conjugaison s'accorde en personne et en nombre avec le sujet, en suivant les terminaisons des temps simples correspondants :

j'**ai** mangé	nous **aurons** mangé
tu **avais** mangé	vous **auriez** mangé
il **eut** mangé	qu'ils **aient** mangé

Pour ce qui est de l'accord du participe passé, vous allez en revoir les règles plus loin dans ce chapitre.

Rappelons ici que l'auxiliaire être s'emploie dans quatre cas.

– Certains verbes demandent l'auxiliaire *être* :

   *Elle **est née** à Tombouctou, au Mali.*

   *Elles **sont devenues** riches tout d'un coup, en gagnant à la loterie.*

– D'autres verbes prennent tantôt *avoir*, tantôt *être*, selon qu'ils sont transitifs ou intransitifs :

   *Elle **a descendu** les pommes de terre à la cave.*

   *Elle **est descendue** de la voiture avec une grâce infinie.*

– La phrase passive se construit toujours avec *être* :

   *La cérémonie **sera présidée** par le ministre.* (futur passif)

   La ministre de la Santé présidera la cérémonie. (futur actif)

– Les verbes pronominaux se construisent également avec *être* :

   *À son entrée, le silence **s'est fait**.*

EXERCICE 6.4

Ajoutez l'auxiliaire de conjugaison nécessaire pour conjuguer le verbe entre parenthèses au temps demandé et accordez-le.

1 Les triplets (*naître*, passé composé) _____ nés à Trois-Rivières.

2 Toutes les pommes (*cueillir*, présent, forme passive) _____ cueillies.

3 Le texte (*paraître*, passé composé) _____ paru dans tous les journaux.

4 Tous les obstacles (*surmonter*, passé composé, forme passive) _____ surmontés.

5 Cette pièce (*rejouer*, futur, forme passive) _____ rejouée cet été.

EXERCICE 6.5

Mettez les verbes au temps demandé.

1 De derrière la maison (*surgir*, passé simple) _____ soudain trois chiens menaçants.

2 Ils nous (*écouter*, futur) _____ .

3 Pierre les (*écouter*, conditionnel présent) _____ davantage

s'ils lui (*parler*, indicatif imparfait) _____ sur un autre ton.

4 (*S'ajouter*, indicatif présent) _____ à cette somme les frais de séjour.

5 Nous possédons plusieurs salles où (*se rencontrer*, indicatif présent) _____ le personnel.

6 Je ne comprends pas ce que te (*demander*, indicatif présent) _____ tes supérieurs.

7 Le bruit des machines m' (*étourdir*, indicatif imparfait) _____ .

8 Tout t' (*effrayer*, indicatif présent) _____ !

9 Pourquoi mon refus te (*surprendre*, indicatif présent) _____ -il ?

10 Ce travail me (*plaire*, indicatif présent) _____ beaucoup.

11 Un mur d'une hauteur de six mètres (*entourer*, indicatif présent) _____ la nouvelle

prison.

12 Je regretterai les avantages que me (*procurer*, indicatif imparfait) _____ cette situation.

13 Nous ne pouvons assumer les frais qu' (*entraîner*, conditionnel présent) _____ cette

transformation.

14 Tout au bout du bâtiment (*se trouver*, indicatif présent) _____ les dortoirs.

15 Puis (*venir*, indicatif imparfait) _____ les représentants des différents pays.

16 La nappe de clarté que le soleil (*répandre*, indicatif présent) _____ sur le monde

(*être*, indicatif présent) _____ pour Monet une foule innombrable où (*errer*, indicatif

présent) _____ et (*s'entrecroiser*, indicatif présent) _____ cent mille

atomes colorés que les autres hommes (*voir*, indicatif présent) _____ d'un bloc. (*Élie Faure*)

17 Il est le peintre des eaux, le peintre de l'air, le peintre des miroitements de l'air dans l'eau, de l'eau dans l'air

et de tout ce qui (*flotter*, indicatif présent) _____ , (*rôder*, indicatif présent) _____ ,

(*hésiter*, indicatif présent) _____ , (*aller*, indicatif présent) _____ et (*venir*,

indicatif présent) _____ entre l'air et l'eau. (*Élie Faure*)

18 En (*faire*, indicatif présent) _____ aussi partie un avocat des services juridiques et le directeur de la compagnie.

19 Le conseil national, qui regroupe l'exécutif national, les délégations des associations de comtés et les députés, (*écouter*, futur simple) _____ religieusement le discours d'ouverture du chef, (*se donner*, futur simple) _____ un plan d'action et (*adopter*, futur simple) _____ le budget. Il (*s'employer*, futur simple) _____ aux préparatifs du congrès de l'automne et (*jeter*, futur simple) _____ les bases des fêtes commémoratives du vingtième anniversaire de fondation du parti.

20 Les problèmes qui (*subsister*, indicatif présent) _____ seront repris.

Cas d'accord particuliers

L'accord du verbe avec le sujet suit une certaine logique. Dans les cas litigieux, c'est généralement le sens qui détermine l'accord ; on ne s'étonnera donc pas que l'accord soit parfois arbitraire.

a) Sujets unis par *et*

Le verbe qui a plusieurs sujets unis par *et* se met évidemment au pluriel :

> *Cette loi et ce règlement* **seront appliqués** *de façon souple.*

b) Sujets juxtaposés

L'addition est parfois simplement marquée par la juxtaposition. Plusieurs sujets juxtaposés appellent bien sûr un verbe au pluriel :

> *L'or, l'argent, le platine* **sont** *des métaux précieux.*

On ne doit pas confondre le GN complément de nom (appelé *apposition* dans les grammaires traditionnelles) avec un sujet juxtaposé. Dans

> *M. Côté, médecin à Chicoutimi,* **prononcera** *le discours d'ouverture.*

personne n'aurait l'idée de mettre le verbe au pluriel.

Dans

> *L'essentiel de son œuvre, poèmes et chansons,* **sera** *réédité.*

il faut voir également que *poèmes et chansons* est un complément du nom (appelé *apposition* dans les grammaires traditionnelles) et non un sujet juxtaposé.

c) Sujets synonymes ou exprimant une gradation

Lorsque le sujet est composé de plusieurs mots qui expriment de façons différentes la même idée ou les divers degrés d'une même qualité, le verbe s'accorde avec le sujet le plus rapproché :

> *Un vent doux, une brise de printemps, un souffle chaud* **caressait** *ma joue.*
> *Son amabilité, sa gentillesse, sa bonté la* **rendait** *sotte à mes yeux.*

d) Sujets unis par *ou*

Lorsque les sujets sont unis par *ou*, le verbe se met au pluriel si les deux sujets peuvent faire l'action, c'est-à-dire si *ou* exprime l'addition, ayant ainsi un sens voisin de celui de *et* :

> *Le moindre choc physique ou une mauvaise nouvelle* **peuvent** *le terrasser.*

Si l'un des deux sujets exclut l'autre, le verbe se met au singulier :

> *Le directeur ou le sous-directeur **présidera** l'assemblée.*

On garde aussi le singulier si les deux sujets sont synonymes :

> *Le maïs, ou blé d'Inde, **est** très nutritif.*

Remarquez dans ce dernier cas l'absence de déterminant devant le deuxième nom, lequel est d'ailleurs placé entre virgules ; *ou blé d'Inde* est en fait un complément du nom (appelé *apposition* dans les grammaires traditionnelles).

e) Sujets unis par *ni*

En règle générale, l'accord du verbe est arbitraire lorsque les sujets sont unis par *ni* :

> *Ni la natation ni le tennis ne l'**intéresse** (ou ne l'**intéressent**).*

Mais, comme pour *ou*, si l'action ne peut être attribuée aux deux sujets à la fois, le singulier est de rigueur :

> *Ni Jacques ni son cousin n'**est** le père de Manon.*

f) Sujets unis par une conjonction de comparaison ou d'addition

Lorsque les conjonctions *ainsi que*, *comme*, *de même que*, *non moins que*, etc., gardent leur valeur de comparaison, elles introduisent un complément de phrase plutôt qu'un second sujet. Le complément de phrase, mobile et facultatif, est placé entre virgules et le verbe conserve le singulier :

> *Mon père, comme beaucoup d'hommes, **réclamait** une autorité qu'il ne savait imposer. (= Comme beaucoup d'hommes, mon père **réclamait** une autorité qu'il ne savait imposer.)*
>
> *L'enfant, ainsi qu'un petit animal sauvage, ne nous **approcha** pas. (= Ainsi qu'un petit animal sauvage, l'enfant ne nous **approcha** pas.)*

À l'idée de comparaison peut se substituer celle d'addition. On a alors véritablement un double sujet, composé de deux GN coordonnés. On peut d'ailleurs remplacer la conjonction par *et*. Le verbe se met au pluriel et les virgules disparaissent :

> *Votre argent ainsi que votre passeport **doivent** toujours être en lieu sûr. (= Votre argent **et** votre passeport **doivent** toujours être en lieu sûr.)*
>
> *La sociologie comme la philosophie **sont** en voie de disparition. (= La sociologie **et** la philosophie **sont** en voie de disparition.)*

g) Sujets de personnes différentes

Lorsqu'il y a plusieurs sujets et qu'ils ne sont pas de la même personne grammaticale, le verbe se met au pluriel, à la personne qui a la priorité : la 1re personne l'emporte sur les 2e et 3e personnes, et la 2e personne l'emporte sur la 3e personne :

> *Claire (3e) et moi (1re) avons (1re) réussi notre examen.*
>
> *Claire (3e) et toi (2e) devriez (2e) sortir.*

EXERCICE 6.6

Mettez les verbes entre parenthèses à la forme demandée.

1 Né en 1873, mort en 1939, Élie Faure est un autodidacte dans toute la force que ce terme peut prendre lorsque la passion de savoir et l'intelligence (*assimiler*, indicatif présent) _____ et (*dépasser*, présent) _____ les découvertes des spécialistes et des érudits.

2 L'anglo-américain, langue de masse, (*exposer*, indicatif présent, forme passive) _____ aux États-Unis mêmes, à toutes les évolutions, à tous les avatars qui furent ceux du latin dans les derniers siècles de l'Empire.

3 Si la santé et l'énergie du cinéma québécois (*se mesurer*, indicatif présent) _____ au nombre de prix accordés, nul doute que tous nos réalisateurs (*pouvoir*, conditionnel présent) _____ gravir l'Everest à pied demain matin.

4 Les enfants et vous (*devoir*, conditionnel présent) _____ essayer de vous entendre.

5 Ni lui ni moi ne (*être*, indicatif présent) _____ en mesure de vous répondre.

6 M. Dubé ou Mme Tremblay vous (*appeler*, futur) _____.

7 Votre suggestion ainsi que celle de M. Tremblay (*retenir*, passé composé) _____ l'attention du comité.

8 Le service comptable de même que le service des abonnements (*subir*, futur) _____ d'importants réaménagements.

9 Son dynamisme, sa fougue, son audace (*être*, indicatif présent) _____ remarquable.

10 Le directeur, pas plus que son adjoint, ne (*pouvoir*, indicatif présent) _____ vous recevoir.

h) Le pronom *il* sujet impersonnel

Dans

>   *Il tombe des clous.*

le pronom *il* est le sujet grammatical et *des clous*, le sujet réel, ou sujet sémantique. L'accord se fait avec le sujet grammatical, *il*, et non, comme on pourrait être tenté de le faire, avec le sujet sémantique, *des clous*. Voilà l'analyse qu'on fait de cette phrase dans les grammaires traditionnelles. La nouvelle grammaire propose une analyse plus simple : le pronom *il* est le sujet de cette phrase impersonnelle et le GN *des clous* est complément du verbe impersonnel. Il n'y a donc plus de confusion possible : le verbe ne peut que s'accorder avec le pronom *il*, car c'est son « seul » sujet.

EXERCICE 6.7

Mettez les verbes impersonnels entre parenthèses à la forme demandée.

1 Il (*manquer*, présent) _____ encore deux élèves.

2 Il (*se passer*, imparfait) _____ de drôles de choses dans cette maison.

3 Chaque jour, il (*arriver*, imparfait) _____ des centaines de lettres.

4 Il n'y (*avoir*, imparfait) _____ que des célébrités.

i) Le pronom *on* sujet

Le pronom *on* est de la 3ᵉ personne du singulier. Le verbe ou le verbe auxiliaire ayant pour sujet le pronom *on* sera donc à la 3ᵉ personne du singulier :

> *Au ministère, on* **semble** *s'étonner des réactions de la population.*

Le pronom *on* a normalement une valeur indéfinie : il renvoie à une personne ou, plus souvent, à un groupe de personnes dont on tait l'identité soit parce qu'on l'ignore, soit parce qu'on la juge non pertinente. *On* a souvent une valeur totalement neutre comme dans la phrase précédente (*on tait, on ignore*), ou encore il peut renvoyer à l'humanité en général, par exemple dans les sentences, les proverbes :

> *On n'est jamais si bien servi que par soi-même.*

Dans la conversation, *on* est le plus souvent employé dans le sens de « nous » :

> *Est-ce qu'on va au cinéma ?*
>
> *Pierre et moi, on va au cinéma.*

EXERCICE 6.8

Mettez les verbes entre parenthèses à la forme demandée. Précisez si *on* est employé dans son sens indéfini (I) ou dans le sens de *nous* (N).

1 Au ministère de l'Environnement, on (*sembler*, présent) _____ tout ignorer de cette histoire.

2 Est-ce qu'on (*pouvoir*, présent) _____ prendre votre commande ?

3 On (*pouvoir*, conditionnel présent) _____ se donner un délai de réflexion.

4 De cette façon, on (*résoudre*, conditionnel présent) _____ tous les problèmes d'un seul coup.

5 Si on (*pouvoir*, plus-que-parfait) _____ prévoir ce qui arriverait, on (*prendre*, conditionnel passé) _____ les mesures nécessaires pour que ça n'arrive pas.

j) Le pronom relatif *qui*

Le pronom relatif *qui* est un pronom sujet s'il n'est pas précédé d'une préposition. Le verbe de la subordonnée relative s'accorde donc avec lui. Comme tous les pronoms de reprise, il remplace un nom ou un pronom ayant un genre et un nombre. Le pronom relatif *qui* est donc de la même personne et du même nombre que son antécédent, c'est-à-dire le GN ou le pronom qu'il remplace :

> *C'est* **moi qui** *irai.* (1ʳᵉ personne du singulier)
>
> *C'est* **toi qui** *iras.* (2ᵉ personne du singulier)
>
> *C'est* **nous qui** *l'avons emprunté.* (1ʳᵉ personne du pluriel)
>
> *C'est* **l'étudiant qui** *a remporté le prix.* (3ᵉ personne du singulier)

Mais il arrive que les choses se compliquent. Dans certains cas, par exemple, le pronom relatif a la possibilité de représenter deux personnes grammaticales :

> *Je* (1ʳᵉ pers.) *suis un étudiant* (3ᵉ pers.) *qui...*

La règle veut que l'on accorde le verbe avec l'attribut du sujet (ici *étudiant*) si cet attribut est précédé d'un déterminant défini (*le*, *la*, *les*) ou d'un déterminant démonstratif (*ce*, *cet*, *cette*) :

> *Je suis l'étudiant qui **voulait** vous rencontrer.*

> *Je suis cet étudiant qui **voulait** vous rencontrer.*

Si le déterminant qui précède l'attribut est indéfini (*un*, *une*, *des*), on a le choix d'accorder le verbe avec le sujet ou avec l'attribut :

> *Je suis un étudiant qui **veux** apprendre.*

ou

> *Je suis un étudiant qui **veut** apprendre.*

Même liberté lorsque l'attribut est *le seul*, *le premier* ou *le dernier* :

> *Vous êtes le seul qui m'**ayez remis** mon argent.*

ou

> *Vous êtes le seul qui m'**ait remis** mon argent.*

Lorsque le pronom *qui* représente *un des...*, *une des...*, ou *un de...*, *une de...*, c'est le sens qui détermine l'accord :

> *À l'un des policiers qui l'**interrogeait**...* (Un seul policier l'interrogeait.)

> *À l'un des policiers qui l'**interrogeaient**...* (Tous les policiers l'interrogeaient.)

EXERCICE 6.9

Mettez les verbes entre parenthèses au temps demandé.

1 Comme d'habitude, c'est encore Claire ou Judith qui (*décrocher*, futur) _____ le premier prix.

2 Est-ce vous qui (*téléphoner*, passé composé) _____ ?

3 Vous êtes la seule qui m' (*demander*, subjonctif passé) _____ de l'argent.

4 Vous êtes le seul qui (*accepter*, subjonctif passé) _____ mon invitation.

5 Ce n'est pas moi qui (*avoir*, conditionnel présent) _____ une pareille chance.

6 Ce n'est pas à moi qu'on (*faire*, conditionnel passé) _____ une pareille offre.

7 Je cherche une personne qui (*savoir*, subjonctif présent) _____ écrire sans fautes.

8 Le téléroman se classe parmi les émissions de télévision qui (*captiver*, présent) _____ le plus les auditeurs.

9 Pas un qui (*savoir*, subjonctif présent) _____ me répondre.

10 C'est toi qui (*devoir*, conditionnel présent) _____ être nommé.

11 Est-ce toi qui (*prononcer*, futur) _____ l'allocution d'ouverture ?

12 La liste des invités vous (*parvenir*, futur) _____ la semaine prochaine.

13 (*Oublier*, impératif) _____ un peu les faillites qui te (*menacer*, présent) _____

_____ .

14 Le bruit des machines qui (*gronder*, présent) _____ m'étourdit.

15 Le bruit des machines, qui n' (*arrêter*, présent) _____ pas une seconde, m'étourdit.

16 C'est Claire et toi qui (*ouvrir*, futur) _____ la séance.

17 Les personnes qui (*désirer*, présent) _____ recevoir de la documentation peuvent

nous écrire.

18 Est-ce vous qui (*faire*, passé composé) _____ cette requête ?

19 Tu es un crédule qui (*croire*, présent) _____ n'importe quoi.

20 Ce n'est pas nous qui (*prendre*, présent) _____ la décision.

21 Ce n'est pas vous non plus qui la (*prendre*, présent) _____ .

22 Ce sont eux qui la (*prendre*, présent) _____ .

k) Le pronom démonstratif *ce* sujet du verbe *être*

Devant les pronoms des 1re et 2e personnes du pluriel, le verbe *être* s'écrit au singulier :

    C'est nous *qui prenons...*

    C'est vous *qui prenez...*

Mais devant la 3e personne du pluriel, le verbe *être* s'écrit au pluriel :

    Ce sont eux *qui...*

    Ce sont les employés *qui...*

Dans la langue parlée, on ne respecte pas toujours cette règle ; mais dans la langue écrite, il faut l'appliquer de façon plus stricte.

Cependant, si le pronom ou le nom pluriel est précédé d'une préposition, le verbe *être* s'écrit au singulier :

    C'est à *des employés surnuméraires de faire ce travail.*

    C'est à *eux que revient la décision.*

    C'est aux *employés que revient la décision.*

Comme vous le savez, *aux* est un déterminant contracté, c'est-à-dire qu'il équivaut à la préposition *à* plus le déterminant défini *les*. Pour sa part, *des* est parfois un déterminant contracté, équivalant à *de les*. Dans ce cas, le verbe *être* s'écrit au singulier :

    C'est des *employés que la plainte est venue.*

Toutefois, lorsque *des* est un déterminant indéfini, le verbe *être* se met au pluriel ; on peut alors remplacer le présentatif *ce sont* par *voici* :

    Ce sont *des employés fiables.*

    (= *Voici des employés fiables.*)

Enfin, si le verbe _être_ est suivi de plusieurs noms dont le premier est singulier, il s'écrit généralement au singulier :

> **C'est Jean Gagnon et Martin Côté** _qui ont remporté les deux premiers prix._

Voici un moyen pour vous aider à différencier _des_, déterminant contracté, de _des_, déterminant indéfini. Vous pouvez essayer de mettre le déterminant au singulier. La préposition « réapparaîtra » dans le cas d'un déterminant contracté :

> _Ce sont **des** individus fort aimables._ (= Voici des individus...)
>
> _C'est **un** individu fort aimable._ (= Voici un individu...)
>
> (**des** = déterminant indéfini)
>
> _C'est **des** vaches que vient le lait._
>
> _C'est **de la** vache que vient le lait._
>
> (**des** = déterminant contracté)

EXERCICE 6.10

Mettez les verbes entre parenthèses à la forme demandée.

1 (_Ce + ne + être_, présent) _____ pas des risques à prendre.

2 (_Ce + être_, présent) _____ des décisions difficiles à prendre.

3 (_Ce + être_, présent) _____ de grosses décisions à prendre.

4 (_Ce + être_, présent) _____ des mesures qui profiteront à tout le monde.

5 (_Ce + être_, présent) _____ des agriculteurs eux-mêmes que nous vient cette requête.

6 (_Ce + être_, présent) _____ des problèmes que nous devrons résoudre rapidement.

7 (_Ce + être_, futur) _____ à vous de faire la demande.

8 (_Ce + être_, présent) _____ des erreurs que l'on apprend le mieux.

9 (_Ce + être_, présent) _____ aux Antilles que j'aimerais aller.

10 (_Ce + être_, présent) _____ principalement des considérations d'ordre personnel qui
(_être_, passé composé) _____ déterminantes dans sa décision.

11 (_Ce + être_, présent) _____ des lieux où l'on éduque, où l'on construit.

12 (_Ce + être_, futur) _____ les employés qui (_décider_, futur) _____.

13 (_Ce + être_, présent) _____ très souvent des contraires que (_résulter_, présent)
_____ l'harmonie.

14 (_Ce + être_, imparfait) _____ de drôles de gens.

15 Je me demande bien qui peut avoir fait cela, si (_ce + ne + être_, présent) _____ eux.

l) Le nom collectif

(Voir le tableau « Collectif » dans le *Multi*.)

Le nom collectif est un nom qui désigne un ensemble d'objets ou de personnes : *tas*, *foule*, *série*, *partie*, etc.

> *Une foule d'étudiants* **attendait** *devant la porte.*
>
> *Une foule d'étudiants* **attendaient** *devant la porte.*

Dans les phrases de ce type, on est libre d'accorder le verbe avec le nom collectif ou avec son complément. Si on voit la foule d'étudiants comme un tout, le verbe s'accorde avec *foule* et se met au singulier ; si on voit une multitude d'étudiants les uns à côté des autres, le verbe s'accorde avec *étudiants* et se met au pluriel.

Le sens du verbe et le contexte déterminent parfois l'accord. Dans

> *Le cercle d'enfants* **se referma.**

c'est le cercle formé par les enfants qui fait l'action de *se refermer*. À l'inverse, dans

> *Un groupe d'enfants* **criaient** *à tue-tête.*

il nous vient plus naturellement à l'esprit l'image d'enfants qui crient que celle d'un groupe qui crie. Le pluriel est donc préférable.

Avec la locution *la plupart*, le verbe s'accorde toujours avec le complément, qu'il soit exprimé ou non :

> **La plupart pensent** *que...*
>
> **La plupart** *des gens* **pensent** *que...*

Le GN sujet *tout le monde* demande le singulier :

> **Tout le monde est** *bien content.*

De même, le GN sujet *beaucoup de monde* demande lui aussi le singulier :

> **Beaucoup de monde est** *venu.*

> L'expression le *monde*, dans le sens de « tout le monde », appartient à la langue très familière et n'est donc pas recommandable à l'écrit, que le verbe soit singulier ou pluriel :
> **Le monde sont contents.*   **Le monde est content.*

Quand le collectif a un sens numéral et exprime une quantité précise, le singulier est de rigueur. S'il s'agit d'un nombre approximatif, l'accord est libre. N'oubliez pas d'accorder aussi les attributs :

> **Une douzaine** *d'huîtres* **coûte** *5 $.*
>
> **Une quinzaine de jours sera / seront** *nécessaire(s).*

Notez cependant que si le complément du collectif désigne des personnes, le pluriel est plus fréquent :

> **Une quinzaine d'étudiants sont** *absents ce matin.*

EXERCICE 6.11

Complétez les phrases suivantes avec les verbes entre parenthèses au temps demandé.

1 Un tas de papiers (*traîner*, imparfait) _____ sur son bureau.

2 Une bande de pigeons (*élire*, passé composé) _____ domicile au Grand Théâtre.

3 Une bande de voyous (*sévir*, présent) _____ dans le quartier du port.

4 La plupart des arguments invoqués ne m' (*convaincre*, passé composé) _____ pas

_____.

5 Une partie des lots n' (*attribuer*, passé composé passif) _____ pas

_____.

6 Une douzaine d'œufs (*coûter*, présent) _____ entre un et trois dollars.

7 Une douzaine de personnes (*venir*, passé composé) _____ se plaindre.

8 La foule des curieux (*couper*, passé simple passif) _____ en deux par le service d'ordre.

9 Une foule de gens (*considérer*, présent) _____ que cette mesure est nécessaire.

10 Une grande majorité de gens (*désirer*, présent) _____ que des élections aient lieu au printemps.

11 La majorité des étudiants (*être*, présent) _____ (hostile / hostiles) _____ à la hausse des frais de scolarité.

12 C'est la majorité qui (*voter*, passé composé) _____ en faveur de ce changement.

13 Une nuée de sauterelles (*dévaster*, passé composé) _____ son champ.

14 Une nuée de touristes (*envahir*, passé composé) _____ les plages.

15 Une partie des infirmières (*vouloir*, présent) _____ poursuivre la grève.

16 La plupart (*être*, présent) _____ en faveur d'un retour au travail.

17 Le nombre de mécontents (*grossir*, présent) _____ chaque jour.

18 La demi-douzaine d'escargots d'hier soir m' (*indisposer*, passé composé) _____.

19 Le tiers des voix (*aller*, passé composé) _____ au parti d'opposition.

20 Presque un tiers des infirmières (*reprendre*, passé composé) _____ le travail.

m) Les expressions de quantité

Un certain nombre d'expressions de quantité prennent parfois une valeur nominale ; ce sont alors des pronoms indéfinis, et ils peuvent par conséquent occuper la fonction sujet de P (3e personne du pluriel) :

> **Beaucoup** *sont venus.*
>
> **Combien** *s'en sont plaints !*

Plus d'un défie la logique et demande le singulier parce que le verbe s'accorde avec le complément *un* :

> ***Plus d'un*** marin **périt** *au cours de ce voyage.*

Mais, on écrira

> ***Plus d'un*** *marin,* ***plus d'un*** *capitaine* ne **revinrent** *jamais.*

puisqu'il y a ici deux sujets juxtaposés.

Moins de deux, défiant toute logique lui aussi, demande le pluriel parce que le verbe s'accorde avec le complément *deux* :

> ***Moins de deux*** *heures* **suffiront** *pour terminer ce travail.*

EXERCICE 6.12

Complétez les phrases suivantes avec les verbes entre parenthèses.

1 Tant d'efforts (*donner*, futur antérieur) _____ si peu de résultats !

2 Bien des contretemps (*pouvoir*, conditionnel passé) _____ être évités.

3 Quantité d'Afghans (*quitter*, passé composé) _____ leur pays.

4 Nombre de gens (*connaître*, présent) _____ mal la géographie.

5 Peu de projets (*démarrer*, passé composé) _____ cette année.

6 Trop d'informations (*nuire*, présent) _____ parfois à la clarté d'une explication.

7 Trop (*être*, présent) _____ encore analphabètes.

8 Beaucoup d'inexactitudes (*fausser*, passé composé) _____ les conclusions du rapport.

9 Plus d'une personne (*contester*, futur simple) _____ cette décision.

10 Combien (*vouloir*, présent) _____ me suivre ?

EXERCICE 6.13

Récapitulation

Complétez les phrases suivantes avec les verbes entre parenthèses.

1 (*Ce + être*, présent) _____ à vous de prendre les mesures nécessaires.

2 Il nous (*manquer*, présent) _____ encore deux rapports.

3 Un air vicié, un nuage de fumée vous (*assaillir*, présent) _____ dès que vous ouvrez la porte.

4 Albert et moi (*venir*, futur) _____, c'est promis.

5 Ni Albert ni moi ne (*pouvoir*, futur) _____ venir.

6 Ni l'un ni l'autre n' (*répondre*, passé composé) _____.

7 Vingt pour cent des étudiants de la faculté des lettres (*être*, présent) _____ des non-francophones.

8 C'est moi qui (*aller*, futur) _____ le rencontrer.

9 Le manque de ressources humaines non moins que le manque d'argent (*commencer*, présent) _____ à nous inquiéter.

10 Cette façon de procéder, qui est une insulte à l'intelligence des gens, ne (*devoir*, futur) _____ plus se produire.

11 (*Ce + être*, présent) _____ de drôles d'arguments que vous m'objectez là.

12 La plupart (*s'opposer*, présent) _____ à cette mesure.

13 C'est le ministère de l'Éducation ou celui des Affaires culturelles qui (*avoir*, futur) _____ la responsabilité de ce dossier.

14 Claire et moi (*aller*, présent) _____ passer un mois dans les Cyclades.

15 Je suis cette personne qui vous (*téléphoner*, passé composé) _____ la semaine dernière.

16 Un groupe de manifestants (*passer*, passé composé) _____ la matinée devant le parlement.

17 Dans cette histoire, tout le monde (*avoir tort*, présent) _____.

18 Trop de risques (*subsister*, présent) _____ pour que notre groupe depression (*se dissoudre*, subjonctif présent) _____.

19 Une partie des fonds (*aller*, futur) _____ à l'amélioration du matériel.

20 Plus d'un accident (*pouvoir*, conditionnel) _____ être évité.

21 (*Ce + être*, présent) _____ encore nous qui (*payer*, futur) _____ la facture.

22 Personne ne (*sembler*, présent) _____ soulever d'objection.

L'accord du participe passé

Alors que l'accord du verbe et celui du verbe auxiliaire sont régis par le sujet du verbe, l'accord du participe passé est régi, selon le cas, par le sujet ou par le complément direct du verbe. Le verbe est donc receveur de la personne et du nombre du donneur sujet, alors que le participe passé est receveur du genre et du nombre du donneur sujet ou complément direct. Le participe passé s'apparente ainsi à l'adjectif ; il est en fait la forme adjectivale du verbe.

Pour bien accorder les participes passés, il faut donc être capable d'analyser la phrase pour repérer le sujet ou le complément direct du verbe, selon la règle qui s'applique. Il faut aussi connaître les règles, évidemment ! Dites-vous bien que la maîtrise des accords grammaticaux s'acquiert par la pratique et est affaire d'habitude. (Voir le tableau « Participe passé » dans le *Multi*.)

La formation des participes passés

Il est important de bien savoir former le participe passé des verbes avant d'aborder l'accord des participes passés.

a) Verbes du 1ᵉʳ groupe (terminaison en *-er* à l'infinitif présent)

La formation des participes passés des verbes du 1ᵉʳ groupe ne présente aucune difficulté. Les participes passés de ces verbes se terminent par :

é au masculin singulier

ée au féminin singulier

és au masculin pluriel

ées au féminin pluriel

b) Verbes réguliers du 2ᵉ groupe (terminaison en *-ir* à l'infinitif présent et se terminant par *-issant* au participe présent)

Les participes passés de ces verbes se forment eux aussi tous de la même façon. Ils se terminent par :

i au masculin singulier

ie au féminin singulier

is au masculin pluriel

ies au féminin pluriel

c) Verbes irréguliers du 2ᵉ groupe

Les participes passés de ces verbes sont irréguliers et parfois difficiles à former. Ils peuvent en effet se terminer, au masculin singulier, par :

i : *parti*   *u* : *reçu*

s : *repris*   *t* : *écrit*

Rappelez-vous que la lettre finale des participes passés qui se terminent par *-s* ou *-t* ne se prononce pas au masculin, mais s'entend au féminin singulier. Pour s'assurer de l'orthographe d'un participe passé, il suffit donc de le mettre au féminin :

venu – venue

acquis – acquise

atteint – atteinte

Il y a cependant deux exceptions à la règle précédente. Les verbes *absoudre* et *dissoudre* forment leurs participes passés de la façon suivante :

Masculin singulier	Féminin singulier
*absou**s***	*absou**te***
*dissou**s***	*dissou**te***

Au moindre doute sur la forme d'un participe passé, n'hésitez pas à consulter un dictionnaire ou une grammaire.

EXERCICE 6.14

Écrivez le participe passé masculin singulier des verbes suivants.

1 Salir _____

2 Vêtir _____

3 Découvrir _____

4 Secourir _____

5 Apercevoir _____

6 Devoir _____

7 Mouvoir _____

8 Asseoir _____

9 Rompre _____

10 Comprendre _____

11 Émettre _____

12 Peindre _____

13 Feindre _____

14 Joindre _____

15 Coudre _____

16 Moudre _____

17 Vivre _____

18 Conclure _____

19 Exclure _____

20 Clore _____

21 Croire _____

22 Croître _____

23 Résoudre _____

24 Enquérir (S') _____

25 Enfuir (S') _____

26 Circonscrire _____

Le participe passé employé avec l'auxiliaire *être*

Le participe passé employé avec l'auxiliaire *être* s'accorde avec le sujet du verbe : il reçoit le genre (masculin ou féminin) et le nombre (singulier ou pluriel) du pronom sujet ou du nom noyau du GN sujet :

Les <u>athlètes</u> **sont** *arrivés.*

Nom noyau du GN sujet m. pl.

Part. passé m. pl.

La forme passive se construit avec l'auxiliaire *être*. Le participe passé de ces verbes s'accorde donc aussi avec le sujet :

> *Sophie est convoqu**ée** chez le directeur.*
>
> *Sophie a été convoqu**ée** chez le directeur.*
>
> *Se peut-il que Sophie ait été convoqu**ée** chez le directeur ?*
>
> *Sophie aurait été convoqu**ée** chez le directeur.*

Dans ces quatre phrases, le sujet, soit le nom *Sophie*, donne son genre et son nombre au participe passé *convoquée*. Notez que l'auxiliaire *être* peut être lui-même à une forme composée avec l'auxiliaire *avoir*. C'est le cas dans les trois dernières phrases : *a été, ait été, aurait été.*

> Avec le pronom sujet *on*, l'accord dépend de la valeur du pronom : s'il s'agit d'un *on* indéfini, le participe passé se met au singulier, mais le pluriel est de rigueur si *on* est employé dans le sens familier de « nous » :
>
> *On est sans cesse agressé par la publicité.* (*on* indéfini : masculin singulier)
>
> *On est restés de bons amis.* (*on* = *nous* : masculin pluriel)
>
> *On est restées bonnes amies.* (*on* = *nous* : féminin pluriel)

EXERCICE 6.15

Écrivez les participes passés des verbes entre parenthèses et accordez-les s'il y a lieu.

1 Elle a été (*accuser*) _____ de violence contre son mari.

2 Les victoires de cette équipe ont été bien (*accueillir*) _____.

3 Les tâches auxquelles Jean-Paul est (*astreindre*) _____ sont extrêmement difficiles.

4 Il prétend que les choses ne sont pas (*aller*) _____ aussi loin que l'affirment ses collègues.

5 L'incendie de cette chapelle, en 1888, fut (*combattre*) _____ par plus de cinquante sapeurs-pompiers.

6 Ils ont été (*contraindre*) _____ de se débarrasser de leur chien.

7 Ces petits bateaux étaient (*mouvoir*) _____ à la vapeur.

8 Sont-elles (*parvenir*) _____ à leurs fins ?

9 Il paraît que la marchandise nous a été (*expédier*) _____ la semaine dernière.

10 Aucune des candidatures ne sera (*rejeter*) _____ avant d'avoir été (*examiner*) _____ par le comité de sélection.

11 Je suis sortie avec mon mari hier soir. La gardienne n'était pas contente parce qu'on (*revenir*, passé composé) _____ plus tôt que prévu.

12 Je suis allée voir l'exposition hier avec Marie. On (*arriver*, passé composé) _____ à l'ouverture du musée, mais il y avait déjà un monde fou.

Le participe passé employé avec l'auxiliaire *avoir*

Le participe passé employé avec l'auxiliaire *avoir* s'accorde avec le complément direct (CD) si ce CD est placé avant le verbe. C'est donc le pronom complément direct ou le nom noyau du

GN complément direct qui donne son genre et son nombre au participe passé. (Voir le tableau « Complément » dans le *Multi*.)

Pour bien accorder ces participes passés, il faut trouver le complément direct et, surtout, ne pas le confondre avec le sujet ou l'attribut. Vous l'avez vu dans le premier chapitre, le complément direct peut être un GN, un pronom, un GInf ou une subordonnée complétive. En outre il se pronominalise par *le, la, les, l', en, cela, ça*. Pour trouver le complément direct (CD), il suffit de bien poser la question :

Sujet + verbe + *qui ?* ou *quoi ?*

Finalement, quels livres de cuisine as-tu empruntés ?

(*Tu as emprunté quoi ? Les livres de cuisine.* Le participe passé *empruntés* s'accorde avec *livres*, le nom noyau du GN complément direct qui précède le verbe.)

Elles nous ont prévenus qu'elles seraient en retard.

(*Elles ont prévenu qui ? Nous.* Le pronom CD *nous* donne son genre et son nombre au participe passé : *prévenus* ou *prévenues*, selon le contexte.)

Les raisons que certaines entreprises ont invoquées sont d'ordre financier.

(*Certaines entreprises ont invoqué quoi ? Que*, pronom relatif ayant pour antécédent *raisons*, féminin pluriel. Le participe passé *invoquées* reçoit le genre et le nombre de ce CD.)

Notez que les pronoms personnels *le, la, les, l'* et le pronom relatif *que*, toujours placés devant le verbe, sont des compléments directs :

*Je **les** ai cueill**ies** hier, ces fraises.* (*les = les fraises*)

*La voiture **que** nous avons achet**ée** est un citron.* (*que = la voiture*)

*Jacques **l'**a recondu**ite** chez sa gardienne.* (*l' = Sophie, ou Julie, ou Laurence...*)

Étant donné cette règle, on retiendra qu'il y a deux situations où le participe passé employé avec *avoir* ne s'accorde pas :

– Le verbe n'a pas de complément direct (CD) :

Tous ses effets personnels ont brûlé dans ce terrible incendie. (pas de CD)

Ils ne nous ont parlé de rien. (pas de CD)

– Le complément direct suit le participe passé :

Elle a fini tous ses travaux.

(Le GN complément direct *tous ses travaux* est placé après le participe passé *fini*.)

Retenez bien qu'en aucun cas le participe passé employé avec l'auxiliaire *avoir* ne s'accorde avec le sujet du verbe.

EXERCICE 6.16

Écrivez les participes passés des verbes entre parenthèses et accordez-les s'il y a lieu.

1 Depuis quelques années, les prix ont beaucoup (*augmenter*) _____.

2 Est-ce qu'il te l'aurait (*prêter*) _____, sa bicyclette ?

3 Ces musiciens, que dans toutes les grandes capitales la foule des mélomanes a (*acclamer*)

_____, ont (*trouver*) _____ ici un accueil enthousiaste.

4 Je vous répète les paroles exactes qu'a (*dire*) _____ Pierre.

5 Tous les gens qu'elle a (*consulter*) _____ l'ont (*avertir*) _____ des dangers qu'elle courait en se lançant dans cette entreprise.

6 Elles ont (*choisir*) _____ de se taire.

7 L'as-tu (*écrire*) _____, ta lettre de demande d'emploi ?

8 Laquelle des trois candidatures avez-vous (*retenir*) _____ ?

9 Les pluies abondantes ont (*nuire*) _____ aux récoltes.

10 Nous avons (*suivre*) _____ la route que tu nous avais (*indiquer*) _____, mais elle nous a (*conduire*) _____ à un cul-de-sac.

Voyons maintenant quelques cas particuliers d'accord du participe passé employé avec *avoir*.

a) Pronom personnel *l'* neutre

Quand le complément direct est le pronom neutre *l'* représentant une phrase (subordonnée), le participe passé reste toujours invariable :

> *La sole n'était pas aussi bonne que je l'avais* **cru**.

> (*J'avais cru quoi ? Que la sole était bonne. Le CD l' représente une subordonnée, et une subordonnée n'a ni genre ni nombre. Le participe passé reste donc invariable : **cru**.*)

> *La peinture n'était pas aussi belle que je l'avais* **pensé**.

> (*l' = que la peinture était belle*)

Si le pronom *l'* ne représente pas une phrase ou une subordonnée mais une personne ou une chose, on accorde le participe passé en conséquence, avec le nom noyau du GN que le pronom remplace :

> *Je l'ai déjà* **vue** *quelque part, cette fille. (l' = cette fille)*

EXERCICE 6.17

Écrivez les participes passés des verbes entre parenthèses et accordez-les s'il y a lieu.

1 La grammaire est-elle aussi rebutante que vous l'aviez (*imaginer*) _____ ?

2 Les gens qui l'ont bien (*connaître*) _____ s'entendent tous pour dire qu'elle avait un remarquable sens des affaires.

3 La guerre, ils ne l'avaient pas (*croire*) _____ si proche, ils jurent ne pas l'avoir (*vouloir*) _____.

4 Ces soldes sont moins intéressants que nous ne l'avions (*penser*) _____.

5 Cette tâche est moins difficile que je ne l'aurais (*croire*) _____.

6 Cette grippe qui court, l'avez-vous (*avoir*) _____ vous aussi ?

7 Comment cette erreur a-t-elle pu être commise ? Je ne l'ai jamais (*comprendre*) _____.

8 Je l'ai à peine (*sentir*) _____, la piqûre ; la douleur était beaucoup moins forte

que je ne l'avais (*craindre*) _____.

b) Pronom *en* complément direct

Quand le complément direct (CD) du verbe est le pronom *en*, l'accord est facultatif. Mais dans l'usage, le participe passé est le plus souvent invariable. Il est donc recommandé de laisser le participe passé invariable dans ces cas :

> *Des problèmes, il **en** a eu(s) plus qu'à son tour !*
>
> *Des romans policiers, combien **en** avez-vous lu(s) ?*

De plus, le participe passé est toujours invariable quand une expression de quantité qui accompagne le pronom *en* précède le participe :

> *Des romans policiers ? J'**en** ai **beaucoup lu**.*

Le pronom *en* n'est pas toujours complément direct. Le participe passé précédé d'un *en* équivalant à *de lui, d'elle(s), de cela, d'eux* reste invariable, car dans ce cas *en* est complément indirect du verbe ou complément d'un nom :

> *Elle **en** a bien profité, de ses vacances !*
>
> (*en = de ses vacances* : CI)
>
> *Cette pièce a eu un grand succès ; les représentations qu'on **en** a données sont innombrables.*
>
> (L'accord du participe passé se fait avec **qu'**, CD du verbe et dont l'antécédent est *représentations*. Notez que *en* est ici complément du nom *représentations*. On a donné des représentations de quoi ? De *en*, qui remplace *pièce*.)

EXERCICE 6.18

Écrivez les participes passés des verbes entre parenthèses et accordez-les s'il y a lieu.

1 Quels gâteaux exquis ! En avez-vous (*manger*) _____ ?

2 Ce sont les seuls souvenirs que j'en ai (*garder*) _____, de mon enfance.

3 Il avait des yeux bleus comme je n'en ai jamais (*voir*) _____.

4 Quel bon placement ! Les profits que nous en avons (*retirer*) _____ dépassent toutes nos prévisions.

5 Des reproches, j'en ai (*recevoir*) _____ de tout le monde.

6 J'ai étudié la philosophie pendant deux ans. Les quelques notions que j'en ai (*retenir*)

_____ me sont précieuses.

7 En as-tu (*acheter*) _____, des carottes ?

8 Sa proposition, vous en avez (*penser*) _____ plus de mal que de bien, n'est-ce pas ?

9 Vous avez analysé ce problème. Quelle conclusion en avez-vous (*tirer*) _____ ?

10 Des romans, j'en ai (*lire*) _____ de toutes sortes dans ma vie.

c) Participe passé des verbes impersonnels

Le participe passé de ces verbes est toujours invariable :

> *Les deux jours qu'il a neig**é** en février étaient mémorables.*

> *Les chaleurs qu'il a fa**it** l'été dernier étaient presque insupportables par moments.*

EXERCICE 6.19

Écrivez les participes passés des verbes entre parenthèses et accordez-les s'il y a lieu.

1 La tempête qu'il y a (*avoir*) _____ a complètement paralysé la circulation.

2 Les ennuis qu'il a (*avoir*) _____ avec le propriétaire étaient-ils (*devoir*)

_____ à son manque de diplomatie ?

3 Pensez aux années d'efforts qu'il leur a (*falloir*) _____ pour arriver à leur but !

4 Il faut ranger Gaston Miron au nombre des plus grands poètes québécois qu'il y ait jamais

(*avoir*) _____ .

5 Il devra corriger les erreurs qu'il a (*commettre*) _____ .

6 Les froids qu'il a (*faire*) _____ le mois dernier n'ont pas (*empêcher*)

_____ les gens de s'adonner aux sports d'hiver.

7 L'image qu'il nous a (*laisser*) _____ est celle d'un homme intègre.

8 Le courage et la persévérance qu'il lui a (*manquer*) _____ pour terminer ses études,

personne ne peut les lui donner.

d) Participe passé des verbes *courir, coûter, dormir, durer, marcher, peser, valoir, vivre* et, de façon plus générale, des verbes qui peuvent être intransitifs ou transitifs directs

Quand le verbe est **transitif direct**, le participe passé s'accorde avec le complément direct si ce complément précède le verbe. Le verbe peut alors avoir un sens figuré :

> *Je n'oublierai pas les efforts que cette victoire nous a coût**és**.*

> (CD : *que*, mis pour *efforts*, sens figuré)

> *Le douanier a ouvert les valises que l'employé avait pes**ées**.*

> (CD : *que*, mis pour *valises*)

> *Je n'oublierai pas les dangers que nous avons cour**us**.*

> (CD : *que*, mis pour *dangers*, sens figuré)

Quand le verbe est **intransitif**, il se construit avec un complément marquant la mesure, la durée ou le prix, et le participe passé reste invariable. Le verbe est alors utilisé au sens propre :

> *Les deux kilomètres qu'elle a cou**ru** l'ont épuisée.*
>
> (*Elle a couru quelle distance ? Deux kilomètres* : mesure)

> *Les douze heures qu'il a dorm**i** l'ont remis d'aplomb.*
>
> (*Il a dormi combien de temps ? Douze heures* : durée)

> *Les trente dollars qu'a coû**té** ce livre...*
>
> (*Ce livre a coûté combien ? Trente dollars* : prix)

EXERCICE 6.20

Accordez, s'il y a lieu, les participes passés contenus dans les phrases suivantes.

1 Je suis restée clouée à mon siège pendant les trois heures qu'a duré _____ ce film.

2 Nous avons dû emprunter les mille dollars que nous a coûté _____ notre déménagement.

3 Il a beaucoup maigri _____ ; il est loin des quatre-vingt-dix kilos qu'il a déjà pesé _____ .

4 Les terrains qu'il a mesuré _____ étaient de dimensions équivalentes.

5 Ces paroles que vous avez prononcé _____ , les aviez-vous bien pesé _____ ?

6 Pendant les dix ans que ce député a siégé _____ , plusieurs lois importantes ont été adopté _____ .

7 Tu mérites bien tous les éloges que ton travail t'a valu _____ .

8 Que de nuits blanches ma thèse m'a coûté _____ !

e) Participe passé suivi d'un verbe à l'infinitif

Le participe passé conjugué avec l'auxiliaire *avoir* et suivi d'un infinitif s'accorde avec le complément direct placé avant lui si ce complément est bien CD du verbe conjugué (et non de l'infinitif). De plus, le CD du verbe conjugué doit faire l'action exprimée par l'infinitif.

> *Les enfants que j'ai v**us** monter dans l'autobus étaient tous souriants.*
>
> (*J'ai vu qui ? Que*, mis pour *les enfants*, CD de *ai vus*. Qui faisait l'action de *monter ? Les enfants*. Le participe passé s'accorde.)

Si ces deux conditions ne sont pas réunies, le participe passé reste invariable :

> *Ces arbres que j'ai v**u** abattre étaient centenaires.*
>
> (*J'ai vu quoi ? Que*, mis pour *Ces arbres*. Est-ce que *Ces arbres* font l'action d'*abattre ?* Non. *Ces arbres* est le complément direct du verbe à l'infinitif, *abattre*, et non de *ai vu*. La réponse à la question *J'ai vu quoi ?* aurait dû être *abattre les arbres*. Le participe passé reste donc invariable.)

On peut faire le même raisonnement avec les exemples suivants :

> *Les enfants que j'ai v**u** réprimander par leurs parents étaient en larmes.*
>
> (*Les enfants* ne font pas l'action exprimée par l'infinitif *réprimander*.)

> *Les parents que j'ai v**us** réprimander leurs enfants semblaient vraiment fâchés.*
>
> (*Les parents* font l'action de *réprimander*.)

On peut également vérifier que le pronom est complément direct du verbe conjugué en le remplaçant par un autre pronom complément direct. Si le pronom de remplacement apparaît devant le verbe à un temps composé, le pronom est bien le CD du verbe conjugué. Si le pronom de remplacement apparaît plutôt devant l'infinitif, le pronom est CD du verbe à l'infinitif.

Comparez :

*Les enfants que j'ai **vus** jouer...*

(→ *Je **les** ai vus jouer* : *que* est CD de *ai vus*, le participe *vu* s'accorde.)

*Les enfants que j'ai **cru** voir...*

(→ *J'ai cru **les** voir* : *que* est CD de *voir*, le participe *cru* ne s'accorde pas.)

Le participe passé *fait* suivi d'un infinitif est toujours invariable :

*Nous les avons **fait** imprimer hier, ces documents.*

Les participes passés *pu*, *cru* et *dû* sont invariables quand ils sont suivis d'un infinitif ou qu'on peut sous-entendre après eux un infinitif ou une subordonnée :

*Elle a fait tous les efforts qu'elle a **pu** (faire).*

Pour les participes passés *donné*, *eu* et *laissé* suivis de la préposition *à* et d'un verbe à l'infinitif, vous avez le choix entre l'accord et l'invariabilité :

*Les exercices qu'on vous a **donné(s)** à faire vous aideront à bien assimiler les règles.*

*Les impôts que j'ai **eu(s)** à payer cette année m'ont ruiné.*

EXERCICE 6.21

Accordez, s'il y a lieu, les participes passés contenus dans les phrases suivantes.

1 Les équipes de hockey que nous avons vu _____ jouer venaient de Suisse et de Tchécoslovaquie.

2 Les pommiers que j'ai vu _____ planter par mon père, je ne les ai vu _____ donner des fruits que cinq ans plus tard.

3 Je vous rapporte cette montre que j'ai fait _____ réparer il y a dix jours.

4 La somme qu'il nous a fallu _____ payer était dérisoire.

5 Ces enfants, les as-tu vu _____ traverser la rue sans faire attention ?

6 Le directeur les a fait _____ appeler et les a laissé _____ s'expliquer.

7 Il a réussi tous les examens qu'il a eu _____ à subir pour être admis au doctorat.

8 J'ai fait toutes les petites courses que vous m'aviez demandé _____ de faire.

9 Ces hirondelles, je les ai vu _____ bâtir leurs nids.

10 Les voisins, tout l'immeuble les a entendu _____ rentrer à 4 heures du matin !

11 Nous avons dû _____ pelleter l'entrée deux fois, ce matin.

12 Les problèmes que tu m'as donné _____ à résoudre n'étaient pas simples !

f) Autres règles

– Quand le complément direct du verbe contient un nom collectif et qu'il précède le verbe, on accorde le participe passé avec le nom collectif ou avec le complément de ce nom, suivant l'idée sur laquelle on veut insister ou le sens de la phrase :

> *Le nombre de **personnes** que j'ai conn**ues** à l'université...*

> *La **boîte** de livres que je vous m'avez envoy**ée**...*

– Quand le participe passé est précédé d'une expression de quantité suivie d'un complément, le participe passé s'accorde avec le complément de l'expression de quantité :

> *Combien de **disques** avez-vous achet**és** ?*

Toutefois, si le complément de l'expression de quantité est placé après le participe passé, celui-ci reste invariable :

> *Combien a-t-il fai**t** de **fautes** ?*

– Avec l'expression adverbiale ***le peu***, on fait l'accord avec le complément ou avec *le peu* (singulier), selon l'idée sur laquelle on veut insister :

> ***Le peu de noix*** *que vous m'avez donné**(es)**...*

> *Le peu d'**encouragements** que j'ai e**us** ne m'ont pas empêché de continuer.*

> (Le pluriel exprime ici une quantité restreinte, mais réelle, positive.)

> ***Le peu*** *d'encouragements que j'ai e**u** m'a déçu.*

> (Le singulier marque l'amertume, l'insuffisance.)

– Si le pronom relatif *que*, complément direct, représente *l'un des...* ou *l'une des...*, on peut accorder le participe passé soit avec le pronom *l'un* ou *l'une*, soit avec le nom inclus dans le complément de ce pronom :

> *C'est **l'une des personnes les plus sympathiques** que j'ai rencontré**e(s)**.*

> *C'est **l'un des meilleurs professeurs** que j'ai e**u(s)**.*

EXERCICE 6.22

Accordez, s'il y a lieu, les participes passés contenus dans les phrases suivantes.

1 Cet échec s'explique par le peu d'attention que vous avez apporté _____ à ce travail.

2 C'est sûrement l'un des meilleurs films que j'ai vu _____.

3 Combien d'heures vous a-t-il fallu _____ consacrer à la rédaction de cette lettre ?

4 Beaucoup des observations que vous m'avez fait _____ étaient justes.

5 La quantité de comptes que j'ai payé _____ ce mois-ci ont vidé mon compte d'épargne.

6 Le peu d'efforts que vous avez fourni _____ vous a empêché de réussir.

7 Que d'inquiétude m'ont occasionné _____ ces enfants !

8 La majorité des étudiants que j'ai rencontré _____ étaient bilingues.

9 Il a échappé _____ la douzaine d'œufs qu'il avait acheté _____.

10 Le peu de notes que j'ai pris _____ m'ont été très utiles.

_____

EXERCICE 6.23

Récapitulation

Accordez, s'il y a lieu, les participes passés contenus dans les phrases suivantes.

1 Elles ont chanté _____ toute la journée.

2 Les chemins que j'ai suivi _____ étaient bien entretenus.

3 Appelle les personnes que nous avons invité _____ pour ce soir.

4 La troupe de comédiens que j'ai vu _____ jouer est épatante.

5 Que d'efforts il a fait _____ pour réussir !

6 Combien a-t-elle commis _____ de gaffes cette semaine ?

7 Vous la leur avez prêté _____ ?

8 Je les ai cherché _____ pendant plus d'une heure, ces deux lettres.

9 Voici la liste des travaux que j'ai exécuté _____ cette semaine.

10 Ma mère a dû _____ choisir.

11 Vous avez fait _____ tout ce que vous avez pu.

12 Cette entreprise n'a pas réussi _____ comme nous l'avions espéré _____.

13 Ce jardin n'a pas donné _____ la récolte que j'en avais espéré _____.

14 Cette histoire, il en a inventé _____ une bonne partie.

15 Tous mes amis m'ont offert _____ des services, mais aucun ne m'en a rendu _____.

16 Le peu de pratique que j'ai eu _____ à l'université m'aidera néanmoins plus tard.

17 La chose était plus sérieuse que nous ne l'avions pensé _____.

18 On est facilement déçu _____ par les personnes dont on a trop attendu _____.

19 On les a exécuté _____ parce qu'ils avaient trahi _____.

20 Les nouvelles que j'ai entendu _____ raconter à leur sujet n'étaient pas bien gaies.

21 Vu que vous étiez absente, nous avons dû _____ remettre l'élection à plus tard.

22 Les dix centimètres de pluie qu'il est tombé _____ hier ont fait _____ beaucoup de dommages.

23 Les enfants, je les ai laissé _____ s'amuser dans la cour.

24 La planche n'était pas très solide : nous l'avons senti _____ céder sous nos pieds.

25 Ils nous ont regardé _____ travailler sans dire un mot.

26 La truite, je l'avais senti _____ s'agiter au bout de la ligne.

27 Je les ai fait _____ venir par la poste, ces livres.

28 Cette sonate, l'avez-vous déjà entendu _____ jouer ?

29 Je lui ai rendu _____ tous les services que j'ai pu _____.

30 Ces jouets, je les avais cru _____ solides.

31 De la limonade, j'en ai bu _____ beaucoup dans mon enfance.

32 Voici les honneurs que son courage lui a valu _____.

33 J'ai emprunté _____ les dix mille dollars que cette voiture m'a coûté _____.

34 Les quatre heures que ce récital a duré _____ m'ont paru _____ courtes.

35 As-tu reconnu _____ la personne que tu as vu _____ passer ?

36 Je suis en droit de considérer que vous aviez accepté _____ le mode de paiement
et l'échéance que vous avait indiqué _____ le vendeur.

37 Les orages qu'il a fait _____ cet été ont nui _____ aux agriculteurs.

38 Nous espérons que vous en avez connu _____, des réussites.

39 Cette explication nous a convaincu _____ de votre bonne foi.

40 Les nouvelles qu'il avait appris _____ l'avaient surpris _____.

Le participe passé des verbes pronominaux

Le participe passé des verbes pronominaux s'accorde tantôt avec le sujet du verbe, tantôt avec le complément direct, si le complément précède le verbe. (Voir le tableau « Pronominaux » dans le *Multi.*)

Rappelez-vous que le verbe pronominal est un verbe accompagné d'un pronom conjoint (*se laver*, *se fâcher*, *se repentir*). Dans la conjugaison, le verbe pronominal est toujours – sauf à l'impératif – accompagné de deux pronoms : un pronom personnel sujet (*je, tu, il, nous, vous, ils, on*) et un pronom personnel conjoint (*me, te, se, nous, vous*) représentant la même personne que le sujet, ce qui donne les séquences *je me, tu te, il (elle ou on) se, nous nous, vous vous, ils (ou elles) se* :

> *je me* souviens, *tu te* laves, *il se* demande, *on se* téléphone
>
> *nous nous* arrêtons, *vous vous* trompez, *elles se* parlent

Rappelez-vous également que les temps composés des verbes pronominaux se construisent **toujours** avec l'auxiliaire *être* :

> *Ils se **sont** trompés.*
>
> *Elles se **sont** félicitées de leur décision.*
>
> *Ils s'**étaient** téléphoné la veille.*
>
> *Nous nous **sommes** vite rendu compte de notre erreur.*

Dans les exemples précédents, vous aurez observé que même si le participe passé des verbes pronominaux se construit avec *être*, on ne l'accorde pas nécessairement avec le sujet du verbe. Si c'était le cas, on aurait écrit **ils s'étaient téléphonés* et **nous nous sommes rendus compte*. Nous aurions alors commis deux erreurs, car il faut laisser ces participes passés invariables. C'est la difficulté que pose l'accord des participes passés des verbes pronominaux : ces participes passés s'accordent **souvent** avec le sujet du verbe, mais **pas toujours**. Il faut connaître les particularités de l'accord de ces participes passés et se méfier des pièges qu'il pose.

Pour accorder les participes passés des verbes pronominaux, vous l'avez compris, on applique tantôt la règle d'accord des participes passés conjugués avec *avoir* (accord avec le CD s'il est placé avant le verbe), tantôt la règle d'accord des participes passés conjugués avec *être* (accord avec le sujet). Tout dépend du type de verbe pronominal auquel on a affaire. Voyons quelles sont ces règles.

a) Verbes occasionnellement pronominaux

On appelle verbe « occasionnellement pronominal » un verbe non pronominal qui s'utilise aussi dans la construction pronominale. Les verbes non pronominaux *laver* et *regarder*, par exemple, s'utilisent également dans les constructions pronominales *se laver* et *se regarder*. Comparez :

> *Il **a lavé** la voiture ; il **s'est lavé** les mains.*
>
> *Ils **ont regardé** le spectacle ; ils **se sont regardés** dans les yeux.*

On dit qu'un verbe occasionnellement pronominal est réfléchi lorsque l'action « revient », donc se réfléchit, sur le sujet ; le pronom conjoint est alors complément direct ou indirect du verbe :

> *Elle **s'**est lavée.* (*s'* = CD)
>
> *Elle **s'**est nui en répétant cette histoire.* (*s'* = CI)

On le dit réfléchi et réciproque lorsque les sujets agissent les uns sur les autres ; le pronom conjoint est aussi complément d'objet direct ou indirect :

> *Ils **se** sont regardés.* (*se* = CD)
>
> *Ils **se** sont souri.* (*se* = CI)

Le participe passé des verbes occasionnellement pronominaux s'accorde avec le complément direct du verbe si ce CD le précède. Il faut donc appliquer la même règle que celle qu'on utilise pour accorder le participe passé conjugué avec l'auxiliaire *avoir* et se poser les mêmes questions : Y a-t-il un complément direct ? Ce complément est-il placé avant le verbe ? En fait, l'accord du participe passé dépend le plus souvent de la fonction du pronom personnel conjoint, qui peut être CD ou CI. Pour arriver à trouver le CD, suivez bien les étapes proposées à la page suivante. Soit les trois exemples suivants :

> a) *Elle s'est coupée.*
>
> b) *Elle s'est coupé le doigt.*
>
> c) *Elle s'est coupée au doigt.*

1. Transformez la forme pronominale en forme conjuguée avec *avoir* :

   a) *Elle a coupé elle-même.*

   b) *Elle a coupé le doigt à elle-même.*

   c) *Elle a coupé elle-même au doigt.*

2. Y a-t-il un complément direct ?

   a) *Elle a coupé **qui** ? **quoi** ? Elle-même*, représenté par *se* dans la forme pronominale.

   b) *Elle a coupé **qui** ? **quoi** ? Le doigt.*

   c) *Elle a coupé **qui** ? **quoi** ? Elle-même*, représenté par *se* dans la forme pronominale.

3. Le complément direct est-il placé avant le verbe ?

   a) *Oui. Elle s̲'est coupée.* (accord avec le donneur *s'*)

   b) *Non. Elle s'est coupé l̲e̲ ̲d̲o̲i̲g̲t̲.* (pas d'accord)

   c) *Oui. Elle s̲'est coupée au doigt.* (accord avec le donneur *s'*)

Vous aurez compris que le participe passé des verbes occasionnellement pronominaux reste invariable si le verbe n'a pas de CD ou que le CD est placé après le verbe :

> *Ils se sont parlé.*
>
> (Pas de CD : *on parle à quelqu'un* ; *se* est CI.)
>
> *Ils se sont raconté leur vie.*
>
> (Le GN complément direct *leur vie* suit le verbe.)

EXERCICE 6.24

Indiquez la fonction (CD ou CI) du pronom conjoint des verbes occasionnellement pronominaux.

1 Elles *se sont croisées* dans la rue.

_____

2 Ils *se sont raconté* tous leurs malheurs autour d'une bonne bouteille de vin.

_____

3 Elle *s'est lavé* les cheveux.

_____

4 Elles *se sont couvertes* d'honneurs aux Jeux olympiques.

_____

5 Ils ont attrapé la grippe parce qu'ils ne *s'étaient* pas *couvert* la tête.

_____

6 Elles *se sont promis* de s'écrire souvent.

_____

7 Je n'ai pas eu le choix de les inviter : ils *se sont imposés.*

_____

8 Les sacrifices qu'ils *se sont imposés* n'auront donc servi à rien ?

_____

9 Elles *se sont demandé* longtemps si elles avaient bien fait.

_____

10 Pierre et Julie *se sont rencontrés* à l'université et *se sont parlé* plusieurs fois depuis.

_____

EXERCICE 6.25

Faites les accords requis.

1 Ils *se sont juré* _____ fidélité.

2 Elle *s'est habillé* _____ en vitesse.

3 Les étudiants *se sont succédé* _____ chez le directeur du programme.

4 Nous *nous sommes entassé* _____ dans sa petite voiture.

5 Elle ne *s'est pas empêché* _____ de dire ce qu'elle en pensait !

6 Pierre et Julie *se sont marié* _____ en grande pompe.

7 Ils *se sont fait* _____ un bon café avant de se mettre au travail.

8 Ils *se sont nui* _____ beaucoup plus qu'ils ne *se sont aidé* _____.

9 Ces sont les objectifs que je *me suis assigné* _____ pour cette année.

10 Elle *s'est imaginé* _____ qu'Eugène ne l'aimait plus.

b) Verbes essentiellement pronominaux

Les verbes essentiellement pronominaux sont des verbes qui ne s'emploient qu'à la forme pronominale : le pronom *se* est indissociable du verbe, il en fait partie intégrante. Par exemple, les verbes *se méfier*, *se souvenir* et *s'absenter* ne peuvent être employés qu'avec le pronom *se*, donc en construction pronominale. Il n'existe pas de verbe **méfier*, **souvenir* ou **absenter* :

> *Je me méfie de lui.*   **Je méfie de lui.*
>
> *Il s'absente souvent.*   **Il absente souvent.*

Pour accorder les participes passés de ces verbes, on suit la règle d'accord des participes passés employés avec l'auxiliaire *être*. C'est donc le pronom sujet ou le nom noyau du GN sujet qui donne son genre et son nombre au participe passé :

> **Elle** *s'est évanouie* en apercevant ses idoles.
>
> **Les enfants** *se sont toujours méfiés* de lui.

Voici une liste des principaux verbes essentiellement pronominaux :

> *s'absenter, s'abstenir, s'accroupir, s'affairer, s'adonner, s'agenouiller, s'en aller, s'attabler, s'avachir,*
> *se bagarrer, se balader, se blottir, se cabrer, se contorsionner, se décarcasser, se démener, se désister,*
> *s'ébattre, s'ébrouer, s'écrier, s'écrouler, s'efforcer, s'égosiller, s'embourgeoiser, s'emparer, s'empresser,*
> *s'enfuir, s'ennuager, s'enquérir, s'ensuivre, s'entraider, s'entre-déchirer, s'entre-dévorer, s'entre-nuire*
> *(ou s'entrenuire), s'entre-tuer, s'évanouir, s'envoler, s'éprendre, s'esclaffer, s'évader, s'évanouir,*
> *s'évertuer, s'exclamer, s'extasier, se formaliser, se gargariser, s'immiscer, se méfier, se parjurer,*
> *se pavaner, se prélasser, se prosterner, se raviser, se rebeller, se rebiffer, se recroqueviller, se réfugier,*
> *se remplumer, se renfrogner, se repentir, se soucier, se souvenir, se suicider*

EXERCICE 6.26

Faites les accords nécessaires et indiquez si le verbe est occasionnellement (O) ou essentiellement (E) pronominal.

1 Elle *s'est absenté* _____ pendant une heure.

2 Ils *se sont moqué* _____ de leur petit frère.

3 Elles *se sont blessé* _____ au bras.

4 Elles *se sont* subitement *levé* _____.

5 Les prisonniers *se sont évadé* _____.

6 Ils *se sont donné* _____ la peine de réfléchir.

7 Mes tantes *s'étaient décidé* _____ à venir.

8 Elle *s'est emparé* _____ de la fortune de son frère.

9 Elle *s'est souvenu* _____ qu'elle avait un devoir à terminer.

10 Elle *s'est foulé* _____ la cheville.

c) Verbes pronominaux à sens passif

La forme pronominale peut servir à donner une valeur passive à un verbe transitif direct. On emploie cette forme surtout lorsqu'il n'y a pas d'agent identifié :

> *On a vendu tous les billets.*
>
> *Les billets ont tous été vendus.* (passif ordinaire)
>
> *Les billets **se sont** tous **vendus**.* (passif de construction pronominale)

Les participes passés de ces verbes s'accordent avec le sujet du verbe :

> ***Les billets** se sont **vendus** comme des petits pains chauds.*
>
> ***La classe** s'est **vidée** en un clin d'œil.*

d) Verbes occasionnellement pronominaux dont le sens est différent de celui du verbe non pronominal correspondant

Certains verbes ont un sens différent en construction pronominale et en construction non pronominale. Un cas extrême est le verbe *se douter*, qui a un sens presque diamétralement opposé à celui du verbe *douter* :

> *Elle a douté de sa réussite.* (Elle n'y croyait pas.)

> *Elle s'est doutée qu'elle réussirait.* (Elle croyait bien réussir.)

Souvent la différence de sens n'est pas aussi radicale – elle est parfois même très mince –, mais ce qui est constant, c'est que le pronom conjoint dans ces verbes n'a jamais de valeur réelle ou de fonction logique dans la phrase. Ces verbes s'apparentent aux verbes essentiellement pronominaux, dont le pronom n'a souvent pas de valeur précise, et ils s'accordent aussi avec le sujet :

> **Elle** *s'est doutée qu'elle réussirait.*

> **Ils** *ne se sont doutés de rien.*

Voici la liste des principaux verbes pronominaux dont le pronom conjoint n'a pas de fonction logique :

> *s'adresser (à), s'apercevoir (de), s'attaquer (à), s'attendre (à), s'aviser (de), se douter (de), s'échapper (de), s'ennuyer (de), s'entendre (avec), se jouer (de), se passer (de), se plaindre (de), se prévaloir (de), se saisir (de), se servir (de), se taire, se tromper (de)*

EXERCICE 6.27

Faites les accords requis du participe passé des verbes pronominaux suivants; si le verbe pronominal a un sens passif, indiquez-le entre parenthèses à la suite du verbe (P).

1 Ces tableaux *se sont vendu* _____ très cher à l'encan.

2 La séance *s'est ouvert* _____ à seize heures précises.

3 Ils *se sont tu* _____ quand la présidente est entrée.

4 Ils *se sont trompé* _____ de jour et ils *s'en sont avisé* _____ plus tard.

5 Les enfants *se sont ennuyé* _____ de leurs parents à la colonie de vacances.

6 Des villes comme Londres ou Paris ne *se sont* pas *bâti* _____ en un jour.

7 Les militaires *se sont passé* _____ de bière pendant quelques mois.

8 La langue gauloise *s'est parlé* _____ en Gaule pendant plusieurs siècles avant la conquête.

9 Elles *se sont attaqué* _____ à la thèse de leur collègue.

10 Ils ne *se sont* jamais *entendu* _____ .

Si le participe passé du verbe pronominal est suivi d'un verbe à l'infinitif, il faut faire la même analyse. Cependant, le participe passé **fait** suivi d'un infinitif reste toujours invariable et les participes passés **vu** et **laissé** suivis d'un infinitif restent généralement invariables :

Ils se sont fait couper les cheveux.

Ils se sont vu imposer une lourde amende.

Ils se sont vus faire une colère terrible.

Ils se sont facilement laissé convaincre.

(Dans le cas de *laissé*, l'usage n'est pas encore fixé, mais l'invariabilité du participe passé tend à s'imposer.)

Noter également que les participes passés des verbes *se rire*, *se plaire*, *se complaire*, *se déplaire* et *se rendre compte* restent toujours invariables.

e) L'accord des participes passés des verbes pronominaux : méthode simplifiée

Les règles qui viennent d'être données font appel à l'analyse grammaticale. Nous vous proposons maintenant une méthode simple en trois étapes pour réussir tous les accords des participes passés des verbes pronominaux. Si vous maîtrisez bien l'accord du participe passé employé avec *avoir* et celui du participe passé employé avec *être*, et que vous savez bien faire la différence entre le sujet, le complément direct et le complément indirect, vous trouverez sans doute le maniement de cette règle simplifiée plus aisé que celui de la règle « traditionnelle ».

1re étape : Il faut d'abord vous demander si le verbe a un complément direct autre que le pronom personnel conjoint en posant la question habituelle : SUJET + VERBE + *QUI ?* ou *QUOI ?*

Si le verbe a un complément direct qui le précède, le participe passé s'accordera avec ce complément direct ; si le CD est placé après le verbe, le participe passé restera invariable.

S'il n'y a pas de CD (autre que le pronom personnel conjoint) – et ce sera souvent le cas –, passez à la deuxième étape.

2e étape : Il faut maintenant vous demander si le pronom personnel conjoint est un complément indirect introduit par la préposition *à*. Si tel est le cas, laissez le participe passé invariable. Sinon, passez à la troisième étape.

3e étape : Vous accordez le participe passé du verbe pronominal avec le sujet du verbe, tout simplement.

Cette règle simplifiée se fonde sur le fait que les seuls cas où l'accord ne se fait pas avec le sujet (ou avec le pronom conjoint qui représente le sujet) sont ceux où le pronom personnel conjoint est complément indirect (étape 2), ou les cas où la phrase contient un complément direct (placé après le verbe) qui n'est pas le pronom conjoint (étape 1). Comme beaucoup de participes passés de verbes pronominaux s'accordent avec le sujet, vous aurez souvent besoin de vous rendre jusqu'à la troisième étape.

Il reste trois exceptions qui défient toutes les règles, la traditionnelle comme la simplifiée : *se rire*, *se plaire à*, et *se complaire*, dont le participe passé est toujours invariable :

*Elles se sont **ri** des difficultés*

*Elles se sont pl**u** à faire ce travail.*

Appliquons maintenant cette méthode simplifiée à quelques exemples.

- *Elles se sont fait... une limonade.*

1ʳᵉ étape : *Elles se sont fait quoi ? Une limonade* (CD).

Il y a un CD, mais il est placé après le verbe. Il faut donc laisser le participe passé invariable :

> *Elles se sont fait une limonade.*

- *La voiture que Paul s'est offert... lui a coûté une petite fortune.*

1ʳᵉ étape : *Paul s'est offert quoi ? Que, qui remplace voiture* (CD).

Il y a un complément direct dans la phrase. Ce CD précède le verbe. Il faut donc accorder le participe passé avec ce complément direct (*que = voiture*, féminin singulier) :

> *La voiture que Paul s'est offerte lui a coûté une petite fortune.*

- *Pierre et Julie se sont téléphoné... hier soir.*

1ʳᵉ étape : *Pierre et Julie se sont téléphoné quoi ou qui ?*

Pas de réponse à la question. Il n'y a donc pas de CD dans la phrase. Il faut alors passer à la deuxième étape.

2ᵉ étape : Le pronom conjoint se est-il un complément indirect introduit par la préposition *à* ? Autrement dit, doit-on *téléphoner à se* (ou *téléphoner à quelqu'un*) ? Oui. Il faut donc laisser le participe passéinvariable :

> *Pierre et Julie se sont téléphoné hier soir.*

- *Elle s'est déclaré... satisfaite de ta réponse.*

1ʳᵉ étape : On déterminera qu'il n'y a pas de CD après le verbe (*satisfaite* est **attribut** et non complément direct : rappelez-vous qu'un adjectif ne peut en aucun cas être complément direct).

2ᵉ étape : On ne peut pas dire *Elle a déclaré à se*, car ce n'est pas à elle-même qu'elle a fait la déclaration, mais à d'autres personnes extérieures au sujet.

3ᵉ étape : On accorde le participe passé avec le pronom sujet *Elle* :

> *Elle s'est déclarée satisfaite de ta réponse.*

- *Pierre et Julie se sont succédé... à la présidence du syndicat.*

1ʳᵉ étape : *Pierre et Julie se sont succédé qui ou quoi ?*

Pas de réponse à la question. Il n'y a donc pas de CD dans la phrase. Il faut alors passer à la deuxième étape.

2ᵉ étape : *Se* est-il un complément indirect introduit par *à* ? Autrement dit, la phrase signifie-t-elle que *Pierre et Julie ont succédé à se*, que *Pierre et Julie ont succédé respectivement à Julie et à Pierre* (puisque se représente *Pierre et Julie*) ? Oui. Il faut donc laisser le participe passé invariable :

> *Pierre et Julie se sont succédé à la présidence du syndicat.*

- *Elles se sont aperçu... de son absence.*

1ʳᵉ étape : *Elles se sont aperçu qui ou quoi ?* Pas de réponse ; il n'y a donc pas de CD.

2ᵉ étape : *Elles se sont aperçu à elles, à se ?* Non. Ça n'a aucun sens.

3ᵉ étape : On accorde le participe passé avec le pronom sujet du verbe, soit *elles* :

*Elles se sont aperçu**es** de son absence.*

- *Ils se sont douté... de la supercherie.*

1ʳᵉ étape : *Ils se sont douté qui ou quoi ?* Pas de réponse. Il n'y a donc pas de CD.

2ᵉ étape : *Ils ont douté à se, à eux-mêmes ?* Dit-on *douter **à** quelqu'un* ? Non.

3ᵉ étape : On accorde le participe passé avec le sujet du verbe, c'est-à-dire avec *ils* :

*Ils se sont dout**és** de la supercherie.*

En bref, il faut se rappeler que le participe passé des verbes pronominaux s'accorde générale-ment avec le sujet du verbe (étape 3), sauf dans les deux situations suivantes :

- Le verbe a un complément direct autre que le pronom personnel conjoint : dans ce cas, on fait l'accord avec ce CD s'il précède le verbe, mais on laisse le participe passé invariable si le complément direct suit le verbe (étape 1).
- Le verbe n'a pas de complément direct, mais le pronom personnel conjoint est complément indirect : dans ce cas, le participe passé du verbe pronominal est invariable (étape 2).

EXERCICE 6.28

Écrivez les participes passés des verbes pronominaux suivants et accordez-les s'il y a lieu.

1 Les malheurs se sont (*s'abattre*) _____ sur la famille.

2 La pluie s'est (*s'abattre*) _____ sur nous.

3 Elle s'est (*s'absenter*) _____ pour dix minutes.

4 Ils se sont (*s'abstenir*) _____ de voter.

5 La hausse des prix s'est (*s'accentuer*) _____ .

6 Elle s'est (*s'accommoder*) _____ de ses conditions de travail.

7 Les bagues qu'il s'est (*s'acheter*) _____ sont extravagantes.

8 La réputation qu'il s'est (*s'acquérir*) _____ le dessert.

9 Les dettes dont elle s'est (*s'acquitter*) _____ étaient lourdes.

10 Ils se sont (*s'adresser*) _____ au directeur.

11 Elles se sont (*s'adapter*) _____ à la situation.

12 Elles se sont (*s'affronter*) _____ en pleine rue.

13 La crevasse s'est (*s'agrandir*) _____ toute seule.

14 Toutes les lumières se sont (*s'allumer*) _____.

15 Elles se sont bien (*s'amuser*) _____ hier soir.

16 La tempête s'est (*s'apaiser*) _____.

17 Entre eux, la passion s'est (*s'apaiser*) _____.

18 Ils se sont (*s'apercevoir*) _____ de la fraude.

19 Elle s'est (*s'apercevoir*) _____ qu'elle l'ennuyait.

20 Ils se sont (*s'arrêter*) _____ à temps.

21 Elle s'est beaucoup (*s'assagir*) _____.

22 Elle s'est (*s'assurer*) _____ une retraite confortable.

23 Elle s'est (*s'assurer*) _____ de son bien-être.

24 Ils se sont (*se blesser*) _____ à la tête.

25 Ils se sont (*se serrer*) _____ la main.

26 L'affaire s'est (*se compliquer*) _____ depuis hier.

27 Elle s'est (*se boucher*) _____ les oreilles.

28 Nos lettres se sont (*se croiser*) _____ dans la poste.

29 Ils se sont (*se construire*) _____ une maison.

30 Elles se sont (*se croiser*) _____ les bras.

EXERCICE 6.29

Dans les phrases suivantes, faites accorder les participes passés des verbes pronominaux s'il y a lieu.

1 Ils se sont serré _____ la main.

2 Lorsque la concierge s'est plaint _____ à la police, elle s'est mis _____ dans de beaux draps.

3 Nous nous sommes trop longtemps menti _____.

4 Tous ces bruits se sont tu _____ .

5 Elles se sont dit _____ adieu.

6 Vos parents se sont imposé _____ des sacrifices.

7 Elles se sont demandé _____ à la fin si elles ne s'étaient pas mêlé _____ de quelque chose qui ne les regardait pas.

8 Les combattants s'étaient juré _____ de vaincre.

9 Ne quittez pas la voie que vous vous êtes tracé _____ .

10 Je n'aime pas les moyens dont la police s'est servi _____ dans cette affaire.

11 Les policiers se sont emparé _____ des malfaiteurs.

12 Ils se sont parlé _____ durant deux heures.

13 C'est une joie qu'il s'est offert _____ avant de mourir.

14 Elle s'était proposé _____ de partir tôt.

15 Elle s'est ennuyé _____ .

16 Les ministres se sont renvoyé _____ la balle.

17 Vos frères se sont énervé _____ pour rien ; ils ne se sont pas aidé _____ , ils se sont nui _____ .

18 La secrétaire s'était trop fié _____ à sa mémoire.

19 Ma femme s'est précipité _____ vers moi.

20 Ils se sont répété _____ les mêmes injures.

21 La présidente s'est prévalu _____ de son droit de vote.

22 Ces femmes se sont inconsidérément privé _____ de manger.

23 Nos adversaires ne se sont douté _____ de rien.

24 La malheureuse s'est suicidé _____ .

25 Les chevaux se sont cabré _____ .

26 Elles se sont raconté _____ leurs aventures.

27 Votre mère s'est trop soucié _____ de votre santé.

28 Mes cheveux se sont affaissé _____ .

29 Les années se sont succédé _____ , pareilles les unes aux autres.

EXERCICE 6.30

Accordez, s'il y a lieu, les participes passés des verbes pronominaux suivants (règle générale et cas particuliers).

1 Les dettes dont il s'est acquitté _____ étaient lourdes.

2 Ils se sont arrogé _____ le droit de nous critiquer ouvertement.

3 Cette maison, ils se la sont fait _____ construire il y a cinq ans.

4 Ils se sont fixé _____ pour objectif de réussir.

5 Elle s'est laissé _____ servir sans discuter.

6 Les comédiens se sont fait _____ huer.

7 Elle s'est entendu _____ crier dans le noir.

8 Ils se sont laissé _____ prendre au jeu.

9 Il s'est dit _____ beaucoup de choses sur mon compte.

10 La blague qu'elle s'est permis _____ de faire n'a fait rire personne.

11 Le père et la fille se sont longtemps ressemblé _____ .

12 Elle s'est vu _____ obligée de s'excuser publiquement.

13 Elle s'est vu _____ remettre la médaille d'or par la présidente du comité.

14 Elles s'en sont voulu _____ longtemps.

15 Ils se sont vu _____ condamner à une forte amende.

16 Elle s'est senti _____ défaillir et s'est laissé _____ aller.

17 Que de choses il s'est passé _____ en peu de temps !

EXERCICE 6.31

Récapitulation

Faites accorder les participes passés s'il y a lieu.

1 Que de belles journées j'ai passé _____ à la montagne !

2 Les hommes meurent comme ils ont vécu _____ .

3 Des gens qu'on a longtemps cru _____ honnêtes n'étaient en fait que d'habiles escrocs.

4 Combien de victoires ce boxeur a-t-il remporté _____ ?

5 Ils se sont opposé _____ à leurs agresseurs et les ont vaincu _____.

6 Les amis se sont donné _____ rendez-vous au restaurant.

7 Se sont-ils rendu _____ compte qu'ils étaient attendu _____ ailleurs ?

8 Je les ai fait _____ venir pour la fête de ce soir.

9 Les moines, au Moyen Âge, se sont fait _____ les éducateurs des pauvres.

10 C'est une recette que nous avons cru _____ infaillible pendant longtemps.

11 Accablés de fatigue, les voyageurs se sont reposé _____ pendant quelques instants.

12 Les démarches que j'ai voulu _____ faire m'ont été déconseillé _____.

13 Des souffrances, qui n'en a pas enduré _____ ?

14 Il y avait une bière excellente ; nous en avons bu _____ quelques verres.

15 Pendant trois mois, nous nous étions suffi _____ à nous-mêmes.

16 Les bandits se sont attaqué _____ à un camion des postes et des policiers se sont élancé _____ à leur poursuite.

17 De grands efforts sont nécessaires : en avez-vous fait _____ ?

18 Vous les avez laissé _____ partir avec tout votre argent ?

19 Après avoir servi _____ l'apéritif aux invités, ma mère les a fait _____ patienter quelques instants.

20 Après tous les travaux qu'il a fait _____, il mérite bien de se reposer.

EXERCICE 6.32

Récapitulation

Mettez les verbes entre parenthèses au passé composé (ou au temps indiqué) et faites les accords qui s'imposent.

1 Pourquoi ne portes-tu jamais la chevalière que je t' (*offrir*) _____ pour ton anniversaire ?

2 Elle (*revenir*) _____ de son entrevue avec le directeur du journal depuis déjà une heure.

3 C'est à Hélène qu'on (*demander*) _____ d'organiser la réception qui soulignera le lancement du prochain numéro d'*Études littéraires*.

4 Les étudiants (*résoudre*) _____ d'empêcher toute hausse des frais de scolarité.

5 Si tu viens ce soir, je vais te montrer ma dernière acquisition : une chaîne stéréo que j' (*avoir*) _____ pour une bouchée de pain.

6 La nappe sur laquelle j' (*renverser*) _____ un verre de vin, est-ce que tu l' (*apporter*) _____ chez le teinturier ?

7 Ne t'en fais pas, quand elle (*boire*) _____, elle dit n'importe quoi.

8 Jeanne, tu (*voir*) _____ l'émission sur les résidences royales en Pologne dimanche soir ?

9 Vous (*entendre parler*) _____ des terribles incendies de forêt qu'il y (*avoir*) _____ cet été en Provence.

10 Il (*venir*) _____ au moins trois cents personnes au vernissage.

11 Ginette ne (*se rendre compte*) _____ de son erreur qu'à la toute dernière minute.

12 J'ignore vraiment pourquoi ils (*rompre*) _____.

13 Dans cette histoire, elle (*se faire rouler*) _____ incontestablement.

14 La gravure que Jean-Pierre m' (*donner*) _____, je l' (*faire encadrer*) _____ à la boutique que tu m' (*recommander*) _____.

15 Elle ne lui donnait pas toujours toute l'attention qu'il (*vouloir*, conditionnel passé) _____.

16 L'an dernier, plus de 10 000 diplômés (*se disputer*) _____ les 200 postes disponibles au ministère de l'Éducation.

17 Pendant les trois semaines que Lise (*passer*) _____ en Argentine, ils (*se téléphoner*) _____ tous les jours.

18 Les droits qu'il (*s'arroger*) _____ pourraient le mener en prison.

19 Au fil des heures, civils et militaires (*se succéder*) _____ chez le président.

20 Ils (*se plaire*) _____ dès leur première rencontre.

21 Nous (*se rencontrer*) _____, Gilles et moi, au marathon des Deux Rives.

22 Elle ne (*se prévaloir*) _____ pas _____ au bon moment de son droit de réplique et elle (*se repentir*) _____ de cette erreur par la suite.

23 Les ennuis que sa décision nous causait, elle ne (*s'en soucier*) _____ guère.

24 La nouvelle (*se répandre*) _____ très vite.

25 L'algèbre est-elle aussi rebutante que vous (_croire_, plus-que-parfait) _____ ?

26 Je ne regrette aucunement les cinquante mille dollars que la réparation m' (_coûter_) _____ .

27 Personne ne les (_voir_) _____ échanger des coups de feu.

28 Combien de romans de Julien Green (_lire_) _____ -vous _____ ?

29 Cette épreuve a été plus pénible que nous ne l' (_escompter_, plus-que-parfait) _____ .

30 Les deux braves dames (_se voir arrêter_) _____ pour trafic de drogue à l'aéroport de Rome.

31 Elles (_se laisser prendre_, plus-que-parfait) _____ au jeu de l'imposteur.

32 Le peu de sympathie que vous (_montrer_) _____ m'a déçu profondément.

33 Les quatre cents mètres qu'elle (_courir_) _____ en quarante-quatre secondes lui (_valoir_) _____ la médaille d'argent.

34 Pendant les deux heures qu' (_durer_) _____ l'émission, une vingtaine d'annonces publicitaires (_être présenté_) _____ .

35 Cet homme (_acquérir_) _____ une fortune considérable.

36 Songe à tous les dangers qu'elle (_courir_) _____ .

37 Cette maison, je l' (_croire_, plus-que-parfait) _____ toute proche.

38 C'est une caricature plutôt qu'un portrait que vous (_faire_) _____ .

39 Hier soir, chez nos voisins, il (_se passer_) _____ des choses bien étranges.

L'accord de l'adjectif attribut du sujet

Le noyau d'un GAdj remplissant la fonction attribut du sujet reçoit le genre et le nombre du nom noyau du GN sujet ou du pronom sujet :

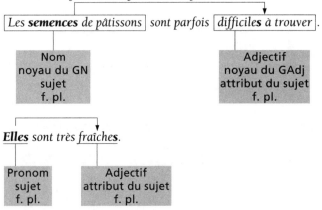

Si **on** est employé dans le sens de *nous* et que le verbe est suivi d'un attribut du sujet, celui-ci s'accorde avec ce que **on** représente :

On est content**s** *de vous voir.*

(Luc et Paul)

On est content**es** *de vous voir.*

(Marie et Lise)

L'accord de l'adjectif attribut du complément direct

Le noyau d'un GAdj remplissant la fonction attribut du complément direct reçoit le genre et le nombre du nom noyau du GN complément direct ou du pronom complément direct :

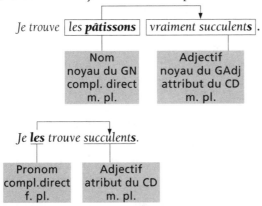

Certains adjectifs peuvent être employés comme adverbes. Ils modifient alors le verbe et sont invariables, comme tous les adverbes :

Andrée mange trop **gras**.

Ces fleurs sentent **bon**.

EXERCICE 6.33

Complétez les phrases suivantes avec les adjectifs entre parenthèses et faites les accords nécessaires. Consultez une grammaire ou le *Multi* au besoin.

1 L'autruche a la tête ainsi que le cou (*garni*) _____ de duvet.

2 C'est une (*fort*) _____ tête, mais nous nous faisons (*fort*) _____ de lui

faire entendre raison.

3 Ils ont tenu (*bon*) _____ .

4 L'un comme l'autre sont (*inutile*) _____ .

5 L'organisation et la synchronisation étaient (*parfait*) _____ .

6 Ne trouvez-vous pas qu'elles sont un peu (*cher*) _____ ? Pour ma part, je trouve

vraiment qu'elles coûtent trop (*cher*) _____ .

7 Son offre a l'air (*sérieux*) _____. (Voir l'article *Air (avoir l'air)* dans le *Multi*.)

8 Elle a l'air un peu (*fatigué*) _____. (Voir l'article *Air (avoir l'air)* dans le *Multi*.)

9 Elles devenaient de plus en plus (*maussade*) _____.

10 J'ai trouvé les petites vraiment (*changé*) _____.

11 Elle paraissait très (*fatigué*) _____.

12 Ils sont demeurés (*fâché*) _____ contre elle.

6.3   LES ACCORDS DANS LE GN

Dans un GN, les accords dépendent du noyau du GN, qui est un nom et qui donne son genre et son nombre à d'autres constituants du GN (déterminant ou adjectif). Le nom est donc donneur de genre et de nombre, alors que le déterminant et l'adjectif sont des receveurs de genre et de nombre.

L'accord du nom

Les noms forment en français une catégorie variée par leur origine et leur sens. Ils partagent néanmoins une caractéristique grammaticale : ils portent en eux un genre et un nombre qu'ils donnent aux autres mots. Bien que le nom ne varie habituellement jamais en fonction des autres mots, il peut varier en fonction du genre et du nombre d'un autre nom. Cela peut se produire notamment lorsqu'un nom est en fonction complément de nom et qu'il désigne une ou des personnes.

Prenons l'exemple suivant :

> *Françoise et Danièle,* **candidates** *au concours provincial de surf sur neige, feront une présentation de leur savoir-faire samedi après-midi.*

Le nom *candidates*, en fonction complément de nom, est féminin pluriel parce qu'il est en relation avec deux noms féminins, *Françoise et Danièle*, noyau du GN.

L'accord de l'adjectif

Règle générale

L'adjectif est un mot variable ; il reçoit son genre et son nombre du nom qu'il complète dans le GN. (Voir le tableau « Adjectif » dans le *Multi*.)

> *Un homme* **gentil** *; des hommes* **gentils***.*
>
> *Une personne* **gentille** *; des personnes* **gentilles***.*

Pour trouver le nom ou le pronom auquel l'adjectif se rapporte, posez la question *Qui est-ce qui est...?* ou *Qu'est-ce qui est...?* devant l'adjectif :

> **Fatiguée** *de sa journée, Sophie s'est endormie dans le fauteuil.*
>
> (*Qui est-ce qui est fatigué ? Sophie.* L'adjectif se met au féminin singulier : *fatiguée.*)
>
> *Sophie a eu une journée vraiment* **fatigante***.*
>
> (*Qu'est-ce qui est fatigant ? La journée.* L'adjectif se met au féminin singulier : *fatigante.*)

Certains adjectifs sont issus du participe passé ou du participe présent d'un verbe. C'est le cas des adjectifs *fatiguée* et *fatigante* dans les exemples ci-dessus. On parle alors d'**adjectifs participes**. Les adjectifs participes s'accordent de la même façon que les autres adjectifs, sauf dans quelques cas particuliers que nous verrons plus loin.

L'adjectif se rapportant à plus d'un nom

Lorsque l'adjectif se rapporte à deux noms, il prend la marque du pluriel :

> *Ce comédien joue avec* **un naturel et un aplomb parfaits***.*

Si l'un des deux noms est féminin, l'adjectif reste au masculin :

> *Ce comédien joue avec* **une justesse et un naturel parfaits***.*

On évitera autant que possible de placer le nom féminin juste avant l'adjectif :

> **Ce comédien joue avec un naturel et une justesse parfaits.*

Si ce n'est pas possible, on peut toujours essayer de remplacer l'adjectif par un autre où le féminin est indifférencié :

> *Ce comédien joue avec un naturel et une justesse* **remarquables***.*

Pour les adjectifs en rapport avec des noms unis par des conjonctions de comparaison (*ainsi que, comme*) ou par la conjonction *ou*, de même que pour les adjectifs en rapport avec des noms synonymes ou en gradation, reportez-vous au *Multi.*

Adjectifs se rapportant à un même nom

Quand deux adjectifs se rapportent de façon distributive à un nom pluriel, il faut bien sûr les laisser au singulier :

> *les fronts* **méridional** *et* **occidental** (un seul front méridional, un seul front occidental)
>
> *les langues* **grecque** *et* **latine** (une langue grecque, une langue latine)
>
> *les* **douzième** *et* **treizième** *siècles*

Mais on écrira :

> **le** *douzième et* **le** *treizième siècle*
>
> (ellipse de *siècle* après *le douzième* : *le douzième siècle et le treizième siècle*)

Adjectifs désignant une couleur

(Voir le tableau « Couleur, adjectifs de » dans le *Multi.*)

De nombreux adjectifs désignant une couleur sont en fait des noms même si dans plusieurs grammaires on parle d'adjectifs de couleur. Le nom employé pour désigner une couleur reste **invariable** :

> *des souliers* **aubergine**
>
> *des bonnets* **turquoise**

Cependant, certains noms de couleur sont devenus, à cause de leur usage répandu, de véritables adjectifs et varient donc en genre et en nombre avec le nom auquel ils se rapportent :

*des chaussettes **roses***

*des chaussures **violettes***

Dès qu'ils sont composés, les adjectifs tout comme les noms désignant des couleurs restent invariables. L'exemple suivant est donc incorrect :

*Je me suis acheté des chaussettes vertes foncées.

Il faut respecter l'invariabilité dans tous les cas :

*Je me suis acheté des chaussettes **vert foncé**.*

*Il a les cheveux **blond cendré**.*

*Elle porte des chaussettes **bleu marine**.*

EXERCICE 6.34

Complétez les phrases suivantes avec les adjectifs entre parenthèses. Consultez une grammaire ou le *Multi* au besoin.

1 Il a soulevé l'ire et l'indignation (*général*) _____.

2 Nous n'avons plus de peinture (*blanc cassé*) _____.

3 L'automne prochain, la mode exploitera toute la gamme des bruns : souliers (*marron*) _____, pantalons (*kaki*) _____ ou (*havane*) _____, chemisiers et chandails (*chocolat*) _____ ou (*tabac*) _____, foulards (*mordoré*) _____, rouges à lèvres (*or*) _____ ou (*bronze*) _____.

4 Vous trouverez ce que vous cherchez dans un magasin de pièces (*détaché*) _____.

5 Sa laideur et son air (*sinistre*) _____ repoussent les gens.

6 J'ai pour vous une estime et une amitié toute (*particulier*) _____.

7 Il a fait preuve d'un courage, d'une intrépidité peu (*commun*) _____.

8 Venez profiter de nos soldes de blanc. Draps de coton (*brodé*) _____ à demi-prix.

9 Il faisait montre d'une politesse, d'une amabilité (*exquis*) _____.

Il existe plusieurs cas particuliers d'accord de l'adjectif. Dans la majorité des cas, il vaut mieux consulter une grammaire ou un dictionnaire plutôt que de mémoriser les règles de cas peu fréquents.

EXERCICE 6.35

En vous aidant des informations données à la fin de chacune des phrases, faites l'accord des adjectifs entre parenthèses.

1 Pourriez-vous commander trois douzaines et (*demi*) _____ de bas ? (Voir l'article *Demi* dans le *Multi*.)

2 La lettre Y est une (*semi*) _____-voyelle. (Voir l'article *Semi* dans le *Multi*.)

3 C'est une situation des plus (*compliqué*) _____. (Voir l'article *Plus* dans le *Multi*.)

4 C'est une personne des mieux (*informé*) _____. (Voir l'article *Mieux* dans le *Multi*.)

5 Nous avons examiné toutes les solutions (*possible*) _____. (Voir l'article *Possible* dans le *Multi*.)

6 En fait, ce que nous voulons surtout, c'est faire le moins de dépenses (*possible*) _____. (Voir l'article *Possible* dans le *Multi*.)

7 Où pourrais-je trouver des valises (*bon marché*) _____? (Voir l'article *Marché* dans le *Multi*.)

8 Il faudrait que vous vous adressiez à une personne (*haut placé*) _____. (Voir l'article *Haut* dans le *Multi*.)

9 Nous pensons aller en voyage dans les îles (*anglo-saxon*) _____. (Voir le *Petit Robert*.)

10 Nous avons eu un voyage des plus (*mouvementé*) _____. (Voir l'article *Plus* dans le *Multi*.)

11 Soyez là à trois heures et (*demi*) _____ sonnantes ! (Voir l'article *Demi* dans le *Multi*.)

12 Il a porté des accusations à (*demi voilé*) _____. (Voir l'article *Demi* dans le *Multi*.)

13 Il fut un temps où les femmes ne se promenaient pas (*nu*) _____-tête, et encore moins les jambes (*nu*) _____. (Voir l'article *Nu* dans le *Multi*.)

14 Petits pois (*extra-fin*) _____. (Voir le *Petit Robert*.)

15 L'entente (*franco-anglais*) _____ concernant le tunnel sous la Manche a été conclue. (Voir le *Petit Robert*.)

16 La question des pluies acides continuera longtemps d'envenimer les relations (*canado-américain*) _____. (Voir le *Petit Robert*.)

17 Les fenêtres (*grand*) _____ (*ouvert*) _____ offraient une vue magnifique sur la mer. (Voir l'article *Grand* dans le *Multi*.)

Cas particuliers d'accord d'adjectifs participes

a) *Attendu, vu, supposé, compris, entendu, passé, excepté, ôté* sont adjectifs, et donc variables, quand ils suivent le nom ou le pronom auquel ils se rapportent :

> *Les enfants exceptés, tout le monde s'est amusé.* (adjectif, s'accorde avec *enfants*)

Toutefois, ils sont invariables lorsqu'ils précèdent immédiatement le nom ou le pronom auquel ils se rapportent, car ils ont alors valeur de préposition :

> *Excepté les enfants, tout le monde s'est amusé.* (préposition)

b) *Ci-joint, ci-inclus* et *ci-annexé* sont invariables quand on leur donne une valeur adverbiale ; ils sont alors placés en tête de la phrase. Ils sont invariables aussi quand ils se trouvent à l'intérieur de la phrase, devant un nom sans déterminant :

> *Ci-joint les documents que vous avez demandés.*
>
> *Vous trouverez ci-joint copie de mon curriculum vitæ.*

L'accord est facultatif lorsqu'ils sont placés à l'intérieur de la phrase devant un nom précédé d'un déterminant :

> *Vous trouverez ci-joint(**s**) les documents que vous avez demandés.*

Ils sont variables quand ils sont placés après le nom ou le pronom auquel ils se rapportent :

> *Veuillez consulter les documents ci-joint**s**.*

c) Pour *étant donné*, l'usage admet l'accord ou l'absence d'accord :

> *Étant donné(**es**) les circonstances, on a décidé de fermer l'école pour la journée.*

EXERCICE 6.36

Accordez, s'il y a lieu, les adjectifs participes contenus dans les phrases suivantes.

1 Ces athlètes ont abandonné au milieu du parcours, vaincu _____ par la fatigue.

2 La note ci-joint _____ contient les informations nécessaires.

3 Passé _____ dix-sept heures, nos bureaux sont fermés.

4 J'aime tous les sports, le hockey et la lutte excepté _____.

5 Il n'achète que des vins d'appellation contrôlé _____.

6 Étant donné _____ les faits rapporté _____ par les témoins, le juge a condamné Claude à dix jours de prison.

7 Cette maison a de superbes planchers de bois verni _____.

8 Veuillez nous faire parvenir le montant de la facture indiqué _____ ci-dessus.

9 Disposé _____ à nous accorder un prêt, la directrice de la banque souhaite nous rencontrer.

10 Vous trouverez ci-inclus _____ photocopie des lettres envoyé _____ à ce monsieur.

11 Vu _____ la grande compétence de cette candidate, nous avons décidé de l'embaucher.

12 Veuillez trouver ci-joint _____ les rapports des évaluateurs.

Participe présent et adjectifs participes

L'adjectif issu d'un participe présent est variable et reçoit le genre et le nombre du nom ou du pronom avec lequel il est en relation. Le participe présent, quant à lui, est invariable et se termine toujours par *ant* :

> *Nous sommes arrivés la journée **précédente**.* (adjectif)
>
> *Nous sommes arrivés la journée **précédant** le concours.* (participe présent)

Les adjectifs dérivés des verbes en *-cre*, en *-guer* et en *-quer* ont toujours une graphie différente de celle des participes présents correspondants :

> *Il vous faudrait des arguments plus **convaincants**.* (adjectif)
>
> *Il a fait un discours magnifique, **convainquant** les plus sceptiques.* (participe présent)

En dehors des adjectifs dérivés de ces trois catégories de verbes, il n'y a pas de règle. On écrit :

> *une personne néglig**en**te*
>
> *une personne oblig**ean**te*

Voici une liste de cas où le participe présent et l'adjectif participe ont des formes différentes.

Verbe	Participe présent	Adjectif participe	(Nom)
converger	convergeant	convergent	(convergence)
déférer	déférant	déférent	(déférence)
différer	différant	différent	(différence)
diverger	divergeant	divergent	(divergence)
équivaloir	équivalant	équivalent	(équivalence)
exceller	excellant	excellent	(excellence)
expédier	expédiant	expédient	(expédient)
influer	influant	influent	(influence)
négliger	négligeant	négligent	(négligence)
précéder	précédant	précédent	(précédent)
somnoler	somnolant	somnolent	(somnolence)

S'ajoutent à cette liste les verbes en *-cre*, en *-guer* et en *-quer*. Les principaux cas sont recensés dans la plupart des grammaires.

EXERCICE 6.37

Complétez les phrases suivantes avec le participe présent du verbe entre parenthèses ou avec l'adjectif ou le nom qui en sont dérivés.

1 La première expérience que l'on fait en physique est celle des vases (*communiquer*)

_____.

2 Vous obtiendrez plus de détails en (*communiquer*) _____ avec M. Duclos.

3 À un certain âge, nombreux sont les élèves qui suivent leurs cours en (*somnoler*) _____

un peu.

4 Attention, ce médicament peut entraîner la (*somnoler*) _____.

5 Quelle journée (*fatiguer*) _____!

6 Le lundi matin, elle faisait le tour du bureau, réprimandant l'un, secouant l'autre, et (*fatiguer*)

_____ tout le monde dès le début de la semaine.

7 Il avait complètement perdu le goût de la vie, (*négliger*) _____ jusqu'à sa précieuse

collection de timbres.

8 Chaque automne le ramenait inchangé, toujours aussi nonchalant, toujours aussi (*négliger*)

_____ de sa femme.

9 Nos dates de passage à Montréal ne (*coïncider*) _____ pas, il nous faut encore une fois

remettre notre rencontre.

10 Quelle (*coïncider*) _____! J'allais justement vous appeler à ce propos.

11 Si vous acceptez une retraite anticipée, vous aurez droit à une prime de départ (*équivaloir*)

_____ à deux ans de salaire.

12 Ces deux cours sont tout à fait (*équivaloir*) _____.

13 C'est d'un ton (*déférer*) _____ qu'il s'adressa au président.

14 Leurs conclusions (*diverger*) _____ complètement, ils demandèrent l'avis d'un troisième

spécialiste.

15 Les deux spécialistes parvinrent à des conclusions totalement (*diverger*) _____.

16 C'était un conteur né, (*exceller*) _____ à vous faire passer les plus longs frissons dans le dos.

17 Ce n'est pas en (*influer*) _____ sur lui que vous aurez gain de cause.

18 Au cours (*précéder*) _____, nous avons traité du nom.

19 (*Précéder*) _____ les voitures officielles, une véritable armée de motocyclistes pétaradaient.

20 Cette décision créa un (*précéder*) _____.

EXERCICE 6.38

Récapitulation

Accordez, s'il y a lieu, les adjectifs entre parenthèses.

1 Avec la révolution (*industriel*) _____, les campagnes se sont vidées.

2 Vous avez tous été vraiment très (*aimable*) _____.

3 *Le, la, les* ne sont pas toujours des déterminants (*défini*) _____; ils peuvent aussi être pronoms (*personnel*) _____.

4 J'ai en vous la confiance la plus (*total*) _____.

5 Il est d'une patience sans (*pareil*) _____.

6 Ses propos étaient des plus (*convainquant, convaincant*) _____.

7 Aucune entente n'a été possible, les deux parties (*différant, différent*) _____ d'opinion.

8 Est-ce au quinzième ou au seizième (*siècle*) _____ qu'a eu lieu la guerre des deux Roses ?

9 J'ai mangé une (*demi*) _____-douzaine d'huîtres (*cru*) _____ et une douzaine et (*demi*) _____ d'huîtres (*cuit*) _____.

10 Quelle bêtise d'annoncer des huîtres (*frais*) _____ ! On espère bien qu'elles ne sont pas (*pourri*) _____ !

11 Il nous a fait une démonstration (*magistral*) _____.

12 L'armée a attaqué en même temps sur les fronts (*occidental*) _____ et (*oriental*)

_____.

13 Ne laissez ni la porte ni la fenêtre (*ouvert*) _____.

14 Mes pantalons (*kaki*) _____ sont chez le nettoyeur.

15 Les garçons, vous criez trop (*fort*) _____.

16 Le total des subventions (*accordé*) _____ aux groupes de défense de l'environnement

cette année est le plus important jamais vu.

17 (*Passé*) _____ huit heures, nous ne servons plus de repas.

18 Il faudrait rassembler le plus de membres (*possible*) _____.

L'accord du déterminant

Comme l'adjectif, le déterminant reçoit son genre et son nombre du nom auquel il se rapporte :

> **le** *potager,* **la** *citrouille,* **les** *petits pois* (déterminants définis)
>
> **son** *ordinateur,* **sa** *voiture,* **ses** *dossiers* (déterminants possessifs)
>
> **ce** *temps-là,* **cette** *fois-là,* **ces** *temps-ci* (déterminants démonstratifs)
>
> **Quel** *homme !* **Quelle** *femme !* **Quels** *beaux enfants !* (déterminants exclamatifs)

6.4 ACCORD DE *TOUT, MÊME, QUELQUE* ET *TEL*

Certains mots présentent des difficultés d'accord parce qu'ils peuvent appartenir à plus d'une classe. En effet, le scripteur doit d'abord reconnaître la classe grammaticale à laquelle ces mots appartiennent avant de procéder ou non à l'accord. C'est le cas notamment des mots *tout*, *même*, *quelque* et *tel*.

Accord de *tout*

(Voir le tableau « Tout » dans le *Multi.*)

a) *Tout* **déterminant**

Tout, déterminant, s'accorde en genre et en nombre avec le nom avec lequel il est en relation. Au singulier, il peut prendre le sens de « chaque » ou de « en entier », alors qu'au pluriel il exprime la totalité du nombre. Il peut précéder immédiatement le nom :

> **Tout** *effort mérite une récompense.*
>
> *En* **toutes** *circonstances, assurez-vous de garder l'anonymat.*

Il peut être séparé du nom par un autre déterminant :

> **Tous mes** *espoirs ont été anéantis.*
>
> **Toute la** *ville en parle.*

Cependant, *tout* reste invariable devant un nom d'auteur ou un nom de ville lorsqu'il désigne l'ensemble des œuvres ou des habitants :

> *Il a lu **tout** Anne Hébert.*
>
> ***Tout** Montréal était au rendez-vous.*

b) *Tout* adverbe

Tout est adverbe et invariable lorsqu'il modifie un adjectif. Il exprime alors l'intensité ou la totalité de la qualité exprimée :

> *Jean et Nicole étaient **tout** heureux de mon malheur.*
>
> *Françoise est **tout** étonnée de la lettre qu'elle a reçue.*

Cependant, seule exception à l'invariabilité des adverbes, *tout* varie devant un adjectif féminin commençant par une consonne ou un *h* aspiré :

> *Elles étaient **toutes** honteuses de leur résultat.*
>
> *Sylvie était **toute** consternée.*

Pour savoir si un *h* est aspiré ou non, il faut consulter un dictionnaire qui donne la transcription phonétique des mots. Ainsi, vous trouverez dans le *Petit Robert*, aux mots *habillé* et *honteux*, les informations suivantes :

> *habillé* [**abije**]
>
> *honteux* [ˈɔ̃tø]

La présence de l'apostrophe ['] au début de la transcription phonétique du mot indique que le *h* est dit « aspiré » et qu'il est l'équivalent d'une consonne. À l'inverse, l'absence de l'apostrophe indique que le *h* est muet et qu'il correspond à une voyelle. Si vous n'avez pas de dictionnaire sous la main, il suffit d'employer le déterminant *le* ou *la* devant ce mot. Si le déterminant s'élide, comme il le ferait devant une voyelle, le *h* est muet :

> ***l'**habit* (non pas **le habit*)

On écrira donc :

> *Elle dort **tout** habillée.*

Si le déterminant ne s'élide pas, comme devant une consonne, le *h* est aspiré :

> ***la** honte* (et non **l'honte*)

On écrira donc :

> *des petites filles **toutes** honteuses*

Devant des noms et des expressions à valeur adjectivale, *tout* est adverbe et invariable :

> *Ils sont **tout** obéissance avec moi.*
>
> *Elle était **tout** yeux **tout** oreilles.*

c) *Tout* devant *autre*

Tout devant *autre* peut être déterminant ou adverbe ; c'est le sens qui nous renseignera sur sa classe. Lorsque l'expression *tout autre* a le sens de « n'importe quel autre », *tout* est déterminant et s'accorde avec le nom qu'il complète :

> ***Toute** autre personne aurait agi différemment.*

Lorsque l'expression *tout autre* signifie « tout à fait autre » ou « tout à fait différent », *tout* est adverbe et invariable :

> *C'est une **tout** autre raison qu'il m'a donnée.*

d) *Tout* pronom

Comme pronom, *tout* prend le genre et le nombre du mot ou du groupe de mots qu'il représente :

> *Les syndiqués se sont-ils réunis hier ? Oui, **tous** étaient présents.*
>
> *Ces femmes ont du courage. **Toutes** ont la charge d'une famille nombreuse.*

Au singulier, il est surtout employé nominalement, c'est-à-dire qu'il ne rappelle pas quelque chose que l'on a évoqué auparavant. Il est toujours masculin :

> ***Tout** est parfait.*
>
> *Chez lui, **tout** respire la joie de vivre.*

EXERCICE 6.39

Dites à quelle classe appartient le mot *tout* dans les phrases suivantes.

1 Tout le groupe était en colère contre moi.

_____

2 Elles étaient tout époustouflées de mon audace.

_____

3 Tout doit être payé la semaine prochaine.

_____

4 Cet enfant est tout pour moi.

_____

5 Tout autre que lui m'aurait invitée à danser.

_____

6 Il a dépouillé tout le courrier.

_____

7 Tout est si passionnant en Alaska.

_____

8 Il est encore tout feu tout flamme à son égard.

_____

9 Je ne porte que des chandails tout laine.

_____

10 Tout enfant doit obéir à ses parents.

_____

EXERCICE 6.40

Complétez les phrases suivantes à l'aide du mot *tout* et faites les accords qui s'imposent.

1 Ce n'est pas parce qu'elle a lu _____ Agatha Christie qu'elle doit se prendre pour

Sherlock Holmes.

2 _____ ses ennuis ont commencé lorsqu'il l'a rencontrée.

3 _____ restèrent médusés devant son accoutrement.

4 Si vous remplissez _____ les conditions, je vous rappellerai.

5 Au début, elle me parlait _____ gentiment, maintenant, elle est _____

autre.

6 J'ai _____ confiance en lui.

7 _____ les livres ont volé dans les airs. J'en suis encore _____ remuée.

8 _____ étonnée, madame Lambert accepta le colis.

9 D'où viennent Claire et Lucie ? Elles sont _____ hâlées !

10 Elle en est restée _____ hébétée.

11 _____ vos caprices commencent à m'énerver.

12 _____ calorie vide doit être évitée.

13 J'ai frappé à _____ les portes.

14 Enfin, _____ est fini !

Accord de *même*

(Voir l'article *Même* dans le *Multi.*)

a) *Même* déterminant

Même est déterminant et variable lorsqu'il se rapporte à un nom ou à un pronom (auquel il est joint par un trait d'union) et qu'il désigne l'identité ou la ressemblance :

> *Elle portait les **mêmes** vêtements que sa sœur.*

> *Elles se fient trop à elles-**mêmes**.*

b) *Même* adverbe

Même est adverbe et invariable lorsqu'il a le sens de « aussi », « de plus », « jusqu'à ». Il peut modifier

– un nom :

> ***Même** les **histoires** de fantômes ne lui faisaient pas peur.*

> *Les hommes, les femmes, les **enfants même** furent massacrés.*

– un adjectif :

> ***Même** épuisés, les soldats n'arrivaient pas à dormir.*

– un verbe :

> *Ils hurlaient, **piaffaient même**.*

c) *Même* pronom

Même pronom ne se rencontre qu'avec le déterminant défini *le*, *la* ou *les* et est généralement attribut :

> *Ce sont **les mêmes** qui ont assassiné mon père.*

EXERCICE `6.41`

Donnez la classe du mot *même* dans les phrases suivantes.

1 Même le couronnement de la reine ne l'a pas intéressé.

_____

2 Il raconte toujours la même histoire.

_____

3 Il tiendra probablement à faire le travail lui-même.

_____

4 Ce sont les mêmes qui ont tout fait.

_____

5 C'est la même qui m'a répondu.

_____

6 C'est le même règlement pour tout le monde.

_____

7 Même le chien ne voudrait pas y goûter.

_____

8 Même heureuse, elle a toujours cet air renfrogné.

_____

9 Il est même arrivé à nous faire croire qu'il avait eu un accident.

_____

10 Je ne crois qu'en moi-même.

_____

EXERCICE 6.42

Complétez les phrases suivantes à l'aide du mot *même* et accordez-le lorsque c'est nécessaire.

1 _____ déchaînés, la mer et le fleuve étaient pour lui des alliés.

2 Parfois, ils arrivaient _____ à faire des profits.

3 J'éprouvais envers elle les _____ sentiments qu'envers ma mère.

4 Quel enfant désabusé ! Les funambules, les acrobates, les femmes à barbe _____ ne l'impressionnent pas.

5 _____ vos chaussettes sont boueuses.

6 Ils ont construit eux-_____ leur maison.

7 J'espère _____ qu'ils seront pénalisés pour ce qu'ils ont fait.

8 Ce sont ces bijoux _____ qui m'ont été volés.

9 _____ mûrs, ces avocats sont indigestes.

10 Madame, c'est vous-_____ qui me l'avez proposé.

Accord de *quelque, quel que, quelque... que*

(Voir les tableaux « Quel » et « Quelque » dans le *Multi*.)

a) *Quelque* déterminant

L'orthographe de *quelque* présente des difficultés particulières du fait qu'à l'oral il se confond avec le déterminant *quel* suivi de *que*.

Quelque est déterminant et s'écrit en un seul mot lorsqu'il a le sens de « un certain » au singulier et de « un petit nombre » au pluriel. Il s'accorde avec le nom auquel il se rapporte :

> *Il a joué **quelque** personnage ténébreux dans cette pièce.*

> *J'ai apporté **quelques** fruits pour le dessert.*

Quel que s'écrit en deux mots lorsqu'il est accompagné d'un verbe attributif au subjonctif (généralement *être*, parfois précédé des verbes semi-auxiliaires tels *devoir*, *pouvoir*). Il signifie « peu importe » et s'accorde avec le nom qu'il caractérise par l'intermédiaire du verbe :

> ***Quelles que** soient les difficultés, j'y arriverai.*

> ***Quel que** soit votre problème, n'hésitez pas à m'appeler.*

b) *Quelque* adverbe

Quelque est adverbe et par conséquent invariable lorsque, placé devant un nombre, il a le sens de « environ » :

> *Ils ont invité **quelque** deux cents personnes à leur mariage.*

> *Les **quelque** quinze kilomètres que nous avons parcourus m'ont épuisé.*

EXERCICE 6.43

Complétez les phrases suivantes avec *quelque* ou *quel que*, que vous accorderez s'il y a lieu.

1 Rendez-vous dans _____ heures devant le chalet des Poulin !

2 J'aime les enfants, _____ ils soient.

3 Il y aura _____ cent questions à l'examen.

4 Nous avons reçu _____ centaines de lettres.

5 _____ fillettes s'amusaient sur la plage.

6 Depuis _____ temps, les lapins ne touchent plus aux carottes.

7 _____ soit l'heure, vous êtes toujours attendu chez moi.

8 Que veux-tu que je fasse de ces _____ poireaux rachitiques ?

9 _____ soient vos récriminations, je n'y accorde aucun intérêt.

10 Ce poulet pèse _____ huit cents grammes.

c) L'expression *quelque... que*

Dans l'expression *quelque... que*, toujours suivie du subjonctif, *quelque* s'écrit en un seul mot. *Quelque* est adverbe et invariable devant un adjectif ou un autre adverbe s'il a le sens de « si » ou de « aussi » :

> ***Quelque*** *repentis* ***qu'***'ils soient, je ne leur ferai plus confiance.*
>
> ***Quelque*** *prudemment* ***qu'***'il conduise, je m'en méfie.*
>
> (Autrement dit : *même s'ils sont repentis..., même s'il conduit prudemment...*)

Il est déterminant et variable devant un nom, que ce nom soit précédé ou non d'un adjectif, lorsqu'il a le sens de « peu importe » :

> ***Quelques*** *vêtements* ***qu'***'il porte, il a toujours l'air ridicule.*

EXERCICE 6.44

Complétez les phrases suivantes avec l'expression *quelque... que* et faites les accords qui s'imposent.

1 _____ importantes _____ soient vos raisons, vous resterez jusqu'à la fermeture.

2 _____ raisons _____ vous évoquiez, vous resterez jusqu'à la fermeture.

3 _____ agréables _____ soient vos manières, vous n'en faites toujours qu'à votre tête.

4 _____ joliment _____ vous vous habilliez, il n'en demeure pas moins que vous dilapidez mon argent.

5 _____ sentiments _____ vous ressentiez à son égard, ne les laissez jamais paraître.

EXERCICE 6.45

Complétez les phrases suivantes avec le mot ou l'expression qui convient et faites les accords qui s'imposent.

1 Il ne reste plus que _____ paysans dans cette communauté.

2 _____ soient les bénéfices que me procurera cette affaire, j'en subirai aussi _____ ennuis.

3 Il a accumulé _____ cent cinquante points à la dernière compétition.

4 Il faut s'attendre à _____ bêtise de sa part.

5 _____ beignes traînaient sur la table. _____ rassis

_____ ils fussent, je les dévorai avec avidité.

6 _____ fragiles _____ elles soient, les femmes sont plus résistantes

que les hommes.

7 Dans _____ minutes, cette bombe va exploser.

8 _____ soient vos maladresses, je vous les pardonne à la condition que vous me rendiez

_____ services.

9 A-t-il encore _____ espoir de la changer ?

10 Est-ce que quelqu'un a dit que l'accord de *quelque* présentait _____ difficultés ?

Accord de *tel*, *tel que* et *tel quel*

(Voir le tableau « Tel » dans le *Multi*.)

C'est seulement lorsque *tel* et *tel que* établissent une comparaison entre deux termes que l'on peut hésiter dans l'accord : avec lequel des deux termes s'accordent-ils ? Avec celui qui précède ou avec celui qui suit ?

En fait, la règle est simple : *tel* s'accorde avec le nom qui le suit et *tel que* s'accorde, dans la majorité des cas, avec celui qui le précède :

> **Telle** *une hirondelle, le petit Nicolas s'envola sous les yeux de sa mère.*
>
> *Hélène ondulait dans l'eau* **tel** *un serpent de mer.*
>
> *Il n'attrapait que des insectes* **tels que** *les libellules.*
>
> *On en a fait plusieurs traductions* **telles que** *Le rendez-vous manqué.*

Autrement, c'est-à-dire lorsque *tel* caractérise un seul objet, il s'accorde avec lui :

> **Telle** *avait été ma destinée.* (attribut du sujet)
>
> *Je la croyais* **telle**. (attribut du CD)
>
> **Telle quelle**, *cette robe ne me plaît pas ; ajoutez-lui un jabot.* (complément du nom)

EXERCICE 6.46

Accordez correctement *tel*, *tel que* et *tel quel* dans les phrases suivantes.

1 Il adore les mollusques _____ les moules et les huîtres.

2 Je t'avais pourtant demandé de laisser mes livres _____.

3 Lucie sautait de roche en roche _____ un crapaud.

4 _____ sont les recommandations de votre oncle.

5 Le ballon monta au ciel _____ une fusée.

6 Charmante et détendue : _____ était Claire avec ses intimes.

7 J'ai besoin que l'on me reconnaisse _____ je suis réellement.

8 _____ un phare, l'étoile nous guidait à travers champs.

9 Il a dit que les fruits _____ la tomate et l'avocat sont de nature hybride.

10 Des grammaires _____ le *Précis* sont-elles vraiment utiles aux étudiants ?

Voici une série d'exercices qui vous permettront de revoir l'ensemble des règles d'accord de *tout*, *même*, *quelque* et *tel*. Relisez les explications au besoin et n'hésitez pas à consulter une grammaire ou le *Multi*.

EXERCICE 6.47

Complétez les phrases suivantes à l'aide de *tout* correctement accordé.

1 Essayez de relever _____ les erreurs.

2 _____ Sherbrooke était en émoi.

3 _____ endimanchée, Suzanne trottinait derrière ses parents.

4 Nous avons atteint notre objectif : ils ont _____ répondu à notre appel.

5 _____ générosité cache un sentiment de culpabilité.

6 Depuis qu'elle est revenue de Grèce, Hélène est _____ resplendissante.

7 _____ autre employée aurait profité de l'occasion.

8 Il me regarda avec ses yeux de vieillard, des petits yeux _____ humides.

9 Vous devez remettre à l'agent _____ vos effets personnels.

EXERCICE 6.48

Complétez les phrases suivantes à l'aide de *même* correctement accordé.

1 _____ timides, les enfants sont toujours spontanés.

2 Il nous a servi les _____ balivernes qu'à toi.

3 Ils ont protesté et sont _____ allés jusqu'à prétendre que vous aviez monté toute l'affaire.

4 Ils vous diront eux-_____ ce qui ne va pas.

5 Ce sont ces produits _____ qui ont provoqué l'explosion.

6 _____ ses proches souhaitent son départ.

EXERCICE 6.49

Quelque, quel... que et *quelque... que* : utilisez la locution ou le mot qui convient dans les phrases qui suivent et faites les accords qui s'imposent.

1 _____ soit la subvention que l'on m'accordera, j'irai au colloque l'été prochain.

2 Venez vers les sept heures ; je reçois _____ collègues à souper.

3 Ajoutez _____ pruneaux à l'armagnac et le menu sera complet.

4 _____ gentils qu'ils soient, leurs manières laissent à désirer.

5 Il a fait _____ trente degrés Celsius cette nuit.

6 Madame a reçu hier soir _____ mystérieux visiteur ; n'en dites surtout rien à Monsieur.

7 _____ habiles ménagères réussissaient à lui soustraire de la farine et des œufs.

8 _____ soit son ambition, elle ne réussit pas à terminer ce doctorat.

9 _____ ambitieuses qu'elles soient, elles ont de la peine à terminer leur doctorat.

EXERCICE 6.50

Complétez les phrases suivantes à l'aide de *tel, tel que* ou *tel quel* et faites les accords qui s'imposent.

1 Il est certain que les patients qui ont subi des interventions chirurgicales rapprochées développent une accoutumance à des drogues _____ la morphine.

2 J'ai levé les yeux et j'ai aperçu Marie et Lise suspendues, _____ de petits singes, aux branches du peuplier.

3 Si vous n'acceptez pas cette marchandise _____, je vous poursuis pour n'avoir pas respecté votre contrat.

4 _____ un cadavre, Chantal était allongée sur la grève ; aucun souffle ne semblait soulever sa poitrine.

5 À 85 ans, ma mère était restée _____ elle avait toujours été : enthousiaste, optimiste et débordante d'énergie.

6 Des surprises _____ celles-là, je m'en passerais bien !

LE LEXIQUE

L'ÉVOLUTION DES MOTS

Le lexique, c'est l'ensemble des mots d'une langue donnée, la banque des mots existant dans cette langue, en quelque sorte. Les mots décrivent la réalité et, comme celle-ci évolue, le lexique français, comme celui de toutes les langues, est en perpétuelle évolution. Tout mot est en effet susceptible de se charger de sens nouveaux ; certains mots disparaissent de l'usage, d'autres apparaissent...

L'histoire du vocabulaire, c'est en fait celle de l'adaptation constante des outils d'expression à la pensée. Les mots vieillissent, s'usent ; leur valeur expressive peut s'atténuer ou se modifier, ce qui provoque parfois leur remplacement par des mots nouveaux, décrivant mieux les réalités nouvelles qu'on cherche à désigner. C'est avant tout cette nécessité d'exprimer des idées nouvelles ou de décrire des objets nouveaux qui sert de moteur à l'évolution du lexique et contribue à son « rajeunissement », soit par la création de mots, soit par l'adaptation de mots déjà existants.

Personne ne peut prétendre posséder tout le lexique français. Chacun puise dans cette banque les mots dont il a besoin et en maîtrise de ce fait une partie seulement. Il suffit d'ouvrir un dictionnaire et d'en lire ne serait-ce qu'une page pour mesurer son ignorance (mais aussi pour se rassurer sur ses compétences !). L'apprentissage du lexique n'est de toute façon jamais terminé : toute sa vie on apprendra de nouveaux mots et on butera sur des mots inconnus qu'on apprendra à connaître et à utiliser.

Il faut par ailleurs faire la distinction entre le vocabulaire actif et le vocabulaire passif. Le vocabulaire actif, c'est le vocabulaire qu'on utilise régulièrement et qu'on maîtrise donc bien. Tout le monde possède aussi ce qu'on appelle un vocabulaire passif, c'est-à-dire des mots qu'on connaît, qu'on reconnaît lorsqu'on les voit écrits, dont on peut définir le sens, mais qu'on n'utilise pas forcément. C'est souvent le vocabulaire qu'on acquiert en lisant. Ne dit-on pas que les gens qui lisent beaucoup ont en général un vocabulaire plus étendu que celui de ceux qui lisent moins ?

En matière de vocabulaire, ce qui compte, c'est bien sûr de connaître le plus grand nombre possible de mots, mais ce n'est pas tout ! Il faut aussi savoir que les mots ont souvent plusieurs sens, plusieurs utilisations possibles. Combien, par exemple, connaissent toute la richesse du simple verbe *faire*, qui occupe près de deux pages dans le *Petit Robert* ?

Dans la première partie de ce chapitre, nous ferons le tour des différents modes de formation des mots. Cet apprentissage n'est pas une fin en soi ; au contraire, il vise à vous aider à comprendre des mots que vous voyez ou entendez pour la première fois ou encore que vous connaissez mal. Il vous aidera aussi à trouver par raisonnement le mot que vous cherchez ; en somme, il vous mettra en position de force devant le lexique français.

7.1 L'ORIGINE DU FRANÇAIS

Depuis quand la langue française existe-t-elle ? Ou depuis quand parle-t-on d'une langue française, puisqu'elle n'est pas apparue d'un seul coup ? On sait qu'elle est née sur le territoire français, autrefois la Gaule. Remontons un peu le cours des siècles.

Tous ceux qui connaissent *Astérix* ont déjà entendu parler de la Gaule, des Gaulois et de la présence des Romains en Gaule. Tout cela est vrai : aux environs de l'an 50 avant l'ère chrétienne, les Romains conquirent la Gaule et y introduisirent le latin. Conséquence de la colonisation romaine, les villes, où affluaient colons, commerçants et fonctionnaires, devinrent avec le temps toutes latines. À partir des villes, l'usage de la langue des conquérants se diffusa peu à peu dans toute la Gaule. Si la romanisation de la Gaule fut progressive, elle n'en fut pas moins efficace : au Ve siècle de notre ère, le latin avait complètement supplanté les anciens dialectes gaulois.

Le latin dont est issu le français était le latin parlé par la population, latin dit « vulgaire » (ou populaire). Le latin ne survécut cependant pas longtemps tel quel sur le territoire gaulois. Par suite de la désintégration de l'Empire romain à la fin du Ve siècle, le latin se scinda en plusieurs idiomes (dont le roman, ancêtre du français) qui sont devenus les langues romanes qu'on connaît aujourd'hui : le français, l'italien, l'espagnol, le roumain et le portugais.

Issu donc de cette « décomposition » du latin vulgaire à la fin du Ve siècle, le français s'élabora ensuite lentement, aux temps troubles des monarchies françaises. Le dialecte de l'Île-de-France (la région parisienne), qui était le français parlé par la royauté, devint la langue dominante. Au fil des siècles, le français continua de se transformer pour devenir la langue que nous connaissons aujourd'hui. Cette évolution se poursuit et ne cessera jamais : si aujourd'hui on lit avec peine le français du XVIe siècle, consolons-nous en nous disant que, dans quatre siècles, nos descendants ne nous liront sans doute pas plus facilement...

Le fonds primitif

Le français étant une langue romane, c'est-à-dire résultant de l'évolution et de la transformation phonétique graduelle du latin introduit en Gaule par les Romains, l'essentiel de son lexique est d'origine latine. C'est le cas, entre autres, de la majorité des déterminants, pronoms, prépositions et conjonctions, et des mots les plus courants.

Un petit nombre de mots gaulois (environ 450) ont survécu à l'invasion romaine, se sont intégrés à ce fonds primitif latin et ont évolué avec lui : *chêne*, *bouleau*, *ruche* et *charrue*, par exemple, nous viennent du gaulois.

À ce fonds primitif latin se sont également ajoutés des mots d'origine germanique empruntés soit par le latin vulgaire, avant les invasions germaniques, soit par le latin parlé en Gaule au moment de ces invasions, au Ve siècle. *Balle*, *barrière*, *gibier*, *gagner* et *brochet* sont quelques-uns des mots d'origine germanique qui ont ainsi contribué à la formation du lexique primitif.

Les emprunts légitimes

Tous les mots du lexique français ne sont pas d'origine gauloise, latine ou germanique. Le français s'est aussi annexé des termes empruntés à d'autres langues avec lesquelles il s'est trouvé en contact au cours de son histoire.

Les langues classiques (latin et grec)

À partir du XIIᵉ siècle, le français a emprunté des mots au latin écrit, dit « savant » ou « classique ». Ces mots ont ceci de particulier qu'ils n'ont pas suivi l'évolution phonétique des mots empruntés au latin vulgaire et qui constituent le fonds primitif. On les a en effet transposés directement dans la langue française en se contentant de franciser leurs terminaisons. *Naviguer*, *fragile*, *priorité* sont des exemples de ce type d'emprunt.

L'influence du latin a été particulièrement forte aux XVᵉ et XVIᵉ siècles, époque où le latin classique était très prestigieux. On a continué par la suite d'emprunter des mots au latin, notamment dans le domaine des sciences.

Le grec a lui aussi beaucoup influencé le français, surtout à partir du XIVᵉ siècle. Son influence s'est particulièrement fait sentir dans le domaine des sciences, mais aussi dans le vocabulaire de la philosophie et dans celui de la médecine. *Hygiène*, *hypothèse* et *symptôme* sont des exemples d'emprunts faits au grec.

Encore aujourd'hui, des préfixes et des suffixes empruntés au grec et au latin servent à la formation de mots nouveaux. Ainsi, *-al*, *-ation* et *-ateur* sont d'origine latine ; *télé-*, *-graphie* et *-logie* viennent du grec. Nous étudierons les éléments de formation grecs et latins en détail un peu plus loin dans ce chapitre.

Les langues vivantes

L'italien (du XIVᵉ au XVIIᵉ siècle) et l'anglais (à partir du XVIIIᵉ siècle) ont eu une influence considérable sur le français. À l'italien, on doit des mots tels que *balcon*, *bouffon*, *carnaval* et *vedette*. L'anglais a donné des mots comme *vote*, *clown*, *handicap* et *chèque*.

Le français a également emprunté à l'allemand (*choucroute*, *fauteuil*), à l'espagnol (*guitare*, *moustique*), à l'arabe (*alcool*, *chiffre*), au flamand et au néerlandais (*boulevard*, *matelot*), au portugais (*banane*, *acajou*), etc.

Les emprunts critiqués

Comme nous venons de le voir, le français a emprunté des mots à plusieurs langues à travers les siècles. Ces emprunts sont légitimes et utiles, puisqu'ils permettent à notre langue d'évoluer. Si, par le passé, les langues occidentales ont emprunté au grec et au latin, puis au français, lequel a longtemps été la langue de prestige dans le monde occidental, aujourd'hui, c'est l'anglo-américain qui domine. Il est donc normal que le français moderne emprunte à l'anglais, langue du commerce et des sciences, comme autrefois l'anglais a emprunté au français à la suite de la conquête de l'Angleterre par les Normands au XIᵉ siècle. Mais alors pourquoi parle-t-on tellement d'anglicismes si emprunter ne représente pas une faute en soi ? Jusqu'où, dans quelles circonstances, l'emprunt est-il justifiable ? Abordons la question sous l'angle pratique.

Faites-vous une différence entre les deux phrases suivantes ?

> *Hier soir, j'ai écouté un excellent concert de jazz.*
>
> *Passez-moi votre *lighter s'il vous plaît.*

Jazz est un mot anglais qui désigne une réalité, à l'origine, américaine. *Jazz* est donc venu enrichir la langue française en exprimant une réalité nouvelle qu'aucun mot ne représentait encore. **Lighter*, au contraire, est emprunté indûment, puisque son équivalent, *briquet*, existe dans notre langue.

Il faut donc bien faire la distinction entre emprunts légitimes (mots français d'origine anglaise) et anglicismes (emprunts non justifiés).

Quand un Français dit qu'il a pris un vol *charter et qu'il a payé son billet avec un *traveller's check, il commet des anglicismes de la même manière que le Québécois ou le Canadien français qui est *down parce que son *chum a été *slacké par le *boss. En Amérique du Nord, comme nous sommes entourés d'anglophones, nous risquons davantage d'utiliser à notre insu des anglicismes. Il faut savoir que les anglicismes se trouvent un peu partout et qu'ils sont de plusieurs types. En effet, outre les anglicismes vus plus haut (on les appelle des anglicismes lexicaux), il existe des anglicismes orthographiques (*exercise au lieu d'exercice), des anglicismes de prononciation (le mot zoo prononcé *[zu] comme dans genou plutôt que [zo] comme dans eau), des calques de structure (*être responsable pour au lieu d'être responsable de), des anglicismes de sens (définitivement utilisé dans le sens de assurément). Dans le chapitre 11 consacré aux écarts lexicaux, vous verrez ces différents problèmes dans le détail. Pour l'instant, revenons à l'histoire des mots dans notre langue et étudions la façon dont ils se forment.

7.2 LA FORMATION DES MOTS

Dès qu'apparaît une nouvelle réalité, le besoin de la nommer se fait pressant. Tout mot nouveau qui apparaît ainsi dans la langue est un néologisme. Il en existe deux types : les néologismes lexicaux et les néologismes sémantiques. Les premiers correspondent à de véritables créations de mots nouveaux ; les seconds sont créés simplement en donnant un sens nouveau à un mot qui existe déjà dans la langue (le mot menu en informatique, par exemple). Les néologismes sont un phénomène tout à fait normal dans l'évolution d'une langue : ils témoignent de sa vitalité et assurent sa survie. Car si des mots nouveaux apparaissent (disquette, micro-ondes, magnétoscope), d'autres disparaissent ou tombent en désuétude (gramophone, moult). On ne doit pas cependant tomber dans le travers qui consiste à créer des mots nouveaux par inflation verbale : on enrichit alors ce qu'on appelle la langue de bois. Il n'y a aucune raison de créer des mots quand la réalité désignée possède déjà un terme pour l'exprimer.

Toute création de mots nouveaux doit obéir à des règles de formation bien établies. Quelles sont ces règles ? Outre les emprunts faits à d'autres langues, dont nous venons de parler, les principaux modes de formation des mots sont la **dérivation** et la **composition**. Ces deux procédés sont à la base de la formation de nombreux mots en français, particulièrement dans le domaine des sciences et de la technologie, secteur très productif dans la création de néologismes.

La **dérivation** est le procédé qui consiste à former un mot nouveau en ajoutant à un mot un élément qui n'est pas lui-même un mot et qui en modifie le sens. On appelle cet élément **préfixe** lorsqu'il se place au début du mot et **suffixe** lorsqu'il se place à la fin du mot. Au verbe fermer, par exemple, on peut ajouter le préfixe re- pour former **re**fermer ; au nom accident, on peut ajouter le suffixe -el pour former l'adjectif accident**el**.

On parle aussi de dérivation, ou de dérivation impropre, quand on forme un mot nouveau par simple changement de classe grammaticale d'un mot déjà existant. L'adjectif beau et le verbe manger, par exemple, se sont adjoint des noms (le beau, le manger) par dérivation.

La **composition**, quant à elle, est le procédé qui consiste à créer un mot nouveau en combinant des mots existant déjà. Le résultat donne ce qu'on appelle les mots composés. Par exemple, appui-tête résulte de la combinaison du verbe appuyer et du nom tête, et pomme de terre résulte de la combinaison des noms pomme, terre et de la préposition de. Les mots-valises, qui résultent en général du « collage » de la partie initiale d'un mot avec la partie finale du second, sont critiqués par certains grammairiens en raison de leur construction « sauvage ». En effet, si un mot comme *abribus* combine des éléments signifiants (abri + bus), ce n'est pas le cas des mots comme *didacticiel* (didacti[que] + [logi]ciel) ou *courriel* (courri[er] + él[ectronique]). Ce mode de formation a cependant une forte valeur ludique, ce qui en fait un procédé prisé en création littéraire et en publicité, notamment.

Il existe une autre forme de composition, qu'on appelle savante parce qu'elle consiste à combiner des mots (ou racines) grecs ou latins pour obtenir un mot nouveau. Le mot *vermifuge*, par exemple, se décompose en *vermi-* et *-fuge*, qui viennent des mots latins *vermis* (ver) et *fugare* (éloigner). Le sens du mot *vermifuge* résulte de cette combinaison ; *vermifuge* signifie donc « qui éloigne les vers ».

Si la dérivation et la composition permettent de deviner le sens des mots qu'on ne connaît pas (à condition, bien sûr, de connaître les principales racines grecques et latines), certains autres modes de formation ne le permettent pas toujours : pensons par exemple aux acronymes régionaux. Un étranger, même francophone, ne saisira pas le sens du mot *cégep*, acronyme du syntagme *collège d'enseignement général et professionnel*. Et qui, au Canada, devinera qu'en France un *smicard* est une personne touchant le SMIC, *salaire minimum interprofessionnel de croissance* ? En revanche, plus personne aujourd'hui ne s'interroge sur le mot *sida*, pourtant acronyme de *syndrome d'immunodéficience acquise*.

Dans la suite de ce chapitre, vous allez vous familiariser davantage avec les deux principaux modes de formation des mots, la dérivation et la composition, qui sont à la base d'une grande partie du lexique français. Vous approfondirez ainsi votre connaissance des formants grecs et latins.

La dérivation

Un mot formé par dérivation peut se décomposer en éléments, qui sont la **base** (aussi appelée **racine** ou **radical**), le ou les **préfixes** et le ou les **suffixes**.

La base

La base, c'est l'élément fondamental du mot ; elle contient l'idée générale commune à toute une famille de mots. Considérez les mots suivants :

fin, final, finale, finalement, finaliste, finir, finalité, finition, finissant

On sent bien qu'il y a un élément commun à tous ces mots, une sorte de parenté entre eux. Ce qu'il y a de commun entre ces mots, c'est la base *fin* : elle crée la parenté de sens entre les mots et est de ce fait le noyau de cette famille de mots. On appelle d'ailleurs *famille de mots* l'ensemble des mots formés à partir d'un même mot, d'une même base. En voici un exemple :

arme, armer, armée, armement, armure, armurier, armet, armoire, armoiries, armoriste, armorial, armateur, armature, désarmer, désarmement, alarme, alarmer, alarmant, alarmiste, armistice, etc.

Vous connaissez beaucoup de ces mots, sans pour autant savoir que *alarme* et *armoiries*, par exemple, appartiennent à la même famille de mots. C'est pourtant le cas, car tous ces mots viennent du latin *arma* qui a donné *arme*, base de cette famille de mots.

Dans les deux familles de mots précédentes, les bases *fin* et *arme* ne subissent pas d'altérations. La plupart du temps, cependant, la base prendra des formes différentes à l'intérieur de la famille de mots. Examinez, par exemple, la famille de mots suivante :

> *école, écolier, scolaire, scolarité, scolariser, scolarisation, scolastique, auto-école,*
> *navire-école*, etc.

Certains des mots de cette famille ont *école* pour base, d'autres ont *scol*, qui n'est qu'une forme différente de *école*.

Prenons maintenant l'exemple de la famille de mots suivante :

> *peuple, population, peuplade, popularité, populaire, peupler, dépeupler, peuplement, public*, etc.

On y trouve trois bases différentes par la forme, mais équivalentes sur le plan du sens : *peupl*, *popul*, *publ*.

Il faut toutefois distinguer entre **famille de mots** proprement dite (ou famille étymologique) et **champ sémantique** d'un mot. Une famille de mots est formée de dérivés et de composés issus d'une base commune, ayant la même origine. Ainsi, les mots

> *cœur, écœurer, écœurement ; cordial, cordialité, cordialement ; accord, accorder, accordéon, accordeur,*
> *accordailles ; concorde, concorder, concordance, concordant, concordataire ; discorde, discordant,*
> *discordance ; miséricorde, miséricordieux ; raccord, raccorder, raccordement ; courage, courageux,*
> *courageusement ; décourager, décourageant ; encourager, encourageant, encouragement*, etc.

appartiennent tous à la même famille de mots, ou famille étymologique. La base de la famille prend trois formes, *cœur*, *cord* et *cour*, toutes trois issues du latin *cor*. L'origine *cor* est donc la même pour tous ces mots, et c'est pourquoi on dit qu'ils forment une famille.

Si on cherche maintenant l'origine des mots

> *cardiaque, cardiogramme, cardiographie, cardiologie, cardiologue, électrocardiogramme, endocarde,*
> *myocarde, péricarde, tachycardie*, etc.

on découvrira que la base *card* ou *cardio* est issue celle-là du grec *kardia*, qui signifie « cœur ». Ces mots ne peuvent donc se rattacher à la famille étymologique précédente puisque leur origine n'est plus la même. Ils forment ainsi une famille étymologique indépendante de celle de *cœur*.

Cependant, si ces deux familles sont différentes du point de vue de l'étymologie (origine), on peut dire qu'elles sont apparentées par le sens, le latin *cor* et le grec *kardia* signifiant tous deux « cœur ». Les deux familles étymologiques forment ensemble une **famille de sens** ; c'est ce qu'on appelle le **champ sémantique** d'un mot. En voici un autre exemple :

1. *enfant, enfance, enfantin, enfantillage, infantile, infanticide*, etc. (base *enfan* ou *infant*, du latin *infans, infantis*, qui signifie « enfant »)

2. *puéril, puérilité, puériculture, puerpéral, puérilement*, etc. (base *puer* ou *puéri*, du latin *puer, pueris*, qui signifie « enfant »)

3. *poupon, poupée, pouponner, pouponnière* (base *poup*, du latin *pupa* ou *pupus*, qui signifie « petit enfant »)

4. *pédagogie, pédiatrie, pédophile, psychopédagogie, orthopédie, orthopédiste, pédéraste*, etc. (base *péd* ou *pédo*, du grec *pais* ou *paidos*, qui signifie « enfant, jeune garçon »)

Ces quatre familles étymologiques forment un champ sémantique autour du mot *enfant*.

Dans un sens plus large, le champ sémantique (parfois appelé champ lexical) se définit aussi comme un ensemble de termes relevant d'un thème ou d'un cadre particulier. On peut ainsi bâtir le champ sémantique des termes de l'habitation (*maison, auberge, cabane, hutte, igloo,* etc.) ou encore celui des mots décrivant l'habitant canadien-français dans les romans d'un écrivain donné.

Les préfixes

Les préfixes sont des éléments qu'on place devant un mot pour en modifier le sens. Si, par exemple, on cherche à dire le contraire de *acceptable,* on ajoutera le préfixe *in-* pour obtenir **in**acceptable. Le préfixe *in-* ajoute donc une idée de négation, de contraire, au mot *acceptable.* De même, on pourra modifier le sens du verbe *coudre* en utilisant des préfixes : **dé**coudre, **re**coudre.

Les préfixes français sont d'origine latine ou grecque. Vous trouverez une liste des principaux préfixes dans le *Multidictionnaire de la langue française (Multi)* ; dans le *Nouveau Petit Robert (PR),* les préfixes figurent dans la nomenclature principale. Ce qu'il faut retenir, c'est que les préfixes ont un **sens** qui s'ajoute, en quelque sorte, au sens donné par la base du mot.

Il faut bien voir également que le même préfixe peut prendre différentes formes tout en gardant le même sens. Dans les mots

> **ir**réalisable, **in**compétent, **il**lisible, **im**moral

les préfixes *ir-, in-, il-* et *im-* ajoutent tous aux adjectifs une idée de négation : qui « n'est pas » réalisable, compétent, lisible, moral. Ces quatre formes différentes ne sont que des variantes du même préfixe de négation.

De même, si on examine les mots

> **re**dire, **ré**organiser, **r**allumer

on se rend compte que *re-, ré-* et *r-* sont trois formes différentes du même préfixe. *Re-, ré-* et *r-* ajoutent en effet tous le même sens de répétition aux verbes auxquels ils sont affixés. *Rallumer,* c'est « allumer de nouveau » ; *réorganiser,* c'est « organiser de nouveau » ; *redire,* c'est « dire de nouveau ».

Cependant, il faut aussi se méfier de la forme. Si on sait, par exemple, que *in-* est un préfixe de négation dans **in**actif et **in**certain, il ne faut pas en déduire que *in-* est toujours un préfixe de négation ! Dans *intelligent, in-* n'amène aucune idée de négation ; ce n'est en fait pas un préfixe. Dans **in**intelligent, par contre, le premier *in-* est un préfixe puisqu'il signifie « qui n'est pas » ; il a un sens qu'on peut isoler dans le mot.

Une même forme peut aussi correspondre à deux préfixes distincts. Par exemple, les mots

> **anti**ciper, **anti**dater, **anti**vol, **anti**conformisme

contiennent tous le préfixe *anti-.* Dans *anticiper* et *antidater, anti-* signifie « avant », alors que dans *antivol* et *anticonformisme, anti-* signifie « contre » et donne une idée d'opposition. En fait, le premier est d'origine latine et le deuxième, d'origine grecque ; ce sont deux préfixes distincts, ayant chacun leur sens propre.

Les suffixes

Les suffixes sont des éléments qu'on ajoute à la fin d'un mot, soit pour en modifier le sens (qu'il s'agisse d'un réel changement ou d'une légère modification comme on le voit dans les exemples de la page suivante), soit pour le faire passer d'une catégorie grammaticale à une autre.

Le suffixe change le sens quand il permet de créer un mot nouveau à l'intérieur d'une même catégorie grammaticale. Ainsi, en ajoutant des suffixes aux noms *peuple*, *feuille* ou *lait*, on peut créer de nouveaux noms : *peuplade*, *peuplement*, *feuillage*, *feuillet*, *laiterie*, *laitier*…

Le suffixe modifie le sens du mot quand il ne fait qu'apporter une nuance sémantique au mot de base, par exemple une idée de petitesse (*maisonnette*, *jardinet*) ou une nuance péjorative (*ferraille*, *paperasse*).

Enfin, les suffixes permettent de faire passer un mot d'une catégorie grammaticale à une autre, chose que les préfixes ne font pas. On peut ainsi, en ajoutant un ou des suffixes à un mot, transformer un nom en verbe ou en adjectif, un verbe en nom ou en adjectif, un adjectif en nom, en verbe ou en adverbe, etc. Par exemple, à partir du nom *paresse* on peut former le verbe *paresser* et l'adjectif *paresseux* ; à partir du verbe *exploser* on peut former le nom *explosion* et l'adjectif *explosif* ; à partir de l'adjectif *fier* on peut former le nom *fierté* et l'adverbe *fièrement*, etc.

Comme pour les préfixes, la forme des suffixes peut varier. Ainsi, les mots

> *par**ution**, isol**ation**, répét**ition***

présentent trois formes différentes du suffixe *-tion*, qui signifie « action » ou « résultat de l'action ».

Par ailleurs, des suffixes différents peuvent exprimer exactement le même sens. Dans les mots

> *noy**ade**, dress**age**, contribu**tion**, prolonge**ment**, bless**ure***

les suffixes *-ade*, *-age*, *-tion*, *-ment* et *-ure* ajoutent tous le sens « action » ou « résultat de l'action » au mot qui est la base (action ou résultat de l'action de noyer, de dresser, de contribuer, de prolonger et de blesser).

De même, les suffixes servant à former les mots *tartel**ette**, brind**ille**, chat**on**, lion**ceau**, bâtonn**et***, etc., ont tous une valeur diminutive.

Pour faire les exercices qui suivent, vous aurez besoin du *Petit Robert* (les préfixes sont traités dans la nomenclature et les suffixes, dans une annexe). Vous pouvez aussi vous servir des listes de préfixes et de suffixes que vous trouverez sous la forme de tableaux dans le *Multidictionnaire des difficultés de la langue française*.

EXERCICE 7.1

Dans les familles de mots suivantes, dégagez la base commune à tous les mots et précisez-en le sens. Consultez le dictionnaire au besoin. (Le *Petit Robert* vous permet de dégager le sens de la base d'un mot à partir de son étymologie, donnée entre parenthèses au début de l'article.)

1 ludique, ludion, interlude, prélude, préluder

_____

_____

2 certain, certainement, certes, certificat, certitude, incertain, incertitude

_____

_____

3 noblesse, anoblir, nobliau, noblaillon, noblement, anoblissement, ennoblir, ignoble, ignoblement

_____

_____

4 numéraire, numéral, numérateur, numération, numérique, numériquement, numéro, numéroter, numérotage, numérotation, énumérer, énumératif, énumération, surnuméraire

_____

_____

_____

5 célérité, accélération, accélérer, accélérateur, décélération, accéléré

_____

_____

6 aquarelle, aquarelliste, aquafortiste, aquarium, aquatinte, aquatique, aqueux, aquiculture

_____

_____

7 cape, décaper, caparaçon, caparaçonner, décapage, décapant, capeline, capote, décapoter, décapotable, capot, capuche, capuchon, encapuchonner

_____

_____

_____

8 manette, manier, maniement, maniable, maniabilité, manipuler, manipulation, manivelle, manœuvrer, manœuvrabilité, manucure, manuel, manuellement, manufacture, manuscrit, manutention, remanier

_____

_____

_____

9 élaborer, collaborer, collaborateur, collaboration, élaboration, labeur, laborieux, laborieusement, laboratoire, laborantin

_____

_____

_____

10 rassasier, satisfaction, satisfaire, satisfaisant, satisfait, insatisfaction, insatisfait, satiété, insatiable, saturé, saturation, rassasié, rassasiement

_____

_____

EXERCICE 7.2

Trouvez des noms, des adjectifs et des verbes de la même famille que les mots suivants; limitez-vous aux mots dérivés qui ont la même base.

1 *hiver*

Noms : _____

Adjectifs : _____

Verbes : _____

2 *vin*

Noms : _____

Adjectifs : _____

Verbes : _____

3 *vent*

Noms : _____

Adjectifs : _____

Verbes : _____

4 *apprécier*

Noms : _____

Adjectifs : _____

Verbes : _____

5 *doctrine*

Noms : _____

Adjectifs : _____

Verbes : _____

6 *amour*

Noms : _____

Adjectifs : _____

Verbes : _____

EXERCICE 7.3

Quel nom appartient à la même famille que les verbes et adjectifs suivants ?

1 sabbatique _____

2 précaire _____

3 céleste _____

4 favoriser _____

5 comprimer _____

6 troquer _____

7 évincer _____

EXERCICE 7.4

Parmi les mots suivants, regroupez ceux qui appartiennent à la même famille, c'est-à-dire qui ont une base commune. Pour chacun de vos regroupements, précisez le sens de la base quand celle-ci est un élément et non un mot. Consultez le *Petit Robert* pour vous aider.

allonger, intemporel, intermédiaire, longévité, médiane, médiéval, temporiser, armateur, armature, biberon, boisson, chiromancie, chirurgical, clameur, congratulation, destitution, imbiber, imbuvable, immature, ingrat, innocent, innocuité, manoir, prématuré, proclamation, rémanence, restituer

1 _____

2 _____

3 _____

4 _____

5 _____

6 _____

7 _____

8 _____

9 _____

10 _____

11 _____

12 _____

EXERCICE 7.5

Voici quelques préfixes courants. Donnez deux exemples de mots formés avec ces préfixes. Déduisez le sens des préfixes à partir de vos exemples.

Préfixe	Mots	Sens du préfixe
1. *a-*		
2. *co-*		
3. *dé- (dés-)*		
4. *dis-*		
5. *in-*		
6. *mé- (més-)*		
7. *pré-*		
8. *re-*		
9. *para-*		
10. *con-*		

EXERCICE 7.6

Plusieurs préfixes servent à **nier** ou à **dire le contraire** : *in- (im-, il-, ir-)*, *dé- (des-, dis-, di-)*, *mal- (mau-, malé-)*, *mé- (mes-)*, *a- (an-)*, *anti- (anté-)* ; d'autres préfixes peuvent aussi s'opposer : par exemple, *anté-*, « avant », et *post-*, « après », comme dans **anti**dater et **post**dater.

Donnez, pour chacun des mots suivants, un antonyme (mot de sens contraire) que vous formerez avec un préfixe.

1 heureux _____

2 fécond _____

3 chanceux _____

4 patient _____

5 lisible _____

6 réel _____

7 continuer _____

8 honnête _____

9 concordance _____

10 inculper _____

11 habile _____

12 content _____

EXERCICE 7.7

Donnez une définition des mots suivants après avoir précisé le sens de leur préfixe.

1 *désaffection*   préfixe : _____

sens du préfixe : _____

sens du mot : _____

2 *analphabète*   préfixe : _____

sens du préfixe : _____

sens du mot : _____

3 *épiderme*   préfixe : _____

sens du préfixe : _____

sens du mot : _____

4 *dévoiler*   préfixe : _____

sens du préfixe : _____

sens du mot : _____

5 *inouï*   préfixe : _____

sens du préfixe : _____

sens du mot : _____

6 *contemporain*   préfixe : _____

  sens du préfixe : _____

  sens du mot : _____

7 *énervé*   préfixe : _____

  sens du préfixe : _____

  sens du mot : _____

8 *transformer*   préfixe : _____

  sens du préfixe : _____

  sens du mot : _____

9 *hypernerveux*   préfixe : _____

  sens du préfixe : _____

  sens du mot : _____

10 *périnatalité*   préfixe : _____

  sens du préfixe : _____

  sens du mot : _____

11 *progéniture*   préfixe : _____

  sens du préfixe : _____

  sens du mot : _____

12 *hypocalorique*   préfixe : _____

  sens du préfixe : _____

  sens du mot : _____

EXERCICE 7.8

Les mots suivants contiennent tous deux préfixes. Dégagez chacun des préfixes et précisez-en le sens.

1 anticonformiste _____

_____

2 asymétrie _____

_____

3 indissoluble _____

_____

4 déconcentrer _____

_____

5 insurpassable

_____

_____

6 surexposer

_____

_____

7 redécouvrir

_____

_____

8 inconsciemment

_____

_____

9 retransmettre

_____

_____

10 compromettre

_____

_____

EXERCICE 7.9

Voici une liste de mots contenant tous un préfixe. Soulignez le préfixe dans chaque mot et regroupez les mots dont les préfixes ont le même sens.

hypoderme, diagonale, entretenir, soumettre, concourir, transmettre, trépasser, collatéral, surprendre, compatriote, international, entreposer, coexistence, succession, entracte, supersonique, hyperémotivité, circonlocution, comprendre, épicentre, souterrain, suggestion, subdiviser, traverser, transformation, périmètre, surhumain, sympathie, hypotension, circonvolution

1 dessous, au-dessous : _____

_____

2 avec, ensemble : _____

_____

3 sur, au-dessus : _____

_____

4 au-delà, à travers : _____

_____

5 autour : _____

_____

6 au milieu, réciproquement : _____

_____

EXERCICE 7.10

Au verbe *prendre*, ajoutez le préfixe qui convient pour que le verbe ainsi formé corresponde à la définition qui en est donnée.

1 Être avisé, informé de quelque chose. _____ *prendre*

2 Prendre sur le fait. _____ *prendre*

3 Appréhender par la connaissance. _____ *prendre*

4 Apprendre de nouveau (deux préfixes). _____ *prendre*

5 Être saisi, entraîné par un sentiment, une passion. _____ *prendre*

6 Prendre de nouveau, recommencer. _____ *prendre*

7 Se détacher de quelqu'un ou de quelque chose. _____ *prendre*

8 Commencer à faire quelque chose. _____ *prendre*

9 Oublier (deux préfixes). _____ *prendre*

10 Se tromper au sujet de quelqu'un ou de quelque chose. _____ *prendre*

EXERCICE 7.11

Les suffixes désignant l'**action** ou le **résultat de l'action** sont les suivants :

-ade	*-faction, -fication*	*-on, -ion*
-ance	*-is*	*-son, -aison*
-age	*-ise*	*-tion, -ation, -ition*
-ence, -escence	*-ment, -ement*	*-ure, -ature*

Avec chacun des verbes suivants, formez un nom exprimant l'action ou le résultat de l'action.

1 abolir _____

2 ahurir _____

3 allier _____

4 atermoyer _____

5 combiner _____

6 congeler _____

7 contenir _____

8 créer _____

9 exiger _____

10 glisser _____

11 incliner _____

12 parrainer _____

EXERCICE 7.12

Complétez les phrases suivantes avec un nom d'action dérivé du verbe en italique.

1 Pour s'*assouplir*, on fait des exercices d'_____. Avant de courir, il faut

s'*échauffer*; on fait des exercices d'_____. S'*étirer* les muscles, c'est faire

des exercices d'_____.

2 Tout le monde a *désapprouvé* le projet; la _____ a été générale.

3 Les troupes se sont *déployées*; le _____ des troupes s'est fait au cours de la nuit.

4 Paul Roy a *déposé* hier dans l'affaire Samson. Sa _____ a été cruciale.

5 D'autres témoins seront appelés à *comparaître*. La date de leur _____ n'a

cependant pas été fixée.

6 Le maire s'est encore *dérobé* aux questions. Ses _____ continuelles exaspèrent

l'opposition.

7 Une nouvelle édition de ce livre vient de *paraître*. Lors de sa première _____,

il avait fait scandale.

8 Après la révolte des étudiants, en Chine, la (*réprimer*) _____ a été terrible.

9 La (*torréfier*) _____ du café est une opération délicate.

10 Vu l'état de (*délabrer*) _____ de l'économie, il faudra plusieurs années

pour redresser la situation.

EXERCICE 7.13

Plusieurs suffixes permettent de former des noms exprimant des qualités (dans le sens large de
« caractère », de « propriété », et non dans le sens de « bonne qualité »), généralement à partir
d'adjectifs. Les principaux suffixes de **qualité** sont les suivants :

-erie	*-esse*	*-eur*
-ie	*-ise*	*-té, -ité, -tié*
-ude, -itude	*-ance, -ence*	

Trouvez un nom de qualité dérivé des adjectifs suivants.

1 habile _____   **5** apte _____

2 adroit _____   **6** virtuose _____

3 capable _____   **7** perspicace _____

4 diplomate _____   **8** ingénieux _____

9 fin _____   **11** gauche _____

10 agile _____   **12** lourd _____

EXERCICE 7.14

Les principaux suffixes servant à former des **noms de personnes** (agents, métiers, etc.) sont les suivants :

-aire	*-ard, -arde* (suffixes dépréciatifs)	*-ateur, -atrice*
-er, -ère	*-eron* (féminin rare)	*-eur, -euse*
-icien, -icienne	*-ien, -ienne*	*-ier, -ière*
-iste	*-on, -onne*	

Complétez les phrases suivantes avec un nom de personne dérivé du mot en italique.

1 Je vais au magasin de *disques*, je vais chez le _____.

2 Il faut l'assentiment de toutes les personnes qui ont des *actions* dans la compagnie, il faut avoir l'assentiment de tous les _____.

3 Il est tout le temps en train de se *plaindre*, c'est un _____.

4 Elle est tout le temps en train de *geindre*, c'est une _____.

5 Il est tout le temps en train de se *vanter*, c'est un _____.

6 Il est tout le temps en train de *grogner*, c'est un _____.

7 La personne qui *conduit* la voiture, c'est le _____.

8 Ce médecin pratique la *chirurgie*, c'est un _____.

9 Ma sœur est une spécialiste de l'*informatique*, c'est une _____.

10 Une personne qui place toute son ambition dans sa *carrière*, c'est un ou une _____.

EXERCICE 7.15

Plusieurs suffixes servent à former des noms désignant des **instruments**. Pour épouvanter les oiseaux, on se sert d'un *épouvantail*, pour tenir fermement quelque chose, on se sert de *tenailles*, pour arroser, d'un *arrosoir*, pour se baigner, d'une *baignoire*. Les principaux suffixes d'instruments sont les suivants :

-ail	*-aille*
-oir	*-oire*
-eur	*-euse*
-ière	*-ateur*

Formez, à partir des mots suivants, des noms désignant des instruments.

1 vaporiser _____

2 frire _____

3 museau _____

4 encenser _____

5 gouverner _____

6 raser _____

7 patauger _____

8 chaud _____

9 éteindre _____

10 écumer _____

11 nager _____

12 fermer _____

13 rôtir _____

14 mirer _____

15 humidifier _____

N.B. : Le suffixe _-oir_ sert également à former des noms désignant des endroits : un _abat**oir**_ est un endroit où on abat les animaux de boucherie. Pensez aussi à _fum**oir**_, _isol**oir**_, _parl**oir**_, etc.

_____

EXERCICE 7.16

Combinés à une base verbale, les suffixes _-able_, _-ible_ et _-uble_ permettent de former des adjectifs exprimant une **capacité**, une **possibilité** : _épouvant**able**_, qui peut épouvanter ; _lis**ible**_, qui peut être lu ; _résol**uble**_, qu'on peut résoudre, qui peut être résolu. Pour certains de ces adjectifs, il existe des antonymes formés par préfixation : _lisible_, _**il**lisible_ ; _variable_, _**in**variable_.

Les suffixes _-able_ et _-ible_ peuvent aussi se combiner à des noms pour former des adjectifs exprimant des qualités, des caractéristiques : une décision prise avec équité, une décision _équit**able**_ ; un endroit où règne la paix, un endroit _pais**ible**_.

Complétez les phrases suivantes avec des adjectifs de capacité ou de possibilité dérivés des mots en italique.

1 En quittant le chalet, assurez-vous que vous n'y laissez aucune denrée (_périr_) _____.

2 Un résultat qu'on peut _déplorer_, c'est un résultat _____.

3 Un résultat qu'on peut _regretter_, c'est un résultat _____.

4 Un résultat sur lequel on peut se _lamenter_, c'est un résultat _____.

5 Un résultat qui suscite la _pitié_, c'est un résultat _____.

6 Pour désigner ce que les Québécois appellent café instantané, les Français disent « café (_dissoudre_) _____ ».

7 Une solution de nature à _durer_ longtemps, c'est une solution _____.

8 La députée réunit les conditions nécessaires pour être _élue_ ; elle est _____.

9 L'amour-passion est une force à laquelle on peut difficilement *résister* ; c'est une force

_____.

10 C'est une erreur à laquelle on ne peut apporter aucun *remède* ; c'est une erreur

_____.

EXERCICE 7.17

Les principaux suffixes à valeur **diminutive** ou **dépréciative** sont les suivants :

   -ard, -aud, -âtre, -asse, -et, -elet, -in, -ot

De l'eau *saumâtre*, c'est :

a) de l'eau ni douce ni salée, entre les deux

b) de l'eau contenant des dépôts en état de putréfaction

c) de l'eau où on trouve de nombreux saumons

d) de l'eau...

La première définition est la bonne : de l'eau *saumâtre*, c'est de l'eau contenant une certaine partie d'eau de mer. Pourtant, presque tout le monde associe une connotation négative à ce mot, confondant eau *saumâtre* et eau *putride*, *fétide*. Or, on ne trouve pas cette analogie dans le *Petit Robert* ; cependant, le mot *saumâtre* y est associé à *dépôt* : *dépôts saumâtres*, qui se forment dans les lagunes, les estuaires et qui, il est vrai, ne semblent pas très appétissants. D'ailleurs, le sens figuré, « amer, désagréable », est tout à fait négatif. La valeur négative tient donc un petit peu à la chose et autant au suffixe, *-âtre*, qui a acquis une valeur tout à fait péjorative : *grisâtre*, *brunâtre*, *blanchâtre* ne sont pas des couleurs particulièrement attrayantes. Mais le sens de *-âtre*, c'est aussi celui d'une ressemblance incomplète : pas tout à fait gris, pas tout à fait brun, pas tout à fait blanc... et pas tout à fait salé (on trouve dans **saumâtre** le même radical que dans **saumure** : *sau-*, qui vient de *sal*, mot latin signifiant « sel »). Il existe trois autres suffixes adjectivaux à valeur dépréciative assez courants : *-ard* (vant**ard**), *-asse* (bon**asse**), *-aud* (court**aud**).

D'autres suffixes ont une valeur diminutive : *-et, -elet, -in, -ot*. Ils ne sont pas à proprement parler péjoratifs, mais ils sont souvent un peu dépréciatifs : si on parle d'une installation *vieillotte*, par exemple, on imaginera une installation vieillie, voire désuète, hors d'usage.

Formez, à partir des mots suivants, un adjectif à valeur dépréciative ou diminutive.

1 enfant	_____		**7** propre	_____
2 pâle	_____		**8** brailler	_____
3 nasiller	_____		**9** flemme	_____
4 roux	_____		**10** lourd	_____
5 rouge	_____		**11** opiner	_____
6 aigre	_____		**12** court	_____

13 rond	_____	
14 doux	_____	

15 mou	_____
16 fade	_____

EXERCICE 7.18

Dégagez le suffixe de chacun des mots suivants et précisez-en le sens à l'aide de la liste de sens ci-dessous.

Liste des sens

A. action ou résultat de l'action

B. contenu

C. diminutif

D. doctrine

E. partisan d'une doctrine

F. métier, profession

G. habitant

H. instrument

I. maladie, infection

J. péjoratif

K. possibilité, qui peut être

L. qualité ou défaut

	Suffixe	Sens		Suffixe	Sens
EXEMPLE					
fourchette	*ette*	C.	**13** socialisme		
1 changement			**14** arthrose		
2 artiste			**15** chirurgien		
3 franchise			**16** carafon		
4 combinaison			**17** péquiste		
5 piqûre			**18** lionceau		
6 anglais			**19** balançoire		
7 poignée			**20** bronchite		
8 vantard			**21** hongrois		
9 lavage			**22** bouchée		
10 directeur			**23** réparation		
11 estimable			**24** honnêteté		
12 caneton			**25** rustaud		

EXERCICE 7.19

Voici des mots dérivés de *fin* par suffixation. Trouvez la définition qui convient à chacun dans la colonne de droite.

1 *fin* _____	A. Qui croit à l'action des causes finales et, en général, à la finalité comme explication de l'univers.
2 *final* _____	B. Moment, instant auquel s'arrête un phénomène, une période, une action.
3 *finale* (n. f.) _____	C. Dernier morceau d'un opéra, dernier mouvement d'une composition de forme sonate.
4 *finale* (n. m.) _____	D. Caractère de ce qui tend à un but.
5 *finalement* _____	E. Qui est à la fin, qui sert de fin.
6 *finalisme* _____	F. Didact. [c.-à-d. qui appartient à la langue savante], philos. Le fait d'être fini, borné. « La... d'un monde resserré entre le macrocosme et le microcosme » (Foucault).
7 *finaliste* (n.) _____	G. Mener à sa fin, arriver à sa fin.
8 *finaliste* (adj.) _____	H. Syllabe ou éléments en dernière position dans un mot ou une phrase. Dernière épreuve (d'un tournoi, d'une coupe) qui désigne le vainqueur.
9 *finalitaire* (adj.) _____	I. Concurrent ou équipe disputant une finale ; qualifié pour la finale.
10 *finalité* _____	J. En train de finir.
11 *fini* _____	K. I. Personne qui finit qqch. II. Engin routier automoteur qui reçoit les matériaux prêts à l'emploi, les répand, les nivelle, les dame et les lisse, livrant après son passage un tapis fini.
12 *finir* _____	L. Qui a été mené à son terme ; achevé, terminé.
13 *finissage* _____	M. À la fin, pour finir.
14 *finissant* (adj.) _____	N. Opération ou ensemble d'opérations qui termine la fabrication d'un objet, d'un produit livré au public.
15 *finisseur* _____	O. Philosophie finaliste.
16 *finition* _____	P. Action de finir une fabrication, une pièce. V. finition.
17 *finitude* _____	Q. Qui présente un caractère de finalité.

La composition

La composition est le procédé qui consiste, rappelons-le, à former un mot nouveau en combinant des mots ; on obtient alors des mots composés : *rouge-gorge*, *va-nu-pieds*, par exemple. On peut aussi former des mots en combinant des racines grecques ou latines ; on parle alors de composition **savante** : *photographie* (de *photo-* et *-graphie*, éléments grecs) et *agriculture* (de *agri-* et *-culture*, éléments latins) sont des exemples de ce type de mots composés.

L'évolution de la société, de la science en général et des techniques impose la création de mots nouveaux. Dans les domaines scientifique et technique, la composition savante (gréco-latine) est le procédé privilégié pour la création de mots nouveaux. La logique voudrait peut-être qu'on évite d'accoupler une racine grecque à une racine latine, mais dans la pratique de telles combinaisons sont très nombreuses : *hydrofuge* (*hydro-*, grec, et *-fuge*, latin), par exemple.

La création de mots nouveaux repose le plus souvent sur un principe d'économie : on n'invente pas ; on réutilise, on fait du neuf avec du vieux en juxtaposant des mots ou racines grecques et latines existant déjà dans la langue pour former de nouveaux composés, en ajoutant des préfixes ou des suffixes, etc. Bref, en créant ainsi de nouvelles combinaisons à partir d'éléments existant déjà dans la langue, on réutilise ce dont on se sert déjà et qu'on connaît.

C'est pourquoi une connaissance sommaire des éléments grecs et latins entrant dans la composition des mots peut vous aider à décoder des mots nouveaux, que vous n'aviez jamais vus auparavant.

Pour faire les exercices suivants, qui portent exclusivement sur les composés dits savants, vous aurez besoin du *Petit Robert* (les racines grecques et latines y sont traitées dans la nomenclature). Vous pouvez aussi vous servir des listes de préfixes et de suffixes que vous trouverez sous forme de tableaux dans le *Multidictionnaire des difficultés de la langue française*.

EXERCICE 7.20

Trouvez le sens des éléments ayant servi à composer les mots suivants. Assurez-vous que votre réponse s'applique à tous les mots de l'énumération. Comparez ensuite votre réponse avec la signification donnée dans vos ouvrages de référence.

1 *omnivore, granivore, herbivore, carnivore*

-vore : _____

2 *radiographie, lithographie, photographie*

-graphie : _____

3 *photographie, photosynthèse, photomètre*

photo- : _____

4 *thermomètre, thermostat, thermos, thermonucléaire*

thermo- : _____

5 *polycopie, polyglotte, polyvalente*

poly- : _____

6 *phonétique, aphone, phonothèque*

phon(o)-, -phone : _____

7 *télévision, télégramme, téléphone*

télé- : _____

8 *télescope, microscope, périscope, magnétoscope*

-scope : _____

9 *anatomie, appendicectomie, tome, atome*

-tome, -tomie : _____

10 *synonyme, antonyme, paronyme, toponyme*

-onyme : _____

11 *chronologie, chronomètre*

chrono- : _____

12 *dynamite, dynamique, dynamomètre*

dynam(o)- : _____

13 *tétrasyllabe, tétraplégie, tétralogie*

tétra- : _____

14 *manipuler, manutention, manucure*

mani-, manu- : _____

15 *aquarium, aquarelle, aquatique, aquifère*

aqua-, aqui- : _____

16 *similitude, similicuir*

simili- : _____

17 *quadrilatère, quadrupède, quadragénaire*

quadra-, quadri-, quadru- : _____

18 *calorie, calorifère, calorimétrie*

calor- : _____

19 *anthropologie, misanthrope, anthropophage*

anthropo-, -anthrope : _____

20 *chiromancie, chiropractie ou chiropraxie, chirurgien*

chir(o)- : _____

21 *philosophie, haltérophile, philharmonique, cinéphile*

phil(o)-, -phile : _____

22 *pyrogravure, pyromane, pyrex*

pyr(o)- : _____

23 *chromosome, mercurochrome, monochrome, chromatique*

chrom(o)-, -chrome : _____

24 *lithographie, aérolithe, néolithique*

lith(o)-, -lithe : _____

25 *toponymie, isotope, topographie*

topo-, -tope : _____

EXERCICE 7.21

En vous aidant du *Petit Robert* et de la liste des éléments latins et grecs que propose le *Multi*, trouvez le mot correspondant à la définition en italique.

1 Ce philosophe est un grand (*personne qui s'emploie à améliorer le sort des hommes, qui aime tous les hommes*) _____.

2 Il souffre de (*douleur ressentie sur le trajet des nerfs*) _____.

3 Jeanne connaît des difficultés financières (*qui durent ou se répètent*) _____.

4 Jacques est un (*personne qui aime, recherche et conserve avec soin les livres rares et précieux*) _____.

5 J'ai acheté une (*meuble permettant de ranger ou de classer des livres*) _____.

6 L'historien étudie la (*science de la fixation des dates des événements historiques, de la succession des événements dans le temps*) _____ des événements.

7 L'aspirine est un médicament (*qui supprime ou atténue la douleur*) _____.

8 Ils ont enfin arrêté le (*personne qui allume des incendies, poussée par une sorte de folie*) _____ qui terrorisait le quartier.

9 Yvan souffre de (*angoisse d'être enfermé*) _____ ; Jean-Guy, lui, souffre d'(*peur maladive des lieux publics, des espaces libres*) _____.

10 Ce dictateur tristement célèbre était un (*personne qui a la folie des grandeurs, un orgueil et une ambition excessifs*) _____.

11 Pourriez-vous me recommander une bonne pommade (*qui tue les champignons parasites*) _____ ?

12 Le fondement de notre gouvernement est la (*forme de gouvernement dans laquelle la souveraineté appartient au peuple, aux citoyens*) _____.

13 Donnez-moi un (*mot de sens contraire*) _____, un (*mot de prononciation identique et de sens différent*) _____ et un (*mot qui a un sens très voisin*) _____ de « chaud ».

14 La (*science des noms de lieux, de leur étymologie*) _____ fait partie de l'onomastique.

15 Elle aurait besoin d'une cure d'(*traitement par usage externe de l'eau, bains, douches, etc.*) _____ ou, mieux encore, de (*usage thérapeutique des bains de mer, du climat marin*) _____.

16 Dans la dialectique de Hegel, l'*(seconde démarche de l'esprit, niant ce qui était affirmé dans la thèse)*
_____ précède la synthèse.

17 Le mélange des bruits de la rue et des cris des enfants créent une *(assemblage discordant ou confus de voix, de sons)* _____.

18 On appelle la France l'*(polygone à six angles et par conséquent six côtés)* _____
à cause de la forme de sa carte géographique.

19 Le sapin est un *(arbre dont les organes reproducteurs femelles sont le plus souvent en forme de cônes)*
_____.

20 *Dix litres* sont un _____ ; un *dixième de litre*, c'est un _____.

21 New York est une ville *(qui comprend des personnes de tous les pays, subit les influences de nombreux pays)* _____.

22 J'ai décidé d'apprendre le piano ; il me faut un *(instrument servant à marquer la mesure)*
_____.

23 Le but de ces exercices est de faire de vous des *(grands amoureux du lexique)*
_____.

Chapitre **8** LES DICTIONNAIRES

Pour que les êtres se comprennent, il faut que leurs messages soient clairs et précis. Et pour atteindre la clarté et la précision, il faut savoir utiliser les mots justes. En effet, si on veut que les mots rendent exactement sa pensée, on doit les sélectionner avec soin. Utiliser les mots justes suppose donc qu'on cherche constamment à enrichir son vocabulaire, instrument essentiel à la précision de la pensée.

Comment arriver à enrichir son vocabulaire en quantité, et en qualité surtout ? C'est en découvrant les différentes acceptions d'un même mot (polysémie), en distinguant les nuances de sens entre deux mots semblables (synonymie) et en s'astreignant à remplacer les périphrases et les mots passe-partout par des formulations plus précises. Voilà pourquoi, dans ce chapitre, nous verrons comment on peut mieux se servir d'un dictionnaire de langue.

8.1 LES DIFFÉRENTS TYPES DE DICTIONNAIRES

Tous les dictionnaires sont « bons » ; seulement, ils ne se valent pas tous. Cela dépend de ce qu'on cherche. Il existe en effet différents types de dictionnaires, conçus pour répondre à des besoins différents. Selon leur but pédagogique et l'utilisation qu'on en fait, on peut distinguer cinq catégories principales de dictionnaires :

a) Les dictionnaires encyclopédiques, tels le *Petit Larousse illustré* et le *Grand Larousse encyclopédique* : ils donnent, par l'intermédiaire des mots, des renseignements sur les choses, les idées, de même que les réalités uniques désignées par les noms propres. Même s'ils visent à enrichir le savoir encyclopédique des lecteurs, ce sont également des dictionnaires de langue, comme on le verra plus loin.

b) Les dictionnaires de langue, tels le *Petit Robert,* le *Lexis,* le *Quillet de la langue française* : ils donnent avant tout des renseignements sur la langue, c'est-à-dire sur les différents sens et emplois des mots répertoriés. On y trouve aussi des indications précieuses sur la morphologie et la construction des mots. Leur rôle est donc de donner au lecteur l'information qui lui permettra de maîtriser la langue comme moyen d'expression. Certains dictionnaires, comme le *Robert québécois d'aujourd'hui* ou le *Dictionnaire du français plus,* axés sur le français parlé en Amérique du Nord, conjuguent à la fois le caractère encyclopédique et langagier.

c) Les dictionnaires spécialisés dans un aspect particulier de la langue : étymologie, synonymes, antonymes, citations, proverbes, rimes, etc. Certains se consacrent aux difficultés de la langue. Ils peuvent porter sur une difficulté en particulier, comme un dictionnaire des anglicismes, ou couvrir une matière plus large comme le célèbre *Dictionnaire des difficultés de la langue française* de Joseph Hanse ou, plus près de nous, le *Multidictionnaire de la langue française* de Marie-Éva de Villers, qui traite l'orthographe, la grammaire, les conjugaisons, les synonymes, les anglicismes, les québécismes, la typographie, la correspondance, etc.

d) Les dictionnaires et les lexiques spécialisés qui portent sur un domaine en particulier de l'activité humaine, tels un dictionnaire de médecine, de philosophie, d'informatique.

e) Les dictionnaires bilingues ou plurilingues, dont l'objet est de traduire d'une langue à une autre ou à plusieurs autres.

8.2 DICTIONNAIRES ENCYCLOPÉDIQUES ET DICTIONNAIRES DE LANGUE

Dictionnaires de langue et dictionnaires encyclopédiques ne s'opposent pas totalement ; il faudrait plutôt parler de tendances différentes. En effet, les dictionnaires encyclopédiques contiennent aussi beaucoup d'information de type linguistique, et l'information encyclopédique n'est pas totalement absente des dictionnaires de langue.

Mais qu'appelle-t-on « information de type linguistique » ? C'est celle qui renseigne sur l'orthographe et la prononciation du mot, sur sa catégorie grammaticale (nature et genre), sur son régime et la construction syntaxique qui en découle, sur son étymologie, ou origine, et son histoire. Relèvent aussi de l'information linguistique les renvois analogiques, les sens figurés, les relations avec d'autres mots du lexique (synonymes, antonymes, homonymes, etc.), les exemples d'occurrence (citations ou autres), les mots dérivés, les marques d'usage et d'appartenance aux différents registres de langue.

L'information de type encyclopédique regroupe quant à elle les renseignements sur les choses désignées par les mots (*qu'est-ce que c'est ?*), autrement dit sur la réalité extralinguistique : description, origine, évolution, utilisation, etc., en somme, tout ce qui n'est pas directement lié au mot même. L'information relative aux noms propres est entièrement de type encyclopédique, ainsi que les illustrations : dessins, schémas, planches, cartes, etc.

Nous vous proposons de consulter, à titre d'exemple, l'article *cinéma* du *Nouveau Petit Robert* (*PR*) et celui du *Petit Larousse illustré* (*PLI*), dans des éditions aussi récentes que possible.

Au premier coup d'œil, vous pourrez voir que la part de l'article consacrée à l'information encyclopédique est nettement plus importante dans le *PLI* que dans le *PR* et, inversement, que la part réservée à l'information linguistique est beaucoup plus importante dans le *PR*. Cette première constatation illustre bien la tendance dominante de chacun de ces deux types de dictionnaires.

EXERCICE 8.1

Comment se détaille l'information présentée dans l'un et l'autre des articles en ce qui a trait à la prononciation, à la datation, aux définitions, aux exemples d'usage, aux renvois analogiques ? Les articles comprennent-ils des illustrations ? des notices historiques ?

_____

_____

_____

_____

8.3 LE *NOUVEAU PETIT ROBERT*

Un dictionnaire analogique

Le *Nouveau Petit Robert* (*PR*) est un dictionnaire de type analogique. Ce genre d'ouvrage rend compte des liens de parenté sémantique qu'entretiennent les mots entre eux. Dans le *PR*, les renvois analogiques sont présentés en caractère gras et précédés d'une flèche qui invite le lecteur à se reporter à tel ou tel mot. Ce sont pour la plupart des mots de même catégorie grammaticale. Ainsi, l'adjectif *facile*, qui appartient au français fondamental et que connaît toute personne ayant des notions de français, renvoie dans son premier sens à *aisé, commode, élémentaire, enfantin, simple, faisable, possible*. Aux autres acceptions du mot sont apparentés les adjectifs *convivial, fastoche, aisé, coulant, habile, accommodant, arrangeant, complaisant, conciliant, doux, malléable, tolérant, docile, commode, léger*. Dans certains cas, les mots apparentés sont assez proches pour pouvoir être remplacés l'un par l'autre : on dira ainsi *un devoir simple, enfantin, élémentaire* avec des nuances de sens aussi bien que *un devoir facile*, mais on ne dira pas **un devoir commode* ; même à l'intérieur d'un même sens, il faut bien voir que les renvois synonymiques ne sont pas nécessairement substituables.

Les renvois analogiques n'entretiennent pas tous des rapports synonymiques avec le mot de départ. Dans les articles traitant de noms, par exemple, les renvois analogiques peuvent porter sur des hyperonymes (mots de sens plus général), des hyponymes (mots de sens plus restreint) et, de façon générale, sur des mots dont le sens est très lié. Ainsi l'article *meuble* comprend un renvoi à *armoire*, ce qui ne signifie évidemment pas que les énoncés *Je veux acheter des meubles* et *Je veux acheter des armoires* soient synonymes ! L'article *violon* comprend, pour sa part, des renvois aux différentes parties du violon (*âme, chevalet*, etc.), car, si on ignore comment se nomme telle ou telle partie de l'instrument, la meilleure porte d'entrée dans le dictionnaire est celle qui désigne l'instrument dans son ensemble. L'article *poisson* renvoie, quant à lui, à une multitude de noms d'espèces, à des façon d'apprêter la chair de poisson, aux activités qui lui sont liées... bref au « champ sémantique » du mot.

En résumé, les renvois analogiques constituent non seulement un puissant dictionnaire des synonymes, mais aussi un outil pour trouver un mot qu'on ignore, apprendre de nouveaux mots, comprendre un champ notionnel (une sorte de réseau d'idées), etc. À vous d'en profiter !

Présentation détaillée du *Nouveau Petit Robert*

Pour tirer pleinement parti du *PR*, il est essentiel de bien savoir ce qu'il contient. On trouve en tête du *PR* une trentaine de pages, numérotées en chiffres romains, qui renferment une foule de renseignements destinés à en faciliter la consultation et, à la fin, plusieurs annexes sur différents aspects de la langue.

a) Préface du dictionnaire

C'est la première section importante du *PR*. Ce texte de présentation d'une dizaine de pages renseigne le lecteur sur le contenu du dictionnaire, sur son orientation, sur la façon de l'utiliser (où et comment chercher un mot ?) et sur la manière dont l'information est présentée : définitions, exemples, marques d'usage, etc.

b) Principes de la transcription phonétique

La prononciation de chaque mot étant donnée, dans les articles, en alphabet phonétique, on trouve, à la suite de la présentation du dictionnaire, un tableau des symboles de cet alphabet et des remarques des auteurs sur les principes qui ont présidé au choix de la prononciation de chaque mot.

c) Tableau des termes, signes conventionnels et abréviations du dictionnaire

Ce tableau présente tous les symboles, signes et abréviations utilisés dans les articles, et en précise le sens.

d) Liste des principaux auteurs, des périodiques et des films cités

On trouve dans cette section la liste alphabétique des principaux auteurs, périodiques et films cités dans les articles du dictionnaire.

e) Dictionnaire alphabétique et analogique

Cette section renferme la partie essentielle de l'ouvrage : la nomenclature proprement dite.

f) Correspondances des principales datations de mots

La date d'apparition du terme dans la langue écrite est précisée au début de chaque article ; dans cette annexe, qui suit le dictionnaire proprement dit, on trouve une liste des textes les plus utilisés pour déterminer ces dates.

g) Dérivés des noms de personnes (réelles, mythologiques, imaginaires) et de lieux

Cette liste comporte deux parties : d'abord, une liste de noms communs et d'adjectifs correspondant aux noms propres de personnes. Par exemple : **GARGANTUESQUE** Gargantua, **CALVINISTE** Calvin, **SADIQUE** Sade, **MARXISTE** Marx, **HERMÉTIQUE** Hermès. Puis, une liste des noms ou adjectifs suivis des noms de lieux correspondants. Par exemple : **HAMBOURGEOIS, OISE** Hambourg (Allemagne).

h) Liste des noms propres de lieux et des noms d'habitants et adjectifs correspondants

On trouve dans cette section la liste alphabétique des noms propres de lieux suivis des noms d'habitants ou des adjectifs correspondants. Par exemple : **SASKATCHEWAN [province de la]** (Canada) Saskatchewanais, aise.

i) Petit dictionnaire des suffixes

Cette partie traite en détail des suffixes utilisés dans la formation des mots en français.

j) Conjugaisons des verbes français avec leur prononciation

Cette imposante section de 80 pages, introduite par des remarques sur le système des conjugaisons en français, renferme des tableaux de conjugaison très complets des verbes réguliers et irréguliers. À la nomenclature du dictionnaire, chaque verbe, après l'indication du régime (construction des compléments du verbe), est suivi d'un numéro entre chevrons (‹ ›), qui renvoie au tableau de conjugaison type présenté dans les annexes.

k) Accord du participe passé

Cette section résume l'essentiel des difficultés liées à l'accord du participe passé employé avec l'auxiliaire *avoir* et avec l'auxiliaire *être* (dont celui du participe passé des verbes pronominaux).

l) Table des matières

Est présentée ici la liste des sections du dictionnaire, avec renvoi aux pages correspondantes.

En somme, les sections qui précèdent le dictionnaire proprement dit informent sur le contenu de celui-ci (« Présentation ») et sur la façon de l'interpréter (symboles, alphabet phonétique, etc.). Les sections qu'on trouve à la suite du dictionnaire sont, à l'exception de la table des matières, des annexes spécialisées qui présentent généralement de l'information nouvelle.

Construction des articles du *Nouveau Petit Robert*

Les articles du *PR* étant parfois très longs, il est bon de savoir comment ils sont conçus pour trouver rapidement ce qu'on cherche et ainsi gagner du temps. Précisons d'emblée qu'un article de dictionnaire se construit selon un ordre *logique* ou un ordre *historique* ou encore selon une combinaison des deux ; on parle alors de classement *logico-historique*.

Le plan historique présente les différents sens, ou acceptions, d'un mot dans l'ordre de leur apparition dans l'histoire de la langue : de l'emploi le plus ancien à l'emploi le plus récent. C'est ce dernier plan que les auteurs du *PR* ont privilégié dans la rédaction des articles, bien qu'ils recourent au classement logique quand les emplois d'un mot sont à peu près aussi anciens les uns que les autres (*vx* indique un emploi ou un mot de l'ancienne langue, *vieilli*, un emploi ou un mot en train de sortir de la langue, et *mod.*, un emploi actuel par rapport au sens précédent ou aux emplois voisins).

Selon un plan logique, les différents emplois d'un mot sont classés du sens premier au sens le plus éloigné de celui-ci. Ainsi, à l'article *cœur,* le premier paragraphe regroupe les définitions découlant du sens premier « organe central de l'appareil circulatoire », tandis que le deuxième rassemble celles qui découlent du sens plus abstrait « siège des sensations et des émotions ». Dans certains cas, la division des paragraphes peut aussi correspondre à un regroupement d'expressions ou de locutions ayant une valeur particulière par rapport au sens premier du mot. À l'article *manière*, par exemple, le second paragraphe fait état des emplois du mot au pluriel, comme dans les expressions *avoir de bonnes*, *de mauvaises manières*, *faire des manières*, etc.

L'opposition entre sens propre et sens figuré sert aussi à structurer les articles. Une *dette*, au sens propre, est une somme due (sens 1) et, au sens figuré, une obligation morale (sens 3). *Accoucher*, au sens propre, signifie « donner naissance à un enfant » ou « aider une femme à mettre un enfant au monde » (regroupement de définitions I) et, au sens figuré, « élaborer péniblement » ou « se décider à parler » (regroupement II).

Un classement fondé sur des comportements grammaticaux est aussi prévu dans la structure des articles. Lorsqu'il y a lieu, les articles sont divisés en grands paragraphes précédés de numéros (I, II, III, etc.) correspondant aux différents types d'emplois. Ainsi, un article portant sur un verbe à plusieurs régimes se découpera en fonction de ceux-ci : pour le verbe *parler*, on trouve dans un premier temps les emplois intransitifs du verbe (*parler*, *parler fort*, etc.), puis les emplois transitifs indirects (*parler de*, *parler à*, *se parler*, etc.) et, finalement, les emplois transitifs directs (*parler une langue*, *parler politique*, etc.).

Le *Petit Robert* électronique

Le *Petit Robert* sur cédérom possède toutes les caractéristiques du *Nouveau Petit Robert* imprimé. On y trouve la nomenclature de 60 000 entrées, la transcription phonétique de tous les mots, leur étymologie, les définitions, les citations, les renvois analogiques, les exemples et les expressions. Il comporte également une multitude de fonctions que ne peut offrir un outil papier. Le cédérom contient notamment des informations sonores : 9000 mots du dictionnaire sont prononcés et peuvent être écoutés directement à partir de votre ordinateur. Il offre aussi toutes les formes fléchies de la langue, c'est-à-dire la conjugaison complète de chaque verbe ainsi que les féminins et les pluriels de tous les mots variant en genre et en nombre à partir du mot en cause. On peut de plus chercher toutes les occurrences d'un mot ou d'une expression sur l'ensemble du dictionnaire, ou encore effectuer d'autres recherches par critères. Bref, les fonctionnalités du *PR* électronique sont multiples.

L'interface du *PR* électronique présente, sur un écran unique, toutes les informations permettant de consulter le dictionnaire, de rechercher un mot, de lire un article et d'effectuer des recherches.

L'écran se compose de trois zones principales :

a) La barre d'outils, qui comporte des boutons (ou menus) et des icônes permettant d'accéder rapidement à la plupart des fonctions (dont l'icône des formes fléchies).

b) La fenêtre (le cadre) de la nomenclature, qui contient la liste de tous les mots du dictionnaire (ou la liste des mots trouvés après une recherche) et qui est surmontée d'une minifenêtre dans laquelle on tape le mot recherché.

c) La fenêtre des articles, où s'affiche le texte de l'article consulté et à partir duquel on peut naviguer vers les renvois analogiques, ainsi que vers tous les mots contenus dans l'article, le texte entier de l'article étant une zone hypertextuelle.

Par ailleurs, la ligne d'état, située tout en bas de l'écran, indique quelles sont les actions possibles selon la position du pointeur de la souris à l'écran.

Un guide d'utilisation en ligne permet d'apprivoiser les différentes fonctions du logiciel. Ce guide contient des rubriques d'aide sur toutes les manipulations ainsi que de nombreux exemples. Le fichier d'aide peut être appelé directement depuis certaines zones de textes « sensibles » lors de la consultation des articles, ou bien avec le bouton « Aide ». C'est aussi dans l'Aide que se trouvent toutes les annexes du dictionnaire, notamment les tableaux d'abréviations, l'alphabet phonétique, les noms et adjectifs correspondant aux noms de lieux et le dictionnaire de suffixes.

EXERCICE 8.2

1 Dans l'article *cœur*, à quels regroupements de sens correspondent les grandes divisions introduites par les chiffres romains ?

2 Ces grandes sections sont-elles elles-mêmes subdivisées ? De quelle manière ?

3 Expliquez la progression pour la deuxième grande division.

EXERCICE 8.3

Trouvez dans l'article *parler* ce qui différencie les trois emplois suivants du verbe.

1 Il *parle* le français comme je parle l'arabe.

2 Il *parle* à tort et à travers.

3 Il me *parle* souvent de sa tante.

EXERCICE 8.4

Combien de sens dénombrez-vous au mot *acception* ? De quelle façon sont-ils présentés ?

EXERCICE 8.5

Soulignez, dans les deux courts textes suivants, les mots et les expressions employés au sens figuré (sachez que tous les sens figurés ne sont pas indiqués dans les dictionnaires).

1 Le marché immobilier est un fidèle baromètre de la santé de l'économie. Au cœur de la récession, l'industrie de la construction était quasi moribonde. Aujourd'hui, elle semble renaître de ses cendres, et le prix des maisons, sans monter en flèche, se relève tranquillement.

2 Dès le moment où il a pris la tête du peloton, sa victoire ne faisait plus l'ombre d'un doute. Avec une telle performance, il a éclipsé tous ses rivaux. Une fois encore, il aura fait mordre la poussière à plus d'un.

EXERCICE 8.6

Vérifiez dans le *PR* comment se prononce le *th* dans *forsythia*.

EXERCICE 8.7

À partir du *PR*, déterminez quel est le subjonctif passé passif du verbe *acquérir* (3e personne du sing.).

EXERCICE 8.8

Doit-on écrire *faire main basse* ou *faire mains basses* ? Trouvez toutes les occurrences de l'expression dans le *PR* électronique.

Chapitre 9

L'EMPLOI DU MOT JUSTE

Trouver le mot juste permet de préciser sa pensée et d'éviter la monotonie ; mais où chercher le terme approprié ? On peut consulter des dictionnaires de synonymes, dont les plus célèbres, en version imprimée, sont sans contredit ceux de René Bailly[1] et de Henri Bénac[2]. On peut consulter également le *Thésaurus* de Larousse, qui permet « d'explorer à partir d'une idée les mots qui s'y rattachent » ou encore « de trouver des idées à partir des mots liés à une notion[3] ». À l'heure actuelle, on se sert beaucoup des dictionnaires de synonymes qu'on trouve dans les logiciels de traitement de texte (dans Word, par exemple, on trouve le dictionnaire de synonymes sous « Langue » dans le menu « Outils »). On peut aussi recourir au *Nouveau Petit Robert* qui, en tant que dictionnaire analogique, présente pour chaque mot ceux qui lui sont apparentés.

9.1 LA SYNONYMIE

Si, pour gagner en précision et en variété sur le plan lexical, on doit savoir recourir aux synonymes, il faut se garder de croire que les synonymes sont nécessairement interchangeables. En réalité, il n'existe à peu près pas de synonymes absolus, mais bien plutôt des mots qui ont entre eux des analogies de sens, tout en différant par des nuances d'acception. Ce sont d'ailleurs ces nuances qui font la richesse de la langue.

Synonymes et nuances de sens

De façon technique, on peut dire que les synonymes partagent un **noyau sémantique commun** et se différencient par un trait secondaire. Comment déterminer cette différence ? En délimitant premièrement le noyau sémantique commun, puis en déterminant le trait secondaire différenciateur.

Faisons un exercice. Qu'ont en commun les mots *fat* et *prétentieux* ? La prétention. Et qu'est-ce qui les distingue ? Voyons ce que dit le *Nouveau Petit Robert* de *fat* : « Qui montre sa prétention de façon déplaisante et quelque peu ridicule » ; sous *prétentieux*, on lit : « Qui estime avoir de nombreuses qualités, des mérites, qui affiche des prétentions excessives ». Dans le premier cas, c'est la manière déplaisante et ridicule qui restreint le sens ; dans le second, c'est l'idée d'excès, de surabondance qui domine.

À vous maintenant de mettre en pratique les notions que nous venons de voir. Gardez le dictionnaire à portée de la main !

---

1. René Bailly, *Dictionnaire des synonymes de langue française*, Paris, Larousse, 1970.
2. Henri Bénac, *Dictionnaire de synonymes conforme au dictionnaire de l'Académie française*, Paris, Hachette, 1956-1982.
3. Daniel Péchoin (sous la direction de), *Thésaurus : des idées aux mots et des mots aux idées*, Paris, Larousse, 1995.

EXERCICE 9.1

Trouvez la définition qui se rapporte à chacun des verbes en italique dans les phrases ci-dessous.

a) Observer attentivement et secrètement.

b) Considérer attentivement; s'absorber dans l'observation de.

c) Examiner attentivement par la vue; fouiller du regard.

d) Regarder avec défi, ou plus souvent, avec dédain, mépris.

e) Regarder quelqu'un avec attention, avec insistance.

1 Appuyée au bastingage, à la proue du bateau, elle *scrutait* l'horizon.   _____

2 Il écrivait son billet doux sans se douter que le mari *épiait*.   _____

3 Du haut du promontoire, il *contemplait* l'océan.   _____

4 Le poisson la *dévisagea* de ses gros yeux.   _____

5 Il attrapa le voleur et le *toisa* de la tête aux pieds.   _____

EXERCICE 9.2

Trouvez la définition qui se rapporte à chacun des adjectifs en italique dans les phrases ci-dessous.

a) Qui se comporte ou se manifeste sans retenue.

b) Qui aime à communiquer ses idées, ses sentiments.

c) Qui manifeste vivement les sentiments qu'elle éprouve ou veut paraître éprouver.

1 une compagne de classe *communicative*   _____

2 une compagne de classe *exubérante*   _____

3 une compagne de classe *démonstrative*   _____

EXERCICE 9.3

Lequel des synonymes suivants convient à chacun des faits énoncés ci-dessous ?

incident, calamité, malheur, accident, catastrophe

1 une collision entre deux automobiles   _____

2 une panne d'électricité   _____

3 un raz de marée   _____

4 une épidémie de choléra   _____

5 une mort en mer   _____

EXERCICE 9.4

Complétez les phrases suivantes à l'aide des synonymes proposés. (N'utilisez pas deux fois le même mot.)

célébrité, renommée, notoriété, réputation, popularité

1 Les médias ont donné à cet événement une _____ qu'il ne méritait pas.

2 Ce premier ministre jouit d'une grande _____ dans son pays.

3 Bien des artistes n'ont connu la _____ qu'à titre posthume.

4 La _____ de notre sirop d'érable a franchi les frontières.

5 Sa _____ n'est plus à faire. Il est estimé de tous.

EXERCICE 9.5

Placez chacun des synonymes dans le contexte approprié et faites les accords qui s'imposent.
Vérifiez les nuances de sens.

braver, affronter, défier, provoquer

1 Les pêcheurs hauturiers doivent souvent _____ la tempête.

2 Il m'a _____ de trouver la moindre erreur dans son travail écrit.

3 À force de se (s')_____ , ils vont finir par se (s')_____ .

barrer, barricader, calfeutrer, obturer

4 Pendant le festival d'été, certaines rues sont _____ .

5 Les manifestants ont réussi à _____ la rue Saint-Denis.

6 Avant l'hiver, il vaudrait mieux _____ cette fenêtre.

7 Les dentistes préfèrent _____ les dents plutôt que de les arracher.

choisir, opter, adopter

8 De deux maux, il faut _____ le moindre. (Proverbe)

9 À sa majorité, elle a _____ pour la nationalité canadienne.

10 L'assemblée a _____ le projet de loi.

complexe, compliqué

11 La question que vous me posez est trop _____ .

12 Son histoire était si _____ que je n'ai jamais réussi à savoir où il voulait

en venir.

EXERCICE 9.6

Trouvez un synonyme plus idiomatique pour chacun des verbes en italique et faites toute modification nécessaire.

1 Il cherche par tous les moyens à *éviter* _____ ma question.

2 Il *accepta* _____ ma proposition d'un hochement de tête.

3 Les journalistes doivent *signaler* _____ les injustices.

4 Un badaud interrogé sur l'affaire *avoua* _____ son ignorance.

5 Les heures passant, la discussion *se transforma* _____ en lutte ouverte.

6 Grâce à l'aide de nombreux bénévoles, on a pu *réparer [en respectant son style]*

_____ la chapelle.

EXERCICE 9.7

Trouvez à quel cadre de travail ou à quelle(s) catégorie(s) de travailleurs s'appliquent chacun des mots suivants et déterminez celui ou ceux qui sont génériques, c'est-à-dire qui s'appliquent de façon générale.

1 appointements _____

2 cachet _____

3 émoluments _____

4 gain/s _____

5 gages _____

6 honoraires _____

7 rémunération _____

8 rétribution _____

9 salaire _____

10 solde _____

11 traitement _____

Synonymes et degrés d'intensité

Ce qui différencie des synonymes les uns des autres, c'est souvent le **degré d'intensité**. Ainsi, appliqué à un spectacle, *beau* a pour synonyme *admirable*, *magnifique*, qui ajoutent cependant le trait de « degré supérieur ». L'expression du degré peut se faire au moyen d'adverbes (*assez*, *beaucoup*, *très*, *fort*, *peu*, etc.) ou par un synonyme marquant une différence d'intensité par rapport au mot de référence : *je regrette son échec* peut devenir *je regrette profondément son échec* ou *je déplore son échec*. Il va sans dire qu'on peut diminuer le degré d'intensité comme on peut l'augmenter : un texte *confus* est à moindre intensité *imprécis* et à plus forte intensité *obscur*.

EXERCICE 9.8

Trouvez un synonyme plus fort que l'adjectif en italique.

1 une eau *claire* _____

2 une loi *sévère* _____

3 un accueil *froid* _____

4 un accueil *chaleureux* _____

5 une décision *injuste* _____

6 un repas *abondant* _____

7 des manières *impolies* _____

8 un ton *sec* _____

9 des affaires *prospères* _____

10 une critique *élogieuse* _____

EXERCICE 9.9

Trouvez un synonyme plus fort et un plus faible pour remplacer le verbe en italique et faites toute modification nécessaire.

1 Il est *tiraillé* _____ / _____ entre ses deux passions.

2 Il *détestait* _____ / _____ cette ville de banlieue.

3 Son audace nous *stupéfia* _____ / _____ .

4 L'orateur a *condamné* _____ / _____ l'attitude du maire dans cette affaire.

5 Je n'arrive pas encore à croire qu'il ait *gaspillé* _____ / _____ autant d'argent.

6 Je n'arrive pas encore à croire qu'il ait *gaspillé* _____ / _____ sa fortune.

Synonymes de sens péjoratif

Certains mots sont connotés péjorativement, c'est-à-dire qu'ils transmettent une **valeur dépréciative**. Comparez pour vous rendre compte les mots *maison* et *masure*. L'un et l'autre désignent des habitations, mais la maison est définie comme un bâtiment d'habitation, tandis que la masure a comme qualités d'être petite, misérable, vétuste et délabrée.

EXERCICE 9.10

Choisissez, dans la liste suivante, le synonyme de sens péjoratif du nom ou de l'expression en italique.

utopie, racontar, sarcasme, cohue, sensiblerie

1 Elle parvint à se frayer un passage dans la *foule* _____.

2 Il me fallut supporter ces *plaisanteries* _____ toute la soirée.

3 Ces films à l'eau de rose répondaient alors à la *sensibilité* _____ du public.

4 Croire à un monde sans violence est une grande *illusion* _____.

5 Comment pouvez-vous croire de tels *propos* _____ ?

Synonymes et euphémismes

Au cours des dernières décennies, notre société a adopté une langue « politiquement correcte » pour éviter certaines formulations jugées trop directes. Les interdits touchent tout ce qui risque d'être marginalisé, infériorisé, exclu, mal vu. On évitera ainsi tout ce qui conduit à la discrimination, qu'elle soit liée au sexe, à la race, à la classe sociale, aux revenus, à la confession, à l'âge, à l'orientation sexuelle, aux handicaps, etc. L'euphémisme est une formulation qui adoucit une réalité dont l'expression directe est perçue comme choquante. On remplace alors les tournures jugées trop dures, les mots trop crus par des détours, sortes de synonymes édulcorés, qui masquent le tabou. Un aveugle devient un non-voyant, un sourd, un malentendant et un bègue, une personne atteinte d'un dysfonctionnement de l'appareil élocutoire ! Les euphémismes servent aussi à valoriser ou à rendre plus techniques des réalités qui ne le seraient pas assez : un éboueur est ainsi devenu un préposé à la collecte des ordures ou au chargement des camions d'ordures, et un vendeur dans une boutique de mode répond parfois au titre de conseiller vestimentaire !

EXERCICE 9.11

Trouvez un euphémisme pour atténuer la réalité exprimée par les mots en italique.

1 Les métropoles comptent de plus en plus de *clochards* _____.

2 Nos sociétés ne laissent pas assez de place aux *vieillards* _____.

3 Les deux échecs référendaires n'ont pas réussi à décourager les *séparatistes* _____ québécois, qui continuent leur action politique pour l'indépendance.

4 L'Église catholique est contre l'*avortement* _____.

5 En Suisse, les *drogués* _____ peuvent échanger dans les pharmacies leurs seringues souillées contre des seringues stériles.

6 Ce sont les *pauvres* _____ qui subissent le plus durement la crise du logement.

7 Jadis, on parlait d'*infirmes*, hier, on parlait d'*handicapés* et aujourd'hui, on parle de _____ _____.

8 À la une, un article consacré aux *sourds* _____ titrait « Ils sont sourds et sans parole ».

EXERCICE 9.12

Trouvez le mot ou l'expression que masque l'euphémisme en italique. Faites tout changement nécessaire.

1 Vos déchets seront transportés dans un *site d'enfouissement sanitaire* _____ _____.

2 Cette entreprise *a remercié* _____ plusieurs de ses employés.

3 Nombreuses sont les personnes souffrant de *surcharge pondérale* _____ _____.

4 Le Viagra est utilisé pour traiter les cas de *dysfonctionnement érectile* _____ _____.

5 Sans les *aidants naturels* _____, le *milieu sociosanitaire* _____ ne pourrait pas répondre à toutes les demandes des *bénéficiaires* _____.

6 Les *exploitants d'entreprises agricoles* _____ sont durement touchés par la sécheresse qui sévit depuis un mois.

7 Pendant la guerre en Irak, la presse américaine a évoqué *les frappes chirurgicales avec dommages collatéraux,* ce qui, en termes clairs, signifie _____ _____.

8 La nouvelle administration de l'université a décidé de s'engager dans la voie de la *réingénierie des processus* _____.

9 Les architectes tiennent maintenant compte des *personnes ayant une limitation fonctionnelle* _____.

Synonymes et niveaux de langue

Les synonymes peuvent aussi se distinguer les uns des autres par leur niveau de langue. La différence de registre recoupe la différence de degré, le jugement dépréciatif et même les euphémismes. En effet, l'intensité n'est pas indépendante du niveau de langue : *c'est sublime* n'est pas vraiment du même niveau que *c'est beau*. *Il habite dans une piaule* comporte un jugement négatif absent de *il habite dans un petit appartement*. Quant aux euphémismes, ils deviennent, dans certains cas, des termes techniques et sont alors d'un niveau de langue différent des mots ou expressions qu'ils remplacent. Le nom *drogué* a aujourd'hui un sens péjoratif ; cherchant à rejeter toute connotation négative, la langue technique du travail social a ainsi créé le terme *usager de drogues*.

_____

EXERCICE 9.13

Essayez de classer les synonymes suivants selon leur niveau de langue. Fiez-vous à votre sens linguistique dans un premier temps et vérifiez ensuite quelles marques d'usage leur ont été attribuées dans les dictionnaires.

1 prostituée _____   10 professionnelle _____

2 putain _____   11 femme de mœurs légères _____

3 pute _____   12 femme facile _____

4 fille _____   13 péripatéticienne _____

5 femme de mauvaise vie _____   14 catin _____

6 tapineuse _____   15 amazone _____

7 guidoune _____   16 call-girl _____

8 pétasse _____   17 hétaïre _____

9 courtisane _____   18 escorte _____

9.2 L'ANTONYMIE

Les antonymes sont des mots de sens **contraire** : ainsi de la paire *petit* et *grand*. Souvent, passer par l'antonyme aide à préciser ou à fixer le sens d'un mot, et ainsi à enrichir son vocabulaire : le sens d'*inique* se retient peut-être mieux en l'opposant à *équitable* qu'en le comparant à *injuste*.

Passer par le détour de l'antonyme peut aussi permettre de trouver un mot qui ne vient pas à l'esprit spontanément. Revenons au mot *inique* : si on cherche un adjectif pour décrire une solution à un problème qui ne léserait personne, c'est peut-être en pensant au contraire, une *solution inique*, qu'on trouvera *solution équitable*.

EXERCICE 9.14

Trouvez un antonyme du verbe en italique.

1 Il lui a fallu beaucoup de ténacité pour *dissuader* _____ sa femme

de quitter son emploi.

2 La direction n'a jamais *confirmé* ni _____ sa volonté de couper

des postes.

3 Mes amis ont *accepté* _____ l'invitation.

4 L'épidémie a *progressé* _____ .

5 Son talent était *reconnu* _____ du grand public.

6 Il *affirmait* _____ avoir vu la scène.

7 Il ne faut pas *minimiser* _____ cette affaire de pots-de-vin.

EXERCICE 9.15

Trouvez un antonyme de l'adjectif en italique.

1 C'était un compagnon de nature *optimiste* _____ .

2 De *rurale*, la population québécoise est devenue _____ .

3 Ma voisine était *prodigue* _____ de confidences.

4 La santé de sa sœur est *précaire* _____ .

5 À Noël, elle était toujours d'humeur *enjouée* _____ .

6 Son caractère *impulsif* _____ ne le servit pas toujours.

EXERCICE 9.16

Trouvez un antonyme du nom en italique.

1 Le directeur a souligné les *convergences* _____ de vues entre

les différents enseignants.

2 Elle s'exprime toujours avec *concision* _____ .

3 Elle était l'*égoïsme* _____ incarné.

4 La *réalité* dépasse parfois la _____ .

5 Le monde est bien mal fait : *surabondance* ici, _____ ailleurs.

6 Il a fait preuve, à cette occasion, de *largeur* _____ d'esprit.

7 Ce texte contient trop d'*archaïsmes* _____ .

9.3 LES MOTS PASSE-PARTOUT

Nous avons appris à découvrir les nuances de sens qui distinguent les synonymes. Nous allons maintenant poursuivre notre recherche du mot juste en nous penchant sur une habitude très répandue : l'utilisation des mots passe-partout.

Par nature, nous avons plutôt tendance à utiliser un vocabulaire restreint que varié. Ce penchant nous amène à employer les mêmes mots à « toutes les sauces ». Or, à force de servir à exprimer des idées trop larges ou à désigner des choses imprécises, ces mots passe-partout deviennent vides de sens. Aussi faut-il chercher à les remplacer par des termes plus appropriés chaque fois qu'ils ne sont pas indispensables. Notre prose y gagnera en précision et en variété.

EXERCICE 9.17

Remplacez *être*, ou l'expression construite avec *être*, par un verbe plus précis. Faites tout changement demandé par le nouveau verbe.

1 Dans cette peinture, les bleus *sont dominants* _____ .

2 Sa renommée *est de plus en plus grande* _____ .

3 Les rues *sont pleines* _____ de monde.

4 Depuis l'entrée en vigueur de la nouvelle loi, polémiques et interrogations *sont de plus en plus nombreuses* _____ .

5 Les pertes de la compagnie *seraient proches* _____ du milliard de dollars.

6 Comme ses relations avec le conseil d'administration *sont de plus en plus mauvaises* _____ , le représentant municipal devra sans doute se retirer avant la fin de son mandat.

7 Le résultat du concours *est* _____ dans *Le Soleil* d'hier.

8 Le monument *est* _____ à l'entrée du village.

9 Cette comédienne *est trop sûre* _____ de son talent.

10 Rentrons vite, les nuages *sont de plus en plus nombreux* _____ .

EXERCICE 9.18

Remplacez *avoir*, ou l'expression construite avec *avoir*, par un verbe plus précis. Faites tout changement demandé par le nouveau verbe.

1 La France a _____ près de quarante mille monuments classés.

2 Les violations du cessez-le-feu pourraient *avoir pour résultat* _____

la fin des pourparlers.

3 M. Latulippe est le seul membre du comité qui a _____ deux

fonctions.

4 Cette équipe de rédaction a _____ de l'expérience et du talent.

5 La firme Zika a _____ une bonne réputation.

6 Les employés de la banque Z *ont* _____ un maigre salaire.

7 Souhaitons que ce reportage *ait* _____ une diffusion plus large.

EXERCICE 9.19

Remplacez *il y a* par un verbe de la liste suivante et faites les accords nécessaires.

perturber, se creuser, témoigner, éclater, planer, alourdir, dénoter, couvrir, déceler, circuler, peser, encombrer, orner, embellir

1 *Il y a* de vives discussions au sein du comité.

De vives discussions ont _____ au sein du comité.

2 *Il y a* des piles de dossiers sur son bureau.

Des piles de dossiers _____ son bureau.

3 *Il y a* une menace sur l'usine.

Une menace _____ sur l'usine.

4 *Il y a* de magnifiques dessins dans l'ouvrage.

De magnifiques dessins _____ l'ouvrage.

5 *Il y a* une certaine pudeur dans ses paroles.

Ses paroles _____ (d') une certaine pudeur.

6 *Il y a* trop de digressions dans son discours.

Son discours est _____ par de trop nombreuses digressions.

7 Depuis qu'ils ne vivent plus ensemble, on dirait qu'*il y a* un abîme entre eux.

Depuis qu'ils ne vivent plus ensemble, un abîme _____ entre eux.

8 *Il y a* une grève dans le secteur hospitalier.

Une grève _____ le secteur hospitalier.

9 *Il y avait* des rumeurs concernant les activités de son mari.

Des rumeurs _____ concernant les activités de son mari.

EXERCICE 9.20

Employez un verbe plus précis que *faire* avec les noms suivants.

1 _____ de l'argent   **6** _____ une erreur

2 _____ une chanson   **7** _____ des excuses

3 _____ des recherches   **8** _____ un métier

4 _____ une liste d'épicerie   **9** _____ des menaces

5 _____ un rapport   **10** _____ des dégâts

EXERCICE 9.21

Remplacez *voir* par un verbe de la liste suivante et faites les accords nécessaires. (Un même verbe peut convenir à plusieurs phrases.)

consulter, déceler, distinguer, fréquenter, remarquer, visiter, comprendre, prévoir, prédire, observer, produire, rencontrer

1 Je ne *vois* _____ pas pourquoi il m'en veut.

2 Thérèse ne *voit* _____ pas beaucoup de monde.

3 J'ai *vu* _____ des aurores boréales. C'est un phénomène qui ne se *voit* _____ pas souvent.

4 Tu devrais aller *voir* _____ un rhumatologue.

5 Il faisait noir. Je ne *voyais* _____ pas l'escalier.

6 Elle prétend être capable de *voir* _____ l'avenir.

7 Je n'ai rien *vu* _____ de particulier dans son comportement.

8 En une journée, ils ont *vu* _____ tout le quartier des antiquaires.

9 J'ai l'impression d'avoir déjà *vu* _____ cette femme quelque part.

10 Je ne désire pas aller *voir* _____ cette exposition.

EXERCICE 9.22

Remplacez *dire* par un verbe plus précis. Faites tout changement demandé par le nouveau verbe.

1 La PDG ne tient pas à *dire* _____ ses projets aux employés pour l'instant.

2 Veux-tu me *dire* _____ pourquoi tu étais absent hier ?

3 Après deux heures de discussion, Pierre-André a fini par *dire* _____ qu'il avait tort.

4 Comme on m'a toujours *dit* _____ que j'étais maladroite, j'ai fini par le croire.

5 Comment peut-elle encore l'écouter ? Il ne *dit* _____ que des sornettes !

6 Je me suis bornée à lui *dire* _____ quelques mots d'encouragement.

7 Il est passé chez elle pour lui *dire* _____ bonne fête.

EXERCICE 9.23

Remplacez *mettre*, ou l'expression construite avec *mettre*, par un verbe plus précis. Faites tout changement demandé par le nouveau verbe.

1 Des manifestants *ont mis le feu à* _____ des voitures de police.

2 L'ordinateur, hors d'usage, avait été *mis* _____ au grenier.

3 Des agents de police furent *mis* _____ à toutes les issues.

4 Elle avait *mis* _____ toute son énergie dans ce travail.

5 L'étudiant a *mis* _____ un mot sous la porte du professeur.

6 Son nom avait été *mis* _____ sur la liste des bénévoles.

9.4 LA CONCISION

Bien écrire, c'est être clair, précis et concis. Et pour être concis, il faut savoir utiliser un minimum de mots pour obtenir un maximum de sens. Un mot seul – mais juste ! – peut souvent remplacer avec bonheur un long syntagme. Viser la concision, c'est éviter les circonvolutions, les détours, les périphrases ; c'est aller droit au but.

Suppression de l'adverbe *très*

_____

EXERCICE 9.24

Remplacez les groupes adjectivaux en italique par un adjectif seul et faites les modifications qui s'imposent.

1 Ces gens ont des mœurs *très relâchées* _____ .

2 La nourriture était abondante, mais plusieurs mets étaient *très fades* _____

_____ .

3 Son spectacle s'attira des critiques *très élogieuses* _____ .

4 Malheureusement pour elle, le succès fut *très court* _____ .

5 J'ai lu des écrivains *très médiocres* _____ et j'en ai lu de *très bons*

_____ .

Suppression des adverbes de manière

_____

EXERCICE 9.25

Remplacez les groupes verbaux en italique par un verbe seul et faites les modifications qui s'imposent.

1 Elle est si peu sûre d'elle qu'elle sent le besoin de *montrer ostensiblement* _____

_____ sa richesse.

2 Cette animatrice *choisit* _____ toujours *soigneusement* ses mots.

3 Pendant l'entrevue, elle a *évité habilement de répondre à* _____

certaines questions.

4 Il *avalait rapidement* _____ son repas.

5 Elle *distribue généreusement* _____ des conseils à qui veut l'entendre.

Suppression des subordonnées relatives

_____

EXERCICE 9.26

Remplacez la subordonnée relative en italique par l'un des adjectifs suivants et faites les accords qui s'imposent.

analphabète, éloquent, tenace, infaillible, altruiste, inaudible, équivoque, inédit, inepte

1 C'est vraiment un passage *qui peut être interprété de diverses manières* _____ .

2 Elle a inclus dans son spectacle une chanson *que personne n'avait encore entendue*

_____ .

3 J'ai attrapé un rhume *dont je n'arrive pas à me défaire* _____ .

4 Il raconte toujours des histoires *qui ne tiennent pas debout* _____ .

5 Il y a encore des êtres *qui pensent beaucoup aux autres* _____ .

6 L'étudiant a fait sa présentation d'une voix *qu'on avait de la peine à entendre*

_____ .

7 Le ministre s'est réfugié dans un silence *qui en disait long* _____ .

8 Y a-t-il encore dans notre société des personnes *qui ne savent ni lire ni écrire*

_____ ?

9 Le commissaire Maigret est renommé pour son instinct *qui ne le trompe jamais*

_____ .

Suppression des subordonnées complétives

EXERCICE 9.27

Remplacez la subordonnée complétive en italique par un groupe nominal.

EXEMPLE

La ministre a annoncé *que le contrat était octroyé à la firme XYZ.*

La ministre a annoncé *l'octroi du contrat à la firme XYZ.*

1 Le ministre a annoncé *que certains frais seraient abolis.*

_____

2 Le trésorier regrette *qu'il n'existe pas de ligne de conduite cohérente au sein du Conseil.*

_____

3 Le procès a révélé *combien la fraude avait été grande.*

_____

4 Ils avaient prévenu le président *qu'il y aurait très prochainement une nouvelle vague d'attentats.*

_____

5 Les météorologues ont annoncé *que le froid réapparaîtrait et s'intensifierait.*

_____

Suppression des périphrases

EXERCICE 9.28

Dans les phrases qui suivent, les expressions en italique sont des périphrases inutiles. Remplacez-les par un mot simple ou une expression plus concise et faites toute modification qui s'impose.

1 Les alpinistes atteignirent *le point le plus élevé* _____ de l'Everest après des jours d'efforts surhumains.

2 Il a *modifié* _____ son permis de conduire *[de façon trompeuse]*.

3 Il *est retombé dans le même crime* _____.

4 À partir de quel moment l'idée de fonder une compagnie *commença-t-elle à se développer* _____ dans sa tête ?

5 À cause de la nouvelle récession, l'entreprise *s'acheminait rapidement vers la ruine* _____.

6 La naïveté de la question *mit* _____ l'orateur *dans l'impossibilité de répondre*.

7 Si vous voulez connaître *la meilleure route à suivre lors de vos voyages* _____ _____, devenez membre du Club automobile.

8 Il aura fallu plusieurs années et un nombre impressionnant de vaccins pour *faire disparaître de façon définitive* _____ la variole.

9 Devant son *refus de répondre* _____, elle soupira et partit.

10 NORMES ET USAGES

Quand on consulte un dictionnaire, c'est en général pour chercher le sens d'un mot, pour vérifier son orthographe ou encore pour voir si son emploi est « permis ». La plupart des dictionnaires indiquent en effet une norme à suivre. La norme linguistique est en quelque sorte l'ensemble des prescriptions consignées dans un dictionnaire en fonction d'un modèle de langue choisi comme étalon. Dans les faits, il existe deux types de norme : une norme **prescriptive**, qui régit les emplois en se fondant sur un modèle socialement valorisé, et une norme **descriptive**, dont le but est de décrire la réalité sans porter de jugement. Ainsi, un dictionnaire ou un glossaire descriptif rendra compte de l'usage d'un groupe particulier d'individus. Il peut s'agir du parler d'une population donnée (les Romands, les Québécois, les Acadiens, les Franco-Manitobains, etc.) ou d'un petit groupe d'individus (les débardeurs, les rappeurs, etc.). Dans un ouvrage consacré au français parlé en Suisse romande, *Le langage des Romands*, on peut lire ce qui suit :

> Que l'Africain patauge dans le poto-poto, que le Québécois affronte la poudrerie, le Wallon la drache ou le Romand la roille, leurs mots naissent de leur climat, de leur expérience et de leur invention. Leurs mots ont beaucoup plus d'importance que de pittoresques régionalismes. Leurs mots sont, dans des terrains si divers, les petites, les nombreuses, les solides racines du français (Jean-Marie Vodoz, président de l'Union internationale des journalistes et de la presse de langue française).

Les dictionnaires prescriptifs, pour leur part, présentent une hiérarchisation des usages, qui vise à régir les emplois en fonction d'un point de référence correspondant à un certain idéal socio-culturel au sein d'une communauté : c'est le **bon usage**. Il faut bien voir cependant que l'assignation des marques d'usage est subjective, puisqu'elles tiennent pour beaucoup à des conventions sociales. Voilà pourquoi il est important d'aborder la question de la norme et de l'usage dans toutes ses variantes si on veut bien utiliser les dictionnaires.

QUALITÉ DE LANGUE ET VARIATIONS DE L'USAGE

Lorsqu'il est question de la norme, les positions sont souvent tranchées. D'un côté, il y a les tenants d'une norme unique, imposée par la France, pour qui toutes les autres variantes sont jugées marginales et inférieures. De l'autre, il y a ceux qui, s'opposant à la notion élitiste de « qualité de langue », favorisent l'usage spontané sans balise aucune. Entre ces deux extrêmes, il existe une conception médiane, et c'est celle qui est présentée ici : selon cette position, chaque personne devrait pouvoir maîtriser une langue de qualité et être en mesure de reconnaître les différentes variantes. Chaque contexte de communication oblige en effet à un choix singulier : on n'écrit pas à un employeur comme on écrit à un ami ; on n'écrit pas un texte d'opinion comme un article encyclopédique ; on n'écrit pas non plus comme on parle, et on parle différemment selon qu'on s'amuse entre amis ou qu'on plaide en public.

Par analogie, on peut dire que la façon de s'exprimer correspond à la façon de s'habiller. Qui penserait planter des tomates en robe du soir ou en costume-cravate ? Et qui imaginerait aller danser avec sa vieille salopette de jardinier ? Un jour bergère, un jour princesse, la langue révèle ce que nous sommes de plusieurs façons : dans l'espace, quand on utilise des mots « bien de chez nous » ; dans le temps, quand on utilise de vieux mots ; dans la hiérarchie sociale, quand on utilise des mots savants ou des mots populaires.

Donner une chance égale à tous suppose qu'on enseigne à l'école la langue qui permet d'accéder aux postes de pouvoir, sans pour autant juger les autres variétés de langue. Les condamner signifierait que quiconque n'accède pas à la langue de l'élite perdrait son droit de parole comme citoyen. Le handicap dans la vie de tous les jours, ce n'est pas de parler d'une façon ou d'une autre, c'est de ne pouvoir choisir le bon registre dans la bonne circonstance. Qui ne connaît pas les règles des initiés ne pénètre pas dans le cercle. Et pour pouvoir être libre, il faut pouvoir entrer là où l'on veut (Extrait adapté de Isabelle Clerc, « Pouvoir choisir pour être libre », *Le Devoir*, 6 mars 1999, page A11).

Les dictionnaires prescriptifs comme le *Nouveau Petit Robert* (PR) ou le *Multidictionnaire de la langue française* (*Multi*) décrivent ces variations par des **marques d'usage** qui rendent compte des variations ou modifications que connaissent les mots dans l'espace, dans le temps et sur le plan social. Pour bien utiliser ces ouvrages, il est important de comprendre et, le cas échéant, de juger ces marques, ou étiquettes, accolées aux mots, aux expressions et aux emplois particuliers.

La variation dans l'espace

On trouve des francophones aux quatre coins du monde : en Europe, en Afrique, en Amérique, en Asie et en Océanie. Si toutes les variétés de français se valent sur le plan linguistique, l'une d'entre elles est dominante. Il s'agit du français de France, qui a un fort ascendant sur les autres variétés de français, à cause, notamment, de l'importance historique, démographique, économique et culturelle de la communauté qui le parle.

LE FRANÇAIS DANS LE MONDE[1]	
Régions	**États où le français est reconnu comme langue officielle[2]**
Europe	France, Monaco, Belgique*, Luxembourg*, Suisse*, Val-d'Aoste*, îles Anglo-Normandes*
Afrique	Bénin, Burkina-Faso, Burundi*, Cameroun*, Centrafrique, Congo, Côte-d'Ivoire, Djibouti*, Gabon, Guinée, Guinée équatoriale*, Mali, Mauritanie*, Niger, Rwanda*, Sénégal, Tchad*, Togo, République démocratique du Congo (ancien Zaïre)
Amérique	Canada*[3], Louisiane*, départements français d'outre-mer : Guadeloupe, Martinique, Saint-Pierre-et-Miquelon, Guyane
Océan indien	Comores*, Madagascar*, Seychelles*, territoire français d'outre-mer : Mayotte, département français d'outre-mer : Réunion
Océanie	Vanuatu*, territoires français d'outre-mer : Nouvelle-Calédonie, Wallis-et-Futuna, Polynésie

Dans les échanges internationaux, les francophones du monde entier se sont alignés sur la variété parlée en France, étant donné que c'est cette variété que décrivent les grammaires et les dictionnaires. Certains l'appellent « le français international », ce qui est un non-sens, d'une part parce que cela ne correspond à aucune réalité géographique, et d'autre part parce qu'une langue ne peut exprimer que la réalité de la communauté qui la parle. Derrière le français parlé en Suisse, il y a les Romands ; derrière le français parlé en Acadie, il y a les Acadiens, mais derrière le « français international », aucun groupe culturel n'est incarné. Or, on ne peut extraire la langue de la situation de communication dans laquelle elle s'inscrit. Bien sûr, les différences grammaticales entre les variétés sont moins grandes que les différences lexicales : si tous s'entendent pour accorder

---

1. Tableau repris de Henriette Walter, « Le français de France et d'ailleurs : unité et diversité », dans *Le français, une langue à apprivoiser : textes des conférences prononcées au Musée de la civilisation*, publié sous la direction de Claude Verreault, Louis Mercier et Thomas Lavoie, Québec, PUL, collection « Langue française en Amérique du Nord », 2002, p. 13.

2. Dans cette colonne, l'astérisque indique qu'un État possède plusieurs langues officielles.

3. Ajoutons le Québec, ainsi que le Nouveau-Brunswick (seule province officiellement bilingue du Canada).

le participe passé « mangé » avec le complément direct qui le précède dans « Les pommes qu'elle a mangées étaient succulentes », les termes familiers pour désigner celui qu'on aime varient d'une région à l'autre : le *chum* d'une Canadienne sera le *mec* d'une Française.

On utilise aussi parfois l'expression « français standard » pour désigner le français de France. Cette expression n'est pas plus heureuse que celle de « français international », car, comme chacun le sait, le français parlé en France renferme lui aussi des mots grossiers, vulgaires, qu'on ne saurait recommander. Voilà pourquoi il vaut mieux réserver l'expression « français standard » au niveau de langue soigné qu'on utilise dans des échanges officiels, où qu'on soit dans le monde.

Notons par ailleurs que le « standard » d'une communauté donnée n'est pas nécessairement le « standard » d'une autre. Prenons l'ensemble que forment la fourchette, le couteau et la cuillère dans trois pays francophones : en France, on les nomme *couverts*, en Suisse, *services*, au Québec, *ustensiles*. Pour tenir compte de cette variation, l'Office québécois de la langue française (OQLF) définit le français standard comme une forme comprenant à la fois « les usages généraux et les usages régionaux qui ne sont assortis d'aucune marque d'usage associée à un registre de langue moins soigné[4] ».

EXERCICE 10.1

Cherchez dans deux dictionnaires de langue ou de difficultés (le *PR* et le *Multi*, par exemple) les marques d'usage qui sont accolées aux mots ou expressions de la liste ci-dessous. Dans un deuxième temps, dites si vous jugez qu'ils devraient être considérés comme du français standard ou non selon la définition de l'OQLF donnée ci-dessus. Vous pouvez également consulter le *Grand dictionnaire terminologique (GDT)* de l'OQLF à l'adresse www.granddictionnaire.com.

1 truite mouchetée _____

omble de fontaine _____

2 bain-tourbillon _____

baignoire à remous _____

bain à remous _____

baignoire à jets _____

jacuzzi _____

3 sèche-cheveux _____

séchoir à cheveux _____

foehn _____

4 airelle des marais _____

ataca _____

atoca _____

canneberge _____

4. Politique de l'Officialisation linguistique, texte approuvé par l'Office [québécois] de la langue française lors de sa 471e séance, le 15 juin 2001 (décision n° 2001-471-262).

5 élan _____

     orignal _____

6 banc de neige _____

     congère _____

7 cerf de Virginie _____

     chevreuil _____

8 cocotte _____

     pive _____

     pomme de pin _____

9 nonante _____

     quatre-vingt-dix _____

10 traversier _____

     ferry-boat _____

     transbordeur _____

     bac _____

EXERCICE 10.2

1 Trouvez quel vêtement on ira mettre au Canada, en France et en Suisse en réponse à la demande suivante : _Mets ta jaquette._

_____

_____

_____

2 Les dictionnaires rendent-ils compte de cette variation géographique ?

_____

_____

_____

EXERCICE 10.3

1 Nommez trois pays ou régions francophones où l'on parle _d'école secondaire_ pour désigner l'établissement d'enseignement qui donne la formation de second degré, et nommez trois pays ou régions où l'on utilise le mot _lycée_. (Vous pouvez vous référer au tableau du français dans le monde présenté plus haut.)

_____

_____

2 Les deux termes expriment-ils la même réalité ?

_____

_____

_____

3 Comment expliquer cette répartition géographique ?

_____

_____

_____

EXERCICE 10.4

Vous êtes rédacteur professionnel. On vous demande de réviser un dépliant sur la conduite au volant en hiver au Canada. Vous lisez les phrases suivantes :

– *Méfiez-vous de la poudrerie : elle réduit de beaucoup la visibilité.*

– *Méfiez-vous des congères : elles bloquent votre visibilité latérale.*

Consultez le *PR* et le *Multi*, et voyez ce que ces dictionnaires disent à propos de *poudrerie* et *congères*. Demandez-vous ensuite ce que les gens autour de vous utilisent comme mots ou expressions pour exprimer ces deux réalités. Que décidez-vous au bout du compte : garderez-vous les deux termes ? Justifiez vos choix. Consultez au besoin d'autres dictionnaires (notamment le *Grand dictionnaire terminologique* à www.granddictionnaire.com, le *Dictionnaire québécois d'aujourd'hui* et le *Dictionnaire du français plus*).

_____

_____

_____

_____

_____

_____

_____

La variation temporelle

La langue, à l'image de l'humanité, est bien vivante : les mots naissent, mûrissent, vieillissent et meurent. La vie de certains est éphémère ; ils apparaissent et disparaissent au gré des modes et des innovations technologiques. Les *transistors* ont cédé la place aux *autoradios*, *radios-réveils*, *radiocassettes* et autres *ghetto blasters* ; les *pick-up* ont été remplacés par des *chaînes haute-fidélité* et des *lecteurs* de toutes sortes. Mais en même temps, certains mots désignant des réalités disparues restent présents dans la mémoire collective : qui ne connaît pas le *télégramme* et son mode de communication, le *morse*, même si la téléphonie moderne et le courriel en ont sonné le glas ?

Parfois, des mots ou expressions deviennent indéracinables même s'ils ont perdu leur motivation première : plus personne n'utilise une barre de bois ou de métal pour fermer sa porte, et pourtant, l'expression *barrer sa porte* demeure encore bien vivante au Canada. Les francophones d'Amérique du Nord ont gardé vivantes de nombreuses expressions aujourd'hui vieillies ou sorties de l'usage en Europe : c'est le cas de *piquer une jasette*, *s'enfarger*, *chicaner quelqu'un*, *barguiner*, etc. Certains mots, au contraire, sont abandonnés et remplacés par d'autres : *Inuit* (parfois *Inuk* au singulier) a remplacé *Esquimau* et *Innu* est en train de remplacer *Montagnais*. Les unités de mesure anglaises comme *pied*, *verge*, *livre*, *once*, *pinte* auront bientôt complètement cédé la place à celles du système métrique.

L'évolution de la société oblige aussi à désigner de nouvelles réalités : les Pierrot ne prêtent plus leur *plume*, mais leur *portable*. On n'envoie plus de *lettres cachetées*, mais des *courriels*. Les nouvelles technologies de l'information ont en fait donné naissance à un lexique très riche, qui a gagné la langue générale au même rythme que ces technologies se sont répandues dans la population. Les médias jouent également un grand rôle dans la diffusion des nouveaux mots parmi la population.

EXERCICE 10.5

Le *Multi* recommande d'utiliser l'expression *verrouiller la porte* ou *fermer la porte à clé* au lieu de *barrer la porte*. L'explication donnée est la suivante : « L'emploi du verbe *barrer* est courant au Québec dans la langue familière, mais il est vieilli en ce sens dans le reste de la francophonie. »

Selon vous, une expression ou un terme vieilli dans les autres parties de la francophonie peut-il néanmoins être considéré comme standard ici ? Dans un contexte requérant du français standard, accepteriez-vous l'emploi de *barrer la porte* ?

EXERCICE 10.6

Comparez la valeur du mot *bicycle* au Canada et dans le reste de la francophonie à partir du *PR* et du *Multi* ou du *GDT*. A-t-il partout le même sens ?

EXERCICE 10.7

En vous basant sur vos dictionnaires et sur votre jugement, lequel des deux termes suivants est le plus récent : *antimondialisation* ou *altermondialisation* ?

La variation sociale (ou sociostylistique)

Si tous les mots qu'on trouve dans le dictionnaire sont du français, ils n'ont pas tous la même valeur d'emploi. On ne dira pas *Salut!* en quittant le pape et on n'écrira pas *Recevez mes salutations distinguées* à la fin d'une lettre destinée à l'élu de son cœur. Voilà pourquoi les dictionnaires de langue donnent une marque d'usage en ce qui concerne le registre (ou niveau) de langue devant certaines définitions ou certaines expressions. Cette marque, qui indique la valeur d'emploi du mot en fonction du cadre social et de la situation de communication, est particulièrement utile pour les non-francophones : elle leur permet par exemple de savoir que *je fiche le camp* et *je me retire* ne sont pas des expressions équivalentes. Mais même comme francophone, on a souvent besoin de vérifier le registre d'un mot ou d'une expression.

Si le nombre de niveaux de langue et leur définition varient d'un dictionnaire à l'autre, tout le monde s'entend pour dire qu'il existe un registre courant ou standard, au-dessus duquel se situent les registres plus soutenus et au-dessous duquel se trouvent les registres plus relâchés. Tout le monde s'entend aussi pour dire que les marques de registre attribuées par les dictionnaires sont parfois contestables. Situer les mots et les expressions sur un axe vertical suppose en effet un jugement d'appréciation. Or, qui dit jugement dit forcément subjectivité. Les marques d'usage n'en sont pas moins un instrument essentiel pour respecter le registre convenant à une situation de communication donnée. Les explications ci-dessous concernant les différents registres suivent celles qui sont données dans le *Nouveau Petit Robert* et s'appliquent donc particulièrement à ce dictionnaire.

La marque **populaire** (*pop.*) qualifie dans le *PR* un mot, un sens ou une expression qui vient des milieux populaires. Très peu de mots sont ainsi classés ; il s'agit dans bien des cas d'anciens mots d'argot parisien (donc très européens et souvent méconnus ici) désignant des personnes, des parties du corps ou des activités usuelles : *ciboulot* (tête), *paluche* (main), *boustifaille* (nourriture), etc.

Le niveau **familier** (*fam.*) est assigné à des mots et à des emplois qui relèvent de la langue quotidienne, surtout parlée, mais aussi écrite. C'est une classe très vaste, qui, dans le *PR*, englobe des mots et des emplois très populaires : *fric, pognon, mec, gonzesse, mioche*, ainsi que des mots perçus par beaucoup de gens comme neutres : *bouquin, bambin, siroter* ; elle comprend aussi des expressions figurées très concrètes : *se faire arranger le portrait*, comme d'autres beaucoup plus sobres : *accuser le coup, mettre un bémol*.

La marque **littéraire** (*littér.*) s'applique à des emplois qu'on ne rencontre pas dans la langue courante et qu'on associe souvent à la langue écrite élégante : les *oaristys*, dans un registre littéraire, désignent ainsi les « ébats amoureux ». Bon nombre de mots ou d'emplois littéraires sont en fait vieillis et se rencontrent peu. Les niveaux de langue populaire, familier et littéraire s'appliquent également à des constructions : *quossa donne?* est manifestement une construction populaire, alors que *j'aime à lire* (plutôt que *j'aime lire*) est une construction rare, qualifiée de littéraire dans le *PR*.

Le registre **technique** correspond pour sa part au langage des domaines spécialisés, indiqués dans le *PR* par des abréviations comme *méd.*, *chim.*, *bot.*, *didact.*, etc. Ce niveau indique que l'emploi du mot, normal dans un traité, un cours ou entre spécialistes, ne le serait pas dans l'usage courant. Entre eux, les médecins parleront de *céphalées* et non de « maux de tête ». Les mots non marqués sont donc vus comme des mots d'usage standard, le niveau **courant** (*cour.*) n'étant signalé que lorsqu'un doute est possible.

Il existe également des marques telles **vulgaire** (*vulg.*) et **péjoratif** (*péj.*). La première s'applique à des mots crus qui risquent de choquer ; la seconde, à des mots qui manifestent une attitude hostile ou méprisante. La marque **argot** (*arg.*) révèle, quant à elle, une appartenance à un milieu professionnel donné ou encore à un groupe d'initiés. Qui est capable de suivre à Paris une conversation en verlan (argot consistant à inverser les syllabes, comme *ripou* pour « pourri »), s'il n'a pas un interprète à ses côtés ?

La marque *arg. scol.* signifie « argot scolaire » ; elle indique que le mot est employé dans le milieu scolaire, mais pas dans le grand public. En revanche, la marque *arg. fam.* désigne un mot d'argot passé dans le langage familier. Comme les mots populaires, l'argot recensé dans le *PR* est un argot vieilli et essentiellement européen ; on n'y trouvera pas les créations de l'heure.

EXERCICE 10.8

Demandez autour de vous comment les gens nomment les chaussures à semelle de caoutchouc qui se portent notamment pour faire du sport. Une fois votre liste dressée, attribuez un registre de langue à chacun de ces mots sans consulter d'ouvrages de référence. Enfin, comparez ce qu'en disent plusieurs dictionnaires de langue ou de difficultés (*PR, PLI, Multi, GDT*).

....

....

....

....

....

EXERCICE 10.9

Soulignez, dans chaque série synonymique, les mots qui appartiennent à la langue familière ou populaire.

1 visage, frimousse, face, figure, minois, gueule, binette

2 bagnole, char, voiture, automobile, auto, bazou, minoune, tacot

3 peur, frousse, crainte, trouille, phobie, trac, chienne (avoir la)

4 partir, s'en aller, lever le camp, se barrer, se tirer, mettre les voiles, se retirer, ficher le camp

5 naïf, niais, niaiseux, nigaud, sot, godiche, bêta, débile, nono, con, corniaud, cave, benêt, bébête, simplet, épais

6 bâfrer, manger, bouffer, casser la croûte, s'empiffrer, se bourrer, se restaurer, se goinfrer

7 argent, fric, pognon, blé, radis, fonds, sous, galette, cash, espèces, ronds, tunes, bidoux

EXERCICE 10.10

Indiquez le registre auquel appartiennent les mots et expressions en italique selon les catégories suivantes : langue technique (T), littéraire (L), courante (C), familière (F) et populaire (P). Remplacez les mots ou expressions ne correspondant pas à l'usage courant.

1 Ce musée est un vrai fourre-tout. Les objets les plus *moches* (___) _____ côtoient des chefs-d'œuvre.

2 L'*onychophagie* (___) _____ est une manie dont il faut se défaire.

3 Un conducteur dans la lune a *embouti* (___) _____ notre voiture neuve.

4 Tiens, voilà notre amie Jeanne qui *s'amène* (___) _____ .

5 Quel bon vent l'*amène* (___) _____ ?

6 Je vous recommande cet excellent *bouquin* (___) _____ .

7 L'enfant s'est fait *disputer* (___) _____ parce qu'il arrachait les pages de son livre.

8 Il *tança vertement* (___) _____ son fils, qui avait été renvoyé de l'école.

9 En été, les gens de Québec aiment bien se *balader* (___) _____ sur les Plaines.

10 Il *appert* (___) _____ de la déposition du quatrième témoin que l'accusé se trouvait bien sur les lieux du crime à ce moment-là.

Comme nous l'avons vu dans ce chapitre, nous révélons beaucoup de nous-mêmes quand nous parlons. Nous dévoilons notre origine géographique, notre degré de scolarisation, le milieu social dont nous venons. Le choix de nos mots révèle aussi nos valeurs, nos préjugés.

Reflets de la société, les dictionnaires évoluent dans le temps. Les fautes d'hier deviennent souvent l'usage d'aujourd'hui. Un regard sur les éditions passées des ouvrages de référence permet de suivre l'évolution normative de certains mots. Il faut donc garder un esprit critique lorsqu'on se sert des dictionnaires. Le simple fait de prendre Paris comme point de référence peut conduire à des situations cocasses : aujourd'hui, à Montréal, l'inscription *Carré Saint-Louis* a été biffée et remplacée par *Square Saint-Louis*. Pourtant, le « carré » Saint-Louis fait partie de l'imaginaire québécois pour avoir abrité les Nelligan, Pauline Julien et Gérald Godin, et pour avoir occupé une place importante dans la littérature québécoise. Cette réalité n'a pas empêché les terminologues québécois de pencher pour l'usage de la France…

11 Chapitre LES ÉCARTS LEXICAUX

Comme vous l'avez vu dans les quatre chapitres précédents, le lexique est un champ d'étude fort complexe, aux ramifications nombreuses. Vous avez noté que, lorsqu'on écrit, il est essentiel de distinguer la norme de l'usage pour faire des choix éclairés, vous avez constaté à quel point les dictionnaires sont des alliés précieux pour trouver le mot juste et vous avez constaté aussi que notre langue est bien vivante, créant au fur et à mesure de l'évolution de la société les mots nécessaires pour exprimer les nouvelles réalités. Vous avez maintenant tout le bagage de connaissances nécessaire pour éviter de commettre des impropriétés de toutes sortes : anglicismes, solécismes, barbarismes, paronymes, etc. Chaque fois qu'on doute du sens exact d'un mot ou de sa « légitimité », il faut recourir au dictionnaire et vérifier si le mot est utilisé dans la bonne acception, avec un sens propre à la langue française et dans une structure bien idiomatique. Une fois les impropriétés décelées, il ne vous restera plus qu'à les corriger.

11.1 LES PIÈGES DE L'EMPRUNT

Toutes les langues, nous l'avons vu, empruntent des mots à d'autres langues. Le français n'échappe pas à cette tendance, et encore moins aujourd'hui, alors que la communication entre les différentes nations est facilitée par la technologie. Le français, comme la plupart des langues, emprunte surtout à l'anglais. Les mots et les expressions qui s'introduisent ainsi dans la langue se substituent au vocabulaire existant, remplacent une expression française qui désigne ces notions ou bloquent la voie à une traduction qui se substituerait avantageusement au mot emprunté. Aux fins de ce chapitre, nous entendons nommer ici **anglicismes** les **emprunts bannis** ; nous réservons **emprunts** aux termes anglais acceptés et entrés dans l'usage (*tennis*, *jazz*, *steak*, *hot dog*, *best-seller*, etc.).

On distingue principalement trois sortes d'anglicismes : les anglicismes lexicaux, qui sont des emprunts inopportuns puisque le français possède déjà les mots pour exprimer ces entités (**flash light* pour *lampe de poche*), les anglicismes de sens, ou sémantiques, qui sont plus « pervers » parce qu'ils donnent à un mot français un sens qu'il ne possède pas (**quitter* au sens de *démissionner*), et les calques, qui sont une traduction littérale d'une expression ou d'une construction syntaxique anglaise. Ainsi, en français, on peut *retourner une lettre à son expéditeur*, mais pas **retourner un appel* (« to return a call »), puisque *retourner* peut avoir le sens de « renvoyer », mais pas celui de « rappeler ». On ne dira pas non plus en français **participer dans* (« participate in »), la construction correcte étant *participer à*. Les calques de préposition sont en fait une source assez fréquente d'anglicismes.

Dans cet ouvrage, nous avons choisi de traiter les anglicismes de sens avec tous les autres problèmes de sens, sous la rubrique *Les impropriétés*, et de traiter les anglicismes lexicaux à part. Les anglicismes proprement syntaxiques sont traités avec les autres problèmes de structure sous la rubrique *Les barbarismes et les solécismes*.

Avant d'aborder les problèmes les plus graves rattachés aux anglicismes, rappelons-nous que lorsqu'il emprunte un mot à l'anglais, le français ne doit emprunter ni sa prononciation ni son orthographe. Si vous voulez vous assurer de prononcer correctement un mot, consultez votre *Petit Robert* : la transcription phonétique, entre crochets, suit immédiatement l'entrée de l'article et est doublée, dans la version électronique, d'une émission sonore pour les mots présentant des difficultés. Dans les pages de présentation au début du dictionnaire, vous trouverez des explications concernant le code de transcription utilisé.

EXERCICE 11.1

Vérifiez la prononciation des mots suivants en vous servant de la transcription phonétique donnée dans le *Petit Robert* ou, si vous utilisez la version électronique, de l'émission sonore, le cas échéant.

1 camping _____

2 alcool _____

3 cantaloup _____

4 chaos _____

5 sculpture _____

6 chèque _____

7 pyjama _____

8 maths _____

9 cents _____

10 revolver _____

Rappelons-nous également qu'un mot peut s'écrire différemment en français et en anglais. *Danse* s'écrit avec un *s* en français. L'écrire avec un *c* serait commettre un « anglicisme orthographique ». L'exercice suivant vous fera découvrir les anglicismes orthographiques les plus répandus en Amérique du Nord.

EXERCICE 11.2

Vérifiez l'orthographe des mots suivants dans le dictionnaire et ajoutez les lettres nécessaires.

1 un bon exerci____e

2 un enfant a____ressif

3 le co____fort

4 un ex____mple

5 le lang____ge

6 le ha____ard

7 la li____érature

8 de la confiture d'a____ricots

9 une conne____ion

10 le tra____ic

11 une recomm____ndation

11.2 LES ANGLICISMES LEXICAUX

L'anglicisme lexical est un emprunt critiquable puisque son équivalent existe en français. L'emprunt peut être direct ou francisé. Dans *avoir un flat à un tire*, **flat* et **tire* sont des emprunts directs ; **céduler*, pour sa part, est une forme francisée du verbe anglais *to schedule* (même si *cédule* existe en français dans un sens très restreint).

EXERCICE 11.3

Remplacez les anglicismes lexicaux précédés d'un astérisque par des mots français et faites tout changement nécessaire.

1 Les réservations ne peuvent être *cancellées* _____.

2 La réunion est *cédulée* _____ à trois heures.

3 On prend un *break* _____ ?

4 J'ai fait deux *flats* _____, coup sur coup, le mois dernier.

5 Je lui ai demandé de *maller* _____ ma lettre.

6 Quand elle est rentrée de sa soirée, elle était un peu *paquetée* _____.

7 Il a fait appel à un *contracteur* _____ extrêmement compétent pour rénover sa cuisine.

8 Dans ce parc, il est interdit de laisser son chien *lousse* _____.

9 Avez-vous du *change* _____ s'il vous plaît ?

10 N'oublie pas d'apporter tes *traveller's chèques* _____.

11.3 LES IMPROPRIÉTÉS

Le terme *impropriété* recoupe différents problèmes lexicaux dont le dénominateur commun est une faute de sens : faux-sens, anglicismes sémantiques, homonymes, paronymes, pléonasmes et redondances sont autant de fautes de sens. Dans le *Français apprivoisé*, nous appelons *impropriété* toute altération du sens, que celle-ci touche un mot ou un groupe de mots. Quand le problème de sens concerne la relation sémantique entre un verbe et ses compléments, on parlera plutôt d'incompatibilité sémantique ; nous y reviendrons plus loin, au point 11.4.

Les faux-sens

Les fautes de sens qu'on appelle *faux-sens* consistent à attribuer à un mot un sens qu'il n'a pas. Elles sont fort nombreuses dans les textes et résultent parfois d'une certaine négligence. Recourir à des termes justes pour décrire des réalités diverses exige en effet rigueur et précision, ce qui suppose qu'on consulte les dictionnaires.

L'exemple suivant est éclairant à ce sujet :

> *L'ajout de ces compléments rend la* ***lisibilité** *complexe.*

La lisibilité ne peut être complexe ; c'est plutôt la lecture qui devient complexe, au fur et à mesure que la lisibilité du texte diminue.

> *L'ajout de ces compléments rend la* **lecture** *complexe.*

EXERCICE 11.4

Vérifiez dans votre dictionnaire le sens des mots précédés d'un astérisque et trouvez une expression plus juste.

1 La réforme de l'éducation *entraîne* quelques enjeux majeurs dont certains sont d'ordres politique et juridique.

_____

2 La question des bulletins scolaires ramène *l'emphase* sur les enjeux de la réforme de l'éducation en cours.

_____

3 Les bouleversements causés par la *déconcentration* du pouvoir sont à l'origine de conflits ethniques.

_____

4 Les écologistes et les chercheurs désapprouvent *farouchement* le projet de loi qui modifie les règles d'exploitation des forêts.

_____

5 On ne verra pas forcément les effets de la mondialisation dans *le lendemain*.

_____

6 Jusqu'à ce que les *scientistes* perfectionnent la technique du clonage humain, plusieurs vies risquent d'être perdues.

_____

7 À moins que leurs propriétaires *se révisent*, ces entreprises vont fusionner.

_____

8 Ce remède a des effets positifs sur le malade ; il *apporte* un état de bien-être et facilite la guérison.

_____

9 Les rares cas de méningite prouvent que les personnes atteintes de cette maladie n'ont pas *affecté* le reste de la population.

_____

10 Grâce aux effets spéciaux et au montage, le réalisateur *inculque* au film un rythme soutenu qui tient le spectateur en haleine.

_____

11 La comparaison du taux de décrochage déprécie les écoles en milieu défavorisé et *considère* fortement les écoles en milieu aisé.

_____

12 Le milieu de l'enseignement tente de réviser ses priorités, mais il nie du même coup sa mission *primaire* : l'éducation pour tous.

Les anglicismes sémantiques

Les fautes de sens incluent les anglicismes sémantiques, qui sont généralement difficiles à dépister puisque les mots posant problème existent bel et bien en français. En effet, certains mots ou certaines expressions existent dans les deux langues, mais avec des sens différents. Quand on les utilise en français dans leur acception anglaise, on commet des anglicismes de sens, aussi appelés *anglicismes sémantiques*. Il faut par exemple faire attention à l'emploi d'*éligible*, un mot français qui appartient à la même famille que *élire* et *élection*. Par conséquent, *être éligible*, c'est satisfaire aux conditions pour être élu et rien de plus. Ainsi, pour être *éligible* au Parlement canadien, il faut avoir la nationalité canadienne, mais pour être *admissible* (et non *éligible*) au cégep, il faut avoir obtenu un diplôme d'études secondaires.

EXERCICE 11.5

Vérifiez dans votre dictionnaire le sens des mots précédés d'un astérisque, puis remplacez l'expression en italique par une forme plus idiomatique.

1 Les employés de la compagnie ainsi que leur famille ne sont pas *éligibles* au concours.

2 Bières *domestiques* : 3 $. Bières importées : 4 $.

3 Tous les vols *domestiques* sont annulés. Les vols internationaux sont maintenus.

4 Pour réussir, un vendeur doit être *agressif*.

5 C'est un musicien accompli. Il est tellement *versatile* !

6 La musique country, c'est *le plus gros vendeur de disques* aux États-Unis.

7 – Merci ! – *Bienvenue*.

8 Je suis *confortable* dans cette robe.

9 Il a beaucoup de *connections dans le milieu artistique.

_____

10 Il a perdu ses *licences à la suite d'un alcootest.

_____

11 Madame, vous avez un appel *longue distance.

_____

12 En achetant dans cette boutique, j'ai *sauvé de l'argent.

_____

13 Je l'ai appelé trois fois, mais il n'a pas *retourné mes appels.

_____

14 Dans son discours, le président a mis l'*emphase sur les problèmes économiques.

_____

15 Donne-moi la moitié de la somme aujourd'hui et la *balance dans un mois.

_____

16 Avez-vous reçu le *pamphlet du gouvernement sur la nouvelle taxe ?

_____

17 Le nouveau centre de conférences pourra *accommoder 1000 personnes.

_____

18 Ses affaires vont mal. Elle a des problèmes *monétaires.

_____

19 Toute l'*audience l'a applaudi.

_____

20 C'est *définitivement lui le coupable.

_____

21 Pour *partir son commerce, il a dû investir un million de dollars.

_____

22 Pour *partir sa voiture, il lui a fallu 15 minutes.

_____

23 Dès son arrivée, on a *parti la discussion sur les élections.

_____

24 **Jusqu'à date* personne n'est venu se plaindre.

_____

25 Je ne suis pas **à date* dans mon travail.

_____

26 Elle a **fait application sur* un poste de monitrice.

_____

27 Ce n'est pas très bien payé, mais il y a des **bénéfices marginaux*.

_____

28 Je gagne 50 $ **clair* par jour.

_____

29 Il a **collecté* les loyers, on peut aller souper.

_____

30 Elle a acheté un **bloc appartements* en ville.

_____

31 Il m'a **chargé* 50 $ pour la journée.

_____

32 Ce candidat ne **rencontre* pas toutes les exigences.

_____

33 Si vous avez de la difficulté à **rencontrer* vos paiements, venez discuter avec un de nos agents de crédit.

_____

Les homonymes

Les homonymes, du grec *homo*, « semblable », et *onoma*, « nom », sont des mots qui se prononcent de la même manière, mais s'écrivent, le plus souvent, différemment. Ils sont une source fréquente d'erreurs orthographiques et posent à leur façon des problèmes de sens puisqu'on les confond souvent : ainsi, on peut être *sceptique* devant les déclarations d'un député, mais on fait vidanger sa fosse *septique*!

_____

EXERCICE 11.6

Employez le mot qui convient, à la forme appropriée.

acquis / acquit

1 Relisons une dernière fois, par _____ de conscience.

2 Il n'est pas question de remettre en cause les droits _____.

3 Il est maintenant _____ à nos vues, mais cela n'a pas été sans peine.

4 J'ai _____ beaucoup d'expérience dans ce bureau.

censé/sensé

1 Nul n'est _____ ignorer la loi.

2 N'étiez-vous pas _____ me remettre ce travail hier ?

3 Je le croyais plus _____ que ça.

4 Il m'a fait quelques remarques très _____.

chair/chère

1 Tous les quotidiens ont leur chronique de bonne _____.

2 Si on fait trop bonne _____, on risque d'être bien en _____.

dessein/dessin

1 Les enfants aiment faire des _____.

2 Il formait le _____ de renverser le gouvernement.

3 Je suis sûr qu'il l'a fait à _____.

pair/paire

1 C'est un étudiant hors _____.

2 Il n'a jamais été reconnu par ses _____.

3 Deuxième _____ de lunettes gratuite !

parti/partie

1 Les _____ d'opposition font bloc contre le gouvernement.

2 Il a refusé de prendre _____.

3 Il a pris le/la _____ des plus forts.

4 Il en a pris son/sa _____.

5 C'est du _____ pris.

6 Il faut tirer _____ de ce qu'on a.

7 Les deux _____ n'arrivant pas à s'entendre, on a eu recours à l'arbitrage.

8 Il a pris à _____ le premier ministre.

9 Dans cette sombre histoire, il était juge et _____.

pause / pose

1 Ah, la journée d'un mannequin ! Des _____, des _____, et jamais

de _____.

voir / voire

1 Cela reste à _____.

2 La France accepte mal d'être devenue une puissance de deuxième, _____ de troisième ordre.

Les paronymes

Les paronymes (du grec *para*, « à côté de », et *onoma*, « nom ») sont des mots qui présentent une ressemblance d'orthographe ou de prononciation, mais n'ont absolument pas la même signification. Il en existe quelques paires célèbres en français. Ainsi, on dira qu'un mot a plusieurs *acceptions* (sens d'un mot), mais on parlera de l'*acceptation* d'une offre (le fait d'accepter).

EXERCICE 11.7

Employez le mot qui convient, après avoir vérifié le sens de chacun dans un dictionnaire. Faites les accords qui s'imposent, s'il y a lieu.

adhésion / adhérence

1 Son _____ au Parti québécois a fait beaucoup de vagues.

2 Ces pneus ont beaucoup d'_____ au sol.

isolement / isolation

1 Les gardiens de phare souffraient parfois de leur _____.

2 J'ai confié l'_____ de mon chalet à un expert.

juré / jury

1 Mon frère faisait partie du _____.

2 J'ai été convoqué comme _____.

stage / stade

1 L'affaire n'est encore qu'au _____ de projet.

2 Il fera son _____ dans une école secondaire.

compréhensible/compréhensif ; incompréhensible/incompréhensif

1 Tout le monde n'a pas la chance d'avoir des parents _____.

2 C'est _____ ! Comment cela a-t-il pu arriver ?

3 Fernand Seguin était un grand vulgarisateur scientifique. Il réussissait à rendre

_____ pour les profanes les choses les plus compliquées.

de plus/en plus

1 _____, nous croyons que ces mesures stimuleront la recherche.

2 Et elle veut nous faire travailler le samedi matin _____ !

3 _____, elle veut nous faire travailler le samedi matin !

éminent/imminent

1 C'est un _____ savant.

2 La pluie est _____.

3 Elle a occupé des fonctions _____ au gouvernement.

4 Aujourd'hui, nous tenons à remercier notre _____ collègue pour son dévouement

à notre institution.

5 Dès septembre, on a parfois l'impression que l'hiver est _____.

6 Elle a rendu d'_____ services à notre institution.

éruption/irruption

1 L'éminent volcanologue avait prédit l'_____ du volcan.

2 L'_____ de joie tournait à la folie.

3 L'herbe à puce est une plante vénéneuse dont le contact peut causer une _____

de vésicules qui provoquent des démangeaisons très désagréables.

4 Il fit _____ chez le trésorier pour réclamer son dû.

évoquer/invoquer

1 Le muguet _____ pour moi l'adolescence : ma première eau de toilette était

une eau de muguet.

2 Tout l'auditoire était venu pour entendre parler des nouvelles subventions, mais c'est à peine si le ministre

a _____ la question.

3 Alcoolique repenti, il n'_____ (*imparfait*) pas moins avec plaisir les nombreuses bouteilles qu'il avait bues.

4 Après un mois de sécheresse, tous les agriculteurs _____ le Ciel pour un peu de pluie.

5 Comme d'habitude, les autorités ont _____ le manque d'argent pour surseoir au projet.

gradation / graduation

1 Il faut graduer les difficultés, il faut procéder par _____.

2 Je voudrais un thermomètre à double _____ : Celsius et Fahrenheit.

inclination / inclinaison

1 L'_____ de la tour de Pise attire de nombreux touristes. Les commerçants de la ville s'élèvent contre son redressement.

2 Si je suivais mon _____, je ne me lèverais jamais avant dix heures.

3 Il acquiesça d'une brève _____ de la tête.

4 L'après-midi était chaud, et le gâteau de mariage prenait une dangereuse _____.

inculquer / inculper

1 Personne ne vous a donc _____ la politesse ?

2 Tant bien que mal, il essayait de leur _____ quelques notions d'orthographe.

3 Ce matin au Palais de justice, Madame X a été _____ de vol et de délit de fuite.

judiciaire / juridique

1 Des poursuites _____ ont été engagées.

2 L'enquête _____ piétine.

3 Recherchons une secrétaire _____.

4 Les « erreurs _____ » ne sont pas toujours des erreurs.

notable / notoire

1 Son avarice était _____.

2 « Hormis l'explosion d'une voiture devant l'ambassade, la soirée s'est déroulée sans incident _____ », a déclaré l'attaché de presse.

3 Votre fils a fait des progrès _____ en orthographe.

4 Tous les _____ de la ville étaient présents à la cérémonie.

perpétrer / perpétuer

1 Le crime a été _____ aux alentours de minuit.

2 « Toutes les traditions sont-elles bonnes à _____ ? » s'interrogeait le nouveau chef religieux.

3 « Pourquoi cette injustice devrait-elle se _____ ? » demande le syndicat.

personnaliser / personnifier

1 Il est la bonté _____.

2 Tout en n'ayant que des meubles de série, il a réussi à _____ son intérieur.

prolongement / prolongation

1 Les travaux de _____ de la route débuteront au printemps.

2 _____ de la vie ou euthanasie : un débat difficile.

rabattre / rebattre

1 A-t-il fini de nous _____ les oreilles avec cette vieille histoire ?

2 S'il continue, je vais lui _____ le caquet.

recouvrer / recouvrir

1 La faillite de son fournisseur lui laisse peu d'espoir de _____ son argent.

2 Il a _____ la santé alors que les médecins avaient perdu tout espoir.

3 J'ai _____ le canapé de velours côtelé noir.

amener / apporter

1 Mais bien sûr, _____ vos enfants !

2 N'oubliez pas d'_____ vos dictionnaires.

3 Elle a _____ beaucoup de soin à ce travail.

Les pléonasmes et les redondances

Un pléonasme, c'est une répétition fautive. Il en existe de célèbres : *panacée universelle*, *monter en haut*, *descendre en bas* ; en effet, une panacée est par définition universelle, on monte toujours vers le haut et on descend toujours vers le bas. Si le pléonasme est parfois voulu, pour son effet comique, c'est plus souvent par mégarde qu'on l'utilise. Le mot *redondance* peut être pris comme synonyme de *pléonasme* ; il peut aussi s'appliquer à des répétitions plus diffuses. Les redondances ne sont pas par nature fautives : on peut répéter quelque chose intentionnellement, pour le faire mieux comprendre ou mieux retenir. Dans l'exercice qui suit, nous ne nous intéresserons qu'aux tours vraiment pléonastiques, donc fautifs.

EXERCICE 11.8

Éliminez les répétitions inutiles, soit en les retirant, soit en les remplaçant par autre chose.

1 « Reculez en arrière ! » cria le chauffeur d'autobus.

2 Dans certains pays, à cause de l'alcoolisme, un enfant sur six qui naît est atteint du syndrome d'alcoolisme fœtal à la naissance.

3 L'état de la situation est critique.

4 Il faut se dire que les offres d'emplois qui requièrent de telles exigences sont rares.

5 De plus, les stéréotypes du film sont banals. On aurait apprécié davantage d'originalité et de profondeur.

6 Nous avons marché au moins 15 kilomètres à pied.

7 Il a inventé toutes sortes de faux prétextes pour éviter de se faire gronder.

8 Il est indispensable de s'entraider mutuellement.

9 Prière de réserver vos billets à l'avance.

10 Notre compagnie a le monopole exclusif pour la région de Québec.

11 Le premier ministre présidera demain l'inauguration de la nouvelle clinique.

12 Ils se sont vus contraints malgré eux de vendre leur maison.

13 Il ne vous reste qu'une journée seulement.

14 Il faut à tout prix préserver la survie des baleines.

15 Depuis que Jean est entouré d'un environnement paisible, sa vie a changé.

16 Il ne vous suffit que de nous lancer un coup de fil et nous accourrons.

17 L'économie mondiale favorise les pays riches à s'enrichir davantage.

11.4 L'INCOMPATIBILITÉ SÉMANTIQUE

Quand deux personnes ne s'entendent pas, c'est souvent par incompatibilité de caractère ; des différences de tempérament majeures les rendent incapables de s'accorder, de vivre ensemble. Il en va de même pour les mots. Il arrive souvent qu'un verbe ait comme complément direct ou indirect un nom qui ne convient pas à son sémantisme. Ainsi, certains verbes ont un sens résolument positif et d'autres, un sens résolument négatif. Leur coexistence avec certains mots ou expressions dont le sens est contraire au leur est de ce fait impossible. Prenons l'exemple suivant : *Le projet de loi a recueilli l'hostilité des milieux de l'enseignement.* Comme *recueilli* impose une idée positive, sa combinaison avec *hostilité* est mauvaise. On peut recueillir l'assentiment de tous, recueillir des votes, etc., mais non l'hostilité, sauf bien sûr si l'intention est ironique.

Grâce au découpage très détaillé des emplois, à ses nombreux exemples et citations, ainsi qu'à ses renvois analogiques, le *Petit Robert* nous aide à éviter les combinaisons fautives. Il existe également, depuis 2001, un ouvrage spécialisé sur la question des combinaisons. Intitulé *Dictionnaire des cooccurrences*[1], cet ouvrage donne une liste d'adjectifs et de verbes à utiliser avec tel ou tel nom.

Voici une phrase qui montre à quel point ce type de faute exige de l'attention lorsqu'on écrit et lorsqu'on se relit :

> *La dernière étape fut celle de nous ***pencher sur l'étude*** de solutions de rechange.*

Si on peut se pencher sur un problème, une question, on ne peut certainement pas le faire sur l'étude d'une question.

---

1. Jacques Beauchesne, *Dictionnaire des cooccurrences*, Montréal, Guérin éditeur, 2001, 402 p.

Les fautes de ce type peuvent aussi porter sur la relation entre le sujet et l'attribut :

> *La Révolution tranquille qu'a connue le Québec au début des années 1960 a été* ***synonyme** *de grands changements.*

La Révolution tranquille est un phénomène abstrait, qui ne peut être synonyme de quoi que ce soit.

EXERCICE 11.9

Remplacez par des expressions idiomatiques les combinaisons incompatibles mises en relief par l'italique.

1 La Révolution tranquille a émergé au sortir de la *répression populaire*, avec le changement de gouvernement.

_____

2 Lorsque la *coopération* entre parents et enseignants est *présente*, l'élève réussit plus facilement à surmonter ses difficultés à l'école.

_____

3 Ces mesures doivent faciliter le commerce international des produits forestiers en *clarifiant les controverses* touchant la certification environnementale.

_____

4 Il n'existe aucun médicament pour traiter la méningite virale, mais cette maladie *rentre heureusement dans l'ordre*.

_____

5 Nous ne comprenons pas pourquoi le gouvernement *adopte une attitude inactive* dans ce dossier.

_____

6 Encore faut-il être sûr que les *efforts* qui sont actuellement *pris* sont suffisants pour protéger l'environnement.

_____

7 La réforme de l'éducation devrait permettre aux élèves *d'atteindre certaines exigences* et d'évoluer dans un environnement motivant.

_____

8 Les gens qui vont *réaliser des achats* sur Internet doivent prendre des renseignements sur les fournisseurs.

_____

9 Quand un parent est souffrant et que les médecins prétendent qu'il n'existe pas de médicaments pour *atténuer le malade*, la situation est difficile pour tout le monde.

_____

10 Nous nous *demandons la question suivante* : pourquoi n'avez-vous pas pris les mesures qui s'imposaient pour éviter de vous trouver dans une situation aussi délicate ?

11 Malgré toute notre bonne volonté pour résoudre cette énigme, *nous nageons toujours en plein désert.*

12 Les spectateurs *ont donné un accueil* chaleureux à la vedette lorsqu'elle est entrée en scène.

13 Quand l'artiste a entonné son plus grand succès, *le dégel s'est purement et simplement concrétisé.*

14 Selon une enquête menée récemment, de nombreux jeunes *placent* l'argent et le sexe *sur le même pied d'égalité.*

15 Cette femme a mené de front une carrière d'avocate et *une maternité de quatre enfants.*

16 Elle *éprouve* la satisfaction de partager des secrets bien gardés et le *mérite* d'aider ses clients à réaliser leurs ambitions.

17 Ce *questionnaire a à cœur* de mesurer le niveau d'anxiété des patients.

18 *L'interprétation des rôles principaux est jouée* avec tant de naturel qu'on ne peut que croire à cette histoire.

19 En cas de mauvais temps, *la projection se déplace* à la grande salle du centre récréatif.

20 Après un long procès, *les biens* de ce riche propriétaire terrien *ont été transmis* à l'aînée de la famille.

21 La réalisation du projet va *encourager le saccage* de toute la région.

22 Il *jouit d'une mauvaise* santé.

23 Cette nouvelle *s'est avérée fausse.*

24 Les risques sont *réduits au maximum.*

25 C'est *grâce à* une plaque de verglas qu'il a dérapé.

26 Il *risque de gagner* lors des prochains Jeux olympiques.

27 Il a *perdu* des milliers de dollars *à la faveur* de cette erreur.

Pour écrire, il faut combiner des mots. Or, si les possibilités de combinaisons sont infinies, il n'en reste pas moins qu'il faut agencer les mots en respectant le sens et l'emploi des combinaisons courantes, celles qui existent déjà et sont figées. Mal utiliser les expressions idiomatiques de la langue rend l'énoncé approximatif, voire inexact. Le dictionnaire vous renseignera sur le sens et l'emploi de ces expressions ; n'hésitez pas à le consulter.

EXERCICE 11.10

Dans les phrases suivantes, corrigez les formulations fautives provenant, dans la plupart des cas, d'une mauvaise connaissance des expressions figées.

1 Le ministre avait montré ses couleurs en brandissant la menace d'agir rapidement dans ce dossier.

2 Dans une pièce théâtrale, l'imagination du spectateur est constamment mise à contribution ; on ne peut pas en dire autant dans un film où, bien souvent, tout est montré.

3 Grâce à mon nouvel emploi de cuisinière dans un grand hôtel, je pourrai plus facilement rejoindre les deux bouts.

4 Il était temps qu'on rénove ce théâtre et qu'on lui refasse une fraîcheur, car c'est un bâtiment historique.

5 Pour tirer l'affaire au clair, les deux animateurs poseront les cartes sur la table en fin de journée.

6 Tant qu'à moi, un élève qui quitte le secondaire se ferme de nombreuses portes, à moins qu'il reprenne ses études plus tard.

7 Pour faciliter l'intégration des nouveaux étudiants, la plupart des facultés mettent sur place une journée d'information et un rite d'initiation.

_____

8 L'entrée en scène d'un nouveau suspect dans cette intrigue policière déjà compliquée ne fait qu'embrouiller les pistes.

_____

9 Depuis qu'elle a fait sa connaissance dans un bar de la vieille ville, elle n'a d'ouïe que pour lui.

_____

10 Être riche et célèbre comporte bien des avantages ; toutefois le revers du pendentif, c'est qu'on ne peut aller nulle part sans être importuné.

_____

11 À l'annonce de la mort de son fidèle compagnon, elle avait pleuré comme une madone pendant des heures.

_____

12 Le ministre a démontré de l'intérêt pour les problèmes des pêcheurs.

_____

13 Le Ministère a mis en place des quotas de pêche pour éviter la disparition de l'espèce.

_____

14 Le partage de leurs richesses ne fera que constituer un appauvrissement collectif.

_____

15 Actuellement, un débat est présent au sein du cabinet du premier ministre au sujet de la TPS.

_____

11.5 LES BARBARISMES ET LES SOLÉCISMES

Le **barbarisme** est une faute de langage qui consiste à se servir de mots déformés et, par extension, de mots forgés ou employés à mauvais escient. Ainsi, on se rend à l'_aéroport_ et non pas à l'*_aréoport_. L'invention de mots qui n'existent pas dans la langue (et qu'on pourrait qualifier de néologismes de mauvais aloi) s'inscrit dans la même ligne. Quand un inspecteur de sinistres dit qu'il doit _donner une *priorisation aux clients assurés_, il commet un barbarisme. Le mot *_priorisation_, même s'il a tendance à se répandre, n'a pas le sens de _priorité_.

Le **solécisme**, quant à lui, désigne les fautes contre les règles de la syntaxe. Si nous en présentons quelques cas dans cette partie consacrée au lexique, c'est parce que leur solution se trouve la plupart du temps dans le dictionnaire. En voici un exemple : _Ils se sont empressés *à faire connaître les avantages de leur solution._ Le _Petit Robert_ indique que le verbe pronominal _s'empresser_ se construit avec la préposition _de_.

Ces fautes de construction peuvent provenir de sources diverses, dont l'influence de l'anglais. Dans ce cas, on peut aussi les appeler *calques*. Par exemple, on n'est pas *sur un comité* mais *membre d'un comité*. On ne *se fie pas *sur quelqu'un* mais *à quelqu'un*. On ne mange pas *du spaghetti* mais *des spaghettis...*

EXERCICE 11.11

Complétez les phrases suivantes avec la préposition qui convient et, s'il y a lieu, faites les changements de déterminants nécessaires.

1 S'il me répond _____ l'affirmative, je serai là à la première heure.

2 Elle joue de la guitare _____ l'oreille.

3 La ville de Rimouski a besoin _____ nouvelles installations.

4 Pascal a fait une commande _____ 100 fanaux.

5 Il est demeuré _____ observation pendant huit heures.

6 Mon cousin est plombier. Il travaille _____ la construction.

7 Tu as vu la foule qu'il y avait _____ la rue à cinq heures ?

8 Son bureau se trouve _____ cet étage-ci.

9 Cette fois, je voyage _____ un Boeing 747.

10 La pièce est grande : elle fait 9 mètres _____ 10.

11 Si vous en doutez, vérifiez _____ le Service aux abonnés.

12 Ces articles sont vendus _____ perte.

EXERCICE 11.12

Corrigez les constructions fautives mises en relief par l'italique et faites tout autre changement nécessaire.

1 Ça lui a pris *un bon vingt minutes* à effectuer le parcours.

_____

2 *En autant que* je sache, il ne viendra pas demain.

_____

3 La nouvelle à *l'effet que* le dollar serait en chute libre s'est révélée fausse.

_____

4 Les écoles sont demeurées fermées *dû au* mauvais temps.

_____

5 Elle a fait ses courses *en dedans d'*une heure.

_____

6 Je *suis familier avec* ce programme.

_____

7 *Vérifiez avec* M. Tremblay l'horaire des trains.

_____

8 C'est M. Côté qui est *responsable pour* ce dossier.

_____

9 Aurez-vous *les argents* nécessaires pour acheter l'immeuble ?

_____

10 Quand il est passé *aux douanes*, il a eu la frousse.

_____

11 On n'aurait jamais dû *se fier sur* lui.

_____

12 Il est *obsédé avec* l'argent.

_____

13 Il a *participé dans* trois concours l'année dernière.

_____

14 Ils en ont mangé trois *chaque*.

_____

15 *Dépendamment* du temps, le spectacle aura lieu au Pigeonnier ou au Grand Théâtre.

_____

16 *Dépendant* des sources que vous aurez à votre disposition, vous pourrez traiter ce point avec plus ou moins de détails.

_____

17 Les *dernières dix années*, j'ai habité à Toronto.

_____

18 Montréal veut garder son programme de *greffe pulmonaire*.

_____

EXERCICE 11.13

Corrigez les formes fautives mises en relief par l'italique.

1 Le célèbre romancier est mort d'un *infractus* à l'âge de 42 ans.

_____

2 Je me *rappellerai de* cette soirée toute ma vie.

_____

3 Je vous *serais* gré de bien vouloir me répondre par retour du courrier.

_____

4 Il n'y a pas assez de vin pour deux *à* trois personnes.

_____

5 Il est placé devant un grave *dilemne*.

_____

6 Demain, c'est la fête *à* Maxime.

_____

7 Il a fait *pareil que* vous quand je lui ai annoncé la nouvelle.

_____

8 Il n'y a pas d'adéquation entre sa *rénumération* et la qualité du travail accompli.

_____

9 Je préfère rester à la maison *que* sortir.

_____

10 Il *s'est mérité* le premier prix lors du concours de danse.

_____

11 Une soixantaine d'organismes et de clubs divers *se sont objectés* à tout nouveau développement hydroélectrique.

_____

12 Il a exécuté son travail avec *habilité*.

_____

13 Faute de moyens *pécuniers*, il a dû renoncer à ses vacances.

_____

14 La mort de son fils l'a marqué de façon *indélibile*.

_____

15 Il *s'est accaparé* l'auditoire pendant toute la soirée.

_____

16 Louise *débute* toujours le cours par un mot de bienvenue.

_____

17 Il *s'en est allé* cueillir des fraises.

_____

18 Elle a *démontré* de l'intérêt quand je lui ai parlé de Venise.

_____

19 Vous l'avez appris à *votre dépend*.

_____

20 Louis a *ramené* un poncho du Venezuela.

_____

21 Les outardes *quittent* pour un ciel plus clément.

_____

EXERCICE 11.14

Récapitulation

Dans les phrases qui suivent, relevez les fautes de sens et corrigez-les à l'aide de votre *PR*, de votre *Multi* et de votre sens linguistique !

1 Elle a longuement parlé de l'incohérence budgétaire du gouvernement.

_____

_____

2 Une nouvelle ronde de hausse des taux d'intérêts est à prévoir.

_____

_____

3 Des groupes s'inquiètent du pouvoir des citoyens dans la nouvelle ville.

_____

_____

4 On a clos la semaine avec une question touchant toute la population : le suicide chez les jeunes. Ce problème a augmenté au cours des dernières années.

_____

_____

5 Cette redondance nuit aux règles du style.

_____

_____

6 Dans son article, la journaliste aborde dans le même sens.

_____

_____

7 Ces mesures doivent faciliter le commerce international des produits forestiers en clarifiant les controverses touchant la certification environnementale.

_____

_____

8 La base du concept réside dans l'interprétation et la mise en application de critères.

_____

_____

9 Ainsi, nous avons relevé plusieurs infractions linguistiques concernant les critères d'intelligibilité, de style et de syntaxe.

_____

_____

10 Quelque 200 000 citoyens demandent au gouvernement de s'attaquer à la pauvreté actuelle au Québec.

_____

_____

11 Pour l'instant, le syndicat adhère aux positions qu'il a déjà fait connaître.

_____

_____

12 « Depuis toujours, la langue et la culture sont au cœur de la vie des Québécoises et des Québécois », énonce le ministre.

_____

_____

13 Ce projet de loi favorise les industries forestières et celles-ci vantent une création d'emplois et des retombées économiques que les statistiques ne prédisent pas.

_____

_____

14 Le point de ce débat est de savoir quelle forme prendront les relevés de notes destinés aux enfants du primaire et du secondaire, ainsi qu'à leurs parents.

_____

_____

15 À qui revient la tâche de délimiter les normes évaluatives et de trancher les particularités du programme en fonction des aspects sociaux, politiques et législatifs ?

_____

_____

16 Le gouvernement oublie certains principes premiers qu'il prévalait auparavant.

_____

_____

17 La souveraineté du Québec suscite toujours des débats, mais n'aboutit à rien.

_____

_____

LA COHÉRENCE TEXTUELLE

Qu'est-ce qu'un texte ? C'est un « objet de communication ». Le texte est donc écrit **par** quelqu'un : le scripteur peut écrire en tant qu'individu ou en tant que représentant d'une institution. Le texte est aussi écrit **pour** quelqu'un : le destinataire peut être une personne, un groupe, une population. Le texte a un **sujet**, que le scripteur développe dans un but donné – informer, convaincre, divertir – et qu'il traite selon les conventions d'un genre particulier : à l'université, ce sera, par exemple, le compte rendu de lecture, le rapport de stage, le travail de recherche.

Qu'est-ce qui rend un texte cohérent ? Qu'est-ce qui assure son homogénéité, sa cohésion interne ? La cohérence du texte repose sur les principes suivants :

- une **unité générale**, facilement repérable dans le sujet :

> *Ce message est pour vous informer que mon fils a la varicelle et qu'il sera absent de l'école pendant quelques jours. Je communiquerai avec son enseignant pour savoir quels devoirs il devrait faire à la maison pendant son absence de l'école.*
>
> *Érik Dupont, père de Pierre Maltais-Dupont, élève de 4ᵉ année*

- un certain degré de **répétition** d'une phrase à l'autre, c'est-à-dire une reprise d'information par des groupes qui se substituent à des éléments déjà mentionnés. Les pronoms de reprise sont les substituts les plus simples :

> ***Pierre*** *est malade.* ***Il*** *n'ira pas à l'école aujourd'hui.*

- un certain degré de **progression** d'une phrase à l'autre, c'est-à-dire un apport constant d'informations nouvelles :

> *Pierre* ***est malade****. Il* ***n'ira pas à l'école aujourd'hui****.*

- une **relation sémantique claire** entre les informations :

> *Pierre n'ira pas à l'école aujourd'hui* ***parce qu****'il est malade.*

- l'**absence de contradiction** à l'intérieur du texte et par rapport à la réalité :

> *Pierre fait* ***40 °C de fièvre****. Il* ***n'ira pas à l'école****.* (L'enchaînement textuel est logique et correspond à la réalité connue : à 40 °C de fièvre, on est malade.)

- la **constance** dans le point de vue, dans le ton :

> ***Pauvre petit Pierre !*** ***Comme*** *je* ***le plains !***

À ces principes de cohérence, ajoutons l'organisation générale du texte (découpage et hiérarchisation) et sa présentation visuelle (mise en pages et typographie).

Sauf par folie, par jeu ou pour d'autres raisons d'expérimentation, personne ne transgresse les règles de cohérence au point de produire un enchaînement qui ne constituerait pas du texte. Personne n'écrirait en effet :

> *Pierre est malade. Marie va aller à l'école. Pierre est malade. Comme il est à plaindre ! C'est bien fait pour lui ! Je vais prévenir le chauffeur d'autobus que Pierre fait 36,7 °C de fièvre.*

Le degré de respect des critères de cohérence varie cependant d'une personne à l'autre, à l'oral comme à l'écrit. Quelqu'un qui saute du coq à l'âne, se répète interminablement, ou argumente opiniâtrement sur des positions que tous partagent, sera difficilement considéré comme un bon orateur ou un bon scripteur. De même, un texte ou un discours qui renferme des contradictions ou qui énonce des idées contraires à la réalité des faits ne sera pas considéré comme un modèle de cohérence.

Ainsi, un guide touristique qui ferait mourir Montcalm à deux dates différentes ou en deux lieux différents au cours d'une visite guidée ne recevrait pas grand crédit pour la cohérence de ses explications. Un étudiant qui, dans une dissertation courte, répéterait intégralement au début de son développement ce qu'il a écrit en introduction transgresserait la règle de progression et ne stimulerait pas de la sorte l'intérêt du lecteur.

Ce chapitre porte essentiellement sur les aspects de la cohérence qui sont inscrits dans la langue même et qui sont source d'erreurs ou de faiblesses fréquentes : procédés de progression et de reprise de l'information ; connecteurs et organisateurs permettant de relier les phrases et les segments de texte dans une visée communicative ; choix syntaxiques et lexicaux pouvant entraîner des contradictions ou rompre la constance du point de vue. Quelques commentaires sur la façon dont la mise en pages et la typographie contribuent également à la cohérence des documents ferment le chapitre.

12.1 LA CONTINUITÉ THÉMATIQUE ET LA PROGRESSION DU TEXTE

La progression textuelle, comme nous venons de le voir, demande que chaque phrase apporte de l'information nouvelle. Sur le plan informatif, une phrase se divise ainsi en deux constituants : le **thème** (ce dont on parle), qui est généralement déjà connu, et le **propos** (ce qu'on en dit), qui correspond à l'information nouvelle. La deuxième phrase de l'enchaînement suivant se découpe comme suit :

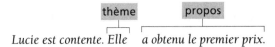

Lucie est contente. Elle a obtenu le premier prix.

Le thème est connu, puisqu'il est repris de la phrase précédente ; le propos est nouveau. Si la continuité du texte oblige à reprendre des éléments de phrase en phrase, la progression oblige à introduire constamment de nouveaux propos, mais aussi à renouveler le thème pour construire une progression dynamique. Cette dynamique de répétition et de progression et les difficultés qu'elle pose font l'objet des deux sections suivantes.

Progression et construction du texte

Il y a différentes façons de progresser de phrase en phrase. On peut progresser à partir du **thème** :

> *Lucie* est contente. **Elle** *a obtenu le premier prix.*

On peut aussi progresser à partir du **propos** :

> *Lucie a remporté* le premier prix*.* **Celui-ci** *lui permettra de se consacrer entièrement à son art pendant toute une année.*

> *Lucie* a remporté le premier prix*.* **Cela** *lui permettra de se consacrer entièrement à son art pendant toute une année.*

Souvent, on ne reprend qu'une partie du thème ou du propos. On « dérive » un nouveau thème :

> *Nous avons en librairie* tous les livres de Marie Laberge*.* **Sa trilogie,** Le goût du bonheur, *est maintenant réunie en un volume.*

Ce découpage peut s'étendre sur plusieurs phrases : à partir d'un thème général, ou « hyperthème », on dérive plusieurs sous-thèmes. L'hyperthème se trouve fréquemment dans la première phrase du paragraphe :

> *Lauréat du Prix littéraire du Gouverneur général du Canada en 1999, Herménégilde Chiasson se définit comme* un artiste multidisciplinaire*.* **Le poète** *a publié une quinzaine de recueils de poésie.* **Comme cinéaste,** *Herménégilde Chiasson a réalisé une douzaine de films (dont plusieurs primés).* **Homme de théâtre,** *il a écrit une vingtaine de pièces de théâtre. C'est aussi* **un artiste visuel** *qui a participé à plus de 100 expositions, dont 18 en solo.*

Dans les textes, on combine les différentes façons de progresser. Certains types de textes se prêtent cependant bien à un type de progression ou à un autre sur des enchaînements plus ou moins longs. Ainsi, la narration emprunte facilement la **répétition** :

> *Ce matin-là,* Marie *se leva d'excellente humeur.* **Elle** *avait obtenu le premier prix !* **Elle** *allait pouvoir passer ses journées entières dans son studio !* **Elle** *n'irait plus huit heures par jour répondre aux récriminations de tous les clients insatisfaits de la qualité des services !*

La description procède presque naturellement par **dérivation** :

> *Elle franchit sans hésiter le seuil de* ce monde mystérieux*.* **Des robots lilliputiens** *s'activaient à…* **Des Martiens à lunettes vertes** *parlaient tous en même temps.* **Trois informaticiens, café à la main,** *se grattaient la tête devant un serveur grimaçant.*

Certaines chansons, le plus souvent enfantines, s'appuient entièrement sur la répétition du propos de la phrase précédente :

> *Dans le cœur il y a* l'amour
> **L'amour** *est dans* le cœur
> **Le cœur** *est dans* l'oiseau
> **L'oiseau** *est dans* le n'œuf
> **Le n'œuf** *est dans* le nid
>
> (Extrait d'une chanson de Zachary Richard)

Sauf par effet ludique, ce genre de progression n'est pas viable très longtemps. En réalité, à l'écrit comme à l'oral, on s'arrête peu sur le type de progression qui convient. Cela ne veut pas dire qu'il ne s'exerce pas de contraintes sur la façon de progresser. Les pronoms de reprise et le choix du déterminant dans les reprises nominales, notamment, font souvent l'objet d'erreurs. Même lorsqu'il n'y a pas d'erreurs, cependant, on peut souvent améliorer la cohérence textuelle en modifiant certaines progressions.

EXERCICE 12.1

Mettez en lumière le fonctionnement de la progression dans les passages suivants en identifiant les reprises qui sont en position thématique et ce qu'elles reprennent. Indiquez si la reprise se fait à partir du thème ou du propos de la phrase précédente[1].

EXEMPLE

Le thème central de l'œuvre de Gabrielle Roy est la peine et la solitude humaines, que rachètent l'amour de la création et l'espérance d'un monde de réconciliation entre tous les êtres humains. Plusieurs de ses romans portent sur son Manitoba natal, mais l'œuvre de Roy n'y est pas entièrement consacrée. Elle traite de nombreux sujets, comme la vie ouvrière, la solitude, le monde de l'artiste, la diversité des cultures, la nature, l'enfance.

Plusieurs de ses romans : reprise dérivée de l'œuvre de Gabrielle Roy (en thème dans la phrase précédente)

l'œuvre de Roy : reprise de l'œuvre de Gabrielle Roy (en thème, deux phrases plus haut)

Elle : reprise de l'œuvre de Roy (en thème dans la phrase précédente)

1   Il n'y a pas si longtemps, la tendance était de créer des biosphères, dans un but de préservation. Le but était louable, mais l'approche présentait énormément de limites. Les pressions économiques et politiques sont telles que ces réserves finissent par être exploitées.

2   L'histoire de l'Iran se reflète dans la mosaïque ethnique qui le compose. Les Perses, qui forment près de la moitié de la population, sont le groupe dominant dans le nord et le centre du pays ; ils habitent surtout les villes. Le second groupe ethnique est celui des Azerbaïdjanais, dans le nord-ouest du pays ; ce sont surtout des agriculteurs, des pasteurs et des commerçants. Les montagnes du Zagros sont peuplées par des Kurdes, des Luris et des Bakhtiaris, qui, traditionnellement, étaient des pasteurs nomades. Dans le sud-ouest vivent de nombreux Arabes, qui travaillent notamment dans l'industrie pétrolière. Le sud-est est habité par des Baloutches, ethnie de tradition pastorale nomade.

---

1. Certains passages des exercices ou des exemples proviennent de copies d'étudiants.

EXERCICE 12.2

Déterminez quel est l'hyperthème (le thème général) des passages suivants. (Aidez-vous au besoin d'un atlas pour la première question.)

1 Chichén Itzá est le plus extraordinaire des sites mayas : nous y avons passé trois jours ! Mérida nous attend demain. Puis Prospero, où nous finirons par une semaine de farniente au bord de la mer. Pensons à vous.

Papa et maman

2 Les chambres sont spacieuses, le petit déjeuner est plantureux et l'accueil, chaleureux. L'hôtel des Trois Cloches, tout près de la cathédrale, est le meilleur camp de base pour explorer la vieille ville.

EXERCICE 12.3

Expliquez en quoi la progression est douteuse ou mauvaise dans les expressions en gras des passages suivants et corrigez-la.

1 En consultant mon curriculum vitæ, vous constaterez que je suis un candidat consciencieux et dynamique, qui possède le niveau de rigueur et de clarté indispensable pour fournir un enseignement de qualité. Plus précisément, **mes responsabilités en tant que professeur dans le secteur technologique** m'ont permis de découvrir à quel point l'enseignement présente un caractère à la fois stimulant et valorisant.

2 Les garçons au comportement actif ne semblent pas toujours avoir leur place dans les écoles mixtes. L'école séparée devrait-elle être envisagée ? **En offrant plus de temps d'activité physique, les garçons** seraient en mesure de se concentrer davantage en classe.

Continuité thématique et reprise de l'information

La continuité du texte est assurée avant tout par les **reprises d'information** d'une phrase à l'autre. L'extrait suivant en présente plusieurs types :

> *On ne dira jamais assez la souffrance, le désarroi et la rancœur causés par <u>le bruit</u>. Pourtant,* **le bruit** *est bien l'une des dernières calamités que l'on essaie d'enrayer, et* **les souffre-douleur du bruit** *passent pour des faiblards et des geignards incapables de faire face à <u>la musique du monde moderne</u>. Mais* **le vacarme assourdissant des autoroutes et des boulevards, le vrombissement turboréacté des avions, le tapage lancinant des boîtes de nuit et des bars, l'assommoir journalier du métro, le viol de l'intimité par la télévision et le système de son du voisin, le saccage du silence perpétré par des motocyclettes réveillant une ville endormie à trois heures du matin** *comptent parmi les plaies de la vie moderne qui empoisonnent l'existence à petite dose, vous déboussolent et vous assaillent sans rémission jusqu'à ce que, de guerre lasse, vous cédiez à leur emprise funeste. Non,* **le bruit** *est un mal si géant, si monstrueux que se taire à son sujet est s'en rendre complice.* **Il** *introduit la chicane dans les ménages, stresse le travailleur, dépassionne les amants, énerve l'enfant, étourdit l'adolescent et accable le vieillard.* **Il** *écourte le sommeil, parasite les bons moments de la vie, déconcentre l'étudiant et le créateur.* **Le bruit** *agit comme cette ancienne torture chinoise qui consiste à arracher à la victime cent bouchées de chair.* **Il** *siphonne, par petites succions mortifères, votre sève intérieure, jusqu'au total écervellement.* **Le bruit***, comme la cigarette, abrège les jours. (Marc Chevrier, extrait de «Lamentations d'un martyr du bruit», <u>http://agora.qc.ca</u>)*

Le rapport entre une reprise et son antécédent (ce qui est repris) peut être décrit **grammaticalement** : ainsi, la substitution d'un nom par un pronom est une pronominalisation. On peut aussi le décrire **sémantiquement** : le rapport entre un GN de reprise et son antécédent peut en effet être synonymique, périphrastique, etc. La section suivante en présente les principaux cas.

Classement grammatical des reprises

Sur le plan **grammatical**, on peut distinguer trois grandes catégories de reprises : les reprises par pronominalisation, les reprises nominales, qui peuvent mettre en œuvre diverses transformations par rapport à l'antécédent, et les reprises adverbiales.

a) Reprises par **pronominalisation** d'un GN, d'un GPrép ou d'une ou de plusieurs P :

> <u>le bruit</u> → **il**
>
> <u>À la campagne</u>, ce n'est guère mieux. Le bruit **y** est tout aussi omniprésent.
>
> <u>Le silence est mort</u>. **Cela** dérange de plus en plus de gens.

b) Reprises **nominales** :

- reprise par **simple répétition** d'un GN (ou d'un pronom) :
  <u>le bruit</u> → **le bruit**

  <u>Elle</u> aime travailler en écoutant de la musique. **Elle** se concentre mieux ainsi. (Il n'y a pas ici de pronominalisation, mais simple répétition d'un pronom.)

- reprise d'un GN **avec modification** :
  - changement de déterminant : <u>un bruit</u> → **ce bruit**
  - changement de nombre et changement de type de déterminant : <u>le bruit</u> → **certains bruits**
  - ajout d'une expansion : <u>le bruit</u> → **le bruit nocturne**
  - changement de l'expansion : <u>le bruit de la ville</u> → **le bruit nocturne**
  - troncation de l'expansion : <u>le bruit nocturne</u> → **le bruit**
  - changement de noyau : <u>le bruit</u> → **les assauts du bruit**
  - renvoi au nom repris par un déterminant possessif : <u>le bruit</u> → **ses effets**

- reprise d'un GV, d'un GAdj, d'un GAdv ou d'une P par **nominalisation** :

> *Le bruit <u>assaille nos oreilles</u>. **Cette agression** dérange de plus en plus de gens.*
>
> *Le bruit est devenu <u>omniprésent</u>. **Cette omniprésence** dérange de plus en plus de gens.*
>
> *Le bruit est <u>partout</u>. **Cette omniprésence** dérange de plus en plus de gens.*
>
> *<u>Le bruit est partout</u>. **Cette omniprésence du bruit** dérange de plus en plus de gens.*

c) Reprises **adverbiales** (au moyen de *ici, là, ainsi, alors...*) d'un groupe, d'une phrase ou d'une série de phrases :

> *Rien ne sert d'aller <u>à la campagne</u>. **Même là**, le bruit est omniprésent.*
>
> *Pour en être conscient, il faut tout d'abord <u>muscler sa sensibilité, avoir le courage du silence et savoir dire non aux paillettes brûlantes du bruit</u>. **Alors**, la vraie musique, celle qui est écoutée dans sa pleine mesure, qui arrive à point et qu'on a eu le temps de désirer, n'en sonnera que meilleure.*

Classement sémantique des reprises

Sur le plan **sémantique**, on peut aussi distinguer divers rapports entre l'antécédent et la reprise. Une première distinction oppose les reprises **totales** des reprises **partielles** :

> <u>*le bruit*</u> → **le bruit** (reprise totale)
>
> <u>*le bruit*</u> → **il** (reprise totale)
>
> <u>*les bruits*</u> → **certains d'entre eux** (reprise partielle)
>
> <u>*le bruit*</u> → **les assauts du bruit** (reprise partielle)

Il est intéressant de noter que la plupart des reprises ne sont pas totales. La construction du sens dans un texte, ou dans la communication de façon générale, rend nécessaire un renouvellement constant du thème. Ainsi, à l'exception des simples répétitions ou pronominalisations totales, les reprises comportent toujours un apport. Les synonymes mêmes ne se recouvrent presque jamais de façon totale, comme il a été vu dans le chapitre 9 sur l'emploi du mot juste.

- Une **reprise synonymique** introduit un angle nouveau :

> <u>*les souffre-douleur du bruit*</u> → **les martyrs du bruit** (valeur superlative)

- Une **reprise générique** effectue un classement, objectif ou subjectif :

> <u>*les sons*</u> → **le bruit**

- Une **reprise périphrastique** (par un groupe de mots synonyme d'un seul mot) apporte un commentaire :

> <u>*le bruit*</u> → **la musique du monde moderne**

- Une **reprise associative** fait dériver le thème :

> <u>*le bruit*</u> → **les assauts du bruit**

- Une **reprise synthétique** donne un nouveau point de départ :

> *Le bruit est devenu non seulement une nuisance, mais encore <u>une menace grave pour la santé. Les effets sur la santé de l'exposition au bruit constituent en fait un problème de santé publique de plus en plus important</u>. Face à **cet état de choses**...*

Ce double classement, grammatical et sémantique, est nécessaire pour cerner les erreurs et les maladresses en matière de reprises. Certaines témoignent d'une faible maîtrise de la langue soutenue, mais gênent peu la communication ; d'autres ont des effets plus profonds sur la construction du sens dans le texte et nuisent davantage à la communication. La partie suivante propose un tour d'horizon de quelques erreurs et maladresses qu'on rencontre souvent dans les reprises.

Erreurs et maladresses dans les reprises d'information

Dans le contexte de la cohérence, on utilise souvent deux termes pour parler de ce qui est repris : *antécédent* et *référent*. Le mot *antécédent* désigne l'élément du contexte qui est repris. Le mot *référent*, lorsqu'on l'oppose à *antécédent*, désigne ce à quoi renvoie la reprise du point de vue du sens : une reprise peut en effet renvoyer à l'antécédent de façon totale ou partielle ; elle peut par ailleurs renvoyer à une réalité dont il n'est pas question dans le texte. La notion de référent est donc nécessaire, notamment pour comprendre les défauts de reprise sans antécédent.

Erreurs de genre ou de nombre dans les reprises pronominales et nominales

De façon générale, une reprise pronominale doit être de même genre et de même nombre que son antécédent :

> <u>La plupart des familles rurales</u> *élèvent des animaux et cultivent du maïs, du riz et des haricots pour leur subsistance ou pour le marché local ; nombre d'entre* ****eux*** *(→* ***elles****) doivent également travailler dans les plantations.*

Parfois, une erreur de genre ou de nombre dans une reprise pronominale peut causer une difficulté de compréhension :

> *Cet atelier a pour but de provoquer une remise en question des conceptions et des connaissances héritées de sa propre expérience en tant que <u>cadre</u>. Ces conceptions seront soumises à la discussion afin de* ****les*** *rendre réceptifs aux préoccupations des employés de leur service.*

Le pronom *les* a pour référent les cadres, comprend-on en lisant le mot *réceptifs*. Or, l'antécédent *cadre* est au singulier dans la phrase précédente et le déterminant possessif qui y renvoie est à la troisième personne du singulier. Une correction minimale fera remplacer *sa* par *leur* et mettre le mot *cadre* au pluriel, mais il demeure tout de même une ambiguïté référentielle (voir le point « Ambiguïté référentielle du pronom de reprise » à la page suivante).

Sauf la reprise associative (qui dérive un nouveau thème), la reprise nominale est aussi généralement du même nombre que son antécédent. Or, les erreurs sont fréquentes :

> <u>Les devoirs à la maison</u> *sont nécessaires pour consolider les apprentissages de la journée. Grâce* ****au devoir*** *(→* ***aux devoirs****), l'enfant peut en effet s'exercer et revoir au besoin les notions qui n'ont pas été suffisamment acquises.*

EXERCICE 12.4

Corrigez les erreurs de genre ou de nombre dans les reprises contenues dans les passages suivants.

1 Aujourd'hui, l'automobile est devenue indispensable. On ne saurait plus se passer de ces véhicules.

2 Il y a des personnes qui travaillent trop. Ils n'ont pas l'occasion d'apprécier leurs biens.

3 La Chine et l'Inde ont violemment rejeté les contraintes de nature à entraver leur développement, face à des pays qui ont cyniquement accumulé dans l'atmosphère la bombe à retardement du changement climatique. Mais ces nations, qui montent en puissance économiquement, ne pourront pas toujours se désolidariser des enjeux de la survie planétaire. On se réjouira toutefois qu'ils ne soient pas tombés dans le piège qui leur était grossièrement tendu, à cette étape, par les États-Unis.

Autres erreurs et maladresses dans les reprises pronominales

La plupart des erreurs courantes dans les reprises pronominales peuvent se corriger facilement. Certaines ont déjà été abordées dans le chapitre 3 sur la syntaxe. Elles sont reprises ici dans un contexte plus textuel.

a) Ambiguïté référentielle du pronom de reprise

Pour assurer une bonne progression et donc une bonne lecture, le lecteur doit pouvoir déterminer quel est l'antécédent d'un pronom de reprise dès qu'il lit ce pronom. Ce n'est pas le cas dans la phrase suivante :

> *Cet atelier a pour but de provoquer une remise en question des conceptions et des connaissances héritées de leur propre expérience en tant que <u>cadres</u>. Ces conceptions seront soumises à la discussion afin de ****les** rendre réceptifs aux préoccupations des employés de leur service.*

Lorsque le lecteur arrive au pronom *les*, il est porté à croire que le pronom renvoie aux conceptions. Ce n'est qu'en lisant le mot *réceptifs* qu'il comprend que le pronom renvoie aux cadres. On pourra lever l'ambiguïté en répétant le GN *les cadres* :

> *Cet atelier a pour but de provoquer une remise en question des conceptions et des connaissances héritées de leur propre expérience en tant que <u>cadres</u>. Ces conceptions seront soumises à la discussion afin de rendre **les cadres** réceptifs aux préoccupations des employés de leur service.*

On peut aussi changer complètement la progression thématique, qui stagne un peu : il y a en effet une répétition peu utile entre *une remise en question des conceptions* et *Ces conceptions seront soumises à la discussion*.

> *Cet atelier a pour but de provoquer chez <u>les cadres</u> une remise en question des conceptions et des connaissances héritées de leur propre expérience afin de **les** rendre plus réceptifs aux préoccupations des employés de leur service.*

Le retrait de la répétition et l'intégration en une seule phrase resserre le lien de sens entre *a pour but de provoquer* et *afin de rendre*, levant ainsi l'ambiguïté référentielle du pronom.

Dans un passage narratif ou descriptif, on crée cependant parfois un effet de surprise en ne présentant le référent qu'après la reprise, comme dans ce début de refrain :

> *Ah ! **la voici, la voici, la voilà**, <u>celle que j'aime, celle que j'aime</u>…*

Les ambiguïtés suivantes sont à éviter.

• Plusieurs antécédents possibles pour un pronom

Ce genre d'ambiguïté se produit notamment lorsqu'on a deux GN en thème et en propos qui sont du même genre et du même nombre :

> *<u>Les professeurs</u> ont parlé avec <u>les étudiants</u>. ****Ils** ne feront pas la grève.*

Qui ne fera pas la grève : les professeurs ou les étudiants ? Si ce sont les étudiants, on peut reprendre par un démonstratif qui pointe vers le GN le plus près de la phrase précédente :

> *Les professeurs ont parlé avec <u>les étudiants</u>. **Ceux-ci** ne feront pas la grève.*

On peut aussi reprendre par un pronom relatif qui subordonnera la deuxième phrase à la première :

> *Les professeurs ont parlé avec <u>les étudiants</u>, **qui** ne feront pas la grève.*

Si ce sont les professeurs qui ont décidé de ne pas faire la grève, il faudrait une reprise nominale, mais elle est difficile : on ne peut guère mettre de synonyme ou de périphrase ni répéter simplement. Comme c'est bien une répétition qu'il faut malgré tout, le mieux est de faire l'ellipse du deuxième sujet, celui qui est répété, et de coordonner les deux GV :

> *Les professeurs ont parlé avec les étudiants et ont annoncé/décidé* (selon le sens qu'on veut) *qu'ils ne feraient pas la grève.*

La locution *ce dernier* est utilisée d'une façon très similaire à *celui-ci*. Elle reprend simplement le dernier élément, même en l'absence d'ambiguïté grammaticale, en insistant sur le fait que c'est bien ce dernier élément qui est repris :

> *On se réjouira que ces nations ne soient pas tombées dans le piège qui leur était grossièrement tendu, à cette étape, par <u>les États-Unis</u>. **Ces derniers** s'étaient en effet promis de repartir de Kyoto sans engagement contraignant pour leur économie.*

- **Changement d'antécédent ou de référent pour un même pronom répété**

Il s'agit d'un cas particulier du cas précédent. En effet, lorsqu'on répète deux fois (ou plus) de suite le même pronom, il devrait chaque fois avoir le même référent. Ce n'est pas le cas dans l'exemple suivant :

> *Lorsque l'étoile aura atteint la phase de géante rouge et que toute l'énergie nucléaire de son intérieur sera épuisée, <u>l'attraction gravitationnelle</u> ne sera plus contrée par l'effet d'expansion de la chaleur. **Elle** provoquera alors la contraction de l'étoile. Pendant la contraction, *__elle__ gagnera en densité.*

Que reprend le deuxième *elle* ? Répète-t-il le premier *elle* ou renvoie-t-il à autre chose ? La lecture de la suite de la phrase oblige à lui donner comme antécédent *l'étoile*, mais l'antécédent devrait être clair dès qu'on lit le pronom *elle*. On changera donc pour une reprise nominale :

> *Pendant la contraction, **l'étoile** gagnera en densité.*

On peut aussi réorganiser la progression dans les deux dernières phrases :

> *__L'étoile__ se contractera alors et gagnera en densité.*

Voici un autre exemple :

> *La diversité ethnique rend difficile toute généralisation à propos des familles iraniennes. La structure familiale dépend aussi de la religion et de la classe sociale. **On** peut cependant avancer qu'en général <u>les Iraniens</u> accordent plus d'importance à l'unité et à l'honneur de la famille qu'à la satisfaction personnelle. Beaucoup préfèrent d'ailleurs vivre à proximité d'autres membres de la famille. C'est une société essentiellement patriarcale, et le chef de famille est habituellement l'homme le plus âgé de la famille. *__On__ apprend très tôt aux enfants à être disciplinés et à respecter leurs aînés.*

Les deux *on* ont des référents différents. Le premier ne reprend rien dans le texte : c'est un *on* d'analyse, qui renvoie en quelque sorte à l'auteur. Le second est une reprise associative du groupe *les Iraniens*. Or, les deux *on* sont trop près l'un de l'autre pour ne pas avoir le même référent. Il faut donc remplacer l'un des deux *on* par autre chose :

> *Les enfants apprennent très tôt à être disciplinés et à respecter leurs aînés.*

• **Enchaînement de pronoms personnels différents**

Un pronom de reprise devant normalement trouver son antécédent dans la phrase précédente, l'enchaînement de deux pronoms personnels différents en thème est rarement possible :

> *La traduction de Monod est celle que j'ai préférée parce qu'elle est très fidèle au texte anglais. *Il a notamment su garder le même ton que le texte de départ.*
>
> → **Monod** *a notamment su garder le même ton que le texte de départ.*

De surcroît, la reprise par un pronom personnel en position thématique d'une partie seulement du sujet est en soi à éviter. Voir le point *c*) ci-dessous sur cette question.

b) Absence d'antécédent « récupérable »

Les reprises pronominales doivent presque toujours avoir leur antécédent dans le contexte immédiat. Dans l'exemple qui suit, l'antécédent du pronom de reprise en gras est vraiment trop loin dans le texte :

> *Lorsque l'étoile aura atteint la phase de géante rouge et aura épuisé toute l'énergie nucléaire de son intérieur, l'attraction gravitationnelle ne sera plus contrée par l'effet d'expansion de la chaleur. Elle provoquera alors la contraction de l'étoile. Pendant la contraction, l'étoile gagnera en densité. Les atomes d'hydrogène se fusionneront pour former de l'hélium et ensuite les atomes d'hélium se fusionneront pour former du fer. ***Elle** devient ensuite très chaude puisque l'énergie cinétique de la chute vers l'intérieur est transformée en chaleur.*

L'antécédent du pronom *elle*, le GN *l'étoile*, se trouve deux phrases plus haut dans le texte et, même si la phrase intercalée ne contient aucun nom féminin singulier qui puisse être l'antécédent de *elle*, la distance empêche la reprise pronominale. Les pronoms de reprise doivent en effet se substituer à quelque chose qui est très présent dans l'esprit ; or, la progression thématique de phrase en phrase a pour effet que ce qui est le plus présent, c'est ce qui est dans la phrase précédente. Pour corriger la reprise de l'exemple ci-dessus, on peut simplement répéter le nom :

> *Pendant la contraction, l'étoile gagnera en densité. Les atomes d'hydrogène se fusionneront pour former de l'hélium et ensuite les atomes d'hélium se fusionneront pour former du fer. **L'étoile** devient ensuite très chaude puisque l'énergie cinétique de la chute vers l'intérieur est transformée en chaleur.*

EXERCICE 12.5

Corrigez les erreurs d'ambiguïté référentielle ou d'absence d'antécédent dans les reprises en gras.

1 La directrice des stages a rencontré la directrice de l'école pour lui demander d'accepter le plus de stagiaires possible. **Elle** a répondu qu'elle ferait son possible.

2 À la fin des cours, les instruments doivent être rangés afin d'éviter qu'ils ne soient endommagés. Les espaces de rangement doivent ensuite être fermés à clef par les professeurs. En partant, **ils** remettent la clé au concierge et signent le registre.

c) Reprise difficile d'un complément dans un GN par un pronom personnel thème

L'antécédent d'un pronom personnel doit être clair. Dès qu'il y a ambiguïté quant à l'antécédent, on reprend par un pronom démonstratif ou par un autre moyen, comme il a été vu dans le point précédent. Même lorsqu'il n'y a pas d'ambiguïté, la reprise par une pronom personnel n'est pas toujours possible. C'est souvent le cas lorsqu'on veut reprendre un complément dans le groupe sujet ou même dans un groupe complément de verbe ou de phrase.

Avec une reprise par un pronom personnel, on s'attend en effet à ce que tout le groupe soit repris :

> *L'œuvre de Conrad a été abondamment traduite.* **Elle** *a aussi été publiée dans la collection La Pléiade.*

C'est pourquoi une reprise comme la suivante peut être déstabilisante pour le lecteur :

> *La traduction de* <u>Monod</u> *est excellente.* ***Il** a notamment su garder le même niveau de langue que le texte de départ.*

Pourquoi ne pas garder le même thème et continuer à parler de la traduction :

> *La traduction de* <u>Monod</u> *est la meilleure des quatre.* **Elle** *garde notamment le même niveau de langue que le texte de départ.*

Dans le cas d'une progression à thème dérivé, on préférera généralement une reprise nominale, surtout si la phrase précédente a un peu de complexité :

> *La traduction de* <u>Monod</u> *est meilleure que les trois autres.* **Monod** *a notamment su garder le même niveau de langue que le texte de départ.*

La progression à thème dérivé est un découpage, au moyen d'une reprise partielle (on ne reprend qu'une partie de l'antécédent) ou d'une reprise associative (on découpe par ajout à l'antécédent ou par association pure). Les choix de reprises dans la progression à thème dérivé sont multiples. Dans le cas qui nous intéresse ici, plutôt que de passer de la traduction au traducteur, la progression pourrait plutôt se faire de la traduction à un **aspect** de la traduction :

> *La traduction de* <u>Monod</u> *est la meilleure des trois.* ***Le niveau de langue** est notamment le même que celui du texte de départ.* (dérivation de tout à partie)

EXERCICE 12.6

Corrigez les reprises pronominales suivantes.

1 La profession des enseignants a besoin d'être revalorisée. En effet, ils ne sont pas reconnus à leur juste valeur.

___

2 En partant, déposez la clef de votre chambre à la réception. Elle doit être libérée avant midi.

___

3 La fillette a appris les mots désignant la robe du cheval. S'il est brun, on dira qu'il est alezan ou bai ; si son pelage est brun et parsemé de poils blancs, on dira qu'il est aubère ou rubican.

___

d) Absence totale d'antécédent pour la reprise pronominale

À l'oral familier, on reprend facilement un nom collectif ou un nom de lieu singulier par un pronom pluriel :

> *Nous avons téléphoné trois fois au service à la clientèle pour nous plaindre. Chaque fois, ****ils*** nous ont dit d'attendre encore un peu.*

Le groupe *service à la clientèle* ne peut être repris par un pronom pluriel à l'écrit et, de surcroît, un service à la clientèle ne peut rien dire : ce sont les personnes qui y travaillent qui parlent. Plutôt qu'un pronom de reprise (*ils*), il faut utiliser le pronom *on* ou tourner la phrase autrement :

> *Nous avons téléphoné trois fois au service à la clientèle pour nous plaindre. Chaque fois, **on** nous a dit d'attendre encore un peu.*

> *Nous avons téléphoné trois fois au service à la clientèle pour nous plaindre, avec pour seul résultat de nous faire dire d'attendre encore un peu.*

En fait, sauf si on veut créer un effet de surprise, un pronom de reprise doit obligatoirement avoir un antécédent :

> *Elle comprend bien le comportement adolescent, y compris les excuses employées par ***ceux-ci**, et sait leur montrer comment tirer profit de leurs différences culturelles dans le système scolaire.*

Il n'y a pas de noms *adolescents* dans le contexte, mais seulement l'adjectif *adolescent*. Un pronom de reprise ne peut en principe reprendre un adjectif. Même si le référent de *ceux-ci* se récupère sans difficulté, il est plus soigné, sur le plan grammatical, d'avoir un réel antécédent à la reprise. On se rend compte ensuite qu'on n'a plus besoin d'un pronom démonstratif, qui pointe un antécédent parmi plusieurs, mais qu'un simple pronom personnel suffit :

> *Elle comprend bien le comportement <u>des adolescents</u>, y compris les excuses qu'**ils** emploient, et sait leur montrer comment tirer profit de leurs différences culturelles dans le système scolaire.*

EXERCICE 12.7

Corrigez les erreurs relevant d'une absence d'antécédent pour la reprise.

1 Avant de prendre la route, appelez la météo. S'ils annoncent de la poudrerie, évitez l'autoroute.

2 Les nouveaux employés ne peuvent pas toujours prendre de vacances estivales. Cette saison est en effet très chargée pour nous et les derniers arrivés dans l'entreprise devront même accepter de faire des heures supplémentaires.

3 Le gouvernement de l'Ontario a été critiqué pour sa décision. Le budget de la province a en effet été présenté dans le hall d'une compagnie figurant au nombre de leurs donateurs.

e) Abus de *cela*

Employé comme reprise, le pronom démonstratif *cela* (ou *ça* à l'oral ou à l'écrit familier) a généralement une valeur synthétique, c'est-à-dire qu'il reprend un groupe verbal, une phrase, une série de phrases, un paragraphe ou une section de texte plus grande :

> *Le gouvernement <u>a réduit notre budget et l'appui qu'il nous donnait en services gratuits</u>.* **Cela** *nous pose un problème énorme.*

> *Il est évident que <u>les suppléments nutritionnels ont un rôle à jouer dans le traitement des escarres superficielles et surtout des escarres en profondeur</u>. Mais* **cela** *ne signifie pas qu'on puisse les considérer comme des mesures préventives.*

Ces deux *cela* sont bien employés, encore qu'on pourrait reprendre par *ces réductions* dans le premier cas. Dans l'exemple suivant, condensé d'une intervention à la Chambre des communes, on enchaîne plusieurs *cela*, dont aucun ne serait très heureux s'il s'agissait d'un texte écrit :

> *Un conflit de travail qui perdure a des conséquences énormes pour une famille. Il y a beaucoup de femmes seules vivant avec des enfants parmi les grévistes et celles-ci doivent souvent s'endetter pour survivre. Il est inacceptable que* **cela** *se produise de nos jours.* **Cela** *entraîne des coûts inutiles dans le domaine de la santé. En effet, les gens deviennent nerveux, malades. Il faut aussi tenir compte de tous les coûts que* **cela** *génère quand on s'endette : c'est l'économie qui écope.* (Hansard *révisé, n° 93, 1ᵉʳ mai 2003.)*

Dans un texte rédigé, le premier *cela* et le verbe qui suit pourraient être remplacés par une tournure idiomatique et un adverbe de reprise :

> *... que les choses se passent* **ainsi** *de nos jours.*

Le deuxième peut être remplacé par une reprise nominale explicite :

> **Les conflits de travail qui s'éternisent** *entraînent des coûts dont on n'a pas besoin dans le domaine de la santé.*

Enfin, dans le dernier cas, on peut tout simplement éliminer la reprise :

> *... tous les coûts que génère l'endettement.*

Lorsque *cela* introduit une conséquence, on peut souvent le remplacer par *ce qui* :

> *Le gouvernement <u>a réduit notre budget et l'appui qu'il nous donnait en services gratuits</u>.* **Cela** *nous pose un problème énorme.*

> *Le gouvernement <u>a réduit notre budget et l'appui qu'il nous donnait en services gratuits</u>,* **ce qui** *nous pose un problème énorme.*

EXERCICE 12.8

Retrouvez la reprise utilisée à l'origine dans le texte au lieu de la reprise *cela*.

1 Il n'y a pas si longtemps, la tendance était de créer des biosphères, dans un but de préservation. **Cela** était louable, mais l'approche présentait énormément de limites.

2 Quant à moi, j'estime que le paysage sonore est une dimension aussi importante de l'écologie que le paysage visuel ou la préservation des écosystèmes. Pour être conscient de **cela**, il faut tout d'abord muscler sa sensibilité, avoir le courage du silence et savoir dire non aux paillettes brûlantes du bruit. **En faisant cela**, la vraie musique, celle qui est écoutée dans sa pleine mesure, qui arrive à point et qu'on a eu le temps de désirer, n'en sonnera que meilleure.

EXERCICE 12.9

Remplacez *cela* par des reprises plus explicites.

1 L'élément le plus déterminant pour avoir plus de temps est peut-être d'évaluer ce qui est le plus important pour vous. Est-ce que c'est d'obtenir une grosse promotion, de passer plus de temps avec votre famille ou vos amis ? En établissant **cela** au départ, vous pourrez décider combien d'heures vous voulez consacrer au travail et peut-être éviter d'avoir des remords plus tard. (Bulletin d'information de City Bank.)

2 Je pense que j'ai toutes les compétences requises pour ce travail et je serais ravie de vous rencontrer afin que nous puissions discuter de **cela**.

3 « Le bio, c'est bien beau, mais on n'a pas les moyens de se payer ça. » Qui n'a pas déjà entendu ce discours ou ne l'a pas lui-même prononcé ? Pourquoi est-ce comme **cela** ?

4 En plus d'ouvrir le projet aux différentes disciplines, l'équipe PSSM s'est orientée vers la recherche-action et participative. Chercheuses et chercheurs canadiens et mexicains ont en effet déployé beaucoup d'énergie pour faire intervenir le plus de gens possible, afin d'approfondir la recherche et d'en maximiser l'impact. La population locale a été encouragée à participer à la formulation d'autres stratégies de développement et à tous les aspects des activités de préservation. « Il ne s'agit pas simplement de placoter avec les paysans, les paysannes indigènes, mais d'organiser des sessions de formation avec eux, de vraiment les intégrer dans la stratégie de préservation. **Cela** s'inscrit dans notre conception du développement durable, qui n'est pas celle d'un capitalisme qui nettoie ses propres dégâts pour assurer sa survie. Nous voyons le développement durable pour et par les gens de la base », souligne le chercheur. (Andrée Poulin, *Interface* [maintenant *Découvrir*], mars-avril 1993, vol. 14, n° 2, p. 54-56.)

Erreurs et maladresses lexicales dans les reprises nominales

Les reprises nominales sont aussi source d'erreurs et de maladresses. Très souvent ce sont des maladresses d'ordre lexical : choisir un synonyme ou un terme synthétique ou générique approprié demande en effet une bonne maîtrise du vocabulaire. La créativité est également en cause : trouver une bonne périphrase ou des reprises associatives évocatrices exige un effort. L'extrait du texte sur le bruit présenté plus haut renfermait des reprises témoignant d'une recherche consciente de termes expressifs : *vacarme*, *tapage*, *viol de l'intimité*, *saccage du silence* décrivent fortement ce que pense l'auteur du bruit.

En fait, la formulation des reprises met en œuvre la force de la pensée et la créativité. Elle témoigne en toute clarté de la maîtrise rédactionnelle du scripteur. Il vaut donc la peine d'y accorder son entière attention. Le chapitre 9 sur l'enrichissement lexical vous a donné les outils pour travailler dans ce sens.

EXERCICE 12.10

Remplacez la reprise nominale en gras par une reprise moins répétitive dans le choix de mots ou sur le plan sémantique.

1 Le chercheur a effectué <u>des relevés de bruit</u> dans des écoles primaires. **Le niveau de bruit** y voguait de 40 à 70 dB (décibels).

2 Depuis le début du XXe siècle, <u>l'économie de l'Iran</u> est dominée par la production de pétrole et de gaz naturel, que contrôle l'État. **L'économie** est donc très dépendante des fluctuations de prix du pétrole au niveau mondial.

3 <u>Le Concours provincial de français de l'Ontario</u> vise à encourager les jeunes à poursuivre des études universitaires en français. <u>Il</u> a vu le jour en 1938, à l'initiative de Robert Gauthier, qui était directeur de l'enseignement en français pour la province. <u>Le Concours</u> s'adresse aux élèves de 12e année des écoles secondaires francophones de l'Ontario et offre aux participants la chance de remporter des bourses et des prix fort intéressants. Cette année, **le Concours** se tiendra à l'Université Laurentienne, à Sudbury.

Dimension syntaxique des reprises

La maîtrise de la progression thématique et des reprises met par ailleurs en jeu tout le savoir-faire syntaxique du scripteur : déplacements, mises en relief, passivation contribuent notamment à une progression dynamique. Le chapitre 3 sur la syntaxe vous donne beaucoup d'outils pour travailler dans ce sens.

Reprises de l'information et organisation du paragraphe

Avant de passer à l'emploi des connecteurs et des organisateurs textuels dans la construction de la cohérence du texte, il convient de bien voir que les reprises peuvent elles-mêmes **structurer** un paragraphe ou un enchaînement plus grand. C'est le cas dans le paragraphe suivant, où la reprise *son manque de cartésianisme* combiné au connecteur d'addition *aussi* met en lumière l'articulation du paragraphe en une double justification :

> *En observant le comportement de la France, on peut constater que ce pays est <u>tout sauf cartésien</u>. En effet, la France modifie sa politique étrangère selon qu'il s'agit de questions d'ordre mondial ou européen : <u>elle</u> est multilatéraliste pour les questions ne la touchant pas de trop près ou lorsque cela fait son affaire, mais suit l'exemple de Georges Bush et devient unilatéraliste au sein de l'Union européenne. **Son manque de cartésianisme** se manifeste aussi par l'attitude des Français face à la mondialisation : ils ont fait un héros du chantre de l'antimondialisation José Bové, tout en étant majoritairement convaincus que la mondialisation profite grandement à la France.* (Résumé d'un billet sonore présenté par Alain Frachon, journaliste au journal *Le Monde*, à l'émission *Les Matinales* de la radio culturelle de Radio-Canada, le 9 septembre 2003.)

Récapitulation sur la progression thématique et les reprises

EXERCICE

Dans le passage qui suit, la progression thématique est correcte, mais manque un peu de vivacité. Expliquez pourquoi et dynamisez la progression en modifiant au besoin les reprises.

> *Les sauterelles ont de longues pattes sauteuses. Ces insectes peuvent faire des bonds énormes et échapper ainsi à leurs ennemis. Beaucoup de sauterelles émettent une stridulation qui est produite par le frottement de leurs ailes antérieures. Dans leurs pattes antérieures, elles ont une petite fente avec des nerfs qui sont très sensibles. Elles peuvent ainsi capter des sons. Elles ont donc des «oreilles» dans les pattes antérieures. Les femelles ont à l'arrière du corps un long oviducte qu'elles enfoncent dans le sable pour pondre leurs œufs. La plupart des sauterelles mangent de l'herbe. Les cultivateurs savent qu'un nuage de sauterelles qui s'abat sur une récolte peut causer d'importants dégâts.*
>
> (Adapté de *Mon premier livre des animaux*, p. 52)

_____

_____

_____

_____

_____

_____

_____

_____

_____

12.2 LES CONNECTEURS

Comme la progression thématique et les reprises, les connecteurs (aussi appelés *marqueurs de relation* ou *mots-liens*) sont un instrument essentiel de la cohérence. Éléments de liaison, ils contribuent à la cohérence du texte en établissant des relations sémantiques entre des phrases (rôle de connecteur proprement dit) et entre des parties de texte (rôle d'organisateur textuel).

Parmi les connecteurs, on trouvera des conjonctions de coordination et de subordination (*mais, car, or, parce que, quand…*), des adverbes coordonnants (*puis, ensuite*), des adverbes organisateurs de texte (*d'abord, finalement*), des adverbes compléments de phrase (*aujourd'hui, aussitôt*), des groupes prépositionnels (*en premier lieu, au début*), des locutions (*Quoi qu'il en soit*) et des phrases de transition (*Passons au point suivant*).

Sur le plan sémantique, on peut distinguer trois grands types de connecteurs :

- les connecteurs **temporels**, particulièrement utiles dans une narration :

    Au début, *René Cavelier de La Salle s'installa à Ville-Marie.* **Pendant** *un temps, il dut vivre dans la seigneurie qui lui avait été octroyée, mais il reçut* **finalement** *l'autorisation de se lancer dans l'exploration des terres situées à l'ouest de la colonie.*

- les connecteurs **spatiaux**, fréquemment utilisés dans les descriptions physiques qui suivent une progression à thèmes dérivés :

    Encore une rédaction sur le chalet de ses rêves ! Cela ne traînerait pas… Ce serait un grand chalet en bois au bord d'un lac solitaire. **Tout le long de** *la façade avant courrait une grande galerie barricadée contre les moustiques.* **Derrière**, *il y aurait les bécosses.* **Au bord de** *l'eau, un bon ponton et* **au milieu des** *rochers, un emplacement pour faire des feux.* **Tout le tour du** *lac, il y aurait d'autres chalets, plein d'amis avec lesquels s'amuser.*

- les connecteurs **argumentatifs**, qui marquent diverses relations entre les phrases et les parties d'un texte, dont les principales sont : addition, énumération et complémentation ; cause, conséquence et but ; explication et justification ; exemplification ; confirmation et reformulation ; opposition et concession ; comparaison ; hypothèse et condition ; conclusion et évaluation. Ces articulations du raisonnement sont essentielles à l'exposition d'idées : mieux on maîtrise leur utilisation, meilleurs sont nos raisonnements écrits.

Nous ne traiterons ici que des connecteurs argumentatifs. Nous aborderons d'abord quelques difficultés liées au sens de la relation établie par ces connecteurs. Nous proposerons ensuite des moyens de corriger les erreurs et maladresses les plus courantes. Enfin, nous explorerons la diversité des connecteurs argumentatifs et les nuances de sens qu'ils peuvent exprimer.

Reconnaissance des relations exprimées par les connecteurs

Il n'est pas toujours aisé de bien cerner la relation établie par un connecteur. Si certains ont un sens fort simple – *en outre* introduit hors de tout doute un élément additionné –, d'autres ont un sens plus complexe. Ainsi, le connecteur *d'ailleurs* établit un lien d'addition, mais avec une idée de renforcement ; il introduit un argument **excédentaire** :

<u>*Dans le contexte économique actuel*</u>, *notre nouveau procédé n'est pas rentable.* **D'ailleurs**, <u>*tous nos efforts pour le commercialiser ont échoué.*</u> (Le contexte économique actuel est une raison suffisante ; les échecs rencontrés dans les efforts de commercialisation ne font que le confirmer.)

Il ne faut pas oublier non plus que certains connecteurs sont polysémiques. Par exemple, la conjonction *si* exprime aussi bien l'opposition que la condition et l'hypothèse, ou encore la conséquence dans une structure corrélative avec une cause :

> **Si** *l'ordinateur permet d'accomplir plus de travail, il est également source de beaucoup de perte de temps.* (opposition)

> **Si** *on a une connexion Internet, on a intérêt à avoir un antivirus à jour.* (hypothèse)

> **Si** *le projet a bien réussi, c'est (parce) que nous avons eu l'appui de toute la communauté.* (conséquence en relation avec une cause)

EXERCICE 12.12

Expliquez quelle est la relation établie par les connecteurs en gras dans les extraits suivants et indiquez quels segments de texte sont ainsi reliés (en les surlignant si vous le désirez). Aidez-vous des définitions du *Petit Robert* et du *Multidictionnaire de la langue française* (*Multi*) ainsi que des tableaux (conjonctions de coordination et de subordination, connecteurs) qu'on trouve dans le *Multi*.

EXEMPLE

> **Jadis**, *les historiens se demandaient pourquoi Napoléon a envahi l'Égypte.* **Maintenant**, *ils se demandent quel caleçon il portait.* (Richard Martineau, « Le junk food de l'histoire », *L'Actualité*, 1er juin 1999.)

> Chronologie servant à opposer deux conceptions de l'histoire.

1 **La lisibilité du graphique**

La première règle de lisibilité du graphique, c'est qu'on doit bien voir à quoi il renvoie. Le lecteur ne doit pas être obligé de chercher dans le texte à quoi se rapporte le graphique. **En effet** (a), un des premiers buts du graphique est de favoriser une prise de conscience plus rapide d'un phénomène que ne le permet le texte. **Pour** (b) cela, il ne doit pas être égaré loin de ce qu'il illustre. La deuxième règle de lisibilité, c'est que le graphique doit être sémantiquement clair. Le lecteur ne doit pas être obligé de suivre un parcours sinueux dans le graphique pour comprendre ce qu'il signifie. **Au contraire** (c), le graphique doit se lire et se comprendre facilement. **Enfin** (d), un graphique doit être sémantiquement utile. Il sera encore plus utile **s'** (e) il ne se limite pas à illustrer les propos, **mais** (f) **s'** (g) il permet également d'approfondir, de démontrer et de convaincre. **En fait** (h), le graphique et le texte sont deux aspects complémentaires de la communication écrite, **et** (i) le graphique ne doit pas contrarier le sens du texte, **mais** (j) le renforcer par effet de synergie en permettant une lecture **soit** (k) plus analytique **soit** (k) plus synthétique que le texte. (Josiane Kwan Tat, synthèse de lectures.)

a) _____

b) _____

c) _____

d) _____

e) _____

f) _____

g) _____

h) _____

i) _____

j) _____

k) _____

2 Le pas de Doha

Plus de 36 millions de personnes sont atteintes par le sida dans le monde et plus de 10 000 personnes meurent chaque jour faute d'avoir accès aux médicaments qui pourraient leur sauver la vie. **Or** (a), le prix des médicaments est une entrave majeure à leur accessibilité. […] Avec l'apparition des premières versions génériques de certains traitements en Inde, au Brésil ou en Thaïlande, la démonstration a été faite que seule une concurrence entre de nombreux fabricants est en mesure d'entraîner une baisse conséquente du prix des produits pharmaceutiques. Les producteurs de médicaments génériques ont, **par ailleurs** (b), prouvé deux choses : **tout d'abord** (c) que les possibilités de baisse du prix des médicaments sont bien supérieures à ce qu'a toujours prétendu l'industrie occidentale ; **ensuite** (d), qu'il était possible de sortir d'une situation de blocage due à la dépendance au bon vouloir « philanthropique » des multinationales. **Pourtant** (e), depuis trois ans, les pressions et les menaces des États du Nord et des industriels bloquent la mise en place de production de génériques et leur exportation dans les pays les plus pauvres.

[…]

La majorité des malades du sida, et la majorité des malades en général, vivent dans des pays qui ne sont pas en mesure de produire eux-mêmes les médicaments dont ils ont besoin. L'exportation à partir des pays émergents est **donc** (f) une nécessité. **Or** (g), **si** (h) la déclaration des ministres du Commerce reconnaît l'existence du problème, les pays riches ont **cependant** (i) entravé une prise de position indispensable. **De fait** (j), la déclaration de Doha ne lève pas cette barrière. **Ainsi** (k), la réunion de l'OMC ne met pas fin à la bataille des pays pauvres pour accéder aux médicaments. Contre la pression des pays riches et des compagnies pharmaceutiques, le combat doit continuer afin de terminer le travail inachevé lors de cette conférence. Des millions de vie sont en jeu. L'OMC devra **donc** (l) statuer dans les mois qui viennent au conseil du TRIPS sur le fait que rien dans l'accord sur la propriété intellectuelle ne doit entraver l'exportation de médicaments abordables vers les pays dépourvus de capacité de production. (Gaelle Krikorian, « Le pas de Doha », *L'Humanité*, 7 décembre 2001.)

a) _____

b) _____

c) _____

d) _____

e) _____

f) _____

g) _____

h) _____

i) _____

j) _____

k) _____

l) _____

Quelques maladresses et erreurs courantes

Parmi les erreurs et les maladresses les plus répandues en matière de connecteurs, certaines sont très faciles à corriger : c'est le cas notamment des confusions entre deux formes proches ainsi que des erreurs dans la position du connecteur dans la phrase. D'autres erreurs touchent fondamentalement au sens et sont plus difficiles à corriger. S'ajoutent à ces erreurs de sens les défauts « logiques » : la valeur du connecteur n'est pas à proprement parler en cause (le scripteur la connaît sans doute bien), mais certains éléments du contexte font que son emploi n'est pas tout à fait pertinent.

Confusions entre deux formes proches

a) *De plus/En plus* – À l'oral, on se sert beaucoup de *en plus* en tête de P. À l'écrit soutenu, *de plus* est de mise ; *en plus* s'utilise à l'intérieur de la P (ou dans la locution prépositive *en plus de*) :

> ***De plus***, *la pratique d'un sport est bonne pour la santé psychique.*

> ***En plus d'****être le meilleur moyen de se garder en forme, le sport est bon pour la santé psychique.*

> *Avec l'achat d'un équipement complet, vous obtenez **en plus** gratuitement le service d'entretien pour toute la saison.*

b) *En dernier lieu/En dernier* – *En dernier* n'a qu'un sens spatial ou temporel : *Placez-vous en dernier. Je ferai cela en dernier.* Comme organisateur textuel, on emploie *en dernier lieu* :

> ***En dernier lieu***, *la pratique d'un sport peut avoir une dimension spirituelle.*

c) *Finalement/Enfin* – *Finalement* a une valeur de conclusion, de terme d'une analyse ou d'une situation : *Finalement, ils se sont mariés.* Dans la langue soutenue, ce n'est pas un connecteur d'addition comme *enfin* :

> *****Finalement***, *la pratique d'un sport peut avoir une dimension spirituelle.*

> → ***Enfin*** *(Par ailleurs/De surcroît, etc.), la pratique d'un sport…*

d) *Par conséquent/En conséquence* – Les deux formes ont le même sens (*par conséquent* est plus courant), mais il ne faut pas faire d'hybride en combinant les deux (**par conséquence*).

EXERCICE 12.13

Corrigez les erreurs touchant aux connecteurs en gras dans les passages suivants.

1 **En dernier**, travailler tout en étudiant permet de développer toutes sortes de compétences pratiques. (*dernier terme d'une énumération*)

2 Nous considérons que la relation élève-élève et élève-enseignant doit être fondée sur le respect mutuel. **En plus**, nous croyons au caractère essentiel du dialogue et de la communication entre tous les partenaires, à savoir les élèves, les enseignants et les parents.

3 Les lacs et les cours d'eau sont à la base de secteurs d'activité dominants du développement de la MRC, à savoir la villégiature, qui occupe une forte proportion des berges, et le récréo-tourisme tirant profit du nautisme. Cette hydrographie soutient aussi une faune riche et abondante. Elle approvisionne **finalement** en eau potable nombre de résidants du territoire et même d'au-delà du territoire administratif de la MRC.

4 Plusieurs usines de construction automobile ont fermé leurs portes dans la région et, **par conséquence**, le prix des maisons a chuté.

Position dans la phrase

Diverses contraintes syntaxiques peuvent s'appliquer à des connecteurs particuliers. Certains, par exemple, changent de sens en changeant de place. D'autres ne peuvent simplement pas se mettre en tête de phrase, place naturelle du connecteur interphrastique.

a) *Aussi*

En tête de phrase, à l'écrit, *aussi* signifie « par conséquent ». Il s'emploie avec ou sans inversion du pronom sujet. Avec une inversion ou une reprise du sujet, *aussi* n'est pas suivi d'une virgule ; sans inversion ou reprise (construction moins soutenue, mais non fautive), il demande une virgule :

> *On prévoit que la tempête fera rage jusqu'à demain soir.* **Aussi** *l'université restera-t-elle fermée jusqu'à lundi.* / **Aussi**, *l'université restera fermée jusqu'à lundi.*

Avec un pronom sujet, l'inversion est la forme la plus courante :

> **Aussi** *fermerons-nous à midi.*

Comme connecteur d'addition, *aussi* doit être intégré dans la phrase :

> *Le sport a* **aussi** *une dimension spirituelle.* (sens de « également »)

b) *Également*

Ce connecteur ne s'emploie pas en tête de phrase en français :

> *Le sport a* **également** *une dimension spirituelle.*

EXERCICE 12.14

Dans lequel des passages suivants *aussi* est-il mal employé ?

1 Les spécialistes du centre de recherche ont constaté qu'un pneu insuffisamment gonflé avait joué un rôle déterminant dans l'accident. Aussi, parmi leurs recommandations, les scientifiques ont insisté sur la nécessité pour les camionneurs de surveiller constamment la pression de leurs pneus.

2 Les spécialistes du centre de recherche ont constaté qu'un pneu insuffisamment gonflé avait joué un rôle déterminant. Aussi, parmi leurs recommandations, ont-ils souligné la nécessité pour les camionneurs de surveiller constamment la pression de leurs pneus.

3 Parmi leurs recommandations, les spécialistes ont souligné la nécessité pour les camionneurs de surveiller constamment la pression de leurs pneus. Aussi, ils ont fait remarquer que la vérification devait s'effectuer avec un manomètre et non en donnant des coups de pied dans les pneus.

4 Parmi leurs recommandations, les spécialistes ont souligné la nécessité pour les camionneurs de surveiller constamment la pression de leurs pneus. Ils ont aussi fait remarquer que la vérification devait s'effectuer avec un manomètre et non en donnant des coups de pied dans les pneus.

EXERCICE 12.15

Corrigez les connecteurs en gras dans les passages suivants.

1 Le modèle présente une meilleure tenue de route et un meilleur rapport performance/économie. **Également**, le nouveau modèle offre une vraie modularité qui plaira à ceux qui se servent de leur véhicule à la fois pour la famille et pour le travail.

2 Au nombre des améliorations techniques figurent les coussins gonflables ainsi que des barres de renforcement au niveau des portières avant. **Aussi**, la mécanique a intégré plusieurs nouvelles technologies permettant de mieux combiner performance mécanique et économie d'utilisation.

Imprécisions et confusions de sens

Certains connecteurs peuvent nous sembler parfaitement synonymes, alors qu'ils ne le sont pas. D'autres ayant des sens complètement différents peuvent être confondus. En voici quelques cas.

a) *Car/Parce que*

Car introduit davantage une explication visant à faire comprendre qu'une cause proprement dite. *Parce que* introduit une cause, une raison simple. Comme on se sert beaucoup de la cause pour expliquer, on se sert beaucoup de *car* pour introduire de simples causes. Les exemples suivants montrent qu'il est facile d'abuser du connecteur *car*:

> *Les devoirs sont nécessaires à l'école primaire, **car** ils permettent aux élèves de s'exercer.*
>
> *Les devoirs sont aussi utiles pour les enseignants, **car** ils leur permettent de vérifier les apprentissages.*
>
> *Même les parents tirent profit des devoirs, **car** ils peuvent suivre, grâce à eux, les progrès de leurs enfants.*

Une raison objective appelle davantage *parce que*; une raison subjective appelle *car*. Ainsi, le grammairien Joseph Hanse distinguait: *Le chat miaule parce qu'il a faim* (cause) et *Le chat a faim, car il miaule* (énoncé de ce qui permet de penser que le chat a faim). En d'autres mots, plus une raison est factuelle, moins on utilisera *car*. Pour beaucoup de gens, la raison donnée dans le premier des trois exemples ci-dessus semblera un fait incontestable et serait mieux introduite par *parce que*. Les deuxième et troisième exemples se rapprochent davantage de l'explication. Pour mieux connaître la variété des connecteurs permettant d'exprimer l'explication, voir la section « Diversité des connecteurs et nuances de sens » à la page 352 de ce chapitre.

EXERCICE 12.16

Complétez les phrases suivantes avec *parce que* ou *car*.

1 Nous avons pris un autre chat, _____ notre vieille chatte s'ennuyait toute seule.

2 Il s'est acheté une bonne voiture _____ il fait beaucoup de route.

3 Il hésite à prendre sa retraite, _____ il aime beaucoup la politique.

4 Pierre n'est pas allé à son cours _____ il est malade.

5 Il doit être malade, _____ il n'est pas venu à son cours.

6 Nous vous remercions encore, _____ c'est vous qui rendez possible cet événement.

b) *Parce que / Puisque*

La différence entre les deux termes est en fait nette, même si on les confond parfois : *parce que* introduit la cause d'un fait énoncé dans la phrase enchâssante, alors que *puisque* introduit une justification, un argument fondant la justesse de ce qui est énoncé dans la phrase enchâssante :

*Il est rentré chez lui **parce que** sa fille est malade.*

***Puisque** votre fille est malade, travaillez donc chez vous aujourd'hui.*

Pour expliquer la différence de sens entre les deux conjonctions, on dit parfois que *puisque* introduit une cause présentée comme incontestable, une cause absolument évidente :

***Puisqu'**il est à Paris, tu ne peux pas l'avoir rencontré à Winnipeg ce matin !*

EXERCICE 12.17

Complétez les passages suivants avec *parce que* ou *puisque*.

1 L'horloge atomique la plus stable et la plus exacte (elle est exacte par définition, _____ la seconde est définie par rapport à son fonctionnement) est actuellement l'horloge atomique à jet de césium.

2 _____ les atomes sont en nombre infini dans le vide infini, explique Épicure, et _____ le hasard, à travers le temps infini, produit nécessairement tout le possible, il est absurde de penser que notre monde est le seul, absurde d'imaginer qu'il est au centre de l'Univers ou que les dieux lui prêtent une attention particulière. (Théorie épicurienne de la pluralité des mondes.)

3 La physique essaie de comprendre l'essence de certains concepts de base, tels le mouvement, les forces, l'énergie, la matière, la chaleur, le son et la lumière. _____ ces phénomènes se retrouvent partout dans l'Univers, les physiciens étudient une myriade de choses différentes. Les physiciens étudient, par exemple, les trous noirs, les atomes, les moteurs, les ascenseurs, et le vol des balles de baseball, _____ toutes ces choses obéissent aux lois physiques.

4 Les théories qui sous-tendent la description des espèces changent _____ la science évolue, et donc aussi le concept des espèces et leur nom.

c) *En effet / En fait*

En effet introduit une confirmation, un argument d'ordre justificatif ; *en fait* introduit une clarification, parfois dans une relation d'opposition :

> *L'embonpoint et a fortiori l'obésité n'existent pas dans la nature. On ne les trouve ni dans les sociétés primitives ni dans le règne animal (exception faite pour les animaux domestiques, et pour cause). Ce sont **en fait** des phénomènes de civilisation.*

> *Les résultats d'une enquête nationale menée par la faculté de kinésiologie de l'Université du Nouveau-Brunswick révèle que le nombre de cas d'obésité chez les enfants canadiens de 7 à 13 ans a plus que doublé sur une période de 15 ans. **En effet**, le nombre d'enfants obèses de 7 à 13 ans est passé de 5 à 13,5 % chez les garçons et de 5 à 11,8 % chez les filles, et ce, de 1981 à 1996.*

EXERCICE 12.18

Complétez les passages suivants avec *en fait* ou *en effet*.

1 Le gouvernement fédéral s'est donné une politique d'équité en matière d'emploi il y a déjà bien longtemps, _____ il y a au moins vingt ans. Cette politique a été adoptée parce qu'elle était nécessaire. _____ , certains groupes au Canada se voyaient refuser l'accès à des emplois pour des raisons qui n'avaient rien à voir avec leurs compétences ou leurs capacités.

2 Parmi les recherches envisagées en Antarctique, la plus difficile à imaginer touche sans doute l'astrophysique. Des astrophysiciens pensent _____ très sérieusement à établir un observatoire international au pays des pingouins !

3 « L'éducation ne laisse personne indifférent. La population souhaite que les enfants aient accès à une éducation de qualité. Une société, un pays, une nation qui croit dans son avenir doit miser sur l'éducation. _____ , l'éducation, ce n'est pas une dépense, c'est un investissement dans l'avenir », a déclaré le ministre, qui s'adressait aux principaux acteurs du milieu scolaire de la région.

Défauts logiques

Les défauts logiques ne relèvent pas d'une confusion de sens entre deux connecteurs. Ce sont plutôt des erreurs relevant de l'interaction avec le contexte. Ils touchent notamment l'addition et la relation causale.

a) Relations de sens non justifiées

On établit parfois entre deux idées une relation qui n'est pas fondée. C'est souvent le cas pour l'addition. Or, s'il n'y a pas addition, on ne peut pas utiliser un connecteur ou un organisateur d'addition :

> ***D'abord****, la pratique d'un sport est essentielle pour être en forme. […]*
>
> ****Ensuite****, il faudrait imposer que le sport occupe plus de place dans les écoles.*

D'abord introduit une **raison** pour laquelle le sport est bon. *Ensuite* introduit une **conséquence**. On mettra plutôt :

> ***Aussi*** *devrait-on imposer que le sport occupe plus de place dans les écoles.*

b) Erreurs de combinaison entre connecteurs

Ce genre d'erreur touche en particulier l'addition. Dans les enchaînements d'organisateurs d'addition, il ne faut pas, en règle générale, mélanger les séries. On ne combinera pas *d'abord* et *en deuxième lieu* ou *en premier lieu* et *deuxièmement* :

> ***D'abord****, le sport est essentiel pour…* ****En deuxième lieu****, il permet de…* ***Enfin****, il ne faut pas oublier sa dimension spirituelle.*

On écrira plutôt :

> ***D'abord****, le sport est essentiel pour…* ***Ensuite****, il permet de…* ***Enfin****, il ne faut pas oublier sa dimension spirituelle.*
>
> ***En premier lieu****, le sport…* ***En deuxième lieu****, il…* ***En dernier lieu / Enfin****, il…*

c) L'explication circulaire

Une explication causale doit dire davantage que le fait expliqué ; en d'autres mots, elle ne peut se limiter à être l'image inversée du fait expliqué. Or, la phrase suivante présente un tel effet de miroir et on ne devrait donc pas utiliser *car* :

> **La décision du juge est excessive,* ***car*** *l'accusé ne méritait pas trente ans de prison.*

L'explication est ici davantage de l'ordre de la confirmation, de la reformulation (voir les catégories d'explication dans la section « Diversité des connecteurs et nuances de sens » un peu plus loin). On utilisera plutôt *en effet* ou un deux-points. On peut aussi lier les deux phrases dans une relation de gradation en ajoutant un adverbe d'intensité dans la deuxième :

> *La décision du juge est excessive. L'accusé ne méritait* ***en effet*** *pas trente ans de prison.*
>
> *La décision du juge est excessive : l'accusé ne méritait (****vraiment****) pas trente ans de prison.*

d) Le « sandwich but / cause » et le « sandwich causal »

Cause et but sont souvent très proches : *Lili a vite fait ses devoirs parce qu'elle voulait aller jouer dehors* (cause) / *Lili a vite fait ses devoirs pour pouvoir aller jouer dehors* (but). Cette proximité de sens entre la cause et le but fait qu'il est souvent incorrect d'encadrer un fait par une cause et un but. Nous avons métaphoriquement désigné cette construction de « sandwich causal » (et de « sandwich but / cause ») parce que le fait central est pris en sandwich entre des causes ou entre un but et une cause qui se concurrencent.

La plupart des gens hésiteraient sans doute à écrire :

> ****Pour avoir du succès****, il faut travailler,* ***parce que c'est nécessaire pour réussir.***

Et personne n'écrirait :

> ****Comme ma grand-mère est morte****, je n'ai pas fait mon devoir* ***parce que je me suis cassé une jambe****.*

Cependant, pour plusieurs, la redondance entre le but et la cause dans l'exemple suivant pourrait passer inaperçue. Elle n'en est pas moins à éviter :

> **Dans le but d'éviter ces écarts entre les jeunes* (but), *certaines écoles ont opté pour le port de l'uniforme, **car les avantages de celui-ci sont nombreux** (cause).

Il faut choisir entre le but ou la cause et écrire :

> ***Dans le but d'éviter ces écarts entre les jeunes**, certaines écoles ont opté pour le port de l'uniforme. / Certaines écoles ont opté pour le port de l'uniforme **dans le but d'éviter ces écarts entre les jeunes**.* (but)
>
> *Certaines écoles ont opté pour le port de l'uniforme, **car les avantages de celui-ci sont nombreux / en raison des nombreux avantages qu'il présente**.* (cause)

e) La poule ou l'œuf

On enchaîne parfois des faits dans une relation argumentative par automatisme plus que par choix conscient. Ainsi en est-il de la relation cause-conséquence, où l'on confond parfois l'« œuf » et la « poule ». Dans le passage suivant, la relation consécutive devrait être inversée :

> *Ce logiciel a permis à l'université de fonctionner pendant près de 15 ans. Néanmoins il était devenu à la fois obsolète sur le plan de la technique informatique et inadapté sur le plan réglementaire. Au surplus, il n'était pas convivial et *par conséquent peu transparent.*

C'est le manque de transparence, c'est-à-dire de clarté, qui rend le logiciel peu convivial et non l'inverse. On devrait donc plutôt écrire :

> *Au surplus, il n'était pas transparent et, **par conséquent, était peu convivial**.*

EXERCICE 12.19

Expliquez quel est le défaut logique et corrigez en faisant tout changement nécessaire.

1 Premièrement, cumuler travail et études développe le sens de l'organisation. [...] Ensuite, un travail à temps partiel permet d'acquérir une expérience essentielle pour pouvoir obtenir un emploi à plein temps.

---

2 Tout d'abord, cumuler travail et études développe le sens de l'organisation. [...] Ensuite, un travail à temps partiel permet d'acquérir une expérience essentielle pour pouvoir obtenir un emploi à plein temps. [...] Enfin, travailler est une nécessité et non un choix pour la plupart des étudiants.

---

3 Je ne suis pas grand, car je suis le plus petit de la classe.

---

4 Ces expressions ne sont utilisées qu'au Québec puisqu'elles n'existent pas en France et en Belgique.

---

5 Comme il se sentait malade, il est allé voir son médecin pour savoir ce qu'il avait.

_____

_____

Diversité des connecteurs et nuances de sens

Comprendre la valeur propre à chaque connecteur, savoir utiliser chacun dans sa valeur propre est au cœur de la lecture et de l'écriture. À partir des principales relations sémantiques, explorons maintenant la diversité des connecteurs et les nuances de sens qu'ils expriment.

Addition et énumération

L'addition est un mode de connexion et d'organisation textuelle de base. Lorsque des explications, des arguments ou autres développements textuels sont du même ordre, on les joint dans une relation d'addition. Outre les connecteurs proprement additifs (_et, de plus, aussi_, etc.), on utilise beaucoup de connecteurs dont le sens premier est temporel pour additionner : _d'abord, ensuite, enfin_ ; _en premier lieu, en deuxième lieu, en dernier lieu…_ Cette dernière série a même perdu toute valeur temporelle. Nous avons vu dans la section précédente qu'il ne fallait pas mélanger les séries ni employer de connecteurs d'addition lorsqu'il n'y a pas de relation additive. L'exercice qui suit vise à faire ressortir les valeurs propres à quelques connecteurs additifs moins courants, mais fort utiles.

EXERCICE 12.20

Complétez les passages avec l'un des quatre connecteurs d'addition suivants ; utilisez chaque fois un connecteur différent. Déterminez la valeur particulière que chacun apporte à l'addition.

de même, de surcroît, en outre, par ailleurs

1 Dans la mythologie grecque, l'olivier symbolise la force, la longévité et la sagesse. _____,
de temps immémoriaux, le rameau d'olivier est symbole de paix.

2 L'huile d'olive a de prodigieuses qualités. Elle fait diminuer le taux de cholestérol, aide à prévenir la
sclérose artérielle et réduit les risques de problèmes cardio-vasculaires. _____, elle
favorise le maintien de la densité osseuse chez la femme adulte et contribue à protéger le cerveau du
vieillissement.

3 Aujourd'hui, on ne parle plus de régime sans sel, mais de régime pauvre en sel. _____,
il ne s'agit pas tant d'interdire les graisses que d'équilibrer la consommation des « bonnes » et des
« mauvaises » graisses.

4 En vieillissant, on risque davantage de faire de l'hypertension, surtout si d'autres membres de notre
famille en souffrent. _____, notre mode de vie peut également entraîner l'élévation de
la tension artérielle.

Cause et explication

Si la cause constitue la première forme d'explication (Pourquoi est-ce que la lune n'est pas toujours ronde ? Pourquoi est-ce que la mer monte et descend ?), il en existe plusieurs autres. À côté de la cause fondée sur les faits, il y a la raison, fondée sur la connaissance ou le jugement ; la justification, plus argumentative (voir la différence entre *parce que* et *puisque* dans la section précédente) ; l'exemple et l'illustration, qui concrétisent ; la clarification, qui élucide en modifiant ou en simplifiant ; la confirmation, qui souvent nuance tout en introduisant un argument… Bref, le champ de l'explication est vaste comme le monde.

Choix de connecteurs de cause et d'explication

a) **Raison, preuve**

> *car, en effet, de fait*

b) **Illustration, exemple**

> *ainsi, par exemple, notamment*

c) **Clarification et reformulation**

> *en d'autres termes* (visée simplificatrice),
>
> *en fait* (valeur souvent oppositive),
>
> *en réalité* (valeur souvent oppositive),
>
> *en somme, bref, en bref* (valeur récapitulative),
>
> *en vérité* (valeur souvent concessive)

d) **Confirmation, argument supplémentaire**

> *certes* (valeur concessive),
>
> *d'ailleurs, du reste* (souvent par un autre aspect des choses),
>
> *effectivement* (valeur souvent concessive),
>
> *en effet* (valeur parfois illustrative),
>
> *en fait, de fait*

EXERCICE 12.21

Clarifiez, au moyen d'un connecteur, la relation d'explication entre les deux phrases. Améliorez aussi la reprise dans la deuxième phrase (*elle*).

Le personnage d'Amélie, joué par Audrey Tautou, est un peu bizarre : elle aime casser la croûte des crèmes brûlées, aller sur le bord de la Seine pour faire des ricochets avec des cailloux, observer les gens et laisser son imagination délirer.

EXERCICE 12.22

Ajoutez les connecteurs nécessaires et indiquez le mode d'explication qu'ils introduisent.

1 Les cellules de notre organisme doivent continuellement s'adapter, _____

(_____) notre environnement est toujours en changement.

2 Notre environnement toujours en changement exige des cellules de notre organisme un effort continuel d'adaptation. Une brusque élévation de la température ambiante, _____

(_____), amène nos cellules à réagir.

3 Il faut éviter que le manque partiel de résultats et de données absolument précises soit pris comme prétexte à l'inaction. _____ (_____), un certain degré d'incertitude scientifique est normal devant des systèmes complexes caractérisés par une dynamique non linéaire et un comportement chaotique.

4 Le nouveau premier ministre devra tenir compte d'une situation financière plus serrée que prévue. _____ (_____), selon l'ancien vérificateur général, le déficit sera de 5,6 milliards et non de 4,5 milliards.

5 L'Institut Fraser prévoyait un déficit de 4,5 milliards de dollars. _____

(_____), le déficit sera plutôt de 5,6 milliards.

6 Dès avant les élections, il est apparu que le déficit serait plus grand que ne le prévoyait l'Institut Fraser. _____ (_____), trois jours après les élections, l'ancien vérificateur général confirmait les sombres prédictions.

7 Certaines personnes considèrent que le maintien d'un déficit est acceptable. _____

(_____), cela permet de ne pas sabrer les programmes sociaux, mais à moyen et à long terme, l'incidence économique est entièrement négative.

8 De moins en moins de gens croient en la vertu des déficits. _____

(_____), qui y a jamais cru ?

9 L'aspirine combat la fièvre, les céphalées, les douleurs musculaires, les inflammations, la goutte, la polyarthrite, et elle est utile dans les maladies à thrombose ; _____

(_____), c'est un médicament universel.

10 Dans l'étude d'une œuvre cinématographique, il peut être tentant d'utiliser les méthodes que l'on applique aux textes littéraires : après tout, le film n'est-il pas un récit parmi d'autres, avec une trame narrative, des personnages, des thèmes ? _____ (_____), on se contente parfois de cette façon de faire.

Opposition et concession

L'opposition couvre un large champ : comparaison adversative qui met en évidence une différence et qui peut être exprimée par une simple juxtaposition (*L'une fume, l'autre pas*), une alternative (*La bourse ou la vie*), une concession (*C'est bon, mais je n'aime pas cela*).

La relation concessive est de deux types. Le fait concédé peut s'opposer à une compensation – *Cette maison coûte cher* (fait concédé), *mais elle est entièrement rénovée* (compensation) – ou à une restriction – *Cette maison est entièrement rénovée* (fait concédé), *mais elle coûte un peu cher* (restriction). Si le connecteur *mais* introduit l'une comme l'autre, beaucoup ne permettent qu'une des deux valeurs. C'est le cas de *en revanche*, qui implique obligatoirement une idée de compensation : *Cette maison est un peu petite.* **En revanche,** *elle est bien située* (compensation). L'ordre inverse ne permet pas d'utiliser *en revanche* : *Cette maison est bien située ;* *en revanche, elle est un peu petite.* On utilisera plutôt *par contre* : *Cette maison est bien située ;* **par contre,** *elle est un peu petite* (restriction).

Alors que et *tandis que* ont très souvent une simple valeur de comparaison adversative :

> *L'un est sucré,* **alors que** *l'autre est salé.*

Choix de connecteurs d'opposition et de concession

alors que, tandis que

au contraire

autant... autant (comparaison)

cependant, toutefois, néanmoins

certes (concession ; souvent combiné à *mais* ou *mais aussi*)

d'autre part

d'un autre côté

d'un côté... de l'autre

encore que

en revanche (compensation)

il n'en reste pas moins que

mais

même si (concession, souvent avec valeur hypothétique)

or (objection, circonstance adverse)

par contre

pourtant, et pourtant

quoique (souvent avec une idée de concession), *bien que* (idée de concession)

si (comparaison-opposition ; concession)

tantôt... tantôt (alternative)

En subordonnée, la concession appelle souvent un verbe au subjonctif (*Bien qu'il soit.../ Quoiqu'il faille.../Encore qu'on voie parfois...*). Voir le *Petit Robert* ou le *Multi* pour l'emploi du mode.

EXERCICE 12.23

Complétez les passages suivants en ajoutant des connecteurs appropriés.

1 Nous croyions qu'il allait faire beau toute la journée. _____, une demi-heure après notre départ, il se mit à pleuvoir.

2 Nous étions douze enfants, _____ la maison était grande.

3 _____, la maison était grande, mais nous étions douze enfants.

4 L'industrie avicole doit miser sur le développement de méthodes de production qui diminuent l'utilisation des antibiotiques et des facteurs de croissance sans réduire la production ni la rentabilité des entreprises. Le défi est _____ de taille, _____ pas nécessairement insurmontable.

5 _____, il y a les vitamines et les oméga-3. _____, les BPC et le mercure. Faut-il manger du poisson quand même?

6 Depuis vingt ans, les problèmes de l'environnement se placent à l'avant-scène internationale. Et _____, l'environnement n'a cessé de se détériorer à l'échelle planétaire.

7 _____ les problèmes de l'environnement sont interdépendants à la fois dans le temps et dans l'espace, les recherches et les actions se singularisent plutôt par leur isolement et par une certaine présomption.

8 On constate souvent une divergence entre priorités nationales et priorités internationales en matière d'environnement. _____, de par leur nature, les problèmes de l'environnement sont nécessairement très dépendants les uns des autres à l'échelle internationale.

9 Il serait très regrettable que notre instinct de survie ne se réveille que face à une catastrophe écologique. _____ il est bien connu qu'une catastrophe a un effet beaucoup plus mobilisateur qu'une suite de perturbations moins importantes.

10 Les solutions existent, _____ elles se heurtent aux barrières des résistances psychologiques et structurelles.

11 Les systèmes d'évaluation restent strictement disciplinaires, _____ les recherches sur l'environnement sont essentiellement interdisciplinaires.

12 Il est paradoxal de constater que le milieu universitaire est, dans la plupart des pays, en pleine stagnation, _____ les contacts entre environnementalistes et certains groupes industriels sont souvent très féconds en idées et en actions.

13 Seulement 5 % à 10 % des recherches actuelles sur l'environnement trouveront une application. _____ elles ne s'attaquent pas aux vrais problèmes, _____ elles arrivent trop tard.

14 _____ nous avons réalisé des profits substantiels l'année dernière, _____ nos pertes sont lourdes cette année.

15 _____ la situation s'est améliorée sur le plan financier, _____ nous manquons toujours de personnel.

16 _____ nous avons réglé nos problèmes d'argent, nous ne sommes pas au bout de nos peines.

17 _____ nous ayons effacé notre déficit, la banque ne veut toujours pas nous prêter d'argent.

18 Le secteur des machines et de l'équipement, y compris les aéronefs, devrait aussi être vigoureux, _____ les ventes de matériel de télécommunication pourraient ne pas se redresser avant la fin de l'année.

Condition et hypothèse

La condition, et souvent l'hypothèse, s'apparente à la cause en ce qu'elle entre en relation avec une conséquence : *Si nous remplissons le contrat dans les délais prévus* (condition), *nous aurons une prime* (conséquence). Dans cette relation consécutive avec *si*, la combinaison temporelle détermine le degré de virtualité. Dans *Si nous remplissions le contrat à temps, nous aurions une prime*, la possibilité que l'échéance soit respectée n'est pas posée comme aussi réelle (voir le *Multi* pour une liste des concordances avec *si*).

En plus de *si*, qui est le plus employé des connecteurs de condition et d'hypothèse, plusieurs connecteurs s'utilisent, avec chacun une valeur particulière et une concordance temporelle particulière.

EXERCICE 12.24

Complétez les phrases ci-dessous avec l'un des connecteurs suivants.

au cas où, dans l'éventualité où;

aussitôt que, dès lors que (valeur temporelle);

dans la mesure où, dans la mesure que (idée de proportion, de mesure);

si

1 _____ *si* _____ la partie patronale avait accédé à nos demandes, nous aurions mis fin à la grève.

2 _____ *si* _____ la partie patronale accédait à nos demandes, nous mettrions fin à la grève.

3 *aussitôt que si* la partie patronale accède à nos demandes, nous mettrons fin à la grève.

4 *aussitôt que* _____ la partie patronale accédera à nos demandes, nous mettrons fin à la grève.

5 *dans le cas où* la partie patronale n'accéderait pas à nos demandes, nous ne mettrions pas fin à la grève.

6 *dans la mesure où* les demandes du syndicat seront raisonnables, nous ne demandons qu'à en discuter.

Conséquence

L'expression de la conséquence est inséparable de l'expression de la cause : *En raison de la tempête, l'université fermera à midi. / Environnement Canada annonce encore 30 centimètres de neige. Aussi l'université ferme-t-elle pour le reste de la journée.* Maîtriser l'une, c'est presque maîtriser l'autre. Chacun des connecteurs de conséquence s'inscrit cependant différemment dans le contexte syntaxique.

L'exercice qui suit propose un petit tour de la question, tout en mettant en lumière les valeurs particulières de certains connecteurs.

EXERCICE 12.25

Complétez les passages avec l'un des connecteurs de conséquence suivants.

ainsi (mais s'emploie davantage pour introduire une explication ou un exemple);

aussi (en tête de phrase, avec inversion facultative du pronom sujet et du verbe; suivi d'une virgule s'il n'y a pas d'inversion);

c'est pourquoi, voilà pourquoi (rappelle la cause, mais introduit une conséquence; n'est pas suivi d'une virgule);

dès lors (avec valeur temporelle);

donc;

et;

par conséquent, en conséquence (moins courant que *par conséquent*);

par suite

1. La partie patronale a accédé à toutes nos demandes. _____, nous sommes prêts à mettre fin à la grève.

2. La partie patronale a accédé à toutes nos demandes. _____ sommes-nous prêts à mettre fin à la grève.

3. La partie patronale a accédé à toutes nos demandes. Nous sommes _____ prêts à mettre fin à la grève.

4. La partie patronale a accédé à toutes nos demandes. _____(,) nous avons mis fin à la grève.

5. La partie patronale a accédé à toutes nos demandes. _____, il était normal que nous mettions fin à la grève.

6. Une entente est survenue hier soir _____ le travail a repris ce matin.

Clôture argumentative et conclusion

Y a-t-il des mots propres à la conclusion si ce n'est l'expression *en conclusion* (ou *pour terminer*, *pour conclure*, davantage utilisées à l'oral)? En fait, dans la plupart des textes, on conclut plusieurs fois; on clôt généralement un point avant de passer à un autre: la simplification ou la récapitulation suivent ainsi l'explication complexe, une concession finale pourra adoucir une critique, les conséquences suivent les causes, l'évaluation suit l'exposé, et la synthèse, le développement. Pour choisir les bons mots de clôture ou de conclusion, ce qu'il faut donc, c'est bien déterminer la relation qu'on veut établir. On évitera de la sorte de recourir trop systématiquement à *donc* chaque fois qu'on termine un raisonnement ou à *en conclusion* dès qu'il s'agit de conclure un texte.

EXERCICE 12.26

Complétez les phrases ci-dessous avec l'un des connecteurs suivants.

bref;

en définitive;

en somme;

finalement

1 En mettant l'accent sur l'aide aux devoirs, le ministre ne fait que reprendre les initiatives déployées par l'ancien ministre de l'Éducation, qui voulait systématiser le tutorat et l'aide individuelle. _____, rien de révolutionnaire de ce côté.

2 De nos jours, la fonction formatrice du sport n'est plus évidente, au vu de certaines dérives du sport moderne. On peut, en effet, se demander si les sports et les Jeux olympiques sont encore à la dimension de l'homme, si celui-ci y trouve encore une place où il peut se développer harmonieusement ou s'il n'est pas devenu l'otage d'enjeux qui lui échappent. _____, le sport est-il encore au service de l'homme, ou n'est-ce pas plutôt maintenant l'homme qui est au service du sport et des intérêts politiques et économiques qu'il véhicule?

3 Vous en avez marre des rondeurs de votre ventre? Une pratique régulière de l'aviron vous permettra de faire disparaître vos disgracieux bourrelets. Sport complet, notamment sur le plan musculaire, l'aviron fait travailler à la fois jambes, cuisses, abdominaux, dos, nuque, épaules, bras… _____, le sport de rêve pour mettre en valeur votre corps.

4 Les membres de la Table ronde ont eu fort à faire pour délimiter le champ de leurs travaux et le contenu de ce document. Leurs discussions ont mené à diverses pistes qu'aurait pu emprunter l'exploration de nouvelles dimensions de la gestion du risque dans le secteur public. _____, nous avons décidé de nous concentrer sur l'immense défi culturel consistant à édifier des organisations qui, dans un climat d'incertitude, prennent des décisions saines dans l'intérêt public.

Récapitulation sur les connecteurs

EXERCICE 12.27

Remplacez les connecteurs en gras par d'autres dont le sens convient mieux au contexte.

1 Il est notoire que l'Ontario s'est traditionnellement employé à préserver le système fédératif canadien qui, **d'autre part** – tous en conviendront –, a toujours bien servi la province et continue de le faire.

2 Au point où en sont les choses, il semble bien que seul l'Ontario, **notamment** son premier ministre, peut tirer le pays de cette mauvaise passe.

EXERCICE 12.28

Expliquez la redondance entre les deux termes en gras et corrigez la faute.

On n'a qu'à songer à la kyrielle de déclarations aussi sensationnelles ou affligeantes les unes que les autres qu'on entend quotidiennement ou presque de la part de gens qui, **par** leur ignorance de l'histoire du pays, le condamnent **ainsi** inconsciemment à revivre ses périodes les plus troublées.

EXERCICE 12.29

Complétez l'article suivant avec les connecteurs et autres marqueurs de relation qu'il contenait à l'origine et dont voici la liste :

à l'opposé ;	en effet ;
alors ;	et ;
alors que (3 fois) ;	mais ;
c'est parce que ;	mais il y a plus ;
comme ;	même si ;
de plus ;	pour autant qu'/qu' (reprenant pour autant qu') ;
donc ;	pourtant ;
du fait que ;	si/s' (4 fois)
en conséquence ;	

La nourriture des riches ?

« Le bio, c'est bien beau, (1) _____ on n'a pas les moyens de se payer ça. » Qui n'a pas déjà entendu ce discours ou ne l'a pas lui-même prononcé ?

Pourquoi en est-il ainsi? Sommes-nous en train de développer une agriculture à deux vitesses, productrice de denrées saines pour une classe aisée, (2) _____ le reste de la population devra se contenter du «conventionnel»?

(3) _____ 'il n'y a qu'environ 1000 fermes biologiques au Québec, (4) _____ l'État en a décidé ainsi. (5) _____ l'inspection alimentaire relève normalement de l'État pour l'ensemble de la production, les producteurs biologiques doivent pour leur part payer de leur poche les frais d'inspection et de certification. (6) _____, en raison de contamination possible par les voisins utilisant des semences génétiquement modifiées ou des pesticides, les producteurs biologiques doivent prévoir des bandes de protection le long de leurs limites de propriété. Les fermes québécoises étant conçues en longueur (système seigneurial oblige), le pourcentage de la ferme inutilisable pour la production biologique devient énorme.

(7) _____ : le système québécois de soutien de l'agriculture étant basé sur le volume de production, c'est l'ensemble des fermes de taille réduite ou ayant une production diversifiée qui se trouve ainsi désavantagé. Chaque année, l'agriculture québécoise bénéficie (8) _____ d'un soutien financier direct de plus d'un milliard de dollars: assurance stabilisation pour soutenir les prix, remboursement de taxes, subvention du lait, services à l'industrie, financement, inspection, etc. Il est intéressant de noter comment cet argent est réparti. Près de 50 % de l'aide au soutien du revenu va à 12 % des fermes, soit les plus grosses, faisant plus de 250 000 $ de revenu brut. Le tiers des fermes, les plus petites, ne reçoivent que 7 % de cette manne.

La plupart des fermes qui produisent de façon biologique sont de taille modeste. (9) _____, elles passent au travers du filet de soutien tissé par l'État. Prenons un exemple concret de concurrence plus ou moins loyale. Un éleveur de porc biologique met en marché 200 porcs par an. (10) _____ il ne produit pas le minimum annuel de 300 porcs, il n'a pas droit au programme de l'assurance stabilisation, financé aux deux tiers par l'État. Et (11) _____ son volume de vente atteignait les 300 porcs requis, la vente devrait se faire obligatoirement par le biais des enchères électroniques pour avoir droit à ce programme. Son produit de qualité supérieure disparaîtrait (12) _____ dans l'anonymat de la production de masse.

(13) _____ 'il veut nourrir ses porcs avec du grain, il lui sera presque impossible de trouver sur le marché des grains exempts de pesticides ou de semences non génétiquement modifiées. (14) _____ l'ensemble de la production emprunte le même circuit de récolte, d'entreposage et de mise en marché, la contamination est inévitable. Le producteur devra (15) _____ produire lui-même ses aliments. (16) _____ 'il n'a que quelques hectares de grain, il n'aura pas droit non plus à l'assurance stabilisation pour ses céréales, ne possédant pas la surface minimale.

(17) _____, la ferme engraissant 2000 porcs peut coûter à l'État environ 100 000 $ annuellement en assurance stabilisation, pour le porc produit et pour le maïs provenant des champs

fertilisés au lisier. Le tout pour un ou deux emplois, au plus. Dans de telles conditions, pourquoi s'étonner que les produits biologiques coûtent plus cher ? (18) _____ c'est sans compter les coûts environnementaux et sociaux qui découleront de l'agriculture industrielle.

(19) _____, il est possible de faire autrement. La ville de Munich a entrepris un programme de conversion de quelques centaines de fermes à l'agriculture biologique, pour protéger les prises d'eau potable de l'inévitable contamination par les nitrates et les pesticides de l'agriculture industrielle. La ville paie un montant aux agriculteurs, (20) _____ 'ils limitent le nombre d'animaux et (21) _____ 'ils renoncent à l'utilisation des principaux polluants menaçant la nappe phréatique. La Suisse applique, depuis 1993, le même principe sur la totalité de son territoire. En échange d'une production qui protège les ressources et qui maintient l'occupation du territoire tout en procurant de l'emploi, l'État a réorienté son programme de subventions agricoles en soutien à ces fermes. En neuf ans, le degré de contamination de l'eau potable est retombé à ce qu'il était dans les années 40 et la part du budget national consacrée à l'agriculture a diminué, le tout en maintenant en place les 70 000 fermes existantes, (22) _____ pour la même population et un plus grand territoire, nous continuons encore à éliminer les 32 000 fermes qui nous restent. (23) _____ le choix de l'agriculture biologique est souvent personnel, il est avant tout politique. (Maxime Laplante, « Une agriculture insoutenable », *Relations*, n° 677.)

12.3 LA CONSTANCE ET L'ABSENCE DE CONTRADICTION

Nous avons vu jusqu'à présent comment reprises et connecteurs tissent les idées pour former du texte. Loin d'être des mécaniques automatisables, ces deux procédés requièrent une attention constante : pour garder le fil, il faut constamment voir « la forêt » et non les arbres. C'est encore plus vrai à propos des critères de non-contradiction et de constance. Voici quelques écueils à éviter.

Contradictions à l'intérieur du texte

Les contradictions dans les textes ne sont pas aussi rares qu'on pourrait le croire. Le récit est même presque un terreau pour la contradiction. Dans un roman à l'eau de rose écrit à la chaîne, on verra par exemple l'héroïne plonger ses yeux dans le regard noir de l'objet de son amour pour ensuite rêver à ses yeux bleus comme une mer d'été. Dans les livres d'enfants, ce sont parfois les illustrations qui contredisent le texte : la blonde héroïne vêtue d'une robe verte sera représentée avec des cheveux couleur de jais et vêtue d'une robe rouge.

Plus un texte est long, plus les risques de contradiction sont grands. Un texte écrit à plusieurs « mains » est aussi plus susceptible de présenter des contradictions qu'un texte écrit par une seule personne. Souvent, la contradiction est simplement due à des variantes dans la formulation d'une même idée. Mais que ce soit par vice de forme ou par imprécision, une étude ne peut conclure à la fois à la « totale faisabilité » d'un projet et à « sa faisabilité conditionnelle ». Pour éviter les contradictions, on doit être particulièrement vigilant lorsqu'il y a répétition ou reprise sous un nouvel angle d'une question déjà abordée.

Manque de constance terminologique

Autant la richesse et la diversité lexicales sont importantes dans l'écriture, autant l'est la constance terminologique dans les textes utilitaires. Une vis cruciforme ne doit pas devenir une vis à tête étoilée ou une vis Phillips à mi-chemin dans des instructions d'assemblage.

Les noms d'organismes et d'institutions, les titres de fonctions, les noms de programmes et, de façon générale, les dénominations propres doivent aussi rester constants, sauf pour les troncations habituelles qui ne laissent aucun doute quant à la coréférence du nom complet et du nom tronqué.

Contradictions par rapport à la réalité

Une contradiction ne se situe pas toujours à l'intérieur du texte. Un énoncé en contradiction avec la réalité est tout aussi incohérent qu'une contradiction interne au texte. De façon générale, les invraisemblances engendrent l'incohérence dans le texte.

Dans les textes pragmatiques – travaux d'étudiants, études, documents administratifs, etc. –, ce sont parfois les prémisses (point de départ d'un raisonnement) qui sont fausses, qui ne correspondent pas à la réalité. Or, à prémisses fausses, conclusion erronée. Dans les travaux scolaires, l'amorce du texte est souvent un point sensible. Les contradictions qu'on y relève ne sont pas nécessairement totales, mais si une assertion contredit ce à quoi le lecteur la rattache, l'effet de contradiction, lui, est total. Ainsi en est-il de la phrase suivante :

> *Les populations occidentales mangent de façon plus saine qu'auparavant.*

Vraiment ? Ne nous rebat-on pas les oreilles des problèmes d'obésité ? Comment pourrions-nous alors manger de façon plus saine qu'auparavant ? Ce que la phrase visait à dire, c'est que l'abondance et la variété de nourriture dont on dispose dans les pays riches nous prémunissent contre la sous-alimentation ou la carence systématique de certaines vitamines, ce que personne ne contestera. Mais le lecteur est d'emblée déstabilisé et sceptique à l'égard de ce qui suit dans le texte.

Bien des contradictions, du moins celles qui relèvent de la rédaction, sont dues à des formulations trop elliptiques. Or, le lecteur ne lit pas dans le cerveau de la personne qui écrit. Ce qu'on veut dire doit donc être formulé explicitement.

Manque de constance ou de transparence dans la visée, le point de vue et la modalisation

Un texte a une **visée** : il vise à informer, à faire comprendre, à distraire, à convaincre, à émouvoir. Pour y parvenir, il emprunte divers moyens, il combine diverses formes : la présentation d'un cas concret peut susciter l'adhésion plus rapidement qu'une longue argumentation ; la description est essentielle à l'explication et à l'argumentation. Il faut néanmoins que le lecteur comprenne le but de chaque séquence. Ainsi, dans un texte d'opinion sur l'utilité des devoirs à l'école primaire, on peut certes décrire ce que sont les devoirs, mais à condition de subordonner clairement cette description à la justification de leur utilité (ou de leur inutilité).

Un texte est en outre soumis à un **point de vue**. Dans le roman et la nouvelle, la façon dont le narrateur s'inscrit dans le texte fait partie intégrante du récit. Dans les textes pragmatiques aussi, l'auteur peut être plus ou moins présent ou s'effacer : *je, selon moi* impliquent l'auteur ; le pronom *on* et les constructions impersonnelles le distancient. La relation au destinataire fait également partie du point de vue : l'auteur peut s'adresser à son lecteur ou faire comme s'il n'existait pas. Un texte incitatif interpellera volontiers le lecteur : *Vous avez des enfants ? Alors, vous savez que...* Enfin, l'auteur a un certain point de vue par rapport à ses propos : il peut traiter son sujet de façon neutre, passionnée, ironique, etc. Tout ce qui exprime le point de vue relève de la **modalisation** : pronoms marquant la présence de l'auteur ou du destinataire, vocabulaire connoté, auxiliaires exprimant la possibilité, le doute, etc., conditionnel exprimant l'incertitude, choix entre l'indicatif et le subjonctif lorsque les deux sont possibles, phrases interrogatives, exclamatives, structures impersonnelles. Pour assurer la constance du point de vue, il ne faut pas qu'il y ait de contradiction dans la modalisation.

Ainsi, un texte d'opinion présentant un *je* en introduction reprendra sans doute ce *je* en conclusion. Si on incorpore l'opinion du lecteur, on doit en tenir compte par la suite. Si on s'indigne avec véhémence, on ne peut ensuite passer à un ton parfaitement objectif. Le discours rapporté pose des difficultés particulières de gestion de la modalisation, puisque cohabitent alors dans le texte la modalisation de l'auteur et celle de l'auteur du discours second. Considérons les exemples suivants :

> *Pierre considère que la mesure est excellente et il a voté en faveur de sa généralisation à tout le service.*

> *Pierre a voté en faveur de la généralisation de cette excellente mesure.*

Dans le deuxième exemple, c'est l'auteur, et non Pierre, qui trouve la mesure excellente. Si l'on veut attribuer le jugement à Pierre sans en faire une assertion autonome, il faudrait plutôt écrire :

> *Pierre a voté en faveur de la généralisation de cette mesure, qu'il trouve excellente.*

Manque de parallélisme

Le parallélisme est formel (on coordonne ou juxtapose des éléments de même fonction), mais il est aussi sémantique : on additionne des éléments qui peuvent s'additionner. Dans un curriculum vitæ, par exemple, on ne juxtaposera pas une tâche et une fonction dans la description d'un poste occupé :

> **Tenir** *l'inventaire des boissons alcooliques*

> ***Responsable** *de l'ambiance : musique, éclairage, etc.*

Pas plus qu'on ne juxtaposera un groupe verbal et un groupe nominal :

> ***Servir** *aux tables,* **gestion** *de la caisse*

On écrira plutôt :

> **Tenir** *l'inventaire des boissons alcooliques*

> **Assurer** *une bonne ambiance : musique, éclairage, etc.*

> **Servir** *aux tables,* **gérer** *la caisse*

Manque de constance dans les temps des verbes

Les narrations et les passages narratifs se prêtent particulièrement à des incohérences temporelles. Si l'on engage une narration au passé simple, on ne peut passer au présent historique ou au passé composé sauf si une rupture le permet. Le passage suivant est donc fautif :

> *Cavelier de La Salle* **revint** *en Nouvelle-France en 1678, accompagné d'une trentaine d'hommes. Il* ***navigue** *sur les Grands Lacs,* ***explore** *la rivière Illinois et* ***bâtit** *des forts. En 1682, il* ***descend** *le Mississippi,* ***dépasse** *l'embouchure de la rivière Arkansas où s'était arrêtée l'expédition de Jolliet et de Marquette, et* ***atteint** *l'embouchure du fleuve. Le 9 avril, vêtu d'un manteau écarlate, il* **prit** *possession du territoire découvert au nom de Louis XIV et le* **nomma** *« Louisiane » en son honneur.*

EXERCICE 12.30

Expliquez et corrigez les manques de constance dans les extraits qui suivent.

1 **Compétences acquises**

- Bilingue (français-anglais).
- Capacité de diriger le personnel.
- Excellente compréhension du service hôtelier en général et du rôle de chacun.
- Peut travailler sur la plupart des systèmes informatiques.
- Favorise le travail d'équipe plutôt que l'individualisme.

2 Cavelier de La Salle est né en 1643 à Rouen, en Normandie, et grandit chez les Jésuites. À l'âge de 24 ans, il quitta les Jésuites et partit pour Montréal. Il entreprit sa première expédition en 1669, accompagné de Dollier de Casson.

Le voyage se passant mal, La Salle quitte son compagnon et repart vers Montréal après seulement trois mois d'expédition. Mais en réalité, il continua à voyager pendant deux ans. Certains prétendent que La Salle a découvert la rivière Ohio et le Mississippi durant ces deux années, mais il n'en existe aucune preuve.

3 Nous sommes heureux d'être l'hôte de cet excitant tournoi, qui permet aux meilleures équipes de hockey de la région de s'affronter. Que le meilleur gagne ! Mais avant d'ouvrir officiellement le tournoi, il serait important de rappeler que les mises en échec ne sont pas permises.

Les contradictions et le manque de constance donnent au lecteur l'impression de se faire mener en bateau. Or, c'est rarement le but qu'on poursuit lorsqu'on écrit. Seule la vigilance permet d'éviter ce genre d'incohérence.

12.4 LA MISE EN PAGES ET LA TYPOGRAPHIE

On ne saurait clore un chapitre sur la cohérence sans dire un mot de la cohérence visuelle. L'œil n'est-il pas le canal par lequel on appréhende le texte ? La mise en pages doit faire ressortir la hiérarchisation des informations, et pour ce faire, elle doit être cohérente, comme tous les choix typographiques. Parmi les principes et les règles de mise en pages et de typographie, on retiendra en particulier les suivants.

- **Constance dans la présentation matérielle du paragraphe** – Si l'on fait des renfoncements au début des paragraphes, on doit en faire partout. L'interligne devrait également être toujours le même. En règle générale, lorsqu'on fait un interligne entre les paragraphes, on ne fait pas de renfoncement à leur début.

- **Constance dans l'emploi des signes et des marques typographiques** – Lorsqu'on utilise des marques typographiques, on leur assigne une ou plusieurs valeurs. L'italique sera par exemple utilisé pour les mots étrangers, les termes à définir, les exemples ; le gras pour les éléments qu'on veut mettre en relief ; les guillemets pour le discours direct, les définitions, etc. Ces valeurs doivent rester constantes tout au long du texte.

- **Clarté et pertinence de la numérotation des sections** – Si l'on structure un texte au moyen de marques alphanumériques, le mode de numérotation doit être constant et la division en sections, pertinente.

- **Appartenance des intertitres à la partie qu'ils introduisent** – Un intertitre doit être plus près du texte qu'il introduit que du texte qui le précède. Il ne doit pas « flotter » entre les deux.

- **Constance dans la présentation de listes au moyen de puces** – Mettra-t-on des majuscules ou non ? Mettra-t-on des points à la fin ou non ? Quels que soient les choix, ils doivent être constants.

Il ne faut pas croire que le travail de mise en pages est anodin. Un texte visuellement ordonné permet à celui qui l'écrit de mieux structurer son information et de mieux se réviser. Il permet à celui qui lit de mieux saisir les relations entre les parties du texte et donc de mieux le comprendre. Grâce à la mise en pages, un texte devient véritablement un objet de communication.

CORRIGÉ DES EXERCICES

CHAPITRE 1

EXERCICE 1.1

    SUJET   PRÉDICAT

1. Nous / avons passé toutes nos vacances au Bic.

    Compl. de P   SUJET   PRÉDICAT

2. L'été prochain, / nous / nous rendrons jusqu'en Gaspésie.

           SUJET   PRÉDICAT

3. Deux kayakistes expérimentés / bravaient le fleuve démonté.

    Compl. de P   SUJET   PRÉDICAT

4. La nuit prochaine, / le ciel / sera dégagé.

    SUJET   PRÉDICAT

5. Nous / en profiterons pour observer les perséides.

       SUJET   PRÉDICAT

6. Nelly, Nancy et Nicolas / ont descendu la rivière des Français en canot.

    SUJET   PRÉDICAT

7. Éric et moi / préparerons le feu.

    Compl. de P   SUJET   PRÉDICAT

8. Pendant ce temps, / Dany et Louis / monteront la tente.

    SUJET PRÉDICAT

9. L'eau / est glaciale.

    SUJET   PRÉDICAT   Compl. de P

10. Nous / avons bien profité de nos vacances / cette année.

EXERCICE 1.2

1. Type : déclaratif ; formes : affirmative, passive, personnelle, neutre.

2. Type : impératif ; formes : affirmative, active, personnelle, neutre.

3. Type : déclaratif ; formes : affirmative, active, impersonnelle, emphatique.

4. Type : déclaratif ; formes : affirmative, active, personnelle, emphatique.

5. Type : interrogatif ; formes : affirmative, active, personnelle, emphatique.

6. Type : impératif ; formes : négative, active, personnelle, neutre.

7. Type : interrogatif ; formes : négative, personnelle, active (verbe attributif), emphatique.

8. Type : déclaratif ; formes : négative, active (verbe attributif), personnelle, emphatique.

9. Type : exclamatif ; formes : négative, active (verbe attributif), impersonnelle, neutre.

10. Type : déclaratif ; formes : affirmative, passive, personnelle, neutre.

EXERCICE 1.3

1. C'est une société régie par le gouvernement qui se chargera des travaux. Une société régie par le gouvernement s'en chargera, des travaux.

2. Suffira-t-il d'une simple annonce dans un journal ?

3. Ne vous attendez pas à un bon résultat.

4. Une augmentation alarmante du nombre d'enfants obèses a été constatée.

5. Une injection massive de capitaux ne les aiderait-elle pas dans leurs efforts de relance ?

6. Est-ce que c'est d'un croisement de techniques que découle la nouvelle méthode ?

7. La lumière n'est-elle pas transformée en énergie électrique par ce dispositif ?

8. Un délai a-t-il été accordé aux retardataires par les professeurs ?

9. C'est par une équipe d'agronomes qu'a été mise sur pied une association professionnelle l'an dernier. / C'est une association professionnelle qui a été mise sur pied par une équipe d'agronomes l'an dernier.

10. Comme il est difficile de sortir de la ville aux heures de pointe !

EXERCICE 1.4

Groupe de mots	Noyau	Expansion
La réforme de l'éducation (GN)	réforme	de l'éducation
de l'éducation (GPrép)	de	l'éducation
l'éducation (GN)	éducation	aucune expansion
soulève encore des débats passionnés (GV)	soulève	encore des débats passionnés
encore (GAdv)	encore	aucune expansion
des débats passionnés (GN)	débats	passionnés
passionnés (GAdj)	passionnés	aucune expansion

EXERCICE 1.5

Noms	Pronoms
homme (un)	Ils (le vieil homme et sa femme)
femme (sa)	que (une masure en terre battue)
masure (une)	eux (le vieil homme et sa femme)
terre	s' (le vieil homme et sa femme)
personnes (peu de)	en (de loger dans une masure en terre battue)
ans (trente-trois)	ils (le vieil homme et sa femme)
homme (le)	se (le vieil homme et sa femme)
femme (sa)	cela (le fait qu'ils se chamaillaient)
importance (beaucoup d')	il (le vieil homme)
homme (le)	où (le moment)
pêcheur	rien

Noms	Pronoms
femme (sa)	c'
rouet (son)	s' (le vieil homme)
moment (au = à le)	il (le vieil homme)
histoire (cette)	rien
poissons (tous les)	
mer (la)	
océans (d'autres)	
homme (Le)	

EXERCICE 1.6

1. Un **tremblement** de terre a ébranlé le petit village de Sutto. GPrép

2. Je vous présente mon **frère** Martin. GN

3. Ne manquez pas cette **émission** qui vous bouleversera. Sub. relative

4. J'ai présenté mon **frère** à Marie-Dominique. aucune expansion

5. Cette fois-là, nous avions emprunté le **sentier** sinueux qui mène à la rivière. GAdj, Sub. relative

6. Le sentier est bordé d'**arbres** en santé. GPrép

7. L'**arrière-cour**, un véritable jardin anglais, était limitée par la rivière. GN

8. L'arrière-cour, un véritable **jardin** anglais, était limitée par la rivière. GAdj, GAdj

9. Les plaines d'Abraham surplombent le **fleuve** Saint-Laurent. GN

10. Les spécialistes ne craignent pas la **disparition** de l'espèce. GPrép

EXERCICE 1.7

1. La plupart des cyclistes respectent les règlements de la circulation.
Complément direct (CD) du verbe *respectent*.

2. Son père est professeur de mécanique automobile.
Attribut du sujet *son père*.

3. Une téléphoniste prendra vos appels.
Complément direct du verbe *prendra*.

4. L'été dernier, nous avons visité les gorges de l'Enfer à Saint-Narcisse.
Complément de phrase.

5. Des milliers de petits coquillages craquaient sous nos pas.
Sujet du verbe *craquaient*.

6. Ilana, une néo-Québécoise, vient d'obtenir un poste dans un CLSC.
Complément du nom *Ilana*.

7. Ilana est une néo-Québécoise.
Attribut du sujet *Ilana*.

8. La marée descendante laissait derrière elle des filaments d'algues luisants.
Sujet du verbe *laissait*.

9. Ma cousine Gabrielle revient d'un voyage en Europe.
Complément du nom *cousine*.

10. Nous participerons au Festival des rameurs de Petit-Rocher l'été prochain.
Complément de phrase.

EXERCICE 1.8

Cendrillon alla aussitôt cueillir la plus belle citrouille qu'elle put trouver, et la porta à sa marraine, ne pouvant deviner comment cette citrouille pourrait la faire aller au bal. Sa marraine la creusa et, ne laissant que l'écorce, la frappa de sa baguette, et la citrouille se changea aussitôt en un beau carrosse tout doré. Ensuite elle alla regarder dans la souricière, où elle trouva six souris toutes en vie. Elle dit à Cendrillon de lever la trappe de la souricière, et à chaque souris qui sortait elle donnait un coup de baguette, et la souris se changeait aussitôt en un beau cheval.

Verbe	GV	GInf	GPart
alla	x		
cueillir		x	
put	x		
trouver		x	
porta	x		
pouvant			x
deviner		x	
pourrait	x		
faire		x	
aller		x	
creusa	x		

Verbe	GV	GInf	GPart
laissant			x
frappa	x		
changea	x		
alla	x		
regarder		x	
trouva	x		
dit	x		
lever		x	
sortait	x		
donnait	x		
changeait	x		

EXERCICE 1.9

1. satisfaite de son nouvel emploi (GAdj)
2. l' (Pronom) + au cinéma (GPrép)
3. explorer toutes les avenues possibles (GInf)
4. ton message (GN) + à Sébastien (GPrép)
5. l' (Pronom) + débordante d'énergie (GAdj)
6. plutôt confiant (GAdj)
7. que tu as changé d'idée ! (Sub. complétive)
8. d'idée (GPrép)

EXERCICE 1.10

1. GV = Pronom + V + GN

2. GV = V + GN
GV = Pronom + V

3. GV = V + GAdj

4. GV = V + GInf
<u>GV</u> = V + GAdj

5. GV = Pronom + V + GPrép

6. GV = V + GN
<u>GV</u> = V

7. GV = pronom + V + GAdj

EXERCICE 1.11

Cela <u>se passait en plein hiver</u> et les flocons de neige <u>tombaient du ciel</u> comme un duvet léger. Une reine <u>était assise à sa fenêtre encadrée de bois d'ébène</u> et <u>cousait</u>. Tout en tirant l'aiguille, elle <u>regardait voler les blancs flocons</u>. Elle <u>se piqua le doigt</u> et quelques gouttes de sang <u>tombèrent sur la neige</u>. Le contraste entre le rouge du sang, la couleur de la fenêtre et la blancheur de la neige <u>était si beau, qu'elle se dit</u> :

– Je <u>voudrais avoir une petite fille à la peau blanche comme cette neige, aux lèvres rouges comme ce sang, aux yeux et aux cheveux noirs comme l'ébène de cette fenêtre</u>.

Peu de temps après, elle <u>eut une petite fille à la peau blanche comme la neige, aux lèvres rouges comme le sang, aux yeux et aux cheveux noirs comme l'ébène</u>. On <u>l'appela Blanche-Neige</u>. Mais la reine <u>mourut</u> le jour de sa naissance.

Un an plus tard le roi <u>se remaria</u>. Sa femme <u>était très belle et très jalouse</u>. Elle <u>possédait un miroir magique qui répondait à toutes les questions</u>. Chaque matin, tandis que la reine <u>se coiffait</u>, elle <u>lui demandait</u> :

– Miroir, miroir, <u>dis-moi que je suis la plus belle</u>.

se passait en plein hiver : GV = Pron. + V + GPrép

tombaient du ciel comme un duvet léger : GV = V + GPrép + GPrép (Le GPrép *comme un duvet léger* est modificateur du verbe *tombaient*. Lorsque le GPrép indique la manière, il a la fonction de modificateur et non de complément de P. Voir la section sur les fonctions du GPrép plus loin dans ce chapitre.)

était assise à sa fenêtre encadrée de bois d'ébène : GV = V + GAdj (Le GPrép *à sa fenêtre encadrée de bois d'ébène* est complément de l'adjectif *assise*.)

cousait : GV = V

regardait voler les blancs flocons : GV = V + GInf

se piqua le doigt : GV = Pronom + V + GN

tombèrent sur la neige : GV = V + GPrép (Le GPrép *sur la neige* est un CI du verbe *tombèrent* et non un complément de P. On ne peut pas l'effacer, c'est une information essentielle dans cette phrase.

On ne peut pas le déplacer de façon naturelle : **sur la neige, trois gouttes de sang tombèrent.* Voir les remarques sur le complément indirect dans la section sur les fonctions du GPrép, plus loin dans ce chapitre.)

était si beau qu'elle se dit : GV = V + GAdj (La subordonnée *qu'elle se dit* est une corrélative incluse dans le GAdj ; elle modifie l'adjectif *beau*.)

se dit : GV = Pronom + V

voudrais avoir une petite fille... de cette fenêtre : GV = V + GInf

eut une petite fille... comme l'ébène : GV = V + GN

l'appela Blanche-Neige : GV = Pronom + V + GN

mourut : GV = V

se remaria : GV = Pronom + V

était très belle et très jalouse : GV = V + GAdj + GAdj (La conjonction *et* unit les deux GAdj.)

possédait un miroir magique qui répondait à toutes les questions : GV = V + GN

répondait à toutes les questions : GV = V + GPrép

se coiffait : GV = Pronom + V

lui demandait : GV = Pronom + V

dis-moi que je suis la plus belle : GV = V + Pronom + Subordonnée complétive

suis la plus belle : GV = V + GAdj (*la plus* est un GAdv qui modifie l'adjectif *belle*.)

EXERCICE 1.12

1. Une réunion importante : qualifiant

2. Un gros chat : qualifiant

3. Un chat siamois : classifiant

4. La culture maraîchère : classifiant

5. Une plante aquatique : classifiant

6. Un ruban adhésif : classifiant

7. Un discours ennuyeux : qualifiant

8. Le discours présidentiel : classifiant

9. Un livre intéressant : qualifiant

10. Un parcours difficile : qualifiant

EXERCICE 1.13

1. que vous communiquiez avec elle : Sub. complétive

2. agréablement : GAdv

3. trop : GAdv ; de son coup : GPrép

4. à l'original : GPrép

5. contre Julien : GPrép

6. qu'on n'ait pas retenu ta candidature : Sub. complétive

7. si : GAdv

8. de mon séjour : GPrép
en : Pronom (qui est le résultat de la pronominalisation du GPrép *de mon séjour*.)

9. que vous m'ayez accompagné : Sub. complétive

EXERCICE 1.14

ADJECTIF	TYPE		EXPANSION				FONCTION DU GAdj		
	Q	C	GAdv	Sub.	GPrép	Pron.	Compl. du nom	Attribut du sujet	Attribut du CD
surprise	x		x		x			x	
étonné	x			x				x	
capables	x				x			x	
précis	x		x					x	
artisanales		x					x		
grandissante	x						x		
bonne	x		x				x		
satisfaite	x		x			x		x	
froide	x		x						x
importées		x					x		
amère	x		x						x
appréciée	x		x		x			x	
fruité	x						x		
aigrelet	x						x		

EXERCICE 1.15

Mais très vite elle se reprit <u>à</u> penser <u>au</u> monde <u>au-dessus</u> d'elle, elle ne pouvait oublier le beau prince ni son propre chagrin <u>de</u> ne pas avoir <u>comme</u> lui une âme immortelle. C'est pourquoi elle se glissa <u>hors du</u> château <u>de</u> son père et, tandis que là tout était chants et gaieté, elle s'assit, désespérée, <u>dans</u> son petit jardin. Soudain elle entendit le son <u>d'</u>un cor venant <u>vers</u> elle <u>à travers</u> l'eau.

Elle était <u>devant</u> le palais <u>de</u> son père. Les lumières étaient éteintes <u>dans</u> la grande salle <u>de</u> bal, tout le monde dormait sûrement, et elle n'osa pas aller <u>auprès des</u> siens maintenant qu'elle était muette et allait les quitter <u>pour</u> toujours. Il lui sembla que son coeur se brisait <u>de</u> chagrin.

Alors la petite sirène sortit <u>de</u> son jardin et nagea <u>vers</u> les tourbillons mugissants <u>derrière</u> lesquels habitait la sorcière. Elle n'avait jamais été <u>de</u> ce côté où ne poussait aucune fleur, aucune herbe marine, il n'y avait là rien qu'un fond <u>de</u> sable gris et nu s'étendant <u>jusqu'au</u> gouffre.

EXERCICE 1.16

1. en (Prép.) + clavardant (GPart)
2. de (Prép.) + son voyage (GN)
3. pour (Prép.) + réussir (GInf)
4. par (Prép.) + là (GAdv)
5. avant (Prép.) + Noël (GN)

EXERCICE 1.17

1. à déménager : complément de l'adjectif *prête*.
2. en service : attribut du sujet *Ma ligne téléphonique* dès demain matin : complément de phrase
3. au bureau de poste : complément indirect (CI) du verbe *passe* de poste : complément du nom *bureau* pour faire ton changement d'adresse : complément indirect (CI) du verbe *passe* d'adresse : complément du nom *changement*
4. du camion : complément du nom *réservation* au nom de Nancy : attribut du sujet *La réservation du camion* de Nancy : complément du nom *nom*
5. par l'arrière : complément indirect (CI) du verbe *passer*
6. du milieu : complément du pronom *celui*
7. à Nicolas : complément indirect (CI) du verbe *ai offert*
8. avec soin : modificateur du verbe *manipule*
9. de délinquant : attribut du complément direct *son comportement*
10. de ces boîtes : complément du pronom *Laquelle*

EXERCICE 1.18

1. <u>Finalement</u>, la menace qui plane sur tout le territoire, c'est la destruction de la faune des anciennes forêts. Adverbe organisateur de texte ou coordonnant.
2. Vous entendez <u>ensuite</u> le premier appel de la grive à collier, <u>puis</u> d'autres oiseaux chanteurs entrent dans le concert. Et les couleurs, des verts, des rouges et des jaunes, prennent vie <u>lentement</u>.
   a) Adverbe organisateur de texte ou coordonnant.
   b) Adverbe organisateur de texte ou coordonnant.
   c) Adverbe modificateur du verbe.
3. La sauvegarde des espèces menacées d'extinction est une bataille qui se livre <u>partout</u>. Adverbe complément indirect (de lieu)
4. <u>Malheureusement</u>, les efforts déployés <u>n</u>'ont <u>pas</u> porté leurs fruits et la situation écologique s'est <u>progressivement</u> dégradée.
   a) Adverbe exprimant l'opinion de l'auteur
   b) Adverbe modal indiquant la négation
   c) Adverbe modificateur du verbe

CHAPITRE 2

EXERCICE 2.1

1. où
2. qui
3. que
4. dont

EXERCICE 2.2

1. Les personnes <u>qui veulent être remboursées</u> doivent se présenter au guichet.
   qui ; sujet de la subordonnée ; les personnes.
2. Il retourne souvent dans le petit village <u>où il est né</u>.
   où ; CI du verbe *est né* ; le petit village.

3. Le cours <u>dont j'aurais besoin</u> n'est pas offert cette session.
dont ; CI du verbe *aurais besoin* ; le cours.

4. La personne <u>à qui Madeleine a remis l'enveloppe</u> ne lui a pas adressé la parole.
à qui ; CI du verbe *a remis* ; la personne.

5. Le restaurant <u>où nous avons mangé</u> hier était le préféré de papa.
où ; CI du verbe *avons mangé* ; le restaurant.

6. J'ai encore oublié le livre <u>que tu m'as prêté</u>.
que ; CD du verbe *as prêté* ; le livre.

7. Je connais bien les gens <u>chez qui tu as passé la fin de semaine</u>.
chez qui ; CI du verbe *as passé* ; les gens.

8. Les enfants <u>dont les parents sont absents</u> doivent suivre Jean-Michel et Julie.
dont ; compl. du nom *parents* ; les enfants.

9. Le dernier roman de cette auteure, <u>lequel m'a beaucoup plu</u>, a été traduit en plusieurs langues.
lequel ; sujet de la subordonnée ; le dernier roman.

10. Il y a des fois <u>où j'ai envie de tout abandonner</u>.
où ; complément de P (de la subordonnée) ; des fois.

EXERCICE 2.3

1. Je l'ai prévenu <u>que cette situation me dérange énormément</u>.
que ; CI

2. Est-ce qu'on t'a dit <u>que Pierre pratique maintenant en région</u> ?
que ; CD

3. Je sais bien <u>que vous avez raison</u>.
que ; CD

4. Je suppose <u>que tout cela est normal</u>.
que ; CD

5. Je m'attends <u>à ce qu'il neige encore demain</u>.
à ce qu' ; CI

6. François se plaint <u>de ce que vous faites trop de bruit</u>.
de ce que ; CI

7. Certains grincheux prétendent <u>que le sport nuit à la santé</u>.
que ; CD

8. N'oublions pas <u>que les écrits restent</u>.
que ; CD

9. Je me doute <u>qu'elle annoncera la grande nouvelle ce soir</u>.
qu' ; CI

10. Tout le monde me demande <u>pourquoi je suis revenue à Québec</u>.
pourquoi ; CD

EXERCICE 2.4

1. conjonction de subordination
2. pronom relatif
3. conjonction de subordination
4. conjonction de subordination
5. conjonction de subordination
6. pronom relatif
7. conjonction de subordination
8. pronom relatif
9. conjonction de subordination
10. pronom relatif

EXERCICE 2.5

1. <u>Lorsqu'il mourut</u>, tout le petit village prit le deuil. temps
2. Le coq ne chante même pas <u>quand le jour se lève</u>. temps
3. <u>Avant qu'il nous raconte le roman</u>, il faudrait se renseigner sur l'auteur. temps
4. Elle m'a dit qu'on lui avait volé sa montre <u>sans qu'elle s'en rende compte</u>. manière
5. Je le répète <u>afin que vous me compreniez bien</u>. but
6. J'accepte, <u>bien que la proposition ne m'enchante pas</u>. concession
7. Je veux bien rester, <u>à condition que la réunion débute bientôt</u>. condition
8. Les deux fillettes, qui grelottaient <u>parce qu'elles avaient de la fièvre</u>, s'étaient serrées l'une contre l'autre. cause
9. Elle n'est pas malhonnête, <u>puisqu'elle ne t'avait rien promis</u>. cause
10. <u>Comme j'étais grippée</u>, j'ai pris quelques jours de repos. cause

EXERCICE 2.6

1. Il a <u>tellement</u> plu <u>que la piscine a débordé</u>. GV
2. Il a <u>tant</u> de charme <u>que tout le monde l'adore</u>. GN
3. Il est <u>si</u> drôle <u>que tout le monde l'adore</u>. GAdj
4. Luce a nagé <u>plus</u> longtemps <u>que Louis</u>. GAdv
5. Il parle <u>si</u> vite <u>que personne ne le comprend</u>. GAdv
6. Il est <u>trop</u> entêté <u>pour que je l'accepte dans mon équipe</u>. GAdj
7. Il a écrit <u>plus</u> de contes <u>que de nouvelles</u>. GN
8. Mon cerf-volant est monté <u>si</u> haut <u>que je l'ai perdu de vue</u>. GAdv

CHAPITRE 3

EXERCICE 3.1

1. Je me demande quelle heure il est**.**
2. Quelle heure est-il **?**
3. Pourrais-tu me dire quelle heure il est **?**
4. L'horloge indique-t-elle la bonne heure **?**
5. Peut-être l'horloge n'indique-t-elle pas la bonne heure **?** ou **.**
6. Ne me dites pas que l'horloge n'indique pas la bonne heure **!**
7. Quelqu'un aurait-il l'heure **?**
8. Ils se demandent combien de temps il nous reste**.**
9. Combien de temps nous reste-t-il **?**
10. Vous avez l'heure **?**
11. Personne ne sait à quelle heure le train arrivera**.**
12. Depuis quand travaillez-vous ici **?**
13. Comment devons-nous procéder pour faire une réclamation **?**
14. Mais comment avez-vous fait pour perdre nos bagages **?**
15. Combien de fois vous ai-je dit de faire attention **?**
16. Ne m'en parlez pas **!**

EXERCICE 3.2

1. Comment penses-tu qu'il réagira en apprenant la nouvelle ?
2. Elle m'a demandé ce que Mathieu avait voulu dire.
3. Lequel des deux veux-tu ?
4. Où êtes-vous allés ?
5. Comment ce mot-là s'écrit-il ?
6. Quelqu'un a-t-il des questions à poser ?
7. Comment les autres ont-ils fait ?
8. Je ne sais pas qui est parti le premier.
9. Avec qui est-il parti ?
10. Les chercheurs se demandent depuis belle lurette comment le corps règle la circulation du sang dans les tissus.
11. Elle se demande pourquoi on veut s'attaquer à ce problème dès l'an prochain.
12. Pourquoi la plupart des femmes ne le croient-elles pas quand on leur dit qu'elles font de l'ostéoporose ?
13. Ils ont essayé de savoir quand elle voulait qu'on la rappelle.

EXERCICE 3.3

1. On **n'**a souvent besoin que d'un petit peu d'encouragement.
2. On a souvent besoin d'un plus petit que soi.
3. On **n'**aperçoit l'île que par temps clair.
4. On **n'**obtient rien sans peine.
5. On **n'**est jamais si bien servi que par soi-même.
6. On **n'**a aucun recours.
7. On **n'**a plus qu'à partir.
8. On a plus d'amis quand on en prend soin.
9. Je crains qu'on **n'**ait plus qu'à plier bagage.
10. Je crains qu'on ait tort.

EXERCICE 3.4

1. Ce qu'elle a fait, personne d'autre **ne** l'aurait fait.
2. Je **n'**ai rien dit de tel.
3. Tu n'as qu'à pousser sur ce bouton : l'enregistrement se fera automatiquement.
4. Elle **ne** veut voir que sa mère.
5. Je n'ai pensé à rien pendant tout le temps qu'a duré cette crise.
6. Aucun remboursement **ne** sera fait après le 1er janvier.
7. On économisera 45 000 $ en **n'**aménageant qu'une salle de conférence.
8. L'homme a été condamné à 1000 $ d'amende. Il ne pourra **pas** conduire non plus pendant deux ans.
9. Les discussions sont assez dures, mais on n'a blâmé personne.
10. Ils **n'**ont embauché que les meilleurs candidats.

EXERCICE 3.5

1. Nous invitons les personnes [...] qui frapperont à **leur** porte samedi. (*leur* renvoie à *personnes,* 3e personne du pluriel.)
2. Pour d'autres, comme Mathieu Caron, c'est la vie de groupe qui **les** a attirés. (*les* renvoie à *d'autres,* 3e personne du pluriel.)

3. Quand **ils** ne participe**nt** pas à des compétitions, le jeune homme et son équipe organisent des spectacles pyrotechniques en Europe. (*ils* renvoie à *le jeune homme et son équipe,* 3e personne du pluriel.)
4. Beaucoup de personnes s'y opposent parce qu'**elles** croient que cela nuira au Québec. (*elles* renvoie à *personnes,* 3e personne du féminin pluriel.)
5. Les gouvernements devront faire des lois **et les faire respecter**, et être plus sévères envers les pollueurs. (Il faut déplacer le groupe *et les faire respecter* pour que le référent de *les* soit clairement le GN *les lois* ; dans la phrase de l'exercice, ce *les* avait deux référents possibles, *les lois* ou *les pollueurs.*)
6. Que vous alliez observer les baleines pour la première ou pour la dixième fois, il faut **vous** préparer et bien planifier **votre** excursion. (*vous* et *votre* renvoient au sujet *vous,* 2e personne du pluriel.)
7. Nous devons, selon elle, avoir à cœur de **nous** exprimer correctement lors des entrevues. (*nous* renvoie au sujet de P, le pronom *nous,* 1re personne du pluriel.)
8. Le couple a tout vendu pour pouvoir réaliser **son** rêve. (*son* renvoie au sujet de P, *Le couple,* 3e personne du singulier.)
9. De ce total de 460 millions de dollars, il sera redistribué 53 millions de dollars aux arrondissements. (Il fallait supprimer le pronom *en,* qui crée une redondance avec *De ce total de 460 millions de dollars.*)
10. Ne manquez pas de visiter le moulin de Beaumont, où on produit d'excellentes farines biologiques. (Il fallait supprimer le pronom *y,* qui crée une redondance avec le pronom *où.*)

EXERCICE 3.6

1. à laquelle   2. qui   3. que   4. dont   5. dont   6. auquel
7. à qui   8. qu'   9. dont   10. dont ; dont

EXERCICE 3.7

1. Sur cette route, il se produit chaque année **plusieurs accidents qui font de nombreux blessés.**
2. Il a travaillé **pendant 28 ans, dont 20 ans au même endroit,** comme cuisinier dans de petits restaurants plus ou moins connus.
3. Certains professeurs exigent de leurs étudiants **un travail acharné que la plupart ne peuvent pas fournir.**
4. Vous y verrez notamment, sur le bord d'un ruisseau, **une intéressante rocaille qui plaira aux amateurs d'horticulture.**
5. **Deux trouble-fête qui,** sous l'effet de la drogue, avaient semé la pagaille ont été arrêtés hier soir. **Deux trouble-fête qui** avaient semé la pagaille sous l'effet de la drogue ont été arrêtés hier soir.

EXERCICE 3.8

1. J'ai fait tout ce **dont** j'étais capable et dit tout ce **dont** j'étais sûr.
2. C'est un sport dont on **se** fatigue vite.
3. Tout ce **dont** on a besoin pour finir la sauce, c'est des oignons.
4. Ce **dont** tu me parles ne m'intéresse pas beaucoup.
5. On présente des pièces où les gens peuvent **se** reconnaître. On présente des pièces **dans lesquelles** les gens peuvent **se** reconnaître.

6. Il ne faut pas jeter la pierre aux joueurs, dont **l'**enthousiasme n'a pas suffi à leur assurer la victoire.

7. Il a réussi à se procurer tout ce **qu'**il lui manquait pour réparer la fissure.

8. La gardienne aux services **de qui** j'ai eu recours a décidé de retourner aux études.

9. Le psychologue a expliqué ce **dont** ont besoin les adolescents. Le psychologue a expliqué **de quoi** ont besoin les adolescents

10. Il s'est produit un accident dont la cause est inconnue.

11. L'astrologie : pour ceux **que** l'avenir intéresse.

12. L'appareil **dont** je me sers appartient à mon père.

13. Les deux femmes, **pour la vie de qui** on ne craint pas, ont d'abord [...].

14. Ce type de traitement provoque des saignements **dont** les femmes [...].

15. C'est de tous ces problèmes de communication **qu'**il est question [...].

EXERCICE 3.9

1. Les parents essaieront **de** nous orienter vers l'informatique ou les sciences.

2. Cela n'a pas eu l'air **de** les surprendre.

3. Il faudrait demander l'avis d'autres personnes.

4. La fille **avec qui** tu étais assis s'appelle Joannie.

5. À part lui, tout le monde a assisté à la réunion.

6. Antoine se rappellera longtemps sa participation au marathon des Deux Rives.

7. Si le produit existe **sous** un autre nom, j'aimerais le savoir.

8. On pourrait obtenir les données tous les trois mois.

9. L'entreprise connaîtra un déficit cette année **en raison des** frais élevés de commercialisation du produit.

10. Il a fallu travailler sans relâche **pendant** 15 jours pour régler le problème.

11. Selon le porte-parole **de** l'organisme, tous les résidents connaissaient cet endroit.

12. Certains jeunes déclarent faillite avant même d'être tenus **de** rembourser leur prêt.

13. Il a été condamné pour voies de fait **envers (à l'endroit de)** son ex-conjointe, qui...

14. Le petit déjeuner sera servi **dans** l'avion.

15. Est-ce qu'ils disposent **d'**assez de temps pour faire ce travail ?

EXERCICE 3.10

1. Le but de ce travail est de décrire la situation et **de** proposer des solutions.

2. À la radio, **à** la télé, on parle beaucoup des loisirs.

3. On n'a qu'à prendre chaque jour qui vient comme un nouveau jour et **à** l'accepter comme il vient.

4. L'équipe organise des spectacles pyrotechniques populaires surtout en Italie et **en** Espagne.

5. Félicitations à Careau et **aux** personnes qui l'ont secondé.

6. Le responsable du dossier suggère de bien définir le mandat de l'organisme, d'analyser sa gestion et **de** déterminer qui, du gouvernement ou de la région, en sera responsable.

7. L'objectif, c'est de vivre sa vie et non pas **de** la rêver.

8. Il s'agit de remplacer le système de chauffage et **de** refaire les cheminées.

9. Certains affirment que le Québec n'est déjà plus compétitif par rapport aux autres provinces et **aux** autres pays.

10. Se changer trois **ou** quatre fois avant de sortir, ce n'est pas exceptionnel pour certaines adolescentes ! (S'il n'y a que deux possibilités, utiliser *ou* : *une ou deux fois*, mais *une à trois semaines*.)

EXERCICE 3.11

1. Non seulement j'ai pensé à mes vacances, mais j'en ai parlé à ma sœur.

2. J'ai entendu parler de cet appareil et ai décidé de l'acheter.

3. Les étudiants se sont installés du côté du professeur et devant lui.

4. Il aspire à notre protection et il en a besoin.

5. Il se soucie de son avenir et y pense.

6. Les montagnes se dressent autour du village et derrière lui.

7. Il est prêt à travailler fort pour réussir et capable de le faire.

8. Elle a dit qu'elle connaissait cet individu et avait discuté souvent avec lui.

9. La boue a immobilisé les cyclistes et leur a fait perdre un temps précieux.

10. Il est possible de se faire dispenser d'un cours et de se le faire créditer lorsqu'on considère avoir acquis les connaissances auparavant.

11. Les textes argumentatifs permettent à l'auteur de prendre position, pour ne pas dire qu'ils l'y obligent.

12. Le président du comité de parents a appelé la directrice générale et lui a même écrit. (... a téléphoné et même écrit à la directrice générale.)

13. Nous allons préparer un plan d'action à long terme et nous y engager à fond.

EXERCICE 3.12

1. Quand je suis arrivé dans mon village natal, les rues étaient désertes. (Les rues étaient désertes quand je suis arrivé dans mon village natal.)

2. Étant infirmière-auxiliaire, je n'ai pas l'autorisation de l'infirmière en chef pour faire des injections.

3. Son père étant un peu dur d'oreille, Marie a dû lui répéter trois fois l'adresse. (Marie a dû répéter trois fois l'adresse à son père, qui est un peu dur d'oreille.)

4. Après que tu as été partie, ta mère a reçu un coup de téléphone pour toi. (*Ou encore plus simplement* : Après ton départ, ta mère a reçu un coup de téléphone pour toi.)

5. Avant que nous puissions examiner sa demande, ce candidat devra nous envoyer une copie de son dernier diplôme. (Nous ne pourrons examiner la demande de ce candidat tant qu'il ne nous aura pas envoyé une copie de son dernier diplôme.)

6. Les vacanciers apprécieront ce petit appareil photo conçu pour les activités de plein air et qui résiste aux intempéries.

7. Mes collègues, avec qui j'avais discuté de mon projet, m'invitèrent à assister à leur réunion de travail.

8. Ce n'est pas en restant les bras croisés qu'on pourra changer la situation.

9. Son conjoint rentrant à la maison ensanglanté, madame Béland crut qu'il avait eu un accident.

10. Pour que les parents fassent trois ou quatre enfants, il faut que les enfants soient placés très haut dans l'échelle de leurs valeurs personnelles.

11. On peut consulter le dictionnaire à l'écran, sans sortir du document.

12. Quand vous utilisez votre carte de débit, le montant de votre achat est déduit immédiatement de votre compte.

13. Les voleurs ont agi trop rapidement pour qu'on puisse supposer qu'il y a eu préméditation.

EXERCICE 3.13

1. Le conducteur saguenéen **de même qu'un des passagers de la Mazda** souffre**nt** de blessures graves.

2. En plus **de se voir prescrire** un traitement aux hormones, les femmes atteintes sont invitées à revoir leur alimentation, à faire de l'exercice, à cesser de fumer et **à** réduire leur consommation d'alcool.

3. Ses agresseurs se sont enfuis en emportant **sa casquette** et les quelques dollars contenus dans son portefeuille.

4. Réduire le nombre d'opérations permettrait de faire des économies et d'augmenter l'efficacité.

5. Il n'a pas aimé la remarque du professeur **ni le fait que** les étudiants riaient.

6. Selon lui, ces projets de lois vont **non seulement** à l'encontre du traité de libre-échange, **mais aussi** à l'encontre des intérêts commerciaux du Québec.

7. Se faire des frites et oublier le chaudron d'huile sur le feu, et **s'endormir en fumant** sont deux causes importantes d'incendies.

8. Ces observations indiquent que toute réduction supplémentaire des graisses peut s'avérer **non seulement** moins bénéfique **mais aussi** franchement nuisible.

9. Un policier **en tenue civile** a été tabassé et soulagé de son arme de service, alors qu'il était en congé et se trouvait dans un établissement de Jonquière.

10. L'incontinence urinaire se rencontre autant chez les femmes **que** chez les hommes.

EXERCICE 3.14

1. Elle est sortie **grandie** de cette mauvaise passe dans sa vie.

2. Le fils de sa deuxième femme était plein de boutons et avait un caractère exécrable.

3. **Si elle avait été acceptée,** la dernière offre des propriétaires aurait permis aux joueurs de toucher immédiatement les augmentations.

4. En entrevue, les deux responsables ont décrit les grands axes du document qui réclame **plus d'équité** dans le traitement des dossiers et, pour les jeunes, une **plus grande** accessibilité aux emplois de la fonction publique.

5. Les malfaiteurs se sont introduits dans l'établissement commercial **au moyen d'un passe-partout**.

6. On a rarement demandé **à ce médecin célèbre** ce qui l'avait incité à abandonner la recherche.

7. Dans votre lettre du 14 octobre dernier, vous réclamez que nous remplacions **par un appareil neuf** l'ordinateur que nous vous avons vendu l'an dernier.

8. **Les 30 et 31 juillet,** le chemin Saint-Louis sera fermé à la circulation **entre l'avenue Maguire et l'avenue William** pour permettre à la Ville d'effectuer des travaux de réparation d'aqueduc et d'égout.

9. Y aura-t-il en septembre **une élection** à la mairie dans cette municipalité ?

10. **Demain,** l'Office des professions du Québec soumettra **au gouvernement** une proposition susceptible de satisfaire la majorité des intervenants.

EXERCICE 3.15

1. voyions **2.** ayez **3.** pouvez **4.** avez **5.** travaillions **6.** a **7.** ait/a **8.** a/ait **9.** ait **10.** fassiez **11.** voies **12.** croyiez **13.** soient **14.** divertisse **15.** croit

EXERCICE 3.16

1. La police de Québec croit fortement que l'alcool **est** le principal responsable de cet accident.

2. Approchez un peu pour qu'il vous **voie** mieux.

3. Bien qu'aucune étude n'**ait** été commandée à ce sujet, les gestionnaires évaluent à plusieurs millions de dollars l'investissement initial nécessaire à la réalisation du projet.

4. Ils se sont engagés à ce que les économies résultant de mises en commun de services ou de fusions avec d'autres municipalités **servent** à la réduction des taxes.

5. Il déplore que les participants à cet exercice ne **fassent** que tourner en rond.

6. Quoique les circonstances entourant sa disparition **soient** très obscures, les assurances ont réglé l'affaire sans tarder.

7. Les garderies à but non lucratif craignent que le gouvernement n'**ait** pas les moyens de leur venir en aide.

8. Nous sommes heureux qu'ils reconnaissent qu'il y a un problème et qu'ils **veuillent** le résoudre, mais nous nous interrogeons sur les moyens qu'ils prendront pour y arriver.

9. Il est possible que nous **ayons** besoin d'au moins six semaines de travail pour terminer ce rapport.

10. Le député s'explique mal comment son dossier fiscal **a** pu aboutir entre les mains d'un proche conseiller du premier ministre.

11. Selon le porte-parole de la police, il y a tout lieu de craindre que le jeune homme **ait** été emporté dans le tourbillon de la chute.

CHAPITRE 4

EXERCICE 4.1

1. Elles déambulaient tard, **femmes-enfants, enfants fatiguées, petites filles abandonnées**
Insertion et énumération de GN compléments du pronom (virgules doubles et simples)

et, **dans la nuit,** éclataient de rire pour un rien.
Insertion d'un complément de P (virgules doubles)

2. Une pluie torrentielle, **capable d'inonder le jardin en quelques heures,** s'abattit brusquement.
Insertion d'un GAdj complément du nom (virgules doubles)

3. Mon grand-père avait fabriqué une horloge qui, **à notre grand désespoir,** déclenchait une sonnerie qui empoison-nerait nos réveils.
Insertion d'un commentaire (virgules doubles)

4. Son frère, **lui,** était un maniaque des jeux vidéo.
Mise en évidence du sujet (virgules doubles)

5. C'est pour moi, **fit-il remarquer,** une question d'honneur.
Insertion d'une phrase incise (virgules doubles)

6. Nous avons dégusté des calmars qui venaient d'être pêchés puis, **ivres de bon vin et de bonheur,** nous avons décidé d'aller nous promener sur les remparts.
Insertion d'un GAdj complément du pronom (virgules doubles)

7. Le vent soufflait, les vagues nous léchaient le visage, mais le voilier refusait toujours d'avancer dans la bonne direction.
Coordination de phrases (virgules simples)

8. Dans un documentaire diffusé la semaine dernière, le premier ministre a déclaré que tout serait mis en œuvre
Insertion d'un complément de P (virgule double)

pour que l'on dédommage, **dans les plus brefs délais,** les riverains qui ont perdu une partie de leurs biens.
Insertion d'un complément de P (virgules doubles)

9. Chemises, souliers, chaussettes, tout était sens dessus dessous.
Insertion et énumération de GN compléments du pronom (virgules double et simples)

10. Les élèves de 3e, **qui ont beaucoup d'imagination,** ont monté un spectacle pour la Sainte-Catherine.
Insertion d'une Sub. relative explicative (virgules doubles)

EXERCICE 4.2

1. Quelle belle journée ! Nous en faut-il beaucoup plus pour être heureux ?

2. Je me demande pourquoi Jean est parti si rapidement.

3. Les règles d'accord du mot « tout » sont assez simples : s'il se rapporte au nom, il sera adjectif et s'accordera ; s'il se rapporte à l'adjectif, il sera adverbe et invariable.

4. « Est-ce qu'il reste quelque chose à manger ? demanda-t-il. Je meurs de faim. »

5. Quand elle est arrivée à la maison, il lui a posé quelques questions :
– Pourquoi rentres-tu si tard ?
– J'avais envie de profiter du beau temps, lui dit-elle. Alors, j'ai marché plutôt que de prendre l'autobus.
– Tu aurais pu me prévenir : je commençais à m'inquiéter.
– C'est que... je n'ai pas vu le temps passer, ajouta-t-elle, après une brève hésitation.

CHAPITRE 5

Les réponses entre crochets tiennent compte des Rectifications de l'orthographe (1990) dont l'application n'est pas encore généralisée.

EXERCICE 5.1

1. masc. sing.   **2.** masc. sing. (valeur indéfinie)   **3.** fém. sing.
4. fém. sing.   **5.** masc. plur.

EXERCICE 5.2

1. indicatif passé simple   **2.** subjonctif imparfait   **3.** indicatif présent ; subjonctif passé   **4.** indicatif plus-que-parfait ; subjonctif présent   **5.** indicatif conditionnel passé (dans le *PR* et dans le *Multi*, le conditionnel n'est pas un temps de l'indicatif mais un mode) ; subjonctif imparfait   **6.** subjonctif imparfait ; indicatif passé simple (verbe *être* utilisé au sens de « s'en aller »)
7. impératif présent   **8.** infinitif passé ; indicatif imparfait
9. participe présent composé ; indicatif passé composé
10. indicatif futur antérieur

EXERCICE 5.3

1. se lire, 2e gr., irr.   **2.** se lier, 1er gr.   **3.** désemplir, 2e gr., rég.
4. fuir, 2e gr., irr.   **5.** fonder, 1er gr.   **6.** fondre, 2e gr., irr.
7. inclure, 2e gr., irr.   **8.** désavouer, 1er gr.   **9.** fonder, 1er gr.
10. fondre, 2e gr., irr.

EXERCICE 5.4

1. publier, je publie   **2.** vérifier, je vérifie   **3.** parier, je parie
4. créer, je crée   **5.** tuer, tu tues   **6.** appuyer, j'appuie
7. se fier, je me fie   **8.** ruer, il rue   **9.** louer, tu loues
10. essayer, il essaie (il essaye)

EXERCICE 5.5

1. broies   **2.** fraie (fraye)   **3.** ennuie   **4.** côtoie
5. zézaient (zézayent) ; grasseyent (ne perd jamais le *y*)

EXERCICE 5.6

1. rage   **2.** piges   **3.** regorge   **4.** ménagez   **5.** rongent
6. rageons   **7.** pigeons   **8.** regorgeons   **9.** ménageons
10. rongeons

EXERCICE 5.7

a, o, u

EXERCICE 5.8

1. finançons, efforçons   **2.** Aucune cédille.

EXERCICE 5.9

j'appelle, tu appelles, il appelle, nous appelons, vous appelez, ils appellent

je jette... nous jetons... elles jettent

j'achète... nous achetons... ils achètent

je décèle... nous décelons... elles décèlent

je pellette... nous pelletons... ils pellettent (Dans l'usage, on ne prononce cependant pas la 2e syllabe : on dit plutôt « je pel - te ».)

EXERCICE 5.10

1. soulève **2.** emmenons **3.** pèlent **4.** rappelle
5. ruisselle [ruissèle] **6.** se congèle **7.** volettent [volètent]
8. grommelle [grommèle] **9.** se lèvent **10.** menez (Le pronom *qui* a pour antécédent *vous*.)

EXERCICE 5.11

je cède, tu cèdes, elle cède, nous cédons, vous cédez, elles cèdent ;
je délègue... nous déléguons, ils délèguent (Maintien du *u* à toutes les personnes dans les verbes en -*guer*.)

EXERCICE 5.12

1. siègent **2.** interprétez **3.** se révèle **4.** alléguons
5. sidèrent

EXERCICE 5.13

je dépéris, tu dépéris, il dépérit, nous dépérissons, vous dépérissez, ils dépérissent ; je hais, tu hais, elle hait, nous haïssons, vous haïssez, elles haïssent

EXERCICE 5.14

je sens, tu sens, il sent, nous sentons, vous sentez, ils sentent
je mens, tu mens, elle ment, nous mentons...
je revêts, tu revêts, il revêt, nous revêtons...
je discours, tu discours, elle discourt, nous discourons...

EXERCICE 5.15

je détiens... il détient... nous détenons... ils détiennent
je subviens... elle subvient... nous subvenons... elles subviennent
j'acquiers... il acquiert... nous acquérons... ils acquièrent
je meurs... elle meurt... nous mourons... elles meurent
je bous... il bout... nous bouillons... ils bouillent

EXERCICE 5.16

1. cueille, cueillons **2.** accueilles, accueillez
3. couvre, couvrent **4.** découvre, découvrons
5. ouvres, ouvrez **6.** offre, offrent **7.** souffre, souffrons
8. assailles, assaillez **9.** défaille, défaillent
10. tressaille, tressaillons

EXERCICE 5.17

je ris... il rit... nous rions... ils rient
je conclus... elle conclut... nous concluons... elles concluent
je corromps... il corrompt... nous corrompons... ils corrompent
je construis... elle construit... nous construisons... elles construisent
je crois... il croit... nous croyons... ils croient
je fais... elle fait... nous faisons... vous faites... elles font

EXERCICE 5.18

je vends... il vend... nous vendons...
je confonds... elle confond... nous confondons...
je prends... il prend... nous prenons... ils prennent

EXERCICE 5.19

je dissous, tu dissous, elle dissout, nous dissolvons, vous dissolvez, elles dissolvent ; je peins, tu peins, il peint, nous peignons, vous peignez, ils peignent

EXERCICE 5.20

je convaincs... elle convainc... nous convainquons...

EXERCICE 5.21

j'admets, tu admets, il admet, nous admettons, vous admettez, ils admettent ; je bats... elle bat... nous battons... elles battent

EXERCICE 5.22

je connais... il connaît [connait]... nous connaissons...
je croîs... elle croît... nous croissons...

EXERCICE 5.23

1. conçoit **2.** émeut **3.** vaut **4.** pourvoit **5.** peux

EXERCICE 5.24

1. sommes **2.** Êtes (accent sur la majuscule) **3.** Ont
4. Va **5.** Vas

EXERCICE 5.25

1. ennuie **2.** lie **3.** lit **4.** créons **5.** réponds
6. (nous) nous distrayons, pouvons **7.** se relaient (se relayent)
8. rejoignons **9.** plaçons **10.** (nous) nous contraignons
11. protège **12.** se fourvoie **13.** rejette **14.** harcèlent
15. vaut **16.** se souvient **17.** êtes, acquérez **18.** faites
19. soutiens **20.** accourt **21.** faut **22.** pleut **23.** s'enfuit
24. maugrée **25.** veut, peut

EXERCICE 5.26

1. nous multiplions / multipliions, vous multipliez / multipliiez

2. nous déjouons / déjouions, vous déjouez / déjouiez

3. nous suons / suions, vous suez / suiez

4. nous nous indignons / indignions, vous vous indignez / indigniez

5. nous bâillons / bâillions, vous bâillez / bâilliez

6. nous déblayons / déblayions, vous déblayez / déblayiez

7. nous noyons / noyions, vous noyez / noyiez

8. nous nous ennuyons / ennuyions, vous vous ennuyez / ennuyiez

9. nous cueillons / nous cueillions, vous cueillez / cueilliez

10. nous nous enfuyons / enfuyions, vous vous enfuyez / enfuyiez

EXERCICE 5.27

1. plaçais **2.** commencions **3.** nageait **4.** mangeaient **5.** se jaugeaient

EXERCICE 5.28

1. me rappelais **2.** recelait **3.** pesaient **4.** rejetiez **5.** démanteliez **6.** énumérait **7.** cédaient **8.** sidérait **9.** se révélait **10.** épelait

EXERCICE 5.29

1. partait **2.** répartissait **3.** requérait **4.** acquérait **5.** s'épaississait

EXERCICE 5.30

1. se plaignait **2.** Faisiez **3.** extrayait **4.** croyions **5.** se contraignait **6.** rejoignaient **7.** atteignait **8.** connaissaient **9.** Entrevoyaient **10.** souscrivaient

EXERCICE 5.31

1. penserai, penserais **2.** parleras, parlerais **3.** débordera, déborderait **4.** améliorerons, améliorerions **5.** créditerez, créditeriez **6.** déménageront, déménageraient

EXERCICE 5.32

1. créerai, créerais **2.** continueras, continuerais **3.** liera, lierait **4.** revivifierons, revivifierions **5.** replierez, replieriez **6.** tueront, tueraient

EXERCICE 5.33

1. m'inquiéterai, m'inquiéterais [m'inquièterai, m'inquièterais] (selon l'orthographe rectifiée – même chose pour les verbes suivants) **2.** protégeras, protégerais **3.** asséchera, assécherait **4.** répéterons, répéterions **5.** léguerez, légueriez **6.** énuméreront, énuméreraient

EXERCICE 5.34

j'appellerai... je lèverai...

EXERCICE 5.35

1. rachèterait **2.** gèlerait **3.** rejetteriez **4.** rappellerais **5.** pèserais

EXERCICE 5.36

j'essaierai (j'essayerai)... je convoierai... j'appuierai...

EXERCICE 5.37

je **renverr**ai...

EXERCICE 5.38

1. S'enfuira **2.** tiédira **3.** vieillira **4.** pourrirai **5.** Renchérira

EXERCICE 5.39

1. courais, courrais **2.** mourais, mourrais **3.** acquérait, acquerrait **4.** accourions, accourrions **5.** requériez, requerriez **6.** recouraient, recourraient

EXERCICE 5.40

1. recueillerait **2.** accueillerions **3.** assaillirait **4.** offririons **5.** souffririez

EXERCICE 5.41

1. retiendrai **2.** maintiendrons **3.** viendra (*il* impersonnel) **4.** n'interviendras **5.** subviendra

EXERCICE 5.42

1. soumettrons **2.** comparaîtront [comparaitront] **3.** convaincrez **4.** inclurons **5.** poursuivrons

EXERCICE 5.43

je ferai / ferais, tu feras / ferais, elle fera / ferait, nous ferons / ferions, vous ferez / feriez, ils feront / feraient

EXERCICE 5.44

1. verrai **2.** recevrai **3.** pourvoira **4.** saurez **5.** devrez **6.** pourrez **7.** faudra **8.** pleuvra **9.** prévoirez **10.** reverrai

EXERCICE 5.45

Voir les tableaux de conjugaison dans le *Multi*, le *Petit Robert* ou le *Bescherelle*. Bien noter l'absence d'accent circonflexe à la 3e personne du singulier.

EXERCICE 5.46

1. naquit, fit, publia, vécut, devint, travailla, séjourna, écrivit, occupa, entra **2.** chanta, étudia, fut, remporta, valut, reçut, devint, parut, travailla, s'éteignit **3.** se baissa, brancha, prit, mit, s'échappa, éclaira, se propagea, laissa, fit, eut, repartit, sourit (même forme qu'au présent), convint, se mit

EXERCICE 5.47

1. ai lu **2.** as été **3.** a eu **4.** avons fini **5.** avez terminé **6.** ont subi

EXERCICE 5.48

1. avais su **2.** avait terminé **3.** avait fini **4.** étais venu **5.** avais été, avais eu

EXERCICE 5.49

1. eut succédé   **2.** eurent quitté   **3.** eut fini   **4.** fut devenu

EXERCICE 5.50

1. auras terminé   **2.** sera parti   **3.** n'auront pas essayé

EXERCICE 5.51

1. n'aurait jamais cru   **2.** auraient finalement signé
3. aurait fallu   **4.** n'aurait pas couru

EXERCICE 5.52

Consulter des tableaux de conjugaison.

EXERCICE 5.53

1. Mange   **2.** Retournes   **3.** Pars   **4.** Sois   **5.** N'aie
6. Sache (Les verbes ayant une terminaison en *e* se comportent
comme les verbes en -*er*, c'est-à-dire qu'ils ne prennent pas de *s*
à la 2ᵉ pers. du sing.)   **7.** Étudies   **8.** Garde-toi   **9.** Souviens-toi
10. Inspire-toi

EXERCICE 5.54

1. Essayez   **2.** cédez   **3.** Souvenez-vous   **4.** trompez
5. Faites   **6.** Lisez, dites   **7.** Sachez   **8.** soyez   **9.** Veuillez
10. Résolvez

EXERCICE 5.55

1. Parle   **2.** Parle   **3.** Parle   **4.** Parles   **5.** Pense   **6.** Penses
7. Va   **8.** Vas   **9.** Va-t'en   **10.** Avises

EXERCICE 5.56

1. Donne-lui-en.   **2.** Livrez-la-moi dès demain.   **3.** Livrez-m'en
trois douzaines.   **4.** Ne t'en sers pas.   **5.** Souviens-t'en.
6. Charge-t'en toi-même.   **7.** Chargez-vous-en.
8. Apportez-nous-en dès demain.

EXERCICE 5.57

1. Ayez tout appris   **2.** Sois rentré

EXERCICE 5.58

Consulter des tableaux de conjugaison.

EXERCICE 5.59

1. publiions   **2.** essuyiez   **3.** travaillions   **4.** gagniez
5. croyions   **6.** ayons

EXERCICE 5.60

1. s'abstienne   **2.** vienne   **3.** aille   **4.** vaille   **5.** faille
6. t'enfuies   **7.** fasse   **8.** conclues   **9.** disparaisses

10. vende   **11.** reçoive   **12.** ayons   **13.** croies
14. preniez   **15.** sachiez   **16.** se reproduise   **17.** contraigne
18. soyez   **19.** me souvienne   **20.** fasse   **21.** puisse
22. fasse   **23.** sache

EXERCICE 5.61

1. ayons demandé   **2.** s'en soit aperçu   **3.** aie reçu
4. ait réagi   **5.** aies eu   **6.** ait été

EXERCICE 5.62

1. fît   **2.** fût   **3.** eût   **4.** pût

EXERCICE 5.63

1. Faudra-t-il... ?   **2.** Va-t-il... ?   **3.** Est-ce que... ?
4. A-t-on... ?   **5.** Mange-t-il... ?

EXERCICE 5.64

1. Chante-t-il juste ?   **2.** A-t-on tout fini ?   **3.** Termine-t-elle
aujourd'hui ?   **4.** Entend-il me convaincre ainsi ? (On n'ajoute pas
de *t* euphonique après une terminaison en *d*.)   **5.** Cet argument
te convainc-t-il ? (*Vaincre* et *convaincre* sont suivis du *t* euphonique.)

EXERCICE 5.65

1. un bel été, un automne pluvieux   **2.** une nouvelle autoroute
(puisque *route* est féminin)   **3.** il, le 801   **4.** Un gang
5. un sandwich   **6.** Grands   **7.** plein   **8.** une algèbre
9. la circulaire   **10.** un nouveau / une nouvelle radio (L'Office
québécois de la langue française a donné son aval à l'emploi
de *radio* au masculin pour désigner un poste de radio, justement
à cause du mot *poste* sous-entendu. Mais traditionnellement,
un radio est une personne qui s'occupe des communications
à bord d'un bateau ou d'un avion.)

EXERCICE 5.66

1. Japonaise   **2.** Grecque   **3.** Italienne   **4.** gardienne
5. vieilles   **6.** Métisse.   **7.** demanderesse   **8.** aînée
9. directrice   **10.** ambassadrice

EXERCICE 5.67

1. professeure (Cette forme semble être bien entrée dans l'usage.)
2. auteure   **3.** La ministre   **4.** La gouverneure générale
5. La mairesse (Comme *mairesse* n'est plus du tout utilisé ici pour
désigner l'épouse d'un maire, il est parfaitement justifié d'appeler
une femme maire une *mairesse*.)   **6.** Notre députée
7. notre ingénieure (Ce féminin est bien entré dans l'usage.)

EXERCICE 5.68

1. chevaux   **2.** récitals   **3.** festivals   **4.** baux   **5.** bijoux
6. ciels   **7.** choux   **8.** pneus   **9.** bleus   **10.** Canada
11. genoux   **12.** clous   **13.** lieues   **14.** lieux   **15.** cheveux

EXERCICE 5.69

1. sans-abri[s]   **2.** hache-viande[s], hache-légumes, grand(s)-mères (Puisque *grand* ne varie pas en genre dans *grand-mère*, il est plus logique de ne pas le faire varier non plus en nombre. Toutefois, par analogie avec *grands-pères*, on est justifié d'écrire *grands-mères*.)   **3.** pots-de-vin[s]   **4.** brise-glaces (dans *Le Petit Robert*), brise-glaces ou brise-glace (dans le *Multi*)   **5.** grands-pères, grands-mères   **6.** Franco-Manitobains   **7.** arcs-en-ciel[s]   **8.** après-midi[s]   **9.** tête-à-tête[s]   **10.** hors-d'œuvre[s]   **11.** pommes de terre[s]   **12.** arcs-boutants   **13.** vice-rois   **14.** pare-chocs (On peut également orthographier *choc* avec un *s* quand on emploie le mot au singulier : *un pare-chocs*.)   **15.** chasse-neige[s]   **16.** chefs-d'œuvre[s]

EXERCICE 5.70

1. sans limites (L'usage semble avoir consacré le pluriel dans l'expression *sans limites*. On emploie d'ailleurs souvent *limite* au pluriel : *dans les limites de nos moyens, notre patience a des limites*.)   **2.** sans discussion (sans qu'il y ait la moindre discussion)   **3.** en main propre, en mains propres.   **4.** en conjectures (Si on s'y perd, c'est qu'il y en a plusieurs.)   **5.** en pourparlers (S'emploie presque toujours au pluriel.)   **6.** en vins   **7.** de revenants

EXERCICE 5.71

1. Y a-t-il une statue de sainte Thérèse à Sainte-Thérèse-de-Lisieux ?   **2.** Avez-vous vu le film *La vie de sainte Thérèse*?   **3.** Il parle allemand comme un Allemand.   **4.** *Phrase correcte.*   **5.** L'État français offre des bourses aux Québécois qui veulent étudier en France. (*État* prend toujours une majuscule quand il désigne une entité politique.)   **6.** *Phrase correcte.*   **7.** *Phrase correcte.*   **8.** On fait traditionnellement commencer le Moyen Âge avec la chute de l'Empire romain d'Occident et se terminer avec la prise de Constantinople.   **9.** L'économie de l'Europe occidentale se porte bien.   **10.** France, Alaska

EXERCICE 5.72

1. par.   **2.** p.   **3.** n°   **4.** tél.   **5.** M.   **6.** MM.   **7.** Mme   **8.** Mmes   **9.** Mlle   **10.** Mlles   **11.** app.   **12.** av.   **13.** boul. (b^d)   **14.** pav.   **15.** loc.   **16.** 1er   **17.** 1re   **18.** 50e   **19.** ét.   **20.** bur.

EXERCICE 5.73

1. h   **2.** m   **3.** min (pour distinguer l'abréviation de *minute* de celle de *mètre*)   **4.** s   **5.** g   **6.** kg   **7.** km   **8.** kW   **9.** kWh

EXERCICE 5.74

1. La réunion aura lieu à 3 h 30.   **2.** *Phrase correcte.*   **3.** 36, boul. de l'Amitié, app. 15   **4.** N° de tél. : 525-0000

EXERCICE 5.75

1. de jolis abat-jour[s]   **2.** deux gardes-chasse[s]   **3.** des pince-sans-rire   **4.** deux porte-bébés   **5.** tous les après-midi[s]   **6.** garde-robe[s]   **7.** deux festivals   **8.** tuyaux   **9.** cheveux   **10.** des si et des peut-être

EXERCICE 5.76

1. le Prix du Gouverneur général (*Prix du Gouverneur général* est une désignation ; c'est en quelque sorte un nom propre, d'où l'invariabilité obligatoire.)   **2.** de nouveaux fonds   **3.** saint Ignace de Loyola   **4.** Les jeunes Québécois   **5.** *Phrase correcte.*   **6.** de petites vacances, de courtes vacances   **7.** Vous parlez japonais ?   **8.** Le dollar canadien   **9.** Les pays du Sud-Est asiatique envient l'entente nord-américaine de libre-échange. (Les points cardinaux s'écrivent avec une minuscule quand ils indiquent une direction et avec une majuscule quand ils servent à désigner une région.)   **10.** Le premier ministre indien

EXERCICE 5.77

1. Pourquoi ne pas prendre de petites vacances ? Pourquoi ne pas prendre des vacances ?   **2.** Lunettes gratuites à l'achat de lentilles cornéennes.   **3.** Il a déployé toute son énergie.   **4.** Le gouvernement a mis des fonds à notre disposition.   **5.** *Phrase correcte.*

EXERCICE 5.78

1. pareille   **2.** maligne   **3.** éprouvée, subite (Notez que le participe passé du verbe *subir* est *subi* : *Il a subi de lourdes pertes.*)   **4.** ancienne   **5.** commune   **6.** pleine   **7.** belle, bel   **8.** belle, bel   **9.** nouvelle, nouvel   **10.** folle   **11.** fol   **12.** vieil, vieille   **13.** vieux   **14.** nulle   **15.** muette   **16.** indiscrète   **17.** secrète   **18.** complète   **19.** tierce   **20.** heureuse   **21.** épaisse, légère, sèche   **22.** naïve   **23.** grecque   **24.** fraîche   **25.** ambiguë (Sans tréma, la dernière syllabe serait muette, comme dans *fatigue*.)   **26.** meilleure   **27.** ultérieure   **28.** publique, personnelle   **29.** inchangée   **30.** incertaine   **31.** indéterminée   **32.** définie

EXERCICE 5.79

1. finals / finaux   **2.** théâtraux (Selon le *Petit Robert*.)   **3.** navals   **4.** nouveaux   **5.** généraux   **6.** prénatals / prénataux   **7.** idéals / idéaux   **8.** fatals   **9.** originaux   **10.** commerciaux   **11.** oraux   **12.** caduques

EXERCICE 5.80

Selon les Rectifications de l'orthographe, on peut lier par un trait d'union tous les éléments des déterminants numéraux complexes. Exemples : cent-un, trois-cents.

dix-sept, vingt, vingt et un, vingt-deux, trente et un, trente-sept, quarante et un, cinquante-neuf, soixante et un, soixante-dix, soixante et onze, quatre-vingts, quatre-vingt-un, quatre-vingt-dix, quatre-vingt-onze, quatre-vingt-quatorze, quatre-vingt-dix-neuf, cent, cent un, trois cents, trois cent un, quatre cent quatre-vingts, quatre cent quatre-vingt-deux, mille, mille un, mille cent, deux mille, cinquante mille, cent mille, trois cent mille, un million, deux millions deux cent vingt-cinq mille, quatre-vingts millions (*Million* est un nom et non un déterminant numéral. Il n'empêche donc pas le pluriel à *quatre-vingts*.), deux cents millions (Même remarque.)

EXERCICE 5.81

1. é, er, er
2. er, é
3. er, er
4. er, er, ez
5. é, er
6. é, er
7. er, é
8. ez, ez, é, é
9. é, é(ée, és, ées)
10. é, ez, er, ez, er, er
11. é, é, é, er
12. er, é(ée), er
13. é, er, er
14. er, er, er
15. er
16. er, er, é, er, ez, é, er, é(ée)
17. é, er
18. é
19. é (être commencé)
20. er

EXERCICE 5.82

1. prédit 2. promis 3. entrepris 4. investi 5. acquis
6. accompli, plaint 7. admis, agi 8. conclu 9. introduit
10. peint 11. éteint, assis 12. détruit 13. rejoint
14. permis 15. produit 16. dit, pris 17. raccourci
18. traduit 19. rempli, inscrit 20. contraint 21. compris
22. vieilli, subi (Ne pas confondre *subi*, participe passé du verbe *subir*, et *subit*, adjectif signifiant « soudain » : *On ne s'attendait pas à une mort aussi subite, à un changement de temps aussi subit.*) 23. décrit 24. démoli 25. cueilli 26. reconduit
27. instruit 28. surpris

EXERCICE 5.83

se, ce, se, ce, se, ce

EXERCICE 5.84

1. ont, on 2. on, ont 3. on, ont, on

EXERCICE 5.85

1. Ou, ou 2. où, où 3. Où 4. ou 5. ou 6. où

EXERCICE 5.86

1. s'est, s'est 2. c'est 3. s'est 4. c'est, s'est

EXERCICE 5.87

1. ces 2. ces 3. ses 4. ses

EXERCICE 5.88

1. peut, peu, peut, peu 2. peut, peut

EXERCICE 5.89

1. Plus tôt 2. plus tôt 3. plus tôt 4. plutôt 5. plutôt

EXERCICE 5.90

1. Quoi qu' 2. Quoique 3. Quoi que 4. quoique
5. quoi qu' 6. Quoi qu' 7. Quoiqu' 8. Quoi que
9. quoi qu'il 10. quoi qu' *ou* quoiqu' (Selon ce que vous voulez dire.) 11. Quoi qu' 12. Quoiqu' 13. Quoique
14. quoi qu' 15. quoique

EXERCICE 5.91

1. Quand, quant 2. Qu'en 3. quand 4. Quand, Quant
5. qu'en 6. qu'en, quand 7. qu'en

EXERCICE 5.92

1. peut être 2. peut être 3. peut-être 4. peut-être
5. peut être 6. peut-être, peut-être

EXERCICE 5.93

1. leurs 2. Leur 3. leur 4. leur 5. leurs 6. leur

EXERCICE 5.94

1. a, à 2. à, a 3. a, à 4. à

EXERCICE 5.95

1. davantage 2. d'avantages 3. davantage 4. davantage
5. d'avantages

EXERCICE 5.96

1. qu'elle 2. qu'elle 3. Quelle 4. qu'elle 5. quelle
6. qu'elle, quelle

EXERCICE 5.97

1. prêt 2. près 3. prêts 4. près 5. prêts 6. prêt
7. prêts

CHAPITRE 6

EXERCICE 6.1

1. tu 2. tu (*as mis* n'est évidemment qu'un seul verbe, le verbe *mettre* au passé composé) 3. tout 4. Je 5. Verbe à l'impératif ; le sujet, de la 2ᵉ pers. du sing., n'est pas exprimé.
6. de magnifiques châteaux et de très nombreuses usines
7. Ils 8. les enfants 9. Impératif ; sujet de 2ᵉ pers. du pluriel non exprimé 10. mille et un parfums 11. Vous 12. *Laissez* : impér. ; 2ᵉ pers. du pluriel ; *garderons* : nous 13. Que ce soit vous le coupable (Les subordonnées n'ont ni genre ni nombre ; pour les accords, elles sont de la 3ᵉ pers. du sing.) 14. cet argent 15. Manger trop de carottes (GInf : 3ᵉ pers. du sing.)
16. Qui ne fume ni ne boit (Subordonnée relative sans antécédent : 3ᵉ pers. du sing.)

EXERCICE 6.2

1. 1ʳᵉ pers. du plur. 2. 3ᵉ pers. du plur. 3. 1ʳᵉ pers. du plur.
4. 2ᵉ pers. du plur. 5. 3ᵉ pers. du plur. 6. 1ʳᵉ pers. du plur.
7. 1ʳᵉ pers. du plur. 8. 2ᵉ pers. du plur.

EXERCICE 6.3

1. 2e pers. du plur.   **2.** 2e pers. du plur.   **3.** 2e pers. du sing.
4. 1re pers. du plur.   **5.** 2e pers du sing.

EXERCICE 6.4

1. sont   **2.** sont   **3.** est / a   **4.** ont été   **5.** sera

EXERCICE 6.5

1. surgirent   **2.** écouteront   **3.** écouterait, parlaient
4. S'ajoutent   **5.** se rencontre   **6.** demandent   **7.** étourdissait
8. effraie (*ou* effraye)   **9.** surprend   **10.** plaît   **11.** entoure
12. procurait   **13.** entraînerait   **14.** se trouvent   **15.** venaient
16. répand, est, errent, s'entrecroisent, voient   **17.** flotte, rôde,
hésite, va, vient   **18.** font   **19.** écoutera, se donnera, adoptera,
s'emploiera, jettera   **20.** subsistent

EXERCICE 6.6

1. assimilent, dépassent   **2.** est exposé   **3.** se mesurent,
pourraient   **4.** devriez   **5.** sommes   **6.** appellera   **7.** ont
retenu   **8.** subiront   **9.** est   **10.** peut

EXERCICE 6.7

1. manque   **2.** se passait   **3.** arrivait   **4.** avait

EXERCICE 6.8

1. semble   **2.** peut   **3.** pourrait   **4.** résoudrait
5. avait pu, aurait pris (1-2 : valeur indéfinie ; 3-5 : valeur de « nous »)

EXERCICE 6.9

1. décrochera (*ou* exclusif)   **2.** avez téléphoné   **3.** ne m'ayez
demandé, ne m'ait demandé   **4.** ayez accepté / ait accepté
5. aurais (l'antécédent de *qui* est de la 1re personne)   **6.** aurait
fait   **7.** sache   **8.** captivent (l'antécédent de *qui* est *les
émissions de télévision*)   **9.** sache   **10.** devrais   **11.** pronon-
ceras   **12.** parviendra   **13.** Oublie, menacent (l'antécédent de
qui est *faillites*)   **14.** grondent (Ce sont obligatoirement les
machines qui grondent et non le bruit.)   **15.** arrête (Ici, c'est
plutôt le bruit qui n'arrête pas et qui, par suite, m'étourdit ;
un accord avec *machines* est cependant concevable.)
16. ouvrirez (3e pers. du sing. + 2e pers. du sing. = 2e pers. du pl.)
17. désirent   **18.** avez fait   **19.** crois ou croit   **20.** prenons
21. prenez   **22.** prennent

EXERCICE 6.10

1. Ce ne sont   **2.** Ce sont   **3.** Ce sont   **4.** Ce sont
5. C'est   **6.** Ce sont   **7.** Ce sera   **8.** C'est   **9.** C'est
10. Ce sont, ont été   **11.** Ce sont   **12.** Ce seront, décideront
13. C'est des contraires que... (*des*, déterminant contracté = *de
les* ; le verbe est au singulier à cause de la préposition *de*), résulte
(sujet : *l'harmonie*)   **14.** C'étaient de drôles de gens (Ici, *de* est

un déterminant indéfini pluriel. Quand un adjectif s'intercale entre
un déterminant indéfini pluriel (*des*) et un nom, la forme correcte
de ce déterminant indéfini pluriel est *de* : *Ce sont de braves gens,
de drôles de gens... J'ai passé de bonnes vacances.*)   **15.** Si ce
n'est (*Si ce n'est* est une expression figée.)

EXERCICE 6.11

1. traînait, traînaient   **2.** ont élu (*Bande* sert surtout ici à
indiquer un pluriel, un nombre important. Les pigeons en effet ne
vivent pas en bande. Comparez : *Une bande de loups nous
attaqua.* Les loups vivent en bande. Ce ne serait cependant pas
une « faute » d'écrire : *Une bande de pigeons a élu...*)   **3.** sévit
4. ne m'ont pas convaincu   **5.** n'a pas été attribuée, n'ont pas
été attribués   **6.** coûte   **7.** sont venues (Appliqué à des
personnes, le mot *douzaine* a un sens approximatif.)
8. fut coupée (Le sens de la phrase impose un singulier.)
9. considèrent (*Foule* a ici le sens de « beaucoup » et ne sert qu'à
indiquer une multitude.)   **10.** désirent   **11.** est hostile, sont
hostiles (*est hostile,* si l'idée de pourcentage [+ de 50 %] prévaut
sur celle de *la plupart*)   **12.** a voté (L'idée de pourcentage
prédomine.)   **13.** a/ont dévasté (Le singulier est préférable
si on considère le fait que les sauterelles ont coutume de s'abattre
en nuées.)   **14.** a/ont envahi (Le pluriel est préférable si on
considère le fait que *nuée* est véritablement pris ici au sens
métaphorique.)   **15.** veulent (Un verbe d'intention s'accorde
mieux avec un sujet animé qu'avec un sujet inanimé.)   **16.** sont
17. grossit (C'est obligatoirement le nombre qui grossit ;
les mécontents ne grossissent pas.)   **18.** a indisposé
19. est allé, sont allées   **20.** a repris, ont repris

EXERCICE 6.12

1. auront donné   **2.** auraient pu   **3.** ont quitté   **4.** connaissent
5. ont démarré   **6.** nuit (C'est l'idée de quantité qui prime.)
7. sont   **8.** ont faussé   **9.** contestera   **10.** veulent

EXERCICE 6.13

1. C'est   **2.** manque   **3.** assaille (sujets synonymes)
4. viendrons   **5.** pourrons   **6.** n'ont répondu, n'a répondu
7. sont (L'attribut pluriel oblige à mettre le verbe au pluriel.)
8. irai   **9.** commencent   **10.** devra   **11.** Ce sont de drôles
d'arguments (*de* est ici un déterminant indéfini)   **12.** s'opposent
13. aura   **14.** allons   **15.** a téléphoné   **16.** a passé, ont
passé   **17.** a tort   **18.** subsistent, se dissolve   **19.** ira (iront)
20. pourrait   **21.** C'est, paierons (payerons)   **22.** semble

EXERCICE 6.14

1. sali   **2.** vêtu   **3.** découvert   **4.** secouru   **5.** aperçu
6. dû (*mais* dus, due, dues)   **7.** mû (*mais* mue)   **8.** assis
9. rompu   **10.** compris   **11.** émis   **12.** peint   **13.** feint
14. joint   **15.** cousu   **16.** moulu   **17.** vécu   **18.** conclu
19. exclu   **20.** clos   **21.** cru   **22.** crû (*mais* crue)   **23.** résolu
24. enquis   **25.** enfui   **26.** circonscrit

EXERCICE 6.15

1. accusée   **2.** accueillies   **3.** astreint   **4.** allées   **5.** combattu
6. contraints   **7.** mus   **8.** parvenues   **9.** expédiée
10. rejetée, examinée   **11.** est revenus   **12.** est arrivées

EXERCICE 6.16

1. augmenté   **2.** prêtée   **3.** acclamés, trouvé   **4.** dites
5. consultés, avertie   **6.** choisi   **7.** écrite   **8.** retenue
9. nui   **10.** suivi, indiquée, conduits

EXERCICE 6.17

1. imaginé   **2.** connue   **3.** crue, voulue   **4.** pensé   **5.** cru
6. eue   **7.** compris   **8.** sentie, craint

EXERCICE 6.18

1. mangé(s)   **2.** gardés   **3.** vu(s)   **4.** retirés   **5.** reçu(s)
6. retenues   **7.** acheté(es)   **8.** pensé   **9.** tirée
10. lu(s) **Note** : quand le pronom _en_ est complément direct (CD),
il vaut toujours mieux laisser le participe passé invariable.

EXERCICE 6.19

1. eu **2.** eus, dus   **3.** fallu   **4.** eu   **5.** commises
6. fait, empêché   **7.** laissée   **8.** manqué

EXERCICE 6.20

1. duré   **2.** coûté   **3.** maigri, pesé   **4.** mesurés
5. prononcées, pesées   **6.** siégé, adoptées   **7.** valus
8. coûtées

EXERCICE 6.21

1. vues   **2.** vu, vus   **3.** fait   **4.** fallu   **5.** vus   **6.** fait, laissé(s)
7. eu(s)   **8.** demandé   **9.** vues   **10.** entendus   **11.** dû
12. donné(s)

EXERCICE 6.22

1. apporté   **2.** vu, vus   **3.** fallu (verbe impersonnel)   **4.** faites
5. payés   **6.** fourni   **7.** occasionnées   **8.** rencontrés
9. échappé, achetés (achetée)   **10.** prises

EXERCICE 6.23

1. chanté   **2.** suivis   **3.** invitées   **4.** vue   **5.** faits   **6.** commis
7. prêtée   **8.** cherchées   **9.** exécutés   **10.** dû   **11.** fait
12. réussi, espéré   **13.** donné, espérée   **14.** inventé
15. offert, rendu(s)   **16.** eue   **17.** pensé   **18.** déçu, attendu
19. exécutés, trahi   **20.** entendu   **21.** dû   **22.** tombé, fait
23. laissé(s)   **24.** sentie   **25.** regardés   **26.** sentie   **27.** fait
28. entendu   **29.** rendu, pu   **30.** crus   **31.** bu ou bue
32. valus   **33.** emprunté, coûté   **34.** duré, paru
35. reconnu, vue   **36.** accepté, indiqués   **37.** fait, nui
38. connu(es)   **39.** convaincus   **40.** apprises, surpris

EXERCICE 6.24

1. CD   **2.** CI   **3.** CI   **4.** CD   **5.** CI   **6.** CI   **7.** CD   **8.** CI
9. CI   **10.** CD ; CI

EXERCICE 6.25

1. juré   **2.** habillée   **3.** succédé   **4.** entassés   **5.** empêchée
6. mariés   **7.** fait   **8.** nui ; aidés   **9.** assignés   **10.** imaginé

EXERCICE 6.26

1. absentée (E)   **2.** moqués (E)   **3.** blessées (O)   **4.** levées (O)
5. évadés (E)   **6.** donné (O)   **7.** décidées (O)   **8.** emparée (E)
9. souvenue (E)   **10.** foulé (O)

EXERCICE 6.27

1. vendus (sens passif)   **2.** ouverte (sens passif)   **3.** tus
4. trompés ; avisés   **5.** ennuyés   **6.** bâties (sens passif)
7. passés   **8.** parlée (sens passif)   **9.** attaquées   **10.** entendus

EXERCICE 6.28

1. abattus   **2.** abattue   **3.** absentée   **4.** abstenus
5. accentuée   **6.** accommodée   **7.** achetées   **8.** acquise
9. acquittée   **10.** adressés   **11.** adaptées   **12.** affrontées
13. agrandie   **14.** allumées   **15.** amusées   **16.** apaisée
17. apaisée   **18.** aperçus   **19.** aperçue   **20.** arrêtés
21. assagie   **22.** assuré   **23.** assurée   **24.** blessés   **25.** serré
26. compliquée   **27.** bouché   **28.** croisées   **29.** construit
30. croisé

EXERCICE 6.29

1. serré   **2.** plainte, mise   **3.** menti   **4.** tus   **5.** dit
6. imposé   **7.** demandé, mêlées   **8.** juré   **9.** tracée
10. servie   **11.** emparés   **12.** parlé   **13.** offerte   **14.** proposé
15. ennuyée   **16.** renvoyé   **17.** énervés, aidés, nui   **18.** fiée
19. précipitée   **20.** répété   **21.** prévalue   **22.** privées
23. doutés   **24.** suicidée   **25.** cabrés   **26.** raconté
27. souciée   **28.** affaissés   **29.** succédé

EXERCICE 6.30

1. acquitté   **2.** arrogé   **3.** fait   **4.** fixé   **5.** laissé   **6.** fait
7. entendue   **8.** laissé(s)   **9.** dit   **10.** permis   **11.** ressemblé
12. vue   **13.** vu   **14.** voulu   **15.** vu   **16.** sentie, laissé(e)
17. passé (verbe impersonnel)

EXERCICE 6.31

1. passées   **2.** vécu   **3.** crus   **4.** remportées
5. opposés, vaincus   **6.** donné   **7.** rendu, attendus   **8.** fait
9. faits   **10.** crue   **11.** reposés   **12.** voulu, déconseillées
13. enduré(es)   **14.** bu   **15.** suffi   **16.** attaqués, élancés
17. fait(s)   **18.** laissé(s)   **19.** servi, fait   **20.** faits

EXERCICE 6.32

1. ai offerte   **2.** est revenue   **3.** a demandé   **4.** ont résolu
5. ai eue   **6.** ai renversé, as apportée   **7.** a bu   **8.** as vu
9. avez entendu parler, a eu   **10.** est venu   **11.** s'est rendu
compte   **12.** ont rompu   **13.** s'est fait rouler   **14.** a donnée,
ai fait encadrer, as recommandée   **15.** aurait voulu(e)
16. se sont disputé   **17.** a passées, se sont téléphoné
18. s'est arrogés   **19.** se sont succédé   **20.** se sont plu
21. nous sommes rencontrés   **22.** s'est prévalue, s'est repentie

23. s'en est souciée **24.** s'est répandue **25.** aviez cru
26. a coûté **27.** a vus **28.** avez-vous lus **29.** avions
escompté **30.** se sont vu arrêter **31.** s'étaient laissé(es)
prendre **32.** avez montré **33.** a couru, ont valu
34. a duré, ont été présentées **35.** a acquis **36.** a courus
37. avais crue **38.** avez faite **39.** s'est passé

EXERCICE 6.33

1. garnis **2.** forte, fort **3.** bon **4.** inutiles **5.** parfaites
6. chères, cher **7.** sérieuse **8.** fatiguée **9.** maussades
10. changées **11.** fatiguée **12.** fâchés

EXERCICE 6.34

1. générales (Quand les deux noms sont plus ou moins synonymes, comme c'est le cas ici, on peut ne faire l'accord qu'avec
le dernier nom : *l'ire et l'indignation générale.*) **2.** blanc cassé
3. marron, kaki, havane, chocolat, tabac, mordorés, or, bronze.
4. détachées **5.** sinistre (*sinistre* ne qualifie qu'*air*; on ne parle
guère de *laideur sinistre.*) **6.** toute particulière (accord avec
amitié), toutes particulières (accord avec *estime* et *amitié*)
(Comme *toute* était au singulier, il convenait de faire l'accord avec
amitié seulement.) **7.** commune (Noms plus ou moins synonymes : accord avec le dernier.) **8.** brodés (Ce sont les draps qui
sont brodés et non le coton.) **9.** exquise (Noms synonymes :
accord avec le dernier.)

EXERCICE 6.35

1. demie (sous-entendu : et *une* demie) **2.** semi-voyelle
3. compliquées **4.** informées **5.** possibles **6.** possible
7. bon marché (Groupe adjectival invariable puisqu'il s'agit
en réalité d'une locution nominale.) **8.** haut placée
9. anglo-saxonnes **10.** mouvementés **11.** demie
12. demi voilées (sans trait d'union) **13.** nu-tête, nues
14. extra-fins **15.** franco-anglaise **16.** canado-américaines
17. grand ouvertes

EXERCICE 6.36

1. vaincus **2.** ci-jointe **3.** Passé **4.** exceptés **5.** contrôlée
6. Étant donné(s), rapportés **7.** verni(s) **8.** indiqué
9. Disposée **10.** ci-inclus, envoyées **11.** Vu **12.** ci-joint(s)

EXERCICE 6.37

1. communicants **2.** communiquant **3.** somnolant
4. somnolence **5.** fatigante **6.** fatiguant **7.** négligeant
8. négligent **9.** coïncidant **10.** coïncidence **11.** équivalant
12. équivalents **13.** déférent **14.** divergeant
15. divergentes **16.** excellant **17.** influant **18.** précédent
19. précédant **20.** précédent

EXERCICE 6.38

1. industrielle **2.** aimables **3.** définis, personnels **4.** totale
5. pareille **6.** convaincants **7.** différant **8.** siècle
9. demi-douzaine, crues, demie, cuites **10.** fraîches, pourries
11. magistrale **12.** occidental, oriental **13.** ouvertes (La porte
et la fenêtre pourraient être laissées ouvertes.) **14.** kaki
15. fort **16.** accordées **17.** Passé **18.** possible

EXERCICE 6.39

1. Déterminant ; *tout* détermine *groupe.* **2.** Adverbe ; *tout*
modifie l'adjectif *époustouflées.* On aurait pu avoir aussi *toutes
époustouflées*, ce qui aurait signifié que chacune d'elles était
époustouflée ; adverbe et invariable, il a le sens de « très »,
« complètement ». **3.** Pronom ; *tout* est sujet de *doit être payé.*
4. Pronom ; attribut du sujet *cet enfant.* **5.** Déterminant ; il a le
sens de « n'importe quel ». **6.** Déterminant ; détermine *courrier.*
7. Pronom ; sujet de *est passionnant.* **8.** Adverbe ; *tout* peut
modifier un nom lorsqu'il a le sens d'« entièrement ».
9. Adverbe ; même remarque. **10.** Déterminant ; détermine
enfant.

EXERCICE 6.40

1. tout (invariable devant un nom d'auteur). **2.** Tous (déterminant). **3.** Tous (pronom). **4.** toutes (déterminant). **5.** tout
(adverbe) ; tout (adverbe : sens de « tout à fait »). **6.** toute
(déterminant). **7.** Tous (déterminant) ; toute (adverbe variable
devant un adjectif féminin commençant par une consonne).
8. Tout (adverbe invariable devant voyelle). **9.** toutes (adverbe
variable devant un *h* aspiré). **10.** tout (adverbe invariable devant
h muet). **11.** Tous (déterminant). **12.** Toute (déterminant).
13. toutes (déterminant). **14.** tout (pronom).

EXERCICE 6.41

1. Adverbe ; *même*, séparé du nom par un déterminant,
est toujours adverbe. **2.** Déterminant ; détermine *histoire.*
3. Déterminant ; détermine le pronom *lui.* **4.** Pronom
5. Pronom **6.** Déterminant ; détermine *règlement.*
7. Adverbe ; séparé du nom par un déterminant. **8.** Adverbe ;
modifie l'adjectif *heureuse.* **9.** Adverbe ; modifie le verbe *est
arrivé.* **10.** Déterminant ; détermine le pronom *moi.*

EXERCICE 6.42

1. Même (adverbe, modifie l'adjectif participe *déchaînés*).
2. même (adverbe, modifie le verbe *arrivaient*). **3.** mêmes
(détermine *sentiments*). **4.** mêmes(s) (adverbe ou adjectif,
l'accord est facultatif). **5.** Même (adverbe, séparé du nom par
un déterminant). **6.** eux-mêmes (détermine le pronom *eux*).
7. même (adverbe, modifie le verbe *espère*). **8.** mêmes
(détermine *bijoux*). **9.** Même (adverbe, modifie l'adjectif *mûrs*).
10. vous-même (détermine le pronom de politesse *vous*, singulier
ici puisqu'il remplace *Madame*).

EXERCICE 6.43

1. quelques (détermine *heures*). **2.** quels qu' (présence du verbe
être au subjonctif). **3.** quelque (adverbe ; sens de « environ »).
4. quelques (détermine *centaines*; sens de « un petit nombre
de »). **5.** Quelques (détermine *fillettes*). **6.** quelque (détermine
temps ; sens de « un certain temps »). **7.** Quelle que (présence
du verbe *être* au subjonctif). **8.** quelques (détermine *poireaux*).
9. Quelles que (présence du verbe *être* au subjonctif).
10. quelque (adverbe ; sens de « environ »).

EXERCICE 6.44

1. Quelque importantes que (*quelque* ne s'élide que dans l'expression *quelqu'un*). **2.** Quelques raisons que **3.** Quelque agréables que **4.** Quelque joliment que **5.** Quelques sentiments que

EXERCICE 6.45

1. quelques (détermine *paysans*). **2.** Quels que (présence du verbe *être* au subjonctif); quelques (détermine *ennuis*). **3.** quelque (adverbe). **4.** quelque (détermine *bêtise*). **5.** Quelques (détermine *beignes*); quelque... qu' (adverbe). **6.** Quelque... qu' (adverbe). **7.** quelques (détermine *minutes*). **8.** Quelles que (présence du verbe *être* au subjonctif); quelques (détermine *services*). **9.** quelque (détermine *espoir*). **10.** quelques (détermine *difficultés*).

EXERCICE 6.46

1. tels que (détermine *mollusques*). **2.** tels quels (détermine *livres*). **3.** tel (détermine *crapaud*). **4.** Telles (attribut de *recommandations*). **5.** telle (détermine *fusée*). **6.** telle (attribut de *Claire*). **7.** tel que (attribut de *je*). **8.** Tel (détermine *phare*). **9.** tels que (détermine *fruits*). **10.** telles que (détermine *grammaires*).

EXERCICE 6.47

1. toutes **2.** Tout **3.** Tout **4.** tous **5.** Toute **6.** toute **7.** Toute **8.** tout **9.** tous

EXERCICE 6.48

1. Même **2.** mêmes **3.** même **4.** mêmes **5.** mêmes **6.** Même

EXERCICE 6.49

1. Quelle que **2.** quelques **3.** quelques **4.** Quelque **5.** quelque **6.** quelque **7.** Quelques **8.** Quelle que **9.** Quelque

EXERCICE 6.50

1. telles que **2.** tels **3.** telle quelle **4.** Tel **5.** telle qu' **6.** telles que

CHAPITRE 7

EXERCICE 7.1

1. La base de la famille est l'élément *lud*, qui signifie « jeu ».
2. La base de la famille est l'élément *cert*, qui signifie « assuré ».
3. La base de la famille est le mot *noble*. **4.** La base de la famille est l'élément *numér*, qui signifie « nombre ». **5.** La base de la famille est l'élément *célér*, qui signifie « rapide ». **6.** La base de la famille est l'élément *aqu(a)*, qui signifie « eau ». **7.** La base de la famille est l'élément *cap*, qui signifie « manteau » ou « ce qui recouvre ». **8.** La base de la famille est l'élément *man*, qui signifie « main ». **9.** La base de la famille est l'élément *lab*, qui signifie « travail ». **10.** La base de la famille est l'élément *sati(s)*, qui signifie « assez ».

EXERCICE 7.2

(**Note :** d'autres réponses sont parfois possibles.)

1. noms : *hivernage, hivernant* ; adjectifs : *hivernal* ; verbes : *hiverner* **2.** noms : *vinasse, vinaigre, vinaigrette, vinaigrier, vinification* ; adjectifs : *vinicole, vineux, aviné* ; verbes : *vinifier, vinaigrer* **3.** noms : *contrevent, éventail, éventaire, paravent, ventilateur, ventilation, ventouse* ; adjectifs : *éventé, venteux* ; verbes : *éventer, venter, ventiler* **4.** noms : *appréciation, dépréciation* ; adjectifs : *appréciable, inappréciable, dépréciatif, précieux* ; verbe : *déprécier* **5.** noms : *docteur, doctorat, doctoresse, endoctrinement, document, documentaliste, documentation* ; adjectifs : *docte, doctoral, doctrinaire, doctrinal, documenté* ; verbes : *endoctriner, documenter* **6.** noms : *amabilité, amant, amateur, amateurisme, ami, amiable (à l'), amicale, amitié, amourette, amoureux, mamours* ; adjectifs : *amateur, amical, inamical, amoureux, énamouré* ; verbe : *s'amouracher*

EXERCICE 7.3

1. sabbat **2.** précarité **3.** ciel **4.** faveur **5.** compression **6.** troc **7.** éviction

EXERCICE 7.4

1. *allonger, longévité* (base : *long*) **2.** *intemporel, temporiser* (base : *tempor*, « temps ») **3.** *intermédiaire, médiane, médiéval* (base : *médi*, « moyen », « milieu ») **4.** *armateur, armature* (base : *armer*) **5.** *biberon, imbiber* (base : *bib*, « boire ») ; *boisson, imbuvable* (deux formes issues de *boire*) **6.** *chiromancie, chirurgical* (base : *chir(o)*, « main ») **7.** *clameur, proclamation* (base : *clam*, « cri ») **8.** *congratulation, ingrat* (base : *grat*, « reconnaissance ») **9.** *destitution, restituer* (base : *stitu*, « état ») **10.** *immature, prématuré* (base : *matur*, « mûr ») **11.** *innocent, innocuité* (base : *noc*, « nuire ») **12.** *manoir, rémanence* (base : *man*, « rester »)

EXERCICE 7.5

(**Note :** d'autres réponses sont possibles.)

1. *a-* : privation (*amoral, apathie, amorphe, athée...*) **2.** *co-* : avec (*colocataire, cosignataire, codirecteur...*) **3.** *dé- (dés-)* : séparation, action contraire (*découdre, déplacer, désavantager, désarticuler...*) **4.** *dis-* : éloignement, séparation ou privation (*discorde, dissemblable, disparité, disparaître...*) **5.** *in-* : négation (*inactif, inconsolable, incompétent...*) **6.** *mé- (més-)* : négation, mal (*mésaventure, mécontent, mésalliance, méconnaissable, méfait...*) **7.** *pré-* : devant, avant (*prédire, prévenir, prédisposition, préalable...*) **8.** *re-* : répétition, de nouveau (*reporter, redire, refaire, remettre, renouveau...*) **9.** *para-* : à côté de (*parascolaire, paranormal, paramilitaire, parapsychologie...*) et *para-* : contre (*parasol, parapluie...*) **10.** *con-* : avec (*concitoyen, conjonction, conjoint, congénère, confondre...*)

EXERCICE 7.6

1. malheureux **2.** infécond **3.** malchanceux **4.** impatient **5.** illisible **6.** irréel **7.** discontinuer **8.** malhonnête **9.** discordance **10.** disculper **11.** malhabile **12.** mécontent

EXERCICE 7.7

1. *dés-* : suppression, contraire ; *désaffection* : action de ne plus aimer, perte de l'attachement qu'on avait **2.** *an-* : privation ; *analphabète* : qui ne connaît pas l'alphabet, ne sait pas lire **3.** *épi-* : sur ; *épiderme* : couche superficielle de la peau **4.** *dé-* : suppression, action contraire ; *dévoiler* : enlever le voile, révéler **5.** *in-* : négation ; *inouï* : qu'on n'a jamais entendu **6.** *con-* : avec ; *contemporain* : qui est de notre époque, de notre temps **7.** *é-* : hors de ; *énervé* : hors de soi, qui se trouve dans un état de nervosité inhabituel **8.** *trans-* : au-delà, à travers ; *transformer* : faire passer d'une forme à une autre **9.** *hyper-* : au-dessus de la normale ; *hypernerveux* : d'une nervosité excessive **10.** *péri-* : autour ; *périnatalité* : ce qui entoure la naissance (avant et après) **11.** *pro-* : vers l'avant, en avant ; *progéniture* : êtres engendrés par un homme ou une femme, un animal **12.** *hypo-* : au-dessous, sous ; *hypocalorique* : qui est faible en calories

EXERCICE 7.8

1. *anti-* : opposition (contre) ; *con-* : avec, ensemble **2.** *a-* : privation (sans) ; *sy-* : avec **3.** *in-* : négation ; *dis-* : action contraire **4.** *dé-* : action contraire ; *con-* : avec, ensemble **5.** *in-* : négation ; *sur-* : au-dessus **6.** *sur-* : au-dessus ; *ex-* : hors de **7.** *re-* : répétition (de nouveau) ; *dé-* : action contraire **8.** *in-* : négation ; *con-* : avec, ensemble **9.** *re-* : répétition (de nouveau) ; *trans-* : au-delà, à travers **10.** *com-* : avec, ensemble ; *pro-* : devant, vers l'avant

EXERCICE 7.9

1. dessous, au-dessous : *hypoderme, soumettre, succession, souterrain, suggestion, subdiviser, hypotension* **2.** avec, ensemble : *concourir, collatéral, compatriote, coexistence, comprendre, sympathie* **3.** sur, au-dessus : *surprendre, supersonique, hyperémotivité, épicentre, surhumain* **4.** au-delà, à travers : *diagonale, transmettre, trépasser, traverser, transformation* **5.** autour : *circonlocution, périmètre, circonvolution* **6.** au milieu, réciproquement : *entretenir, international, entreposer, entracte*

EXERCICE 7.10

1. apprendre **2.** surprendre **3.** comprendre **4.** rapprendre (réapprendre) **5.** s'éprendre **6.** reprendre **7.** se déprendre **8.** entreprendre **9.** désapprendre **10.** se méprendre

EXERCICE 7.11

1. abolition **2.** ahurissement **3.** alliage, alliance **4.** atermoiement **5.** combinaison **6.** congélation **7.** contenance **8.** création **9.** exigence **10.** glissade, glissage, glissement **11.** inclination, inclinaison **12.** parrainage

EXERCICE 7.12

1. assouplissement ; réchauffement ; étirement **2.** désapprobation **3.** déploiement **4.** déposition **5.** comparution **6.** dérobades **7.** parution **8.** répression **9.** torréfaction **10.** délabrement

EXERCICE 7.13

1. habileté **2.** adresse **3.** capacité **4.** diplomatie **5.** aptitude **6.** virtuosité **7.** perspicacité **8.** ingéniosité **9.** finesse **10.** agilité **11.** gaucherie **12.** lourdeur

EXERCICE 7.14

1. disquaire **2.** actionnaires **3.** plaignard **4.** geignarde **5.** vantard **6.** grognon **7.** conducteur **8.** chirurgien **9.** informaticienne **10.** carriériste

EXERCICE 7.15

1. vaporisateur **2.** friteuse **3.** muselière **4.** encensoir **5.** gouvernail **6.** rasoir **7.** pataugeoire **8.** chaudière **9.** éteignoir **10.** écumoire **11.** nageoire **12.** fermoir **13.** rôtissoire **14.** miroir **15.** humidificateur

EXERCICE 7.16

1. périssable **2.** déplorable **3.** regrettable **4.** lamentable **5.** pitoyable (*Lamentable* et *pitoyable* ont acquis une certaine autonomie de sens par rapport à leur base : un résultat *lamentable* ou *pitoyable*, c'est un « mauvais » résultat.) **6.** soluble **7.** durable **8.** éligible **9.** irrésistible **10.** irrémédiable

EXERCICE 7.17

1. enfantin **2.** pâlot **3.** nasillard **4.** rouquin, roussâtre **5.** rougeaud, rougeâtre **6.** aigrelet **7.** propret **8.** braillard **9.** flemmard **10.** lourdaud **11.** opiniâtre **12.** courtaud **13.** rondelet **14.** douceâtre **15.** mollet (valeur diminutive), molasse (valeur péjorative) **16.** fadasse

EXERCICE 7.18

1. -ment (A) **2.** -iste (F) **3.** -ise (L) **4.** -aison (A) **5.** -ûre (A) **6.** -ais (G) **7.** -ée (B) **8.** -ard (J) **9.** -age (A) **10.** -eur (F) **11.** -able (K) **12.** -on (C) **13.** -isme (D) **14.** -ose (I) **15.** -ien (F) **16.** -on (C) **17.** -iste (E) **18.** -eau (C) **19.** -oire (H) **20.** -ite (I) **21.** -ois (G) **22.** -ée (B) **23.** -ation (A) **24.** -té (L) **25.** -aud (J)

EXERCICE 7.19

1. *fin* : B. **2.** *final* : E **3.** *finale* (n. f.) : H **4.** *finale* (n. m.) : C **5.** *finalement* : M **6.** *finalisme* : O **7.** *finaliste* (n.) : I **8.** *finaliste* (adj.) : A **9.** *finalitaire* (adj.) : Q **10.** *finalité* : D **11.** *fini* : L **12.** *finir* : G **13.** *finissage* : P **14.** *finissant* (adj.) : J **15.** *finisseur* : K **16.** *finition* : N **17.** *finitude* : F

EXERCICE 7.20

1. *-vore* : manger **2.** *-graphie* : écriture **3.** *photo-* : lumière **4.** *thermo-* : chaleur **5.** *poly-* : plusieurs **6.** *phon(o)-, -phone* : son, voix **7.** *télé-* : loin **8.** *-scope* : regarder **9.** *-tome, -tomie* : couper **10.** *-onyme* : nom **11.** *chrono-* : temps **12.** *dynam(o)* : force **13.** *tétra-* : quatre **14.** *mani-, manu-* : main **15.** *aqua-, aqui-* : eau **16.** *simili-* : pareil, semblable **17.** *quadra-, quadri-, quadru-* : quatre **18.** *calor-* : chaleur **19.** *anthropo-, -anthrope* : homme **20.** *chir(o)-* : main **21.** *philo(o)-, -phile* : aimer, rechercher **22.** *pyr(o)* : feu

23. *chrom(o)-, -chrome* : couleur   **24.** *litho-, -lith(e)* : pierre
25. *topo-, -tope* : lieu

EXERCICE 7.21

1. philanthrope   **2.** névralgie   **3.** chroniques   **4.** bibliophile
5. bibliothèque   **6.** chronologie   **7.** analgésique, antalgique
(moins courant)   **8.** pyromane   **9.** claustrophobie ; agoraphobie
10. mégalomane   **11.** fongicide, antifongique   **12.** démocratie
13. antonyme ; homonyme ; synonyme   **14.** toponymie
15. hydrothérapie ; thalassothérapie   **16.** antithèse
17. cacophonie   **18.** Hexagone   **19.** conifère   **20.** décalitre ;
décilitre   **21.** cosmopolite   **22.** métronome
23. « lexicophiles » (Un mot qui pourrait être utile même
s'il n'est pas dans le dictionnaire.)

CHAPITRE 8

EXERCICE 8.1

Correction en classe.

EXERCICE 8.2

1. I : Les sens et emplois qui se rattachent au cœur comme
organe. II : Les sentiments.

2. Oui. La première partie est divisée en **A**, qui regroupe les
valeurs proprement physiques (anatomiques) et **B**, qui
regroupe des valeurs dérivées par analogie. Dans **A**,
◆ 1° correspond à l'organe même du cœur ; ◆ 2° et
◆ 3° correspondent à deux extensions du premier sens.
Dans **B**, ◆ 1°, ◆ 2° et ◆ 3° correspondent à trois types
d'analogie : analogies avec la forme du cœur, analogies
avec l'emplacement du cœur dans l'organisme et enfin des
analogies plus abstraites. La deuxième grande partie est
divisée directement en 7 points, identifiés par des losanges
noirs et des numéros, qui correspondent à différents sentiments. À l'intérieur de ces points, des losanges blancs (◇)
indiquent des nuances de sens ou d'emploi.

3. Du siège des sensations et des émotions (1° à 3°) au siège
de la conscience et de la vie intérieure (5° et 6°) en passant
par les sentiments altruistes (4°), les sens qu'on prête au
sentiment semblent répertoriés de la sensation physique
(un chagrin qui brise le cœur) à l'élévation de l'âme *(avoir
le cœur haut placé)*. Que penser alors de l'expression
idiomatique *par cœur,* qui termine cette grande division ?
Selon Dupré, la locution viendrait « d'une extension de
la mémoire du cœur à la mémoire de l'esprit ». À cet effet,
Voltaire a déjà écrit qu'on retient par cœur, « car ce qui touche
le cœur se grave dans la mémoire ».

EXERCICE 8.3

1. Verbe transitif direct.

2. Verbe intransitif. (Les verbes intransitifs sont ceux qui expriment
une action ne passant pas du sujet sur une personne
ou sur une chose ; ils n'appellent pas de complément du verbe
et suffisent avec leur sujet à exprimer l'idée complète
de l'action.)

3. Verbe transitif indirect. (Les verbes transitifs sont ceux qui
expriment une action passant du sujet sur une personne
ou sur une chose ; ils appellent un complément direct
ou indirect.)

EXERCICE 8.4

Trois sens. Ils sont classés selon un ordre chronologique.

EXERCICE 8.5

1. baromètre, santé, cœur, moribonde, renaître de ses cendres,
monter en flèche, se relève   **2.** tête, ombre d'un doute, a éclipsé,
mordre la poussière

EXERCICE 8.6

Comme le montre la transcription phonétique [fɔRsisja], le *th*
se prononce comme le *s* de la syllabe précédente (for-**sy**-thia).
Dans le *PR* électronique, on peut aussi entendre la prononciation.

EXERCICE 8.7

Le verbe est conjugué à la fin du dictionnaire (modèle 27),
mais on doit construire soi-même la forme passive. Dans la version
électronique, l'icône des formes fléchies permet de sélectionner
« Subjonctif » puis « Passif » et on trouve la forme exacte : *qu'il ait
été acquis.*

EXERCICE 8.8

Au singulier. On trouve l'expression dans sept articles du *PR*
électronique : *approprier, bas, escamotage, main, mainmise, piller,
voler* (résultat trouvé par la fonction Recherche, en sélectionnant
l'option Texte (c'est-à-dire recherche dans les articles complets).
On se rend compte que l'expression est définie à la fois dans
l'article *bas* et dans l'article *main,* de façon quelque peu différente,
mais néanmoins équivalente. Lorsqu'on ne saisit pas bien le sens
ou les contextes d'emploi d'une expression, la fonction Recherche
permet d'accéder à toutes ses occurrences dans l'ensemble
du dictionnaire.

CHAPITRE 9

EXERCICE 9.1

1. c)   **2.** a)   **3.** b)   **4.** e)   **5.** d)

EXERCICE 9.2

1. b)   **2.** a)   **3.** c)

EXERCICE 9.3

1. accident   **2.** incident   **3.** catastrophe   **4.** calamité
5. malheur

EXERCICE 9.4

1. notoriété   **2.** popularité   **3.** célébrité   **4.** renommée
5. réputation

EXERCICE 9.5

1. braver   **2.** défié   **3.** se provoquer ; s'affronter   **4.** barrées
5. barricader   **6.** calfeutrer   **7.** obturer   **8.** choisir   **9.** opté
10. adopté   **11.** complexe   **12.** compliquée

EXERCICE 9.6

1. éluder **2.** acquiesça à **3.** dénoncer **4.** confessa
5. dégénéra **6.** restaurer

EXERCICE 9.7

1. *appointements* : s'applique aux employés, mais le terme n'est plus d'emploi général. **2.** *cachet* : artistes. **3.** *émoluments* : naguère surtout pour les officiers ministériels accomplissant des actes tarifés ; aujourd'hui, terme administratif assez générique.
4. *gain/s* : générique ; renvoie surtout à l'idée de profit.
5. *gages* : autrefois salaire des domestiques ; aujourd'hui, au sens de « rémunération », ne s'emploie plus guère que dans l'expression *tueur à gages*. **6.** *honoraires* : personnes qui exercent une profession libérale, consultants. **7.** *rémunération* : générique.
8. *rétribution* : générique. **9.** *salaire* : employés. **10.** *solde* : militaires. **11.** *traitement* : fonctionnaires et employés dans des postes d'un certain niveau.

EXERCICE 9.8

1. limpide **2.** draconienne **3.** glacial **4.** enthousiaste
5. inique **6.** plantureux **7.** grossières **8.** cassant
9. florissantes **10.** dithyrambique

EXERCICE 9.9

1. écartelé, déchiré/balloté **2.** abhorrait (exécrait)/n'aimait pas
3. atterra/étonna **4.** stigmatisé/désapprouvé, blâmé
5. flambé/dépensé **6.** dilapidé, flambé/dépensé toute sa fortune (*dépenser* employé avec *fortune* semble avoir besoin du renfort d'un *tout*)

EXERCICE 9.10

1. cohue **2.** sarcasmes **3.** sensiblerie
4. utopie **5.** racontars

EXERCICE 9.11

1. sans-abri **2.** personnes âgées, personnes du troisième âge, personnes de l'âge d'or **3.** souverainistes, indépendantistes
4. interruption volontaire de grossesse **5.** usagers de drogue
6. personnes à faibles revenus **7.** personnes handicapées
8. malentendants

EXERCICE 9.12

1. une décharge, un dépotoir **2.** a licencié **3.** souffrant d'obésité/les personnes obèses **4.** d'impuissance
5. les parents et les amis ; le milieu de la santé ; malades
6. agriculteurs/paysans **7.** des bombardements ciblés et les pertes humaines qui en ont découlé **8.** modernisation de la gestion **9.** personnes handicapées

EXERCICE 9.13

Littéraire : péripatéticienne, courtisane, hétaïre. **Courant** : prostituée, call-girl (anglicisme utilisé surtout en Europe), fille (vieilli au sens de « prostituée ») ; femme de mœurs légères, femme facile, femme de mauvaise vie (au sens de « prostituée », ces trois expressions sont des euphémismes). **Technique** : escorte (eu-

phémisme). **Familier** : professionnelle, amazone (surtout en Europe), catin (vieilli, selon le *PR* ; vieux, selon le *Multi* ; peut aussi être considéré comme familier). **Argot** : tapineuse (vieilli).
Vulgaire et péjoratif : putain, pute, guidoune (régionalisme canadien), pétasse (Europe surtout).

EXERCICE 9.14

1. persuader **2.** infirmé **3.** décliné, refusé **4.** régressé
5. méconnu **6.** niait **7.** exagérer, grossir

EXERCICE 9.15

1. pessimiste **2.** urbaine **3.** avare **4.** robuste **5.** chagrine
6. pondéré, calme, réfléchi

EXERCICE 9.16

1. divergences **2.** prolixité, grandiloquence, emphase
3. l'altruisme incarné, la générosité incarnée **4.** fiction
5. pénurie **6.** d'étroitesse **7.** de néologismes

EXERCICE 9.17

1. dominent **2.** s'étend, s'accroît **3.** regorgent, grouillent
4. se multiplient **5.** friseraient, avoisineraient le milliard
6. se détériorent, s'enveniment, s'aggravent, empirent
7. figure **8.** se dresse **9.** présume **10.** s'amoncellent

EXERCICE 9.18

1. compte **2.** entraîner, se solder par, mener à
3. cumule, occupe **4.** allie expérience et talent
5. jouit d'une bonne réputation **6.** touchent, reçoivent
7. connaisse, jouisse de, bénéficie de

EXERCICE 9.19

1. éclaté **2.** couvrent, encombrent **3.** plane, pèse
4. ornent, embellissent **5.** dénotent, témoignent de, décèlent (sens peu courant de « déceler ») **6.** alourdi **7.** s'est creusé
8. perturbe **9.** circulaient

EXERCICE 9.20

1. gagner **2.** composer, écrire **3.** se livrer à, effectuer, mener
4. dresser, établir **5.** rédiger, écrire, produire **6.** commettre
7. présenter, offrir **8.** exercer **9.** proférer **10.** causer, provoquer

EXERCICE 9.21

1. comprends **2.** fréquente **3.** observé ; se produit, s'observe
4. consulter (avec ou sans *aller*) **5.** distinguais **6.** prévoir, prédire **7.** décelé, observé, remarqué **8.** visité **9.** rencontré
10. visiter

EXERCICE 9.22

1. révéler, faire connaître, dévoiler **2.** m'expliquer
3. reconnaître, admettre, avouer, convenir, concéder **4.** répété
5. débite **6.** adresser **7.** souhaiter

EXERCICE 9.23

1. ont incendié **2.** rangé, relégué **3.** postés, placés, disposés
4. consacré toute son énergie à ce travail **5.** glissé
6. inscrit, ajouté

EXERCICE 9.24

1. dissolues **2.** insipides **3.** dithyrambiques **4.** éphémère
5. de piètres écrivains ; d'excellents

EXERCICE 9.25

1. d'étaler **2.** pèse **3.** éludé certaines questions
4. dévorait, engloutissait **5.** prodigue

EXERCICE 9.26

1. équivoque **2.** inédite **3.** tenace **4.** ineptes
5. altruistes **6.** inaudible **7.** éloquent **8.** analphabètes
9. infaillible

EXERCICE 9.27

1. l'abolition de certains frais **2.** l'absence d'une ligne de
conduite cohérente au sein du Conseil **3.** l'étendue de la fraude
4. de l'imminence d'une nouvelle vague d'attentats
5. une recrudescence du froid

EXERCICE 9.28

1. le sommet **2.** maquillé, falsifié **3.** a récidivé
4. germa-t-elle **5.** périclitait **6.** décontenança, désarçonna
7. les meilleurs itinéraires pour vos voyages **8.** éradiquer
9. mutisme

CHAPITRE 10

EXERCICE 10.1

Note : *Oui*, dans la réponse, indique qu'un mot peut être jugé
de niveau standard selon la définition de l'OQLF. Il s'agit d'un mot
courant (et non familier), qu'il soit général (utilisé dans toute la
francophonie) ou régional (utilisé dans une région francophone
particulière).

1. *Truite mouchetée* : oui, *Multi* ; n'apparaît pas dans le *PR* •
omble de fontaine : oui, *Multi* et *PR*. (Rien ne dit cependant
dans le *Multi* que les deux termes sont synonymes.)

2. *Bain-tourbillon* : non, *Multi* (calque de l'anglais, *whirlpool
bath*) ; pas dans le *PR* • *baignoire à remous* : oui, *Multi* ;
pas dans le *PR* • *bain à remous* : pas dans le *Multi* ; oui,
PR • *baignoire à jets* : pas dans le *Multi* ; oui, *PR* • *jacuzzi* :
pas dans le *Multi* ; non, *PR* (anglicisme).

3. *Sèche-cheveux* : oui, *Multi* et *PR* • *séchoir à cheveux* : oui, *PR*
(on trouve *séchoir électrique* dans le *Multi*) • *fœhn* : pas dans
le *Multi* ; oui, *PR*.

4. *Airelle des marais* : pas dans le *Multi* ; oui, *PR* • *ataca* : oui,
Multi et *PR* • *atoca* : oui, *Multi* et *PR* • *canneberge* : oui, *Multi*
et *PR*.

5. *Élan* : oui, *Multi* et *PR* (se dit plutôt *orignal* au Québec, indique
le *Multi* ; le *PR* donne aussi *élan du Canada*) • *orignal* : oui,
Multi et *PR*.

6. *Banc de neige* : oui, *Multi* et *PR* • *congère* : oui, *Multi* et *PR*.
(Les deux ouvrages indiquent la différence de sens : la congère
est un amas naturel et non le résultat du déneigement.)

7. *Cerf de Virginie* : oui, *Multi* et *PR* (se dit *chevreuil* au Québec,
indique le *Multi*) • *chevreuil* : oui, *Multi* et *PR*.

8. *Cocotte* : non, *Multi* (familier) ; pas dans le *PR* dans ce sens •
pive : pas dans le *Multi* ; oui, *PR* • *pomme de pin* : oui, *Multi*
et *PR*.

9. *Nonante* : pas dans le *Multi* ; oui, *PR* • *quatre-vingt-dix* : oui
Multi et *PR*.

10. *Traversier* : oui, *Multi* et *PR* • *ferry-boat* : non, *Multi* et *PR*
(anglicisme) • *transbordeur* : oui, *Multi* et *PR* • *bac* : oui, *Multi*
et *PR* (petit traversier à fond plat).

EXERCICE 10.2

1. Au Canada, une chemise de nuit ; en France, une veste
de tailleur très cintrée ou un vêtement semblable à une
queue-de-pie ; en Suisse, un cardigan.

2. Le *PR* ne donne pas les sens régionaux. Le *Multi* donne le sens
canadien, mais en l'indiquant comme impropre. Le *PLI* donne
le sens suisse (précédé de la marque *Suisse*).

EXERCICE 10.3

1. *École secondaire* : Québec, Canada francophone hors Québec,
Suisse, etc. ; *lycée* : France, Vietnam, Sénégal, Belgique, etc.

2. Les deux termes ne désignent pas la même réalité. De surcroît,
le sens de chacun varie selon l'endroit où il est employé.
Par exemple, en Suisse, l'école secondaire se situe entre
l'école primaire et le *gymnase,* qui correspond au cégep
québécois. Dans le système scolaire français, *collège* est utilisé
pour désigner le premier cycle de l'enseignement secondaire
(en anglais, *middle school*), alors que *lycée* est utilisé pour
désigner le second cycle (en anglais, *high school*). On pourrait
poursuivre ainsi la liste des différences dans la francophonie
mondiale.

3. La répartition géographique résulte en grande partie
de l'impérialisme (on a par exemple des lycées là où la France
a eu des colonies), mais aussi des effets de proximité
(le Québec a des écoles secondaires comme partout
au Canada).

EXERCICE 10.4

1. *Poudrerie* est un terme propre au Canada. Le *Multi* donne
le terme *blizzard* comme synonyme de *poudrerie,* mais les
définitions montrent en fait que *blizzard* désigne le vent
de tempête et non son résultat, la poudrerie. Or, c'est avant
tout des rafales de neige qu'on veut que les gens se méfient.
C'est donc bien *poudrerie* qu'il faut utiliser ; les services
météorologiques l'utilisent d'ailleurs.

2. Il faut préférer *banc de neige* à *congère* pour deux raisons :
le terme *congère* est méconnu en Amérique du Nord ;
selon le *PR* et le *Multi,* il ne désigne, de surcroît, que les amas
de neige entassés par le vent et non les bancs de neige
produits par le déneigement.

EXERCICE 10.5

La norme de référence n'a pas à être celle de la France. Le fait
qu'une expression soit vieillie dans le reste de la francophonie
ne détermine pas son registre ici. *Barrer la porte* est d'ailleurs

perçu comme standard et non comme familier par la plupart des Canadiens, même si on n'utilise plus de barres de bois ou de métal pour fermer les portes. La variation est en réalité géographique bien plus que sociale.

EXERCICE 10.6

Le *PR* définit le mot *bicycle* comme un vélocipède à deux roues inégales et fait précéder la définition de la marque *anciennt,* qui désigne une chose du passé disparue. Le *Multi* et le *GDT* mettent tous deux en garde contre l'emploi de *bicycle* dans le sens de *bicyclette* et *vélo*. C'est en effet ce sens qui est le plus répandu au Canada (notamment sous l'influence de l'anglais) même s'il peut être considéré comme abusif.

EXERCICE 10.7

Dans le *PR*, on trouve le mot *antimondialisation* avec une datation de 1997. On n'y trouve pas le mot *altermondialisation*, mais les mots *altermondialisme* et *altermondialiste* y figurent avec une datation de 2002. Par ailleurs, le mot *altermondialisation* apparaît au *GDT* (*Grand dictionnaire terminologique*) depuis 2003. *Altermondialisation* (et ses dérivés) est donc plus récent : il est né de l'évolution de certains mouvements « antimondialistes » et son emploi s'est répandu comme une traînée de poudre. On trouve ainsi dans *Le Devoir* du 28 juillet 2003 le titre suivant : « La famille altermondialiste se mobilise » à propos des manifestations contre le mini-sommet de l'OMC tenu à Montréal du 28 au 30 juillet 2003.

EXERCICE 10.8

Familier ou populaire : *running, running-shoes, sneaks, sneakers, shoe-claques, chouclaques...* **Standard** : *espadrilles, tennis, baskets, souliers de course.* Ces termes sont aussi marqués dans l'espace : *shoe-claques* est strictement canadien et *baskets* surtout européen, ainsi que dans le temps : *shoe-claques* et *chouclaques* sont presque totalement sortis de l'usage.

EXERCICE 10.9

1. visage, frimousse, face, figure, minois, gueule, binette

2. bagnole, char, voiture, automobile, auto, bazou, minoune, tacot

3. peur, frousse, crainte, trouille, phobie, trac, chienne (avoir la)

4. partir, s'en aller, lever le camp, se barrer, se tirer, mettre les voiles, se retirer, ficher le camp

5. naïf, niais, niaiseux, nigaud, sot, godiche, bêta, débile, nono, con, corniaud, cave, benêt, bébête, simplet, épais

6. bâfrer, manger, bouffer, casser la croûte, s'empiffrer, se bourrer, se restaurer, se goinfrer

7. argent, fric, pognon, blé, radis, fonds, sous, galette, cash, espèces, ronds, tunes, bidoux

EXERCICE 10.10

1. Ce musée est un vrai fourre-tout. Les objets les plus *moches* (F → laids) côtoient des chefs-d'œuvre.

2. L'*onychophagie* (T → se ronger les ongles) est une manie dont il faut se défaire.

3. Un conducteur dans la lune a *embouti* (C) notre voiture neuve.

4. Tiens, voilà notre amie Jeanne qui *s'amène* (F → arrive).

5. Quel bon vent l'*amène* (C) ?

6. Je vous recommande cet excellent *bouquin* (F → livre, ouvrage).

7. L'enfant s'est fait *disputer* (C au Québec, mais F en France, indique le *Multi* ; pour la France → gronder) parce qu'il arrachait les pages de son livre.

8. Il *tança vertement* (L → réprimanda) son fils, qui avait été renvoyé de l'école.

9. En été, les gens de Québec aiment bien se *balader* (F → se promener) sur les Plaines.

10. Il *appert* (T → ressort) de la déposition du quatrième témoin que l'accusé se trouvait bien sur les lieux du crime à ce moment-là.

...mme dans **ambulance**.   **2.** Un seul **o**, ... **3.** Le **p** final ne se prononce pas. ...ce pas, le **o** est donc fermé.   **5.** Le **p** ...Un **ch** français comme dans **chat**. ...**3.** Le **s** du pluriel ne se prononce ...se prononce pas.   **10. ver** comme

3. confort   **4.** exemple   **5.** langage ... **8.** abricots   **9.** connexion ...dation.

...n fait une pause ?   **4.** crevaisons ... **7.** entrepreneur   **8.** en liberté, ... **10.** chèques de voyage

...omporte quelques enjeux ...d'ordres politique et juridique.

...olaires ramène **l'attention** sur ...l'éducation en cours (*ou* ramène ...ène les enjeux [...]).

...par la **décentralisation** ... conflits ethniques.

...urs désapprouvent **vigoureuse-** ...ifie les règles d'exploitation

...effets de la mondialisation

...s perfectionnent la technique ...ies risquent d'être perdues.

...se **ravisent**, ces entreprises

...ur le malade ; il **procure** ...guérison.

...ent que les personnes ...ont pas **infecté/contaminé** le reste de la population.

9 L'amour-passion est une force à laquelle on peut difficilement *résister* ; c'est une force

10 C'est une erreur à laquelle on ne peut apporter aucun *remède* ; c'est une erreur

10. Grâce aux effets spéciaux et au montage, le réalisateur **insuffle** au film un rythme soutenu qui tient le spectateur en haleine.

11. La comparaison du taux de décrochage déprécie les écoles en milieu défavorisé et **avantage** fortement les écoles en milieu aisé.

12. Le milieu de l'enseignement tente de réviser ses priorités, mais il nie du même coup sa mission **première** : l'éducation pour tous.

EXERCICE 11.5

1. admissibles   **2.** canadiennes (*Domestique* : qui concerne la vie à la maison, la famille. Le Canada n'est pas vraiment une maison ni une famille.)   **3.** intérieurs (*Vol intérieur* est l'expression consacrée ailleurs dans la francophonie. *Intérieur* prend parfois le sens de « pays » : cf. l'expression *ministère de l'Intérieur,* utilisée en France.)   **4.** dynamique (L'agressivité implique de la violence en français.)   **5.** polyvalent   **6.** ce qui se vend le mieux (On comprend implicitement qu'il s'agit de disques.)   **7.** De rien *ou* Je vous en prie. (*Bienvenue* est une traduction littérale de *Welcome.*)   **8.** Je suis très bien dans cette robe *ou* Cette robe est très confortable. (En français, ce sont les choses qui sont confortables, et non les personnes qui sont confortables dans les choses. Appliqué à des personnes, *confortable* a surtout le sens d'« aisance financière ».)   **9.** relations (Noter également l'anglicisme orthographique : *connexion* s'écrit avec un *x* en français.)
10. son permis de conduire   **11.** interurbain (*long distance call*)   **12.** économisé   **13.** ne m'a pas rappelé   **14.** a beaucoup insisté sur les problèmes économiques (*Put the emphasis on* peut souvent se traduire par *mettre l'accent sur* : *Cette année, nous allons mettre l'accent sur tel ou tel aspect de la question.*)
15. le reste, le solde   **16.** le dépliant (s'il est plié), la brochure   **17.** recevoir, accueillir   **18.** financiers (pour quelqu'un qui est dans les affaires), des problèmes pécuniaires, des problèmes d'argent   **19.** Toute la salle, Tous les spectateurs, Tout l'auditoire, Toute l'assistance   **20.** indubitablement   **21.** mettre sur pied, ouvrir   **22.** (faire) démarrer, mettre en marche   **23.** s'est mis à parler (discuter) des élections, on a engagé, commencé une discussion sur les élections   **24.** Jusqu'à maintenant, Jusqu'à présent, Jusqu'ici   **25.** à jour   **26.** posé sa candidature pour un poste   **27.** avantages sociaux   **28.** 50 $ net   **29.** encaissé, perçu   **30.** immeuble résidentiel   **31.** demandé   **32.** ne satisfait pas à toutes les exigences, ne répond pas à toutes les exigences   **33.** faire (*Rencontrer,* c'est uniquement « être mis en présence de », surtout de personnes, mais aussi de difficultés, etc.)

EXERCICE 11.6

1. acquit   **2.** acquis   **3.** acquis   **4.** acquis

1. censé   **2.** censé   **3.** sensé   **4.** sensées

1. chère   **2.** chère ; chair

1. dessins   **2.** dessein   **3.** dessein

1. pair   **2.** pairs   **3.** paire

1. partis   **2.** parti   **3.** parti   **4.** parti   **5.** parti   **6.** parti   **7.** parties   **8.** partie   **9.** partie

1. poses ; poses ; pause

1. voir   **2.** voire

EXERCICE 11.7

1. adhésion   **2.** adhérence

1. isolement   **2.** isolation

1. jury   **2.** juré

1. stade   **2.** stage

1. compréhensifs   **2.** incompréhensible   **3.** compréhensibles

1. De plus   **2.** en plus   **3.** De plus (Comme adverbe connecteur en tête de phrase, *en plus* appartient à la langue orale.)

1. éminent   **2.** imminente   **3.** éminentes   **4.** éminent   **5.** imminent   **6.** éminents

1. éruption   **2.** éruption   **3.** éruption   **4.** irruption

1. évoque   **2.** évoqué   **3.** évoquait   **4.** invoquent   **5.** invoqué

1. gradation   **2.** graduation

1. inclinaison   **2.** inclination   **3.** inclinaison   **4.** inclinaison

1. inculqué   **2.** inculquer   **3.** inculpée

1. judiciaires   **2.** judiciaire   **3.** juridique   **4.** judiciaires

1. notoire   **2.** notoire   **3.** notables   **4.** notables

1. perpétré   **2.** perpétuer   **3.** perpétuer

1. personnifiée   **2.** personnaliser

1. prolongement   **2.** prolongation

1. rebattre   **2.** rabattre

1. recouvrer   **2.** recouvré   **3.** recouvert

1. amenez   **2.** apporter   **3.** apporté

EXERCICE 11.8

1. « Reculez ! » cria le chauffeur d'autobus.   **2.** Dans certains pays, à cause de l'alcoolisme, un enfant sur six naît atteint du syndrome d'alcoolisme fœtal.   **3.** La situation est critique.
4. Il faut se dire que les offres d'emplois qui requièrent de telles aptitudes sont rares.   **5.** De plus, le film est rempli (plein) de stéréotypes [...]   **6.** Nous avons marché au moins 15 kilomètres.
7. Il a inventé toutes sortes de prétextes pour éviter de se faire gronder.   **8.** Il est indispensable de s'entraider.   **9.** Prière de réserver vos billets.   **10.** Notre compagnie a le monopole pour la région de Québec.   **11.** Le premier ministre présidera demain l'inauguration de la clinique.   **12.** Il se sont vus contraints de vendre leur maison.   **13.** Il ne vous reste qu'une journée.
14. Il faut à tout prix préserver les baleines.   **15.** Depuis que Jean vit dans un environnement paisible...   **16.** Il vous suffit de nous lancer un coup de fil [...]   **17.** L'économie mondiale favorise les pays riches.

EXERCICE 11.9

1. La Révolution tranquille a émergé au sortir de la répression **du peuple,** avec le changement de gouvernement. (On peut parler de **gouvernement populaire**, le gouvernement émanant du peuple. Mais ici, la répression ne vient pas du peuple. Au contraire, il en est victime. C'est donc la **répression du peuple**. Il s'agit d'une faute portant sur la combinaison des mots : on a employé un adjectif de relation à la place d'un complément.)

2. Lorsque la coopération entre parents et enseignants est **bien établie**, l'élève réussit plus facilement à surmonter ses difficultés à l'école.

3. Ces mesures doivent faciliter le commerce international des produits forestiers en clarifiant les **débats** touchant la certification environnementale.

4. Il n'existe aucun médicament pour traiter la méningite virale, mais cette maladie **ne laisse pas de séquelles/ se résorbe d'elle-même**.

5. Nous ne comprenons pas pourquoi le gouvernement adopte une attitude **passive** dans ce dossier.

6. Encore faut-il être sûr que les efforts qui sont actuellement **déployés** sont suffisants pour protéger l'environnement.

7. La réforme de l'éducation devrait permettre aux élèves **de répondre à** certaines exigences et d'évoluer dans un environnement motivant.

8. Les gens qui vont **faire** des achats sur Internet doivent prendre des renseignements sur les fournisseurs.

9. Quand un parent est souffrant et que les médecins prétendent qu'il n'existe pas de médicaments pour atténuer **le mal**, la situation est difficile pour tout le monde.

10. Nous nous **posons** la question suivante : pourquoi n'avez-vous pas pris les mesures qui s'imposaient pour éviter de vous trouver dans une situation aussi délicate ?

11. Malgré toute notre bonne volonté pour résoudre cette énigme, **nous n'y voyons toujours pas clair**/(fam.) **nous sommes toujours en plein brouillard**.

12. Les spectateurs ont **réservé** un accueil chaleureux à la vedette lorsqu'elle est entrée en scène.

13. Quand l'artiste a entonné son plus grand succès, **la glace entre le public et le chanteur a complètement fondu**.

14. Selon une enquête menée récemment, de nombreux jeunes placent l'argent et le sexe sur **un pied d'égalité**.

15. Cette femme a mené de front une carrière d'avocate et **de mère. Elle a en effet eu quatre enfants**.

16. Elle éprouve la satisfaction de partager des secrets bien gardés et **elle a le mérite** d'aider ses clients à réaliser leurs ambitions.

17. Ce questionnaire **permet** de mesurer le niveau d'anxiété des patients.

18. Les rôles principaux sont joués/interprétés avec tant de naturel qu'on ne peut que croire à cette histoire./ L'interprétation des rôles principaux est **si bonne et si naturelle** qu'on ne peut que croire à cette histoire.

19. En cas de mauvais temps, la projection **aura lieu** à la grande salle du centre récréatif.

20. Après un long procès, les biens de ce riche propriétaire terrien ont été **attribués** à l'aînée de la famille.

21. La réalisation du projet va **entraîner le saccage** de toute la région (*Encourager* a presque toujours un sens positif.)

22. Il **ne jouit pas** d'une bonne santé./Sa santé est mauvaise./ Il a une mauvaise santé.

23. Cette nouvelle s'est **révélée fausse** (*Avérer* est formé à partir de l'ancien français *voir,* qui signifie *vrai.*)

24. Les risques sont **réduits au minimum**. (La faute est cependant compréhensible : la réduction est la plus grande possible, maximale.)

25. C'est une plaque de verglas **qui l'a fait déraper**./ C'est **à cause** d'une plaque de verglas qu'il a dérapé.

26. Il **a de bonnes chances de gagner** lors des prochains Jeux olympiques.

27. Cette erreur lui a fait perdre des milliers de dollars.

EXERCICE 11.10

1. Le ministre avait **annoncé ses couleurs** en brandissant la menace d'agir rapidement dans ce dossier.

2. Dans une **pièce de théâtre**, l'imagination du spectateur est constamment mise à contribution ; on ne peut pas en dire autant dans un film où, bien souvent, tout est montré.

3. Grâce à mon nouvel emploi de cuisinière dans un grand hôtel, je pourrai plus facilement **joindre les deux bouts**.

4. Il était temps qu'on rénove ce théâtre et qu'on lui **refasse une beauté**, car c'est un bâtiment historique.

5. Pour tirer l'affaire au clair, les deux animateurs **mettront cartes sur table** en fin de journée.

6. Quant à moi, un élève qui quitte le secondaire se ferme de nombreuses portes, à moins qu'il reprenne ses études plus tard.

7. Pour faciliter l'intégration des nouveaux étudiants, la plupart des facultés **mettent en place/mettent sur pied** une journée d'information et un rite d'initiation.

8. L'entrée en scène d'un nouveau suspect dans cette intrigue policière déjà compliquée ne fait **que brouiller les pistes**.

9. Depuis qu'elle a fait sa connaissance dans un bar de la vieille ville, elle n'a **d'yeux** que pour lui.

10. Être riche et célèbre comporte bien des avantages ; toutefois **le revers de la médaille**, c'est qu'on ne peut aller nulle part sans être importuné.

11. À l'annonce de la mort de son fidèle compagnon, elle avait **pleuré comme une Madeleine** pendant des heures.

12. Le ministre a **montré** de l'intérêt pour les problèmes des pêcheurs. (*Démontrer* comporte toujours une idée de preuve.)

13. Le Ministère a **fixé** des quotas de pêche pour éviter la disparition de l'espèce.

14. Le partage de leurs richesses **n'amènera/n'engendrera/ n'entraînera** qu'un appauvrissement collectif.

15. Actuellement, le **cabinet** du premier ministre **est divisé** sur la questions de la TPS./La TPS fait l'objet de débats au sein du cabinet.

EXERCICE 11.11

1. par   **2.** d'oreille   **3.** de   **4.** de   **5.** en   **6.** dans   **7.** dans
8. à   **9.** à bord d'   **10.** sur   **11.** auprès du Service   **12.** à

EXERCICE 11.12

1. vingt bonnes minutes, une bonne vingtaine de minutes
2. Pour autant que   **3.** selon laquelle   **4.** en raison du (*Dû* ne peut servir à construire une locution prépositive.)   **5.** en moins d'
6. Je connais ce programme./Ce programme m'est familier.
7. Vérifiez auprès de   **8.** responsable de   **9.** l'argent nécessaire, les fonds nécessaires, la somme nécessaire   **10.** à la douane
11. se fier à lui   **12.** obsédé par   **13.** a participé à
14. chacun (*Chaque* étant un déterminant, il doit en principe déterminer directement un nom. Le *PR*, cependant, n'indique pas comme fautif, mais comme négligé, cet emploi avec ellipse du nom.)   **15.** Selon le temps (*Dépendamment* n'existe tout simplement pas en français.)   **16.** Selon les sources (*Dépendant* existe, mais pas comme préposition.)   **17.** Les dix dernières années   **18.** programme de greffes pulmonaires

EXERCICE 11.13

1. infarctus   **2.** Je me rappellerai cette soirée
3. saurais gré   **4.** ou (Mais : *cinq à dix*.)   **5.** dilemme   **6.** de
7. comme   **8.** rémunération   **9.** plutôt que de sortir
10. a remporté (Double faute : d'une part, *mériter* ne s'emploie pas à la forme pronominale ; d'autre part, *mériter* implique toujours une idée de mérite : *Il a remporté le prix et il le méritait*.)
11. opposés (*Objecter* ne s'emploie pas à la forme pronominale ; on objecte un argument et non sa personne.)   **12.** habileté
13. pécuniaires   **14.** indélébile   **15.** a accaparé
16. commence (*Débuter* est un verbe intransitif. Il ne peut pas avoir de complément direct.)   **17.** Il est allé   **18.** montré de l'intérêt   **19.** à vos dépens   **20.** rapporté   **21.** nous quittent, quittent le pays

EXERCICE 11.14

1. Elle a longuement parlé de l'*incohérence budgétaire* du gouvernement.
La combinaison de l'adjectif et du nom est source d'une faute de relation entre les mots. Le gouvernement peut avoir une **politique budgétaire**, mais l'incohérence ne peut être budgétaire. Il faudrait écrire *incohérence en matière budgétaire* pour bien marquer qu'il s'agit de l'incohérence du gouvernement (ou *politique budgétaire incohérente*).

2. Une nouvelle ronde de hausse des taux d'*intérêts* est à prévoir.
Erreur sur le nombre : on parle en effet de *l'intérêt*.

3. Des groupes *s'inquiètent du pouvoir des citoyens* dans la nouvelle ville.
Rapport entre le verbe et son complément : on ne peut s'inquiéter du pouvoir des citoyens, mais plutôt *de la baisse ou de l'augmentation de ce pouvoir*. Cette faute est due à un raccourci de pensée.

4. On a clos la semaine avec une question touchant toute la population : le suicide chez les jeunes. *Ce problème a augmenté* depuis les dernières années.
Rapport entre le sujet et le verbe : un problème ne peut pas *augmenter*, mais il peut *s'aggraver*.

5. Cette redondance *nuit aux règles du style*.
Rapport entre le verbe et son complément indirect : la redondance peut *nuire à la qualité du style*, mais pas aux règles.

6. Dans son article, la journaliste *aborde* dans le même sens.
Impropriété : il faut employer *abonde* plutôt qu'*aborde*.

7. Ces mesures doivent faciliter le commerce international des produits forestiers en *clarifiant les controverses* touchant la certification environnementale.
Relation entre le verbe et son complément : on peut *clarifier un débat*, mais pas une controverse, qui est une querelle.

8. La *base* du concept réside dans l'interprétation et la mise en application de critères.
Incompatibilité sémantique : un concept n'a pas de *base*, c'est une idée. Il faut écrire simplement *Le concept réside…*

9. Ainsi, nous avons relevé plusieurs *infractions linguistiques* concernant les critères d'intelligibilité, de style et de syntaxe.
Relation entre le nom et l'adjectif : *infractions à la norme linguistique*. Notons qu'ici la faute est légère.

10. Quelque 200 000 citoyens demandent au gouvernement de s'attaquer à la *pauvreté actuelle* au Québec.
Relation entre le nom et son complément. C'est un raccourci,

l'adjectif étant employé à la place d'une proposition relative : *la pauvreté qui sévit actuellement*.

11. Pour l'instant, le syndicat *adhère* aux positions qu'il a déjà fait connaître.
Faute de sens : *adhère* est employé à la place de *maintient*.

12. « Depuis toujours, la langue et la culture sont au cœur de la vie des Québécoises et des Québécois », *énonce* le ministre.
Faute de construction : *énoncer* exige la présence d'un complément direct. Il faut utiliser *affirme* ou *déclare*.

13. Ce projet de loi favorise les industries forestières et celles-ci *vantent* une création d'emplois et des retombées économiques que les statistiques ne prédisent pas.
Sens du verbe : on peut *vanter une création d'emplois* si elle a bel et bien eu lieu, mais ici, on *prévoit, espère*.

14. *Le point* de ce débat est de savoir quelle forme prendront les relevés de notes destinés aux enfants du primaire et du secondaire, ainsi qu'à leurs parents.
Sens du nom (anglicisme sémantique) : mot employé à la place de *nœud, essentiel* (comme nom).

15. À qui revient la tâche de *délimiter les normes évaluatives* et de *trancher les particularités du programme* en fonction des aspects sociaux, politiques et législatifs ?
Rapport entre le verbe *délimiter* et son complément direct : on *détermine des normes*. Il y a aussi le rapport entre le verbe *trancher* et son complément direct, qui n'a aucun sens : on peut *établir* des particularités ou les *déterminer* (auquel cas le même verbe peut être mis en facteur pour les deux compléments directs).

16. Le gouvernement oublie certains principes premiers *qu'il prévalait* auparavant.
Deux fautes de construction : le complément du verbe et le verbe lui-même : on **se** prévaut *de* quelque chose. Il aurait donc fallu écrire : *dont il se prévalait*.

17. La souveraineté du Québec suscite toujours des débats mais *n'aboutit à rien*.
Relation entre le sujet et le verbe : la souveraineté ne peut *aboutir*… elle ne peut qu'*advenir* ou *arriver*.

CHAPITRE 12

EXERCICE 12.1

1. **Le but** : reprise de un but de préservation (en propos dans la P (phrase) précédente)
approche : reprise de créer des biosphères (en propos 2 P plus haut dans le contexte)
Les pressions économiques et politiques : reprise dérivée de énormément de limites (en propos dans la P précédente). (Les pressions économiques et politiques sont une des limites parmi d'autres, même s'il s'agit sans doute de la principale.)

2. **Les Perses, qui forment près de la moitié de la population** : reprise dérivée de la mosaïque ethnique qui le compose (en propos dans la P précédente) (« la mosaïque ethnique qui le compose » est aussi l'hyperthème de tout le paragraphe.)
ils : reprise de Les Perses (en thème dans la P précédente)
Le second groupe ethnique : reprise dérivée de la mosaïque ethnique qui le compose (en propos 2 P plus haut)
ce : reprise de Azerbaïdjanais (en propos dans la P précédente)
Les montagnes du Zagros : thème dérivé d'un hyperthème absent, celui de la répartition géographique de la mosaïque ethnique, répartition qui est d'ailleurs détaillée dans les

propos des phrases jusque-là. (Pour rompre la monotonie, la répartition géographique passe en thème dans les trois phrases suivantes. Corollairement, les différents groupes ethniques se retrouvent dans les propos des phrases pour le reste du paragraphe. Les deux hyperthèmes du paragraphe : mosaïque ethnique et répartition géographique sont étroitement associés au point même de ne faire qu'un.)

Dans le sud-ouest : thème dérivé de l'hyperthème absent : la répartition géographique. (Le thème ici n'est pas sujet, comme c'est le plus souvent le cas, mais complément du verbe : l'inversion renverse les rôles.)

Le sud-est : thème dérivé de l'hyperthème absent : la répartition géographique.

EXERCICE 12.2

1. Hyperthème (absent) : vacances au Mexique (ou plus précisément vacances dans la péninsule yucatane)

2. Hyperthème : L'hôtel des Trois Cloches (qui suit les trois thèmes dérivés : les chambres, le petit déjeuner, l'accueil)

EXERCICE 12.3

1. Le groupe *mes responsabilités en tant que professeur dans le secteur technologique* ne reprend rien de la P précédente, alors que « Plus précisément » invite le lecteur à voir une continuité étroite. De plus, le propos de la 2e P ne s'inscrit pas dans la suite de la première. On peut corriger la progression de diverses manières :

   Reprise du thème de la P précédente
   En consultant mon curriculum vitæ, vous constaterez que ...
   ***Vous** pourrez également constater que j'ai exercé mes responsabilités de professeur dans le secteur technologique, ce qui m'a permis de...*
   (On pourrait aussi déplacer les idées de rigueur, de clarté et d'enseignement de qualité dans la 2e P et lier la reconnaissance du caractère stimulant et valorisant de l'enseignement aux qualités générales, consciencieux et dynamique, dans la 1re P : *En consultant mon curriculum vitæ, vous constaterez que je suis un candidat consciencieux et dynamique, qui apprécie le caractère stimulant et valorisant de l'enseignement. Vous pourrez également constater que j'ai exercé mes responsabilités de professeur dans le secteur technologique, où rigueur et clarté sont indispensables pour fournir un enseignement de qualité.*)

   Thème dérivé du propos de la 1re P
   *En consultant mon curriculum vitæ, vous constaterez que je suis un candidat consciencieux et dynamique, qui possède l'expérience ainsi que le niveau de rigueur et de clarté indispensables pour fournir un enseignement de qualité. **Mes cinq** (ou quelque autre nombre) **années d'enseignement dans le secteur technologique** m'ont en effet permis de découvrir à quel point l'enseignement présente un caractère stimulant et de développer le savoir-faire nécessaire pour le poste que vous avez à pourvoir. (De plus, le propos de la 2e phrase est ainsi davantage en relation avec son thème.)*
   *... vous constaterez que je suis un candidat très expérimenté. **Mes cinq années d'enseignement dans le secteur technologique** m'ont en outre permis de...*

2. *En offrant plus de temps d'activité physique* vise à répondre à l'interrogation de la 2e phrase (*L'école séparée devrait-elle être envisagée ?*), puisque ce serait l'école séparée qui offrirait plus de temps d'activité physique aux garçons ; mais le sujet qui suit (« les garçons ») renvoie au sujet de la 1re phrase (« Les garçons au comportement actif »). L'anacoluthe (la rupture syntaxique entre le groupe participe et le sujet qui suit – voir le chapitre 3) témoigne en fait du problème de progression. Les deux problèmes se corrigent du même coup par une progression à thème dérivé (l'école pour garçons est une des deux composantes de l'école séparée) :
   Les garçons au comportement actif ne semblent pas toujours avoir leur place dans les écoles mixtes.
   *L'école séparée devrait-elle être envisagée ? → Si **elle** offrait plus de temps d'activité physique, **l'école pour garçons** permettrait certainement à ces derniers de mieux se concentrer en classe.*
   Ou :
   *→ Dans la mesure où **l'école pour garçons** offrirait plus de temps pour l'activité physique, **elle** leur permettrait effectivement de mieux se concentrer ensuite en classe.*

EXERCICE 12.4

1. Aujourd'hui, l'automobile est devenue indispensable. On ne saurait plus se passer de **ce véhicule.**/On ne saurait plus s'**en** passer.

2. Il y a des personnes qui travaillent trop. **Elles** n'ont pas l'occasion d'apprécier leurs biens.

3. [...] Mais ces nations, qui montent en puissance économiquement, ne pourront toujours se désolidariser des enjeux de la survie planétaire. On se réjouira toutefois qu'**elles** ne soient pas tombées dans le piège qui leur était grossièrement tendu, à cette étape, par les États-Unis.

EXERCICE 12.5

1. La directrice des stages a rencontré la directrice de l'école pour lui demander d'accepter le plus de stagiaires possible. **Celle-ci/Cette dernière** a répondu qu'elle ferait son possible.

2. *On pourrait lever l'ambiguïté en employant un démonstratif :*
   En partant, **ceux-ci** doivent...
   Mais les reprises démonstratives sont souvent lourdes et même gauches. En fait, la maladresse dans la reprise est liée à une progression thématique douteuse. Si les professeurs sont placés en thème dans la 2e P, la reprise pronominale fonctionne parfaitement dans la 3e P :
   À la fin du cours, les instruments doivent être rangés afin d'éviter qu'ils ne soient endommagés. Les professeurs doivent ensuite fermer à clef les espaces de rangement. En partant, **ils** doivent remettre la clef au concierge et signer le registre.

EXERCICE 12.6

1. La profession des enseignants a besoin d'être revalorisée. En effet, **les enseignants** (*répétition*) ne sont pas reconnus à leur juste valeur./La profession enseignante (*élimination du nom repris dans l'antécédent pour éviter la répétition directe*) a besoin d'être revalorisée. En effet, les enseignants...
   On peut aussi changer la progression à partir du thème pour une progression à partir du propos :
   En effet, l'importance et la complexité du travail des enseignants n'est pas suffisamment reconnue.
   L'apport d'information nouvelle est ainsi plus grand. On se rend même compte en faisant ce changement que les deux phrases de la version originale étaient trop répétitives.

2. En partant, déposez la clef de votre chambre à la réception. **Les chambres** doivent impérativement être libérées pour midi.

La reprise par un pluriel générique permet de mieux exprimer le caractère général attendu d'un texte d'instructions. (L'ajout de l'adverbe **impérativement** *renforce le caractère injonctif.)*

3. *Simple répétition*:

La fillette a appris les mots désignant la robe <u>du cheval</u>. Si **le cheval** est brun, on dira qu'il est alezan ou bai ; si son pelage est brun et parsemé de poils blancs, on dira que **le cheval** est aubère ou rubican.

Changement d'antécédent et répétition:

La fillette a appris les mots désignant <u>la robe</u> du cheval. Si **la robe** est brune, on dira que **le cheval** est alezan ou bai ; si **elle** est brune et parsemée de poils blancs, on dira que **le cheval** est aubère ou rubican.

EXERCICE 12.7

1. Avant de prendre la route, appelez la météo. Si **on** annonce de la poudrerie, évitez l'autoroute.

2. Les nouveaux employés ne peuvent pas toujours prendre de vacances <u>estivales</u>. **L'été** (*nominalisation d'un adjectif*) est en effet une saison très occupée pour nous et...

3. <u>Le gouvernement de l'Ontario</u> a été critiqué pour sa décision. Le budget de la province a en effet été présenté dans le hall d'une compagnie figurant au nombre de **ses** donateurs/ des donateurs **du parti.**

EXERCICE 12.8

1. Il n'y a pas si longtemps, la tendance était de créer des biosphères, dans un but de préservation. **Le but/Ce but** (*reprise nominale avec un degré de détermination supérieur : l'article défini suffit à créer la relation, mais on peut mettre un déterminant démonstratif si l'on veut pointer avec insistance*) était louable, mais l'approche présentait énormément de limites.

2. Quant à moi, j'estime que <u>le paysage sonore est une dimension aussi importante de l'écologie que le paysage visuel ou la préservation des écosystèmes</u>. Pour **en** (*reprise pronominale*) être conscient, <u>il faut tout d'abord muscler sa sensibilité, avoir le courage du silence et savoir dire non aux paillettes brûlantes du bruit</u>. **Alors,** (*reprise adverbiale*) la vraie musique, celle qui est écoutée dans sa pleine mesure, qui arrive à point et qu'on a eu le temps de désirer, n'en sonnera que meilleure.

EXERCICE 12.9

1. L'élément le plus déterminant pour avoir plus de temps est peut-être d'évaluer <u>ce qui est le plus important pour vous. Est-ce que c'est d'obtenir une grosse promotion de passer plus de temps avec votre famille ou vos amis ?</u> En établissant **vos priorités** (*reprise synthétique*) au départ, vous pourrez [...].

2. Je pense que j'ai toutes les compétences requises pour ce travail et je serais ravie de vous rencontrer afin que nous puissions discuter de **ma candidature / de mon expérience / de ce que je pourrais apporter à votre entreprise**/etc. (*En fait*, cela n'avait même pas d'antécédent.)

3. « Le bio, c'est bien beau, mais <u>on n'a pas les moyens de se payer ça</u>. » Qui n'a pas déjà entendu ce discours ou ne l'a pas lui-même prononcé ? Pourquoi est-ce **ainsi** (*reprise adverbiale*) ?

4. En plus d'ouvrir le projet aux différentes disciplines, <u>l'équipe PSSM s'est orientée vers la recherche-action et participative. Chercheuses et chercheurs canadiens et mexicains ont en effet déployé beaucoup d'énergie pour faire intervenir le plus de gens possible, afin d'approfondir la recherche et d'en maximiser l'impact. La population locale a été encouragée à participer à la formulation d'autres stratégies de développement et à tous les aspects des activités de préservation. « Il ne s'agit pas simplement de placoter avec les paysans, les paysannes indigènes, mais d'organiser des sessions de formation avec eux, de vraiment les intégrer dans la stratégie de préservation.</u> **Cette démarche** (*reprise synthétique reprenant essentiellement le propos de la 1re P, qui est ensuite développé dans les P suivantes*) s'inscrit dans notre conception du développement durable, qui n'est pas celle d'un capitalisme qui nettoie ses propres dégâts pour assurer sa survie. Nous voyons le développement durable pour et par les gens de la base », souligne le chercheur.

EXERCICE 12.10

1. Le chercheur a effectué <u>des relevés de bruit</u> dans plusieurs écoles primaires. **Le niveau sonore** y voguait de 40 à 70 dB (décibels)... (*Le changement de l'expansion élimine une répétition, mais introduit aussi un terme plus technique, plus neutre, convenant tout à fait dans une phrase présentant des mesures.*)

2. Depuis le début du XXe siècle, <u>l'économie de l'Iran</u> est dominée par la production de pétrole et de gaz naturel, que contrôle l'État. <u>La santé économique</u> est donc très dépendante du prix du pétrole sur le marché mondial. (*Le changement de noyau réduit la répétition et fait ressortir l'effet des variations dans le cours du pétrole.*)

3. [...] <u>Le Concours</u> s'adresse aux élèves de 12e année des écoles secondaires francophones de l'Ontario et offre aux participants la chance de remporter des bourses et des prix fort intéressants. Cette année, **l'événement** se tiendra à l'Université Laurentienne, à Sudbury. (*Il y a déjà dans le passage deux reprises avec un recouvrement sémantique total* : il, le Concours ; l'événement *met en lumière la dimension dynamique du concours.*)

EXERCICE 12.11

*Comme le montre la mise en gras des reprises ci-dessous, la progression se fait essentiellement par le maintien d'un thème constant ou très peu dérivé (*Beaucoup de *sauterelles ;* La plupart des *sauterelles*). Même lorsque la progression se fait par thème dérivé, l'hyperthème « sauterelles » demeure le sujet dans une des phrases (Dans leurs pattes antérieures,* **elles***)* :

Les sauterelles ont de longues pattes sauteuses. **Ces insectes** peuvent faire des bonds énormes et échapper ainsi à leurs ennemis. **Beaucoup de sauterelles** émettent une stridulation qui est produite par le frottement de leurs ailes antérieures. **Dans leurs pattes antérieures, elles** ont une petite fente avec des nerfs qui sont très sensibles. **Elles** peuvent ainsi capter des sons. **Elles** ont donc des « oreilles » dans les pattes antérieures. **Les femelles** ont à l'arrière du corps un long oviducte qu'elles enfoncent dans le sable pour pondre leurs œufs. **La plupart des sauterelles** mangent de l'herbe. **Les cultivateurs** savent qu'un nuage de sauterelles qui s'abat sur une récolte peut causer d'importants dégâts.

Voici un exemple de réécriture:

Les sauterelles ont de longues pattes sauteuses **qui leur permettent de** faire des bonds énormes et d'échapper ainsi à leurs ennemis (*transformation de la 2ᵉ P en subordonnée permettant d'éliminer une progression à thème constant*). Beaucoup de sauterelles émettent une stridulation qui est produite par le frottement de leurs ailes antérieures. **Leurs pattes antérieures sont munies** (*transformation du complément de P antéposé en sujet pour ne pas avoir les sauterelles dans le thème de la P*) d'une petite fente avec des nerfs qui sont très sensibles. **Les sauterelles** (*reprise nominale plutôt que pronominale en raison du changement dans la P précédente*) peuvent ainsi capter des sons : (*ajout d'un signe de ponctuation plus cohésif*) elles ont donc des « oreilles » dans les pattes antérieures. **À l'arrière du corps, les femelles** (*antéposition du complément de P, qui devient thématique et crée une progression dérivée en parallèle avec la phrase commençant par Leurs pattes antérieures*) ont un long oviducte qu'elles enfoncent dans le sable pour pondre leurs œufs. La plupart des sauterelles mangent de l'herbe. Les cultivateurs savent qu'un nuage de sauterelles qui s'abat sur une récolte peut causer d'importants dégâts.

Comme il s'agit d'un texte pour enfants, on pourrait essayer de remettre le générique insectes, *par exemple dans la première P :* Les sauterelles sont **des insectes** aux longues pattes sauteuses qui leur permettent de faire des bonds énormes et d'échapper ainsi à leurs ennemis.

EXERCICE 12.12

1. a) **En effet** – justification de l'importance de bien voir à quoi renvoie le graphique ; *en effet* introduit un argument justifiant la 1ʳᵉ règle.

   b) **Pour** – but (*cela* = bien voir à quoi le graphique renvoie), lié au moyen d'y parvenir.

   c) **Au contraire** – opposition entre deux modes de présentation : le mauvais et le bon. *Au contraire* met en relief le bon mode.

   d) **Enfin** – addition ; variante bienvenue dans l'énumération des règles qui souligne qu'il s'agit de la dernière.

   e) et g) **s' (si)** – hypothèses présentées en opposition par *mais* : la façon de faire qui est la moins bonne (se limiter à illustrer) et la meilleure.

   f) **mais** – opposition.

   h) **En fait** – reformulation à visée clarificatrice et synthétique de la 3ᵉ règle.

   i) **et** – conséquence plus qu'addition : puisque graphique et texte se complètent, ils ne doivent pas se contrarier.

   j) **mais** – opposition

   k) **soit ... soit** – alternative.

2. a) **Or** – circonstance adverse (contradiction) (voir le *Multi*).

   b) **par ailleurs** – addition avec insistance.

   c) **tout d'abord** – premier terme de l'énumération (annonce qu'un autre terme va suivre).

   d) **ensuite** – autre terme de l'énumération.

   e) **Pourtant** – restriction de la portée de ce qui précède : malgré toutes les preuves de l'efficacité d'une baisse des prix, on l'empêche.

   f) **donc** – conclusion d'un raisonnement (déduction).

   g) **Or** – circonstance adverse (contradiction).

   h) **si** – concession : les ministres admettent, mais n'agissent pas.

   i) **cependant** – opposition restrictive combinée à la concession : l'admission des ministres n'a cependant aucun effet.

   j) **De fait** – confirmation : l'entrave n'a pas été levée à la conférence de Doha. *De fait* est très proche de *en effet,* mais sa valeur de confirmation est plus grande : il signifie presque « on pouvait s'y attendre ».

   k) **Ainsi** – conclusion du raisonnement (proche de la conséquence) : puisque les pays riches ne lèvent pas la barrière, la bataille continue.

   l) **donc** – conséquence.

EXERCICE 12.13

1. **En dernier lieu** (*ou autre connecteur, selon ce qui précède*), travailler tout en étudiant permet...

2. Nous considérons que.... **De plus,** nous croyons au caractère essentiel du dialogue et de la communication entre tous les partenaires...

3. Les lacs et les cours d'eau sont à la base de secteurs d'activités dominants du développement de la MRC, à savoir la villégiature, qui occupe une forte proportion des berges, et le récréotourisme tirant profit du nautisme. Cette hydrographie soutient aussi une faune riche et abondante. Elle approvisionne **de surcroît** (*le caractère fondamental de cette utilisation de l'eau incite à utiliser un connecteur d'addition plus marquant qu'un simple* enfin) en eau potable nombre de résidants du territoire et même d'au-delà du territoire administratif de la MRC.

4. Plusieurs usines de construction automobile ont fermé leurs portes dans la région et, **par conséquent,** le prix des maisons a chuté.

EXERCICE 12.14

*C'est dans le 3ᵉ passage qu'*aussi *est mal employé.* Aussi *ne peut être employé en tête de phrase dans un sens d'addition.*

EXERCICE 12.15

1. **De plus,** le nouveau modèle offre/Le nouveau modèle offre **également** une vraie modularité...

2. Au nombre des améliorations techniques figurent les coussins gonflables ainsi que des barres de renforcement au niveau des portières avant. **De plus,/En outre,** la mécanique a intégré plusieurs nouvelles technologies... (*On n'utilisera pas* également *dans la phrase en raison du changement de thème dans la 2ᵉ phrase : la mécanique.*)

EXERCICE 12.16

1. parce que   **2.** parce qu'   **3.** car   **4.** parce qu'
5. car   **6.** car

EXERCICE 12.17

1. puisque   **2.** Puisque, puisque (*ou simplement* que *lorsqu'on répète la même conjonction*)   **3.** Puisque (*on pourrait aussi mettre* comme, *souvent employé pour introduire une cause en tête de P*), parce que   **4.** parce que (*raison simple*)

EXERCICE 12.18

1. en fait, En effet   **2.** en effet   **3.** En fait

EXERCICE 12.19

1. *Mauvaise combinaison* → **Premièrement,** cumuler travail et études développe le sens de l'organisation. [...] **Deuxièmement,** un travail à temps partiel permet [...].

2. *Relation d'addition non justifiée* → Tout d'abord, cumuler travail et études développe le sens de l'organisation. [...] Ensuite, un travail à temps partiel permet d'acquérir une expérience essentielle pour pouvoir obtenir un emploi à plein temps. [...] **Mais en réalité/Cependant/Quoi qu'il en soit**..., travailler est une nécessité et non un choix pour la plupart des étudiants. *(Les deux points précédents sont des raisons pour lesquelles le cumul est **bon**. Ici, on ne discute plus des bénéfices du cumul, mais de sa nécessité, qu'il soit bon ou non pour l'étudiant. On n'est donc plus dans de l'addition.)*

3. *Explication circulaire* → De fait, je suis même le plus petit de la classe. (En effet, je ne mesure que... En effet, mon frère cadet a une tête de plus que moi.) *(L'explication est de l'ordre de la confirmation, de la justification.)*

4. *Explication circulaire* → Ces expressions ne sont utilisées qu'au Québec. On ne les rencontre en effet pas en France et en Belgique.

5. *Sandwich cause-but* → Comme il se sentait malade et qu'il voulait savoir ce qu'il avait/Se sentant malade et voulant savoir ce qu'il avait, il est allé voir son médecin. *(Le sandwich cause-but n'est pas totalement illogique ici, mais la coordination de deux causes est plus nette.)*

EXERCICE 12.20

1. **En outre** – met en relief l'élément ajouté.

2. **De surcroît** – *a souvent une valeur de gradation, de renchérissement ; se rapproche parfois sur le plan du sens de l'expression familière* par-dessus le marché.

3. **De même** – *comprend une valeur de comparaison ou de parallélisme.*

4. **Par ailleurs** – introduit un aspect ou un point de vue nettement différent ; met en relief la différence autant que l'addition.

EXERCICE 12.21

Le personnage d'Amélie, joué par Audrey Tautou, est un peu bizarre : elle aime en effet casser la croûte des crèmes brûlées...

Le pronom devrait reprendre tout le GN sujet de la P précédente. Or, au féminin, il ne reprend qu'Amélie. Comme un pronom masculin ferait un effet curieux, il faut plutôt reprendre simplement le nom ou choisir un synonyme : Amélie/la jeune femme ; on peut aussi modifier la 1re P : Amélie, dont le rôle est joué par Audrey Tautou, est un personnage un peu bizarre : elle aime en effet...

EXERCICE 12.22

1. car (raison)   **2.** par exemple (illustration)   **3.** En fait (En réalité) (clarification, confirmation)   **4.** En effet (raison, confirmation)   **5.** En réalité (En fait) (clarification)   **6.** Effectivement

(De fait) (confirmation)   **7.** Effectivement (Certes) (confirmation avec valeur concessive)   **8.** D'ailleurs (Du reste) (confirmation, argument supplémentaire)   **9.** (en) bref (en somme, en fait) (clarification avec valeur récapitulative)   **10.** de fait (confirmation, reposant ici sur une comparaison)

EXERCICE 12.23

1. Or (Mais – *pas de virgule après* mais)   **2.** Mais   **3.** Certes   **4.** certes, mais   **5.** D'un côté, De l'autre   **6.** pourtant   **7.** Si (Même si)   **8.** Or (Pourtant)   **9.** Mais (Toutefois – *suivi d'une virgule*)   **10.** mais *(simple valeur adversative)* / même si (quoiqu', bien qu') *(valeur concessive)*   **11.** alors que (tandis que)   **12.** alors que (tandis que)   **13.** Tantôt, tantôt   **14.** Autant, autant   **15.** Si, par contre   **16.** Même si *(L'indicatif empêche* bien que *ou* quoique.)   **17.** Bien que (Quoique) *(Le subjonctif empêche* même si.)   **18.** encore que *(ou* quoique, *aussi possible avec le conditionnel.)*

EXERCICE 12.24

(Pas de conditionnel après si *! Notez la concordance des temps.)*
1. Si   **2.** Si   **3.** Si (Dès lors que, Aussitôt que)   **4.** Dès lors que (Aussitôt que) (Quand, Lorsque, Dès que, *avec effacement de la valeur conditionnelle au profit d'une valeur toute temporelle.)*   **5.** Dans le cas où (Dans l'éventualité où)   **6.** Dans la mesure où (Dans la mesure que)

EXERCICE 12.25

1. Par conséquent (Aussi, Ainsi, En conséquence)   **2.** Aussi *(L'inversion ne permet que* aussi. *Notez l'absence de virgule après* aussi *lorsqu'il y a inversion.)*   **3.** donc (par conséquent)   **4.** C'est pourquoi *(sans virgule après)* (Par conséquent, Aussi, Donc)   **5.** Dès lors *(Notez que* dès lors que *s'emploierait dans une construction contraire :* Dès lors que la partie patronale accédera à nos demandes, nous mettrons fin à la grève.*)*   **6.** et *(L'absence de ponctuation ne permet que* et.*)*

EXERCICE 12.26

1. En somme   **2.** Finalement *(on pourrait aussi utiliser* Au bout du compte*)*   **3.** Bref   **4.** En définitive

EXERCICE 12.27

1. de son côté (d'ailleurs)   **2.** et plus particulièrement *(*Notamment *introduit un exemple, une partie d'un tout ; le premier ministre n'est pas une partie de l'Ontario.)*

EXERCICE 12.28

1. Par = *cause* et ainsi = *conséquence. On ne dirait pas :* **Grâce à** ses effort soutenus, il a **donc** réussi. *On n'a pas plus besoin de la redondance* par/ainsi. Ainsi *peut donc être supprimé.*

EXERCICE 12.29

1. mais   **2.** alors que *(on pourrait mettre* tandis que*)*   **3.** S'   **4.** c'est parce que   **5.** Alors que   **6.** De plus   **7.** Mais il y a plus   **8.** en effet   **9.** En conséquence   **10.** Comme *(on pourrait mettre* puisque*)*   **11.** même si   **12.** alors   **13.** S'   **14.** Du fait que   **15.** donc   **16.** S'

17. À l'opposé   **18.** Et   **19.** Pourtant   **20.** pour autant qu'
21. qu'   **22.** alors que   **23.** Si

EXERCICE 12.30

1. **Compétences acquises**
   - Bilingue (français-anglais).
   - Sait diriger le personnel.
   - Comprend parfaitement le service hôtelier en général
     et le rôle de chacun.
   - Peut travailler sur la plupart des systèmes informatiques.
   - Favorise le travail d'équipe plutôt que l'individualisme.
   (Le premier point peut rester sous forme adjectivale. Le verbe
   être *est en quelque sorte sous-entendu.)*

2. Cavelier de La Salle **naquit** [...]
   Le voyage se passant mal, La Salle quitta son compagnon
   et repartit vers Montréal après seulement trois mois d'expédition. Mais en réalité, il continua à voyager pendant deux ans.
   Certains prétendent que La Salle a découvert *(on n'est plus
   dans le passage narratif : le passé composé se justifie)* la rivière
   Ohio et le Mississippi durant ces deux années, mais il n'en
   existe aucune preuve.

3. **Nous** sommes **heureux** d'être l'hôte de cet **excitant** tournoi,
   qui permet aux meilleurs équipes de hockey de la région
   de s'affronter. **Que le meilleur gagne** ! Mais avant d'ouvrir
   officiellement le tournoi, **nous aimerions rappeler que... /**
   permettez-moi de rappeler que *(la tournure impersonnelle
   n'est pas en accord avec le type de discours et l'implication
   directe du locuteur).*

BIBLIOGRAPHIE

BAILLY, René. *Dictionnaire des synonymes*, sous la direction de Michel de Toro, Paris, Larousse, 1969, 626 p.

BEAUCHESNE, Jacques. *Dictionnaire des cooccurrences*, Montréal, Guérin, 2001, 402 p.

BÉNAC, Henri. *Dictionnaire de synonymes conforme au dictionnaire de l'Académie française*, Paris, Hachette, 1956, 1026 p.

Bescherelle 1. L'art de conjuguer : dictionnaire de 12 000 verbes, nouvelle édition, Montréal, Hurtubise HMH, 1998, 168 p.

BOULANGER, Jean-Claude. *Dictionnaire québécois d'aujourd'hui : langue française, histoire, géographie, culture générale*, sous la direction de Jean-Claude Boulanger et la supervision d'Alain Rey, Saint-Laurent, DicoRobert, 1992, xxxv, 1269 p. et annexes.

BUREAU DE LA TRADUCTION. *Le guide du rédacteur*, 2ᵉ édition revue et augmentée, Ottawa, Travaux publics et Services gouvernementaux Canada, 1996, 319 p.

CAJOLET-LAGANIÈRE, Hélène, Pierre COLLINGE et Gérard LAGANIÈRE. *Rédaction technique, administrative et scientifique*, 3ᵉ édition revue et augmentée, Sherbrooke, Éditions Laganière, 1999, 468 p.

CANADA, Secrétariat d'État du Canada, Bureau des traductions. *Vade-mecum linguistique*, édition revue et corrigée, Ottawa, Direction des services linguistiques, Division recherches et conseils linguistiques, 1987, 183 p.

CARTER-THOMAS, Shirley. *La cohérence textuelle : pour une nouvelle pédagogie de l'écrit*, coll. Langue et Parole, Paris – Montréal, Harmattan, 2000, 400 p.

CATACH, Nina. *La ponctuation*, Paris, Presses universitaires de France, coll. « Que sais-je ? » (nº 2818), 1994, 128 p.

CHAROLLES, Michel. « Cohésion, cohérence et pertinence du discours », *Travaux de linguistique*, nº 29, décembre 1994, p. 125-151.

CHAROLLES, Michel. « Les études sur la cohérence, la cohésion et la connexité textuelle depuis la fin des années 1960 », *Modèles linguistiques*, vol. 10, 1988, p. 45-66.

CHAROLLES, Michel. « Introduction aux problèmes de la cohérence des textes », *Langue française*, nº 38, 1978, p. 7-41.

CHARTRAND, Suzanne-G., Denis AUBIN, Raymond BLAIN et Claude SIMARD. *Grammaire pédagogique du français d'aujourd'hui*, Boucherville, Graficor, 1999, 397 p.

CHÉNARD, Suzanne, Ghislaine DESJARDINS et Diane L'ÉCUYER. *Grammaire 100 % au secondaire*, coll. Action liaison, Laval, Éditions HRW, 1997, 345 p.

DRILLON, Jacques. *Traité de la ponctuation française*, Paris, Gallimard, 1991, 472 p.

FAVART, Monik et Jean-Michel PASSERAULT. « Aspects textuels du fonctionnement et du développement des connecteurs. Approche en production », *L'Année Psychologique*, vol. 99, n° 1, mars 1999, p. 149-173.

FAYOL, Michel et Serge MOUCHON. « Production and comprehension of connectives in the written modality : A Study of Written French », *Writing development: an interdisciplinary view, Studies in written language and literacy; v. 6*, sous la direction de Clotilde Pontecorvo, Amsterdam, J. Benjamins, 1997, 336 p.

FOREST, Constance et Denise BOUDREAULT. *Le Colpron : le dictionnaire des anglicismes*, 4e édition, Laval, Éditions Beauchemin, 1998, 381 p.

GAGNON, Odette. *Manifestation de la cohérence et de l'incohérence dans des textes argumentatifs d'étudiants universitaires québécois*, Thèse de doctorat, Université Laval, Sainte-Foy, 1998.

GENEVAY, Éric. *Ouvrir la grammaire*, Lausanne, Éditions L.E.P., 1994, 274 p.

GOUVERNEMENT DU CANADA. *Pour un style clair et simple*, réimpression, Ottawa, Groupe Communication Canada, 1993, 62 p.

GREVISSE, Maurice. *Le bon usage, grammaire française*, 13e édition refondue par André GOOSSE, Paris – Louvain-la-Neuve, Duculot, 1993, 1762 p.

GUÉNETTE, Louise, François LÉPINE et Renée-Lise ROY, *Guide d'autocorrection du français écrit. Le français tout compris*, Éditions du renouveau pédagogique inc. (ERPI), Saint-Laurent, 2004, 124 p.

GUILLOTON, Noëlle et Hélène CAJOLET-LAGANIÈRE. *Le français au bureau*, 5e édition, Québec, Publications du Québec, 2000, 503 p.

HANSE, Joseph, *Nouveau Dictionnaire des difficultés du français moderne*, Louvain-la-Neuve (Belgique), DeBoeck - Duculot, 3e édition établie d'après les notes de l'auteur avec la collaboration scientifique de Daniel BLAMPAIN, 1994, 984 p.

HYDRO-QUÉBEC. *Tours d'adresse et de rédaction*, 3e édition, Québec, Hydro-Québec, Direction des affaires corporatives, 1999, 380 p.

HYDRO-QUÉBEC. *J'écris pour Hydro : guide de rédaction au travail*, Québec, Hydro-Québec, Communication d'entreprise, Direction principale – Communication, 1999, 107 p.

Le Petit Larousse illustré, Paris, Larousse, 2001, 1786 p.

MAISONNEUVE, Huguette. *Vade-mecum de la nouvelle grammaire*, 2e édition, Montréal, Centre collégial de développement de matériel didactique, 2003, 87 p.

MARQUIS, André. *Le style en friche ou L'art de retravailler ses textes : 75 fiches illustrant des erreurs et des maladresses stylistiques : exemples, exercices et corrigés*, Montréal, Triptyque, 1998, 208 p.

MENEY, Lionel. *Dictionnaire québécois français. Mieux se comprendre entre francophones*, Montréal, Guérin, 1999, 1884 p.

MERCIER, Louis. « Le français, une langue qui varie selon le contexte », dans Claude Verreault, Louis Mercier et Thomas Lavoie (éd.), *Le français, une langue à apprivoiser,* coll. Langue française en Amérique du Nord, Textes des conférences prononcées au Musée de la civilisation (Québec, 2000-2001) dans le cadre de l'exposition « Une grande langue : le français dans tous ses états », Québec, Les Presses de l'Université Laval, 2002, p. 41-60.

PATRY, Richard. « L'analyse de niveau discursif en linguistique : cohérence et cohésion », *Tendances actuelles en linguistique générale, Actualités pédagogiques et psychologiques*, sous la direction de Jean-Luc Nespoulous, Neuchâtel (Suisse), Delachaux et Niestlé, 1993, p. 109-143.

PEPIN, Lorraine. *La cohérence textuelle, l'évaluer et l'enseigner : pour en savoir plus en grammaire du texte*, Laval, Groupe Beauchemin, 1998, 128 p.

PIDOUX, Edmond. *Le langage des Romands*, Lausanne, Ensemble éditeurs, 1984, 173 p.

POIRIER, Claude et collaborateurs. *Dictionnaire du français plus : à l'usage des francophones d'Amérique*, édition établie sous la responsabilité de A.E. Shiaty avec la collaboration de Pierre Auger et Normand Beauchemin, Montréal, Centre Éducatif et Culturel, 1988, xxiv, 1856 p.

RIEGEL, Martin, Jean-Christophe PELLAT et René RIOUL. *Grammaire méthodique du français*, coll. Quadrige, Paris, Presses Universitaires de France, 2001, 646 p.

ROBERT, Paul. *Le Nouveau Petit Robert : Dictionnaire alphabétique et analogique de la langue française*, nouvelle édition remaniée et amplifiée, sous la direction de Josette Rey-Debove et Alain Rey, Paris, Dictionnaires Le Robert, 1993, 2467 p.

TATILON, Claude. *Écrire le paragraphe*, Fascicules de la collection n° 1, Toronto, Éditions du Gref, 1997, 97 p.

VERREAULT, Claude, « L'enseignement du français en contexte québécois : de quelle langue est-il question ? », *La norme du français au Québec. Perspectives pédagogiques*, sous la direction de Conrad Ouellon, *Terminogramme*, nᵒˢ 91-92, Montréal, septembre 1999, p. 21-40.

VILLERS, Marie-Éva de. *Multidictionnaire de la langue française*, 4ᵉ édition, Montréal, Éditions Québec Amérique, 2003, 1542 p.

WALTER, Henriette. « Le français de France et d'ailleurs : unité et diversité », dans Claude Verreault, Louis Mercier et Thomas Lavoie (éd.), *Le français, une langue à apprivoiser,* coll. Langue française en Amérique du Nord, Textes des conférences prononcées au Musée de la civilisation (Québec, 2000-2001) dans le cadre de l'exposition « Une grande langue : le français dans tous ses états », Québec, Les Presses de l'Université Laval, 2002, p. 5-18.

WILMET, Marc. *Grammaire critique du français*, Paris – Louvain-la-Neuve, Hachette-Duculot, 1997, 670 p.

DEUX ORGANISMES À CONNAÎTRE

Centre collégial de développement de matériel didactique (CCMD)

http://www.ccdmd.qc.ca/index.asp
(adresse « générale »)

http://www.ccdmd.qc.ca/fr/franc/amelioration.asp
(accès direct à la section « amélioration du français »)

Le CCMD se consacre à l'amélioration du français au collégial. Il offre, entre autres, un répertoire des meilleurs sites Internet pour l'amélioration de la langue, des tests diagnostiques, des jeux, des exercices (avec théorie et corrigé), des stratégies d'autocorrection, un atelier d'aide, des renseignements sur l'épreuve uniforme de français, etc.

Office québécois de la langue française (OQLF)

http://www.oqlf.gouv.qc.ca/

Le site de l'OQLF offre une mine de renseignements. On y trouve *Le grand dictionnaire terminologique*, qui donne accès à près de 3 millions de termes français et anglais, et la *Banque de dépannage linguistique*, qui répond aux questions fréquemment posées au service de consultation téléphonique. Les articles de la banque abordent la grammaire, la syntaxe, le vocabulaire, la typographie, etc. Le site renferme également des liens vers différents sites linguistiques et terminologiques, des lexiques et une banque de données sur les noms et les lieux du Québec.

INDEX